Série
Hospital do Coração-HCor

Guia Prático de Cardiologia
Residência em Cardiologia do Hospital do Coração

Cardiologia — Outros livros de interesse

A Neurologia que Todo Médico Deve Saber 2ª ed. – Nitrini
A Saúde Brasileira Pode Dar Certo – Lottenberg
Acessos Vasculares para Quimioterapia e Hemodiálise – Wolosker
Atualização em Hipertensão Arterial – Clínica, Diagnóstico e Terapêutica – Beltrame Ribeiro
A Vida por um Fio e por Inteiro – Elias Knobel
Bases Moleculares das Doenças Cardiovasculares – Krieger
Cardiologia Clínica 2ª – Celso Ferreira e Rui Povoa
Cardiologia Prática – Miguel Antônio Moretti
Cardiologia Pediátrica – Carvalho
Cardiologia Preventiva - Prevenção Primária e Secundária – Giannini
Cardiopatias Congênitas no Recém-nascido 2ª ed. Revisada e Ampliada – Virgínia Santana
Chefs do Coração – Ramires
Cirurgia Cardiovascular – Oliveira
Climatério e Doenças Cardiovasculares na Mulher – Aldrighi
Clínicas Brasileiras de Cirurgia – CBC (Colégio Brasileiro de Cirurgiões) Vol. 2/5 - Cirurgia Cardiovascular – Oliveira
Como Cuidar de seu Coração – Mitsue Isosaki e Adriana Lúcia Van-Erven Ávila
Condutas em Terapia Intensiva Cardiológica – Knobel
Coração e Sepse – Constantino José Fernandes Junior, Cristiano Freitas de Souza e Antonio Carlos Carvalho
Desfibrilação Precoce - Reforçando a Corrente de Sobrevivência – Timerman
Dinâmica Cardiovascular - Do Miócito à Maratona – Gottschal
Doença Cardiovascular, Gravidez e Planejamento Familiar – Andrade e Ávila
Doença Coronária – Lopes Palandri
Eletrocardiograma – Cirenza
Eletrocardiologia Atual 2ª ed. – Pastore
Eletrofisiologia Cardíaca na Prática Clínica vol. 3 – SOBRAC
Emergências em Cardiopatia Pediátrica – Lopes e Tanaka
Hipertensão Arterial na Prática Clínica – Póvoa
ICFEN - Insuficiência Cardíaca com Fração de Ejeção Normal – Evandro Tinoco Mesquista

Insuficiência Cardíaca – Lopes Buffolo
Intervenções Cardiovasculares – SOLACI
Lesões das Valvas Cardíacas - Diagnóstico e Tratamento – Meneghelo e Ramos
Manual de Cardiologia da SOCESP – SOCESP (Soc. Card. Est. SP)
Manual do Clínico para o Médico Residente – Atala – UNIFESP
Medicina Nuclear em Cardiologia - Da Metodologia à Clínica – Thom Smanio
Medicina: Olhando para o Futuro – Protásio Lemos da Luz
Medicina, Saúde e Sociedade – Jatene
Parada Cardiorrespiratória – Lopes Guimarães
Prevenção das Doenças do Coração - Fatores de Risco – Soc. Bras. Card. (SBC) – FUNCOR
Problemas e Soluções em Ecocardiografia Abordagem Prática – José Maria Del Castillo e Nathan Herzskowicz
Ressuscitação Cardiopulmonar – Hélio Penna Guimarães
Rotinas Ilustradas da Unidade Clínica de Emergência do Incor – Mansur
Série Clínica Médica - Dislipidemias – Lopes e Martinez
Série Clínica Médica Ciência e Arte – Soc. Bras. Clínica Médica
Doença Coronária – Lopes Palandri
Insuficiência Cardíaca – Lopes Buffolo
Série Livros de Cardiologia de Bolso (Coleção Completa 6 vols.) – Tinoco
    Vol. 1 - Atividade Física em Cardiologia – Nóbrega
    Vol. 2 - Avaliação do Risco Cirúrgico e Cuidados Perioperatórios – Martins
    Vol. 3 - Cardiomiopatias: Dilatada e Hipertrófica – Mady, Arteaga e Ianni
    Vol. 4 - Medicina Nuclear Aplicada à Cardiologia – Tinoco e Fonseca
    Vol. 5 - Anticoagulação em Cardiologia – Vilanova
    Vol. 6 - Cardiogeriatria – Bruno
Série SOBRAC – vol. 2 – Papel dos Métodos não Invasivos em Arritmias Cardíacas – Martinelli e Zimerman
Série Terapia Intensiva – Knobel
    Vol. 1 - Pneumologia e Fisioterapia Respiratória 2ª ed.
    Vol. 3 - Hemodinâmica
Síndrome Metabólica - Uma Abordagem Multidisciplinar – Ferreira e Lopes
Síndromes Hipertensivas na Gravidez – Zugaib e Kahhale
Sociedade de Medicina do Esporte e do Exercício - Manual de Medicina do Esporte: Do Paciente ao Diagnóstico – Antônio Claudio Lucas da Nóbrega
Stent Coronário - Aplicações Clínicas – Sousa e Sousa
Tabagismo: Do Diagnóstico à Saúde Pública – Viegas
Terapias Avançadas - Células-tronco – Morales
Transradial - Diagnóstico e Intervenção Coronária e Extracardíaca 2ª ed. – Raimundo Furtado
Tratado de Cardiologia do Exercício e do Esporte – Ghorayeb
Tratamento Cirúrgico da Insuficiência Coronária – Stolf e Jatene

Série
Hospital do Coração-HCor

Guia Prático de Cardiologia
Residência em Cardiologia do Hospital do Coração

Editores da Série

Hélio Penna Guimarães
Carlos Alberto Buchpiguel
Edson Renato Romano
Luiz Carlos Valente de Andrade
Otávio Berwanger

Editores do Volume

Irving Gabriel Araújo Bispo
Rafael Rafaini Lloret
Bernardo Noya Alves de Abreu
Hélio Penna Guimarães
César Augusto Pereira Jardim
Ieda Biscegli Jatene

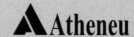

EDITORA ATHENEU

São Paulo — Rua Jesuíno Pascoal, 30
Tel.: (11) 2858-8750
Fax: (11) 2858-8766
E-mail: atheneu@atheneu.com.br

Rio de Janeiro — Rua Bambina, 74
Tel.: (21)3094-1295
Fax: (21)3094-1284
E-mail: atheneu@atheneu.com.br

Belo Horizonte — Rua Domingos Vieira, 319 — conj. 1.104

PRODUÇÃO EDITORIAL: Equipe Atheneu
PROJETO GRÁFICO/DIAGRAMAÇÃO: Triall Editorial Ltda.

CIP-BRASIL. CATALOGAÇÃO NA PUBLICAÇÃO
SINDICATO NACIONAL DOS EDITORES DE LIVROS, RJ

G971
Guia prático de cardiologia : residência em cardiologia do hospital do coração / editores da série Hélio Penna
Guimarães...[et al.] ; editores do volume Irving Gabriel Araújo Bispo...[et al.] - 1. ed. - Rio de Janciro :
Atheneu, 2017.
      il.   (Hospital do Coração-HCor)

      Inclui bibliografia
      ISBN: 9788538807971

      1. Cardiologia. 2. Manuais, guias, etc. I. Guimarães, Hélio Penna. II. Bispo, Irving Gabriel Araújo .
III. Série.

17-41956   CDD: 612.12
                                                     CDU: 612.12

18/05/2017 19/05/2017

BISPO, I. G. A.; LLORET, R. R.; DE ABREU. B. N. A.; GUIMARÃES, H. P.; JARDIM. C. A. P.; JATENE, I. B.
Série Hospital do Coração-HCor – Guia Prático de Cardiologia – Residência em Cardiologia do Hospital do Coração

© EDITORA ATHENEU
São Paulo, Rio de Janeiro, Belo Horizonte, 2017

Sobre os editores da série

Hélio Penna Guimarães

Médico Pesquisador do Instituto de Pesquisa do Hospital do Coração (IP-HCor). Médico Coordenador Técnico do Instituto de Educação do Hospital do Coração (IE-HCor).

Carlos Alberto Buchpiguel

Superintendente Médico do Hospital do Coração (HCor).

Edson Renato Romano

Diretor Clínico do Hospital do Coração (HCor).

Luiz Carlos Valente de Andrade

Diretor Técnico do Hospital do Coração (HCor).

Otávio Berwanger

Diretor do Instituto de Ensino e Pesquisa do Hospital do Coração (HCor).

Sobre os editores do volume

Irving Gabriel Araújo Bispo

Graduado em Medicina pela Universidade Estadual de Ciências de Saúde de Alagoas (UNCISAL). Residência em Clínica Médica pela Universidade Federal de Sergipe (UFS). Residência em Cardiologia pelo Hospital do Coração (HCor). Aprimorando em Ecocardiografia Adulto pelo HCor. Título de Especialista em Cardiologia pela Sociedade Brasileira de Cardiologia (SBC).

Rafael Rafaini Lloret

Graduado em Medicina pela Pontifícia Universidade Católica de São Paulo (PUC-SP). Especialista em Clínica Médica pela PUC-SP. Especialista em Cardiologia pelo Hospital do Coração (HCor). Instrutor de Advance Cardiologic Life Support (ACLS) no Hospital do Coração-CETES-HCor.

Bernardo Noya Alves de Abreu

Médico Plantonista da UTI do Hospital do Coração (HCor). Especialista em Tomografia e Ressonância Cardíaca pelo HCor. Título de Especialista em Cardiologia pela Sociedade Brasileira de Cardiologia (SBC). Título de Especialista em Terapia Intensiva pela Associação de Medicina Intensiva Brasileira (AMIB).

Hélio Penna Guimarães

Médico Especialista em Medicina Intensiva e Cardiologia. Doutor em Ciências pela Universidade de São Paulo (USP). Médico Pesquisador do Instituto de Pesquisa do Hospital do Coração (IP-HCor). Médico Coordenador Técnico do Instituto de Educação do Hospital do Coração (IE-HCor). Coordenador da UTI de Clínica Médica da Escola Paulista de Medicina da Universidade Federal de São Paulo (EPM/UNIFESP). Professor Titular de Medicina de Emergência do Centro Universitário São Camilo - SP.

César Augusto Pereira Jardim

Graduação em Medicina pela Faculdade de Ciências Médicas de Santos (FCMS) Especialização em Cardiologia pelo Hospital do Coração (HCor) Associação do Sanatório Sírio. Especialização em Cardiologia pelo Associação Médica Brasileira (AMB). Especialização em Ecocardiografia pelo HCor da Associação do Sanatório Sírio. Residência Médica pelo Hospital Guilherme Álvaro.

Ieda Biscegli Jatene

Graduada em Medicina pela Faculdade de Medicina do ABC. Especialização em Residência Médica na Área de Cardiologia e Cardiologia Pediátrica pelo Instituto Dante Pazzanese de Cardiologia (IDPC). Doutorado pela Faculdade de Medicina da Universidade de São Paulo (USP). Atualmente é Coordenadora do Serviço de Cardiopatias Congênitas e Cardiologia Pediátrica do Hospital do Coração (HCor). Coordenadora do Comitê Criança da Sociedade Brasileira de Cardiologia (SBC). Coordenadora da Comissão de Residência Médica do HCor.

Sobre os colaboradores

Alexandre Biasi Cavalcanti

Doutor em Ciências pela Universidade de São Paulo (USP). Médico Coordenador de Pesquisa do Instituto de Ensino e Pesquisa do Hospital do Coração (IEP-HCor). Médico Plantonista da UTI do HCor.

Ana Carolina Proença Costa

Graduada em Medicina pela Universidade Federal de Juiz de Fora (UFJF). Residência em Clínica Médica no Hospital da Polícia Militar (HPM-MG). Residência em Cardiologia no Hospital do Coração (HCor). Título de Cardiologia pela Sociedade Brasileira de Cardiologia (SBC). *Fellow* do Serviço de Tomografia e Ressonância Cardiovascular do Instituto do Coração de São Paulo (InCor-SP).

André Franz da Costa

Médico Especialista em Clínica Médica pela Universidade Federal de Pelotas (UFPel). Especialista em Cardiologia pelo Hospital do Coração (HCor). Médico Cardiologista Titulado pela Sociedade Brasileira de Cardiologia. Título de Especialista em Terapia Intensiva pela Associação de Medicina Intensiva Brasileira (AMIB) da UTI do HCor.

Bruna Moratore de Vasconcelos

Graduada em Medicina pela Faculdade de Medicina de Taubaté (UNITAU). Residência em Clínica Médica pela Santa Casa de Misericórdia de São Paulo. Residência em Cardiologia pelo Hospital do Coração (HCor). Especialização em Coronária pelo HCor. Cardiologista do HCor.

Carlos Eduardo Rochitte

Graduado em Medicina pela Faculdade de Medicina de Botucatu (FMB) da Universidade Estadual Paulista Júlio de Mesquita Filho. Residência em Clínica Médica e Cardiologia no Instituto do Coração (InCor). Doutorado e Livre-docência pela Faculdade de Medicina da Universidade de São Paulo (FMUSP). Coordenador do Serviço de Ressonância Magnética e Tomografia Cardiovascular do Hospital do Coração (HCor). Consultor do Hospital Procardíaco, Rio de Janeiro, RJ. Responsável pelo Serviço de Ressonância Magnética e Tomografia Cardíaca do Hospital São Camilo, São Paulo. Consultor *ad hoc* da Fundação de Amparo à Pesquisa do Estado de São Paulo (Fapesp).

Caroline Erika Pereira Nagano

Graduada em Medicina pela Faculdade de Ciências Médicas de Santos (FCMS). Residência em Clínica Médica pelo Hospital Tatuapé. Residência em Cardiologia pelo Hospital do Coração (HCor). Aprimorando em Ecocardiografia pelo HCor. Cardiologista do Pronto-Socorro do HCor. Título em Cardiologia Clínica pela Sociedade Brasileira de Cardiologia (SBC).

Celso Amodeo

Graduado pela Faculdade de Ciências Médicas da Santa Casa de São Paulo. Residência Médica no Hospital Heliópolis. Residência Médica em Cardiologia no Instituto Dante Pazzanese de Cardiologia (IDPC). *Fellowship* Hipertensão Arterial em Alton Oschner Foundation. Especialização em Nefrologia na University of Virginia. Doutorado em Nefrologia pela Faculdade de Medicina da Universidade de São Paulo (FMUSP). Chefe da Seção de Hipertensão e Nefrologia do IDPC. Médico Cardiologista e Nefrologista do Hospital do Coração (HCor) da Associação do Sanatório Sírio.

Cristiane Felix Ximenes Pessotti

Doutora em Ciências pela Universidade de São Paulo (USP).

Daniela Kormann

Cardiologista da Equipe do Prof Adib Jatene no Hospital do Coração (HCor).

Deivide Ribeiro Silveira

Graduada em Medicina pela Universidade Federal de Alagoas (UFAL). Residência em Clínica Médica pela Universidade Federal de Sergipe (UFS). Cardiologista do Hospital do Coração (HCor).

Dimas T. Ikeoka

Doutor em Ciências pela Faculdade de Medicina da Universidade de São Paulo (FMUSP). Pós-doutorado em Medicina Interna pela Universidade Médica de Graz – Austria. Médico Pesquisador do Instituto de Ensino e Pesquisa do Hospital do Coração (HCor). Médico plantonista da UTI adulto do HCor e da UTI do Hospital Alemão Oswaldo Cruz.

Enilton Sérgio Tabosa do Egito

Graduado em Medicina pela Escola Paulista de Medicina da Universidade Federal de São Paulo (EPM/Unifesp). Doutorado em Medicina (Cirurgia Cardiovascular) pela Universidade Federal de São Paulo (Unifesp). Livre-docência pela Universidade de Mogi das Cruzes (UMC). Professor de Cirurgia Cardiovascular pela Unifesp.

Enio Buffolo

Graduado em Medicina pela Escola Paulista de Medicina da Universidade Federal de São Paulo (EMP/Unifesp). Doutorado em Medicina (Cirurgia Cardiovascular) pela Universidade Federal de São Paulo (Unifesp). Livre-docência pela Universidade de Mogi das Cruzes (UMC). Professor de Cirurgia Cardiovascular pela Unifesp.

Enrique I. Pachón Mateo

Graduado em Medicina pela Faculdade Federal de Medicina do Triângulo Mineiro (UFTM). Especialização em Cardiologia pela Sociedade Brasileira de Cardiologia (SBC). Especialização em Estimulação Cardíaca pelo Departamento de Estimulação Cardíaca Artificial (DECA). Especialização em Eletrofisiologia Clínica e Intervencionista pela Sociedade Brasileira de Arritmias Cardíacas (SOBRAC). Médico da Associação do Sanatório Sírio, Membro da Equipe Cirúrgica do Hospital Professor Edmundo Vasconcelos. Médico do Instituto Dante Pazzanese de Cardiologia (IDPC) e Médico do Serviço de Eletrofisiologia Marcapassos e Arritmias Dr. Pachón (Semap).

Fábia Carla Guidoti

Graduada em Medicina pela Faculdade de Medicina de Catanduva – SP (Fameca). Residência em Clínica Médica pelo Conjunto Hospitalar do Mandaqui (CHM). Cardiologista pelo Hospital do Coração (HCor). Título em Cardiologia Clínica pela Sociedade Brasileira de Cardiologia (SBC).

Félix José Álvarez Ramires

Graduado em Medicina pela Universidade Severino Sombra. Doutor em Medicina e Livre-docente em Cardiologia pela Faculdade de Medicina Universidade de São Paulo (FMUSP). Professor Colaborador do Departamento de Cardiopneumologia da FMUSP. Coordenador do Programa de Cuidados Clínicos em Insuficiência Cardíaca do Hospital do Coração (HCor).

Fernando Frazão

Graduado em Medicina pela Universidade Nove de Julho (UNINOVE). Residência em Clínica Médica pelo Hospital das Clínicas de Mogi das Cruzes. Residência em Cardiologia pelo Hospital do Coração (HCor).

Guilherme Furtado

Infectologista. Mestre e Doutor em Infectologia pela Universidade Federal de São Paulo UNIFESP. Pós-Doutorado no Center for Antiinfective Research and Development, Division of Infectious Diseases, Hartford Hospital, Hartford, USA. Coordenador do Grupo de Discussão de Antimicrobianos em Doentes Críticos, Hospital São Paulo, EPM-UNIFESP. Professor de Pós-graduação da Disciplina de Infectologia, EPM-UNIFESP. Infectologista do Hospital do Coração (HCor).

Jaqueline Ribeiro Cardoso

Residente de Cardiopatia Congênita e Cardiologia Pediátrica no Hospital do Coração (HCor).

Jasvan Leite de Oliveira

Graduado em Medicina pela Universidade Federal de Alagoas (UFAL). Residência em Clínica Médica pelo Hospital Regional de Presidente Prudente. Cardiologista pelo Hospital do Coração (HCor).

João Galantirer

Doutor em Ciências pela Universidade de São Paulo (USP). Médico Intensivista Titulado pela Associação de Medicina Intensiva Brasileira (AMIB). Médico Cirurgião Cardiovascular Titulado pela Sociedade Brasileira de Cirurgia Cardiovascular (SBCCV). Médico Plantonista da UTI adulto do Hospital do Coração (HCor).

Jorge Koroishi

Residência em Cardiologia pelo Hospital do Coração (HCor). Título de Especialista em Cardiologia pela Associação Médica Brasileira (AMB) e pela Sociedade Brasileira de Cardiologia (SBC). Médico Diarista do Pronto-socorro do HCor.

José Carlos Pachón Mateos

Graduado em Medicina pela Faculdade Federal de Medicina do Triângulo Mineiro (UFTM) e Doutorado em Cardiologia pela Universidade de São Paulo (USP). Atualmente é Médico-chefe do Serviço de Marca-passo do Instituto Dante Pazzanese de Cardiologia (IDPC). Diretor do Serviço de Eletrofisiologia, Marca-passo e Arritmias do Hospital do Coração (HCor). Médico-chefe do Serviço de Eletrofisiologia, Marcapassos e Arritmias Dr. Pachón. Médico Responsável pelo Serviço de Arritmias do Hospital Professor Edmundo Vasconcelos.

José de Ribamar Costa Jr.

Graduado em Medicina pela Universidade Federal do Maranhão (UFMA), com especialização em Cardiologia Clínica pelo Hospital do Coração (HCor) da Associação do Sanatório Sírio, em Cardiologia Intervencionista pelo HCor da Associação do Sanatório Sírio e Instituto Dante Pazzanese de Cardiologia (IDPC). Doutor em Ciência, com área de concentração em Medicina, Tecnologia e Intervenção em Cardiologia pelo IDPC, filiado à Universidade de São Paulo (USP). Chefe da Seção Médica de Intervenção em Coronária do Serviço de Cardiologia Intervencionista do IDPC e Pesquisador do Instituto de Ensino e Pesquisa do HCor da Associação do Sanatório Sírio.

José Honório Palma

Professor-associado, Livre-docente, e Chefe do Grupo de Doenças Aorta da Universidade Federal de São Paulo (UNIFESP). Coordenador do Curso de Doenças da Aorta e Novas Habilidades em Cirurgia Cardíaca. Organizador do Curso de Pós-graduação em Cirúrgica Translacional.

Jussara Regina Sousa Rodrigues

Graduada em Medicina pela Universidad de Los Andes (Santiago - Chile). Residência em Clínica Médica pelo Hospital São Vicente de Paulo, Jundiaí - SP. Cardiologista do Hospital do Coração (HCor).

Leandro Okumura

Graduado em Medicina pelo Centro de Ensino Superior de Valença. Residência em Clínica Médica pelo Hospital Regional de Presidente Prudente. Residência em Cardiologia Clínica pelo Hospital do Coração (HCor).

Leonardo Cézar Barros Campos

Graduado pela Universidade de Mogi das Cruzes (UMC). Residência em Clínica Médica no Hospital Municipal do Campo Limpo. Cardiologista do Hospital do Coração (HCor).

Leopoldo S. Piegas

Graduado em Medicina pela Faculdade Federal de Ciências Médicas de Porto Alegre (UFCSPA). Médico do Hospital do Coração (HCor) da Associação do Sanatório Sírio. Vice-coordenador do Curso de Doutorado do Programa de Pós-graduação: Medicina, Tecnologia e Intervenção em Cardiologia do Instituto Dante Pazzanese de Cardiologia (IDPC). Presidente do Conselho Curador da Fundação Adib Jatene (2008-2009) e Professor Livre-docente pela Faculdade de Medicina da Universidade de São Paulo. Co-diretor da Unidade Coronariana e Médico Pesquisador no HCor. Coordenador do Programa de Cuidados Clínicos do Infarto Agudo do Miocárdio do HCor.

Livia Ferraz Accorsi

Graduada em Medicina pela Faculdade de Medicina de Jundiaí (FMJ). Residência em Clínica Médica pela Irmandade Santa Casa de Misericórdia de São Paulo (ISCMSP). Cardiologista do Hospital do Coração (HCor).

Luís Cláudio Mendes Avelino

Graduado em Medicina pela Universidade Federal do Amazonas (UFAM). Residência em Clínica Médica pelo Hospital Universitário Getúlio Vargas (HUGV). Cardiologista do Hospital do Coração (HCor).

Luiz Carlos Bento de Souza

Graduado em Medicina pela Faculdade de Medicina da Universidade Federal do Paraná (UFPR). Residência Médica em Cirurgia Cardiovascular no Instituto Dante Pazzanese de Cardiologia (IDPC). Membro da Sociedade Brasileira de Cardiologia (SBC). Membro da Sociedade de Cirurgia Cardiovascular do Estado de São Paulo (SCIVESP). Título de Especialista em Cirurgia Cardiovascular da Associação Médica Brasileira (AMB-SBCCV). Coordenação de Cirurgia da Equipe Adib Jatene no Hospital do Coração (HCor).

Luiz Eduardo Mastrocola

Diretor do Serviço de Reabilitação Cardiovascular do Instituto Dante Pazzanese de Cardiologia (IDPC). Coordenador do Serviço de Medicina Nuclear do Hospital do Coração (HCor) da Associação do Sanatório Sírio. Doutor em Ciências pela Faculdade de Medicina da Universidade de São Paulo (FMUSP).

Luiza Helena Miranda

Graduada em Medicina pela Faculdade de Medicina de Valença. Residência em Clínica Médica no Hospital Escola Luiz Gioseffi Jannuzzi. Formada em Cardiologia pelo Hospital Coração (HCor). Residente em Ecocardiografia pelo HCor. Título na Área de Ecocardiografia pela Associação Médica Brasileira (AMB) e pelo Departamento de Imagem Cardiovascular (DIC) da Sociedade Brasileira de Cardiologia (SBC).

Manuel Nícolas Cano

Graduado em Medicina pela Faculdade de Ciências Médicas da Universidade de Córdoba. Doutor em Medicina, Tecnologia e Intervenção em Cardiologia pela Universidade de São Paulo (USP), Instituto Dante Pazzanese de Cardiologia (IDPC). Especialização em Hemodinâmica e Cineangiografia pelo IDPC. Especialização em Intervenção Endovascular pelo IDPC. Médico Cardiologista Intervencionista do IDPC e do Hospital do Coração (HCor) da Associação Sanatório Sírio.

Marcelo Bertolami

Diretor de Divisão Científica do Instituto Dante Pazzanese de Cardiologia (IDPC). Mestre e Doutor em Saúde Pública pela Faculdade de Saúde Pública da Universidade de São Paulo (USP). Docente e Orientador do Programa de Pós-graduação do IDPC/USP.

Marcelo Luz Pereira Romano

Médico Cardiologista Titulado pela Sociedade Brasileira de Cardiologia (SBC). Título de Especialista em Terapia Intensiva pela Associação Médica Intensiva Brasileira (AMIB). Pós-graduação em Neurointensivismo pelo Hospital Sírio Libânes. Médico da UTI do Hospital do Coração (HCor). Instrutor de ACLS, FCCS e BLS no CETES-HCor.

Marcos Barbosa

Médico Cardiologista do Hospital do Coração (HCor). Chefe do Departamento de Emergência do HCor.

Natalia de Freitas Jatene Baranauskas

Residente de Cardiopatia Congênita e Cardiologia Pediátrica no Hospital do Coração (HCor).

Natalia Pessa Anequini

Graduada em Medicina pela Faculdade de Medicina de Jundiaí. Residência de Clínica Médica pela Faculdade de Medicina de Jundiaí. Residência em Cardiologia pelo Hospital do Coração (HCor). Aprimoramento em Ecocardiografia pelo HCor. Título de Especialista em Cardiologia pela Associação Médica Brasileira (AMB) e pela Sociedade Brasileira de Cardiologia (SBC). Título na Área de Ecocardiografia pela Associação Médica Brasileira (AMB) e pelo Departamento de Imagem Cardiovascular (DIC) da Sociedade Brasileira de Cardiologia (SBC).

Patricia Figueiredo Elias

Médica do Serviço de Cardiopatia Congênita e Cardiologia Pediátrica do Hospital do Coração (HCor). Preceptora da Residência de Cardiopatia Congênita e Cardiologia Pediátrica no HCor.

Paula Peixoto de Camargo Forlevize

Graduada pelo Centro Universitário de Araraquara (UNIARA). Residência em Clínica Médica pela Santa Casa de Votuporanga. Residente de Terapia Intensiva do Hospital do Coração (HCor).

Rafael Augusto Mendes Domiciano

Graduado em Medicina pela Universidade Cidade de São Paulo (UNICID). Residência em Clínica Médica no Hospital Municipal Dr. Carmino Caricchio. Cardiologista do Hospital do Coração (HCor).

Ricardo Pavanello

Graduado em Medicina pela Escola Bahiana de Medicina e Saúde Pública (EBMSP) da Pontifícia Universidade Católica de Salvador (PUC). Residência Médica em Cardiologia no Hospital do Coração (HCor). Doutorado no Programa de Medicina, Tecnologia e Intervenção em Cardiologia pela Universidade de São Paulo/Instituto Dante Pazzanese de Cardiologia (USP/IDPC). Médico da Seção de Coronariopatias do IDPC. Supervisor da Cardiologia Clínica do HCor e Médico Assistente da Equipe Prof. Adib Jatene do HCor da Associação do Sanatório Sírio.

Roberto Franzini Jr.

Graduado pela Faculdade de Medicina de Itajubá-MG (FMIT). Residência em Clínica Médica pelo Hospital Pitangueiras Jundiaí-SP. Cardiologista do Hospital do Coração (HCor).

Rosa Egito

Graduada em Medicina pela Faculdade de Ciências Médicas de Pernambuco (UPE). Residência em Cardiologia pelo Hospital do Coração (HCor) da Associação Sanatório Sírio. Médica Assistente da Unidade Coronariana do HCor.

Samere de Souza Itani Cavalcante

Graduada em Medicina pela Universidade Estadual do Amazonas (UEA). Residência em Clínica Médica pelo Complexo Hospitalar Ouro Verde Campinas. Residência em Cardiologia pelo Hospital do Coração (HCor). Título de Especialista em Cardiologia pela Sociedade Brasileira de Cardiologia (SBC).

Saulo da Costa Pereira Fontoura

Graduado em Medicina pela Fundação Universidade Regional de Blumenau (FURB). Residência em Cardiologia pelo Hospital do Coração (HCor). Residente em Arritmia pelo HCor.

Sérgio Parente Lira

Graduado em Medicina pela Escola Bahiana de Medicina e Saúde Pública (EBMSP). Residência em Clínica Médica pela SES/SUS-PE – Hospital da Restauração. Residência em Cardiologia pelo Hospital do Coração (HCor); Aprimorando em Ecocardiografia Adulto do (HCor). Título de Especialista em Cardiologia pela Sociedade Brasileira de Cardiologia (SBC). Médico Plantonista da UCO e PS do Hospital do Coração (HCor).

Suélen Barboza Kapisch

Graduada em Medicina pela Universidade do Grande Rio (UNIGRANRIO). Residência em Clínica Médica pelo Hospital Municipal Miguel Couto (HMMC). Cardiologista do Hospital do Coração de São Paulo (HCor). Ecocardiografista da Beneficência Portuguesa de São Paulo. Membro da Sociedade Brasileira de Cardiologia (SBC).

Tainara Sá Freire de Almeida

Graduada em Medicina pela Faculdade Pernambucana de Saúde (FPS). Residência em Clínica Médica pela SES/SUS-PE – Hospital da Restauração. Residência em Cardiologia pelo Hospital do Coração (HCor).

Tamirh Brandão Sakr Khouri

Graduada em Medicina pela Universidade Presidente Antônio Carlos (UNIPAC-JF). Residência em Clínica Médica pelo Hospital Universitário de Brasília (HUB). Cardiologista pelo HCor.

Tiago Augusto Magalhães

Doutor em Cardiologia pelo Instituto do Coração do Hospital das Clínicas da Faculdade de Medicina da Universidade de São Paulo (InCor-HC/FMUSP). Pós-dutorado em Imagem Cardiovascular (Johns Hopkins Hospital). Médico dos Serviços de Tomografia Computadorizada e Ressonância Magnética (TC/RM) Cardiovascular do Hospital Sírio-Libanês e do Hospital do Coração (HCor).

Vanessa Andrade Bastos

Graduada em Medicina pela Escola Superior de Ciências da Santa Casa de Misericórdia de Vitória (EMESCAM). Residência em Clínica Médica pelo Hospital Guilherme Álvaro. Cardiologista do Hospital do Coração (HCor).

Vera Márcia L. Gimenes

Doutora em Medicina pela Faculdade de Medicina da Universidade de São Paulo. Responsável pelo Setor de Ecocardiografia do Hospital do Coração (HCor).

Victor Gualda Galoro

Graduado em Medicina pela Universidade Estadual de Maringá (UEM). Residência em Clínica Médica pela Faculdades Integradas Padre Albino. Residência de Cardiologia pelo Hospital do Coração (HCor).

Victor Sarli Issa

Doutor em Ciências pela Faculdade de Medicina da Universidade de São Paulo. Médico do Programa de Transplante Cardíaco e Assistência Circulatória Mecânica do Hospital do Coração (HCor). Médico da Unidade Clínica de Insuficiência Cardíaca do Instituto do Coração (InCor) do Hospital das Clínicas da Faculdade de Medicina da Universidade de Sãod Paulo (HC/FMUSP).

Vinicius Avellar Werneck

Médico Cardiologista. Título de Especialista pela Sociedade Brasileira de Cardiologia (SBC) e Intensivista pela Associação de Medicina Intensiva Brasileira (AMIB). Médico da UTI do Hospital do Coração (HCor). Título de Especialista em Terapia Intensiva pela AMIB.

Apresentação

O desenvolvimento econômico-social da nossa sociedade é gradativo, porém, marcado por um processo desigual, em que as regiões do país apresentam aspectos diferentes quanto às principais causas de morbimortalidade. Diante disso, o cardiologista deve se nortear pelos principais temas da Cardiologia, para estar sempre atualizado e focado naquilo que deve buscar na comunidade que atende.

O *Guia Prático de Cardiologia – Residência em Cardiologia do Hospital do Coração* foi idealizado por um grupo de residentes em Cardiologia Clínica do Hospital do Coração (HCor), para trazer, de forma clara e concisa, os principais temas da rotina cardiovascular, buscando auxiliar objetivamente na decisão diagnóstica e terapêutica. Tal guia faz parte da Série Hospital do Coração – HCor.

Com o apoio da Editora Atheneu e do Instituto de Ensino e Pesquisa do Hospital do Coração (IEP/HCor), na figura de Dr. Hélio Penna Guimarães, reunimos grandes baluartes da Cardiologia nacional da instituição, que, de acordo com suas renomadas experiências, orientaram e forneceram seus conhecimentos e atualizações nos mais diversos tópicos. São 62 capítulos que, por meio de uma leitura ágil e apreendedora, tornam a discussão cardiológica agradável.

Este guia possui dois pontos de diferenciação que merecem destaque, em relação aos demais manuais de Cardiologia: 1. Seção sobre Cardiopatias Congênitas, um dos pilares do atendimento e comprometimento com o paciente no HCor, sob responsabilidade da Dra. Ieda Biscegli Jatene, também Coordenadora da Coreme (Comissão de Residência Médica); 2. Seção sobre Cardiologia Baseada em Evidências, tópico fundamental para o cardiologista moderno.

Esperamos que este *Guia Prático de Cardiologia – Residência em Cardiologia do Hospital do Coração* engrandeça a aprendizagem não apenas dos residentes em Cardiologia, mas também graduandos em Medicina, cardiologistas, intensivistas, especialistas em Clínica Médica e médicos em geral.

Irving Gabriel Araújo Bispo
Rafael Rafaini Lloret
Bernardo Noya Alves de Abreu
Editores do Volume

Prefácio

Foi uma honra ter sido convidada para escrever o prefácio do *Guia Prático de Cardiologia – Residência em Cardiologia do Hospital do Coração*, mas também uma enorme responsabilidade. Por estar envolvida com a Residência Médica do Hospital do Coração há muito tempo, e por ter o privilégio de coordenar a Comissão de Residência Médica (Coreme), fico muito orgulhosa ao presenciar e participar dessa iniciativa do Instituto de Ensino e Pesquisa do nosso hospital.

O corpo clínico do HCor é composto, em grande parte, por ex-residentes da Instituição, que não só adquiriram sua formação nesta casa, mas foram motivados a continuar trabalhando e colaborando com o crescimento institucional.

Ao longo dos anos, buscamos oferecer aos recém-chegados não apenas formação médica cardiológica, mas também tentamos transmitir o que pudemos aprender sobre a profissão que escolhemos e a importância de tratar nossos pacientes com o respeito e a dignidade que merecem.

Felizmente, a grande maioria dos profissionais que aqui trabalham tiveram e têm a oportunidade de conviver com grandes ícones da Cardiologia Clínica e Intervencionista e da Cirurgia Cardíaca. Sempre nos preocupamos em aproximar os mais jovens dos profissionais mais experientes e renomados do nosso país.

Durante os quase 40 anos em que dirigiu o Hospital do Coração, o Dr. Adib Jatene foi um dos maiores incentivadores da Residência Médica. Com ele, pudemos aprender que "a instituição que não ensina, degenera" e que "nada resiste ao trabalho".

Os nossos residentes puderam assistir a aulas, participar de discussões, fazer monografias, apresentar e publicar trabalhos científicos e se preparar para a prova do Título de Especialista em Cardiologia, ao final da residência. E é com enorme prazer que assistimos, nos últimos anos, um índice de aprovação superior a 90% no concurso para obtenção do título de Cardiologista.

Sinto-me gratificada ao ver surgir um *Guia Pratico de Cardiologia – Residência em Cardiologia do Hospital do Coração*, que possa ser consultado pelos que iniciam sua formação neste hospital. É um guia escrito por residentes, com a coordenaçao dos supervisores das diferentes áreas de atuação na Cardiologia.

Este guia tem 12 Seções, divididas em 62 capítulos, que envolvem desde a Semiologia Cardiovascular até as peculiaridades em Cardiologia, passando por métodos complementares, coronariopatias, hipertensão arterial, miocardiopatias, valvopatias, cardiopatias congênitas, doença da aorta, arritmias, emergências cardiológicas e cardiologia baseada em evidências.

A expectativa é que esta publicação seja de grande utilidade no dia a dia, mas que sirva de estímulo para a leitura dos livros textos tradicionais e publicações nacionais e internacionais, permitindo a criação de uma cultura médica cada vez mais abrangente, que sirva de substrato para o tratamento atualizado e adequado a cada paciente.

Desejo que o nosso *Guia Prático de Cardiologia – Residência em Cardiologia do Hospital do Coração* seja uma leitura agradável e útil no início de uma carreira promissora, para todos que a ele recorrerem.

Boa leitura a todos!

IEDA BISCEGLI JATENE

Sumário

• Seção 1

Semiologia 1

Capítulo 1 Semiologia Cardiovascular 3
Hélio Penna Guimarães
Tainara Sá Freire de Almeida

Capítulo 2 *Check-up* 11
César Augusto Pereira Jardim • Tainara Sá Freire de Almeida

• Seção 2

Métodos Complementares 17

Capítulo 3 Eletrocardiograma 19
Irving Gabriel Araújo Bispo • Vera Márcia L. Gimenes

Capítulo 4 Radiografia de Tórax 29
Ana Carolina Proença Costa • Carlos Eduardo Rochitte

Capítulo 5 Ecodopplercardiografia 39
Irving Gabriel Araújo Bispo • Caroline Erika Pereira Nagano • Sérgio Parente Lira
• Vera Márcia L. Gimenes

Capítulo 6 Cintilografia Miocárdica 47
Caroline Erika Pereira Nagano • Luiz Eduardo Mastrocola

Capítulo 7 Teste Ergométrico 57
Caroline Erika Pereira Nagano • Luiz Eduardo Mastrocola

Capítulo 8 Tomografia de Coronária 67
Ana Carolina Proença Costa • Carlos Eduardo Rochitte

Capítulo 9 Ressonância Magnética 81
Jasvan Leite de Oliveira • Tiago Augusto Magalhães • Carlos Eduardo Rochitte

xxii Guia Prático de Cardiologia

Capítulo 10 Cardiologia Intervencionista...91
Roberto Franzini Jr. • José de Ribamar Costa Jr.

• Seção 3
Coronariopatia 105

Capítulo 11 Angina Estável 107
Bruna Moratore de Vasconcelos • Lívia Ferraz Accorsi
• Rafael Augusto Mendes Domiciano • Leopoldo S. Piegas

Capítulo 12 Abordagem da Dor Torácica na Sala de Emergência..............................113
Lívia Ferraz Accorsi • Bruna Moratore de Vasconcelos
• Rafael Augusto Mendes Domiciano • Leopoldo S. Piegas

Capítulo 13 Síndrome Coronariana Aguda sem Supra de ST 119
Lívia Ferraz Accorsi • Bruna Moratore de Vasconcelos
• Rafael Augusto Mendes Domiciano • Leopoldo S. Piegas

Capítulo 14 Síndrome Coronariana Aguda com Supra de ST 127
Rafael Augusto Mendes Domiciano • Lívia Ferraz Accorsi • Leopoldo S. Piegas

Capítulo 15 Complicações de Infarto Agudo do Miocárdio 141
Rafael Augusto Mendes Domiciano • Bruna Moratore de Vasconcelos
• Leopoldo S. Piegas

Capítulo 16 Angina de Causa Não Aterosclerótica...145
Bruna Moratore de Vasconcelos • Lívia Ferraz Accorsi
• Rafael Augusto Mendes Domiciano • Leopoldo S. Piegas

• Seção 4
Hipertenção Arterial Sistêmica 149

Capítulo 17 Hipertensão Arterial Sistêmica 151
Deivide Ribeiro Silveira • Celso Amodeo

Capítulo 18 Tratamento da Hipertensão Arterial 159
Deivide Ribeiro Silveira • Celso Amodeo

Capítulo 19 Emergências Hipertensivas 167
Deivide Ribeiro Silveira • Celso Amodeo

• Seção 5
Insuficiência Cardíaca.. 171

Capítulo 20 Perfil Clínico. Insuficiência Cardíaca 173
Rafael Rafaini Lloret • Victor Gualda Galoro • Ricardo Pavanello

Sumário

Capítulo 21 Insuficiência Cardíaca de Fração de Ejeção Reduzida............................ 181
Rafael Rafaini Lloret • Victor Gualda Galoro • Ricardo Pavanello

Capítulo 22 Insuficiência Cardíaca de Fração de Ejeção Normal............................... 193
Jasvan Leite de Oliveira • Ricardo Pavanello

Capítulo 23 Transplante Cardíaco.. 201
Rafael Rafaini Lloret • Victor Gualda Galoro • Ricardo Pavanello

• Seção 6
Miocardiopatias e Pericardiopatias...207

Capítulo 24 Cardiomiopatia Hipertrófica 209
Victor Gualda Galoro • Rafael Rafaini Lloret • Félix José Álvarez Ramires
• Manuel Nícolas Cano

Capítulo 25 Cardiomiopatia Dilatada 217
Victor Gualda Galoro • Rafael Rafaini Lloret • Félix José Álvarez Ramires
• Victor Sarli Issa

Capítulo 26 Cardiomiopatia Restritiva 227
Félix José Álvarez Ramires • Victor Sarli Issa • Jussara Regina Sousa Rodrigues

Capítulo 27 Cardiomiopatia Chagásica.. 235
Jussara Regina Sousa Rodrigues • Félix José Álvarez Ramires • Victor Sarli Issa

Capítulo 28 Miocardite.. 243
Jussara Regina Sousa Rodrigues • Félix José Álvarez Ramires • Victor Sarli Issa

Capítulo 29 Pericardite Aguda 249
Leonardo Cézar Barros Campos • Félix José Álvarez Ramires • Victor Sarli Issa

Capítulo 30 Derrame Pericárdico e Tamponamento Cardíaco 255
Leonardo Cézar Barros Campos • Félix José Álvarez Ramires • Victor Sarli Issa

Capítulo 31 Pericardite Constritiva 261
Leonardo Cézar Barros Campos • Félix José Álvarez Ramires • Victor Sarli Issa

Capítulo 32 Outras Miocardiopatias... 265
Victor Gualda Galoro • Rafael Rafaini Lloret • Félix José Álvarez Ramires
• Victor Sarli Issa

• Seção 7
Doenças da Aorta...279

Capítulo 33 Aneurismas de Aorta 281
Sérgio Parente Lira • Tainara Sá Freire de Almeida • José Honório Palma

xxiv Guia Prático de Cardiologia

Capítulo 34 Síndromes Aórticas Agudas...289
Sérgio Parente Lira • Tainara Sá Freire de Almeida • José Honório Palma

• Seção 8

Valvopatias 297

Capítulo 35 Valvopatias Aórticas 299
Luís Cláudio Mendes Avelino • Enio Buffolo • Bernardo Noya Alves de Abreu

Capítulo 36 Valvopatias Mitrais...311
Luís Cláudio Mendes Avelino • Luiz Carlos Bento de Souza
• Bernardo Noya Alves de Abreu

Capítulo 37 Valvopatias Tricúspides e Pulmonares......................................323
Luiza Helena Miranda • Natalia Pessa Anequini • Bernardo Noya Alves de Abreu

Capítulo 38 Emergências em doenças valvares 327
Natalia Pessa Anequini • Luiza Helena Miranda • Bernardo Noya Alves de Abreu

Capítulo 39 Endocardite Infecciosa...331
Roberto Franzini Jr. • Guilherme Furtado • Bernardo Noya Alves de Abreu

Capítulo 40 Febre Reumática...341
Roberto Franzini Jr. • Daniela Kormann • Bernardo Noya Alves de Abreu

• Seção 9

Arritmias 349

Capítulo 41 Taquiarritmias Supraventriculares 351
Saulo da Costa Pereira Fontoura • Enrique I. Pachón Mateo
• José Carlos Pachón Mateos

Capítulo 42 Fibrilação e Flutter 361
Saulo da Costa Pereira Fontoura • Enrique I. Pachón Mateo
• José Carlos Pachón Mateos

Capítulo 43 Taquiarritmias ventriculares 371
Suélen Barboza Kapisch • Enrique I. Pachón Mateo • José Carlos Pachón Mateos

Capítulo 44 Bradiarritmias 383
Suélen Barboza Kapisch • Enrique I. Pachón Mateo • José Carlos Pachón Mateos

Capítulo 45 Síncope 391
Tamirh Brandão Sakr Khouri • Enrique I. Pachón Mateo • José Carlos Pachón Mateos

Sumário

• Seção 10

Cardiopatias Congênitas...399

Capítulo 46 Cardiopatias não Cianogênicas 401
Ieda Biscegli Jatene • Cristiane Felix Ximenes Pessotti
• Jaqueline Ribeiro Cardoso • Natalia de Freitas Jatene Baranauskas

Capítulo 47 Cardiopatias Cianogênicas..409
Ieda Biscegli Jatene • Patricia Figueiredo Elias • Natalia de Freitas Jatene Baranauskas
• Jaqueline Ribeiro Cardoso

• Seção 11

Cardiointensivismo: Emergências e procedimentos 417

Capítulo 48 Ressuscitação Cardiopulmonar e Time de Resposta Rápida 419
Fábia Carla Guidoti • Suélen Barboza Kapisch • Saulo da Costa Pereira Fontoura
• Marcelo Luz Pereira Romano

Capítulo 49 Choque Cardiogênico 429
Fábia Carla Guidoti • Suélen Barboza Kapisch
• Saulo da Costa Pereira Fontoura • André Franz da Costa

Capítulo 50 Tromboembolismo Pulmonar...439
Fernando Frazão • Jorge Koroishi • Marcos Barbosa

Capítulo 51 Acidente Vascular Encefálico 449
Fernando Frazão • Vanessa Andrade Bastos • Marcelo Luz Pereira Romano

Capítulo 52 Pós-operatório de Cirurgia Cardíaca 459
Samere de Souza Itani Cavalcante • André Franz da Costa
• Marcelo Luz Pereira Romano

Capítulo 53 Balão Intraórtico e Marca-passo 471
Samere de Souza Itani Cavalcante • André Franz da Costa
• Marcelo Luz Pereira Romano

Capítulo 54 Monitorização Hemodinâmica 479
Paula Peixoto de Camargo Forlevize • Vinícius Avellar Werneck
• André Franz da Costa

Capítulo 55 Dispositivos de Assistência ventricular 487
Leandro Okumura • Vinicius Avellar Werneck • João Galantirer

• Seção 12

Cardiologia Baseada em Evidências..495

Capítulo 56 Princípios de Cardiologia Baseada em Evidências 497
Irving Gabriel Araújo Bispo • Dimas T. Ikeoka

xxvi Guia Prático de Cardiologia

Capítulo 57 Avaliação Crítica de Metanálises 503
Fábia Carla Guidoti • Alexandre Biasi Cavalcanti • Dimas T. Ikeoka

• Seção 13
Peculiaridades em Cardiologia 511

Capítulo 58 Dislipidemias...513
Leandro Okumura • Marcelo Bertolami

Capítulo 59 Tabagismo...527
Livia Ferraz Accorsi • Rafael Augusto Mendes Domiciano
• Enilton Sérgio Tabosa do Egito • Rosa Egito

Capítulo 60 Obesidade...531
Livia Ferraz Accorsi • Rafael Augusto Mendes Domiciano •
Enilton Sérgio Tabosa do Egito • Rosa Egito

Capítulo 61 Cardiopatia na Gravidez 537
Caroline Erika Pereira Nagano • Bernardo Noya Alves de Abreu

Capítulo 62 Anticoagulação......................................545
Vanessa Andrade Bastos • Bruna Moratore de Vasconcelos
• Enilton Sérgio Tabosa do Egito • Rosa Egito

Índice Remissivo...

Semiologia

Semiologia Cardiovascular

Hélio Penna Guimarães
Tainara Sá Freire de Almeida

• Introdução

Em uma época marcada por modernas tecnologias diagnósticas, o grande desafio é manter o treinamento das habilidades clínicas fundamentais.

A semiologia cardiovascular é a base para a formação de hipóteses diagnósticas, o estabelecimento da gravidade, da evolução e do prognóstico das doenças, além de ser elemento fundamental para que os exames complementares sejam utilizados criteriosamente com o intuito de garantir a melhor precisão diagnóstica.

A anamnese e o exame clínico, executados adequadamente, podem ser responsáveis por uma precisão diagnóstica de até 90%.

• Anamnese

Dor torácica

É uma manifestação frequente, porém complexa, já que pode ser decorrente de causas cardíacas (coronárias, aorta e pericárdio) ou não cardíacas (articulações costocondrais, muscular, pleural, parede torácica, gástrica e esofágica), manifestar-se aguda ou cronicamente, nem sempre fácil de distinguir das demais etiologias.

A caracterização da dor torácica é fundamental para o diagnóstico diferencial. É essencial saber: caráter da dor, início, duração, localização, irradiação, intensidade, fatores precipitantes e atenuantes, manifestações associadas, impacto nas atividades diárias e evolução do sintoma no tempo (conforme Tabela 1.1).

4 Guia Prático de Cardiologia

Tabela 1.1 Diagnóstico diferencial da dor torácica.

Síndrome clínica	Caracterização
Síndrome isquêmica aguda ■ Angina instável ■ Infarto agudo do miocárdio	■ Desconforto/aperto/queimação em região precordial, retroesternal ou epigástrica ■ Duração: minutos a poucas horas ■ Irradiação: mandíbula, região cervical, ambos os membros e dorso ■ Sintomas associados: diaforese, náuseas, vômitos, dispneia
Dissecção da aorta	■ Dor lancinante de início súbito ■ Duração: horas ■ Irradiação: geralmente para o dorso ■ Assimetria de pulsos periféricos, sopro de insuficiência aórtica
Pericardite aguda	■ Dor pleurítica ou restroesternal opressiva ■ Duração: horas ou dias ■ Piora com movimentação do tórax e pode melhorar com inclinação anterior do tórax ■ Irradiação similar à isquemia miocárdica ■ Atrito pericárdico pode estar presente ■ ECG elevação do segmento ST difusamente

Fonte: Bonow RO, Mann DL, Zipes DP, *et al.* Braunwald, Tratado de doenças cardiovasculares. 9º ed. Rio de Janeiro: Elsevier; 2013. p.113-131.

Em alguns pacientes, idosos, diabéticos, mulheres, portadores de marcapasso e portadores de insuficiência cardíaca, a coronariopatia pode se apresentar com sintomas menos típicos, os chamados equivalentes anginosos: dispneia, tontura, diaforese, empachamento ou indigestão.

Dispneia

É a sensação de respirar com dificuldade ou desconfortavelmente.

Geralmente, a dispneia se manifesta nos esforços, sendo necessária a caracterização da intensidade do esforço que a desencadeia, sua evolução no tempo, e o impacto sobre as atividades diárias.

Na insuficiência cardíaca, a dispneia é originária de hipertensão venocapilar pulmonar e pode manifestar-se por meio de quadros de ortopneia (dispneia que piora com decúbito horizontal) ou dispneia paroxística noturna (o paciente acorda subitamente, após duas a quatro horas de sono, com dispneia importante, tosse, sibilo, sudorese e sensação iminente de morte). Essa manifestação mostra elevado grau de especificidade para quadros graves de congestão pulmonar aguda.

Deve-se suspeitar da possibilidade de dispneia como manifestação de isquemia miocárdica, conhecida como equivalente isquêmico.

A dispneia de origem cardíaca deve ser diferenciada da de causa pulmonar. E nos casos de início súbito sugere-se descartar pneumotórax, embolia pulmonar, edema agudo de pulmão ou obstrução brônquica.

Palpitação

Sensação desconfortável dos batimentos do coração, geralmente associada a alteração da regularidade do ritmo, aumento da intensidade dos batimentos e/ou frequência.

A maior parte das arritmias é benigna (extrassístoles e taquicardias supraventriculares), porém deve-se investigar para identificar taquicardias ventriculares que podem até levar à morte.

Algumas características podem ser preditoras da presença de arritmia: sexo masculino, descrição de batimento irregular, antecedente de cardiopatia, duração maior que cinco minutos, regularidade do sintoma e ocorrência dele durante o sono ou no trabalho.

É necessário caracterizar: modo de início, duração, fatores precipitantes e atenuantes, intensidade e manifestações associadas à palpitação.

Síncope

É a perda súbita e transitória da consciência e do tônus muscular, devido à hipoperfusão cerebral global, acompanhada de recuperação total e espontânea. Pode ou não apresentar pródromos.

É uma manifestação comum em diversas condições, por isso tem prognóstico variável.

A causa mais comum entre dez e trinta anos de idade é a síncope vasovagal. Em torno dos sessenta anos de idade prevalecem como causas a hipotensão postural ou a doença cardíaca.

A história clínica e a descrição do evento têm papéis fundamentais na elucidação diagnóstica.

Edema

Pode ser localizado ou generalizado (anasarca).

Principais causas de edema e diagnósticos diferenciais:

- **Insuficiência cardíaca**: edema das extremidades inferiores ou pré-sacral, com elevação da pressão venosa jugular e sobrecarga de volume, que piora à tarde ou na posição ortostática.
- **Trombose venosa profunda, obstrução linfática ou sequela de retirada de enxerto venoso**: edema unilateral, sem sinais flogísticos.
- **Medicamentoso**: geralmente ocasionado pelo uso de bloqueadores de canais de cálcio di-hidropiridínicos. Edema bilateral, localizado em tornozelos, simétrico, sem sinais inflamatórios.
- **Síndrome nefrótica**: edema principalmente ao acordar, simétrico, crônico, de lenta evolução.
- **Hipotireoidismo**: edema generalizado, de evolução lenta, associado a queixas de sonolência, ganho de peso, constipação.

• Exame físico

O exame físico cardiovascular deve ser realizado por meio de inspeção, palpação, percussão e ausculta, de maneira sequencial. Dessa forma, pode ajudar a determinar uma causa para determinado sintoma, avaliar a gravidade e a progressão da doença, e permitir analisar o impacto de terapêuticas específicas. Ele fornece informações para a tomada de decisão clínica em tempo real e orienta o tratamento antes que os resultados dos biomarcadores estejam disponíveis.

• Inspeção

Inicia-se com a avaliação do estado geral do paciente, fácies, postura, comportamento, coloração da pele (cianose), presença de manchas (petéquias, equimoses), conformação do tórax (o tórax em barril do enfisema ou da cifoescoliose avançada pode associar-se a *cor pulmonale*).

6 Guia Prático de Cardiologia

Pressão venosa jugular: auxilia na avaliação do estado volêmico à beira do leito. Reflete a dinâmica do retorno venoso ao átrio direito. Idealmente deve ser usada a veia jugular interna direita (VJID) por estar alinhada à veia cava superior (VCS) e ao átrio direito (AD). O paciente deve estar confortável, com a cabeça relaxada e voltada para o lado esquerdo, em um ângulo de 45 graus, sob iluminação adequada.

Onda "a": reflete a contração pré-sistólica do AD, ocorre logo após a onda P eletrocardiográfica e precede a primeira bulha (B1). *Onda a* proeminente indica redução da complacência do VD, dificuldade de abertura da tricúspide ou aumento da pressão diastólica final do VD (ex.: hipertrofia ventricular direita, estenose tricúspide e hipertensão pulmonar). A ***bulha "a"*** em canhão ocorre na dissociação A-V com a contração do AD contra a valva tricúspide fechada. A ***onda "a"*** está ausente na FA.

Descendente X: reflete a queda de pressão do AD após o pico da onda a.

Onda c: interrompe a descendente X à medida que a sístole ventricular empurra a valva tricúspide (VT) fechada para dentro do AD. Simultânea ao pulso carotídeo.

Onda v: representa o enchimento atrial, ocorre no final da sístole ventricular e logo após a B2. Sua amplitude é determinada pela complacência do AD e pelo volume de sangue que retorna ao AD. A onda v é menor que a onda a, devido à complacência normal do AD. Proeminente na insuficiência tricúspide, pode levar à movimentação sistólica do lobo da orelha.

Sinal de Kussmaul: elevação da pressão venosa ou ausência do seu declínio durante a inspiração. É observado na vigência de sobrecarga volumétrica das câmaras direitas e de redução da complacência ventricular direita. Exemplos: pericardite constritiva, cardiomiopatia restritiva, embolia pulmonar, infarto de VD, insuficiência cardíaca sistólica avançada.

Reflexo hepatojugular: é o aumento do pulso venoso jugular em mais de 3 cm, por pelo menos 15 segundos, após compressão firme e sustentada do hipocôndrio direito, por pelo menos 10 segundos. É útil para predição de insuficiência cardíaca e pressão do capilar pulmonar maior que 15 mmHg.

Percussão: Encontra-se em desuso por não acrescentar dados importantes.

• Palpação

Pulsos periféricos: deve-se avaliar: frequência, ritmo, amplitude, simetria e forma da onda de pulso. Idealmente, realiza-se simultaneamente à ausculta com o intuito de determinar a relação da ausculta com o ciclo cardíaco, como descrito na Tabela 1.2.

Tabela 1.2 Características dos pulsos.

Pulso	Característica	Significado clínico
Normal	Porção ascendente rápida e descendente menos abrupta, interrompida pela incisura dicrótica, que está relacionada com o fechamento da valva aórtica	

(*continua*)

Semiologia Cardiovascular **7**

(*continuação*)

Tabela 1.2 Características dos pulsos.

Pulso	Característica	Significado clínico
Parvus e tardus (Anacrótico)	Porção ascendente lenta, com pico tardio e menor amplitude. Entalhe na porção ascendente (entalhe anacrótico) que é possível distinguir duas ondas. A amplitude tem relação inversa com o grau de estenose	Sugestivo de obstrução fixa, a via de saída do ventrículo esquerdo (estenose aórtica ou subaórtica fibrótica congênita)
Bisferiens	Dois batimentos palpáveis durante a sístole, com distinto intervalo mesossistólico	Dupla disfunção aórtica e bradicardia acentuada. Registrado também em cardiomiopatia hipertrófica obstrutiva.
Dicrótico	Dois picos: um na sístole e outro na diástole, imediatamente após B2. Onda dicrótica (diastólica) acentuada	Tamponamento cardíaco, insuficiência cardíaca grave, choque hipovolêmico e sepse
Alternante	Pulso de morfologia normal, porém com alternância de amplitude entre os batimentos. Pulso forte seguido por pulso fraco	Disfunção ventricular esquerda grave. Exacerbado por insuficiência aórtica e hipertensão arterial
Paradoxal	Queda acentuada da pressão sistólica do pulso arterial durante a inspiração (queda maior que 10 mmHg). Nos casos graves há desaparecimento do pulso arterial	Tamponamento cardíaco, pericardite constritiva, choque, DPOC grave, TEP maciço
Corrigan ou célere	Ascensão e queda súbitas. Pulso em martelo d'água. Deve-se a resistências periféricas baixas associadas a um débito sistólico elevado	Insuficiência aórtica grave, anemia, hipertireoidismo e fístulas arteriovenosas
Bigeminus	Pulso normal seguido de pulso prematuro, que antecede uma pausa compensatoria	É a expressão clínica do bigeminismo.

Frêmito - sensação vibratória palpável das manifestações sonoras e de sopros rudes.

- ## Ausculta

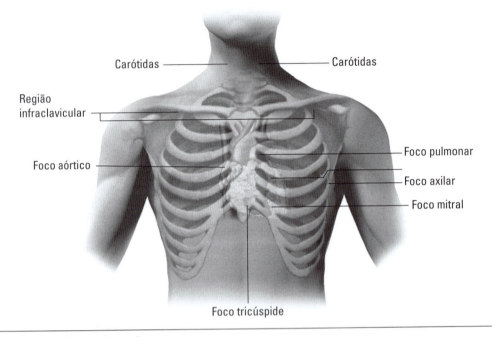

Figura 1.1 Focos da ausculta cardíaca.

Fonte: Bonow RO, Mann DL, Zipes DP, et al. Braunwald, Tratado de doenças cardiovasculares. 9º ed. Rio de Janeiro: Elsevier; 2013. p.113-131.

Bulhas cardíacas

Primeira bulha (B1): Representa o início da sístole ventricular, decorrida principalmente do fechamento das valvas mitral e tricúspide. Ocorre concomitantemente ao pulso carotídeo. O fechamento da tricúspide, apesar de mais difícil de auscultar, pode ser audível no bordo esternal inferior esquerdo.

B1 hiperfonética: tórax fino, pneumotórax, estenose mitral e tricúspide, defeito de septo interventricular, taquiarritmia, hipertireoidismo, hipertensão arterial sistêmica, PR curto.

B1 hipofonética: obesidade, derrame pericárdico, insuficiência cardíaca, insuficiência mitral e tricúspide, DPOC, bradicardia, PR longo.

Segunda bulha (B2): Ocorre pelo fechamento das valvas aórtica e pulmonar. Representa o início da diástole ventricular. Durante a expiração, B2 é única, porém com a inspiração tende a desdobrar-se.

B2 hiperfonética: hipertensão arterial sistêmica, hipertensão pulmonar, coarctação de aorta, tetralogia de Fallot, transposição dos grandes vasos.

B2 hipofonética: estenose aórtica e pulmonar, insuficiência aórtica, insuficiência cardíaca de baixo débito.

Terceira bulha (B3): ocasionada pela limitação súbita da expansão da parede ventricular esquerda durante o enchimento protodiastólico rápido. É um ruído de baixa frequência. Deve ser auscultado com a campânula. Pode ser fisiológico ou indicar uma disfunção sistólica do ventrículo esquerdo. B3 patológica tem intensidade diferente de B1 e B2, e é denominado de galope. Sua presença está relacionada a pior prognóstico.

Quarta bulha (B4): Distensão ventricular pré-sistólica, gerada por uma contração atrial aumentada, levando a uma contração mais vigorosa subsequente. Deve ser auscultada com a campânula e, assim como a B3, é mais audível em ápice, em decúbito lateral esquerdo, e não se altera com a inspiração.

Sopros cardíacos

Devem ser classificados de acordo com:
- A **intensidade** é classificada segundo as recomendações de Samuel Levine:
  - Grau 1: auscultado com muito esforço.
  - Grau 2: suave, porém prontamente detectado.
  - Grau 3: proeminente, porém sem frêmito.
  - Grau 4: sopro sonoro, geralmente com frêmito.
  - Grau 5: sopro muito sonoro, auscultado com parte do estetoscópio em contato com a pele.
  - Grau 6: pode ser auscultado, inclusive, com o estetoscópio levemente removido do contato com a pele.
- **Frequência**: alta ou baixa frequência. Os agudos são reflexo do fluxo sanguíneo, que percorre orifícios pequenos com elevado gradiente de pressão.
- **Cronologia:** é a fase do ciclo cardíaco em que o sopro ocorre: sistólico, diastólico, sistólico e diastólico, contínuos.
- **Duração**: é em que momento da sístole ou diástole o sopro ocorre. Pode ser proto, meso, tele ou holo.
- **Configuração**: Pode ser em crescendo (reforço pré-sistólico na estenose mitral), em decrescendo (insuficiência aórtica e estenose mitral), em diamante (estenose aórtica), em platô (insuficiência mitral).
- **Timbre**: musical, piante, aspirativo, sibilante, rangente, ejetivo, rangente, entre outros.
- **Localização**: foco ou posição anatômica em que o sopro é mais audível.
- **Irradiação**: pode irradiar para axila e dorso (sopros mitrais), região epigástrica (tricúspide), fúrcula e carótidas (aórticos).

Tabela 1.3 Características dos sopros.

Características	Estenose AO	Insuficiência AO	Estenose MI	Insuficiência MI
Fase do ciclo	Sístole	Diástole	Diástole	Sístole
Duração	Proto/meso	Proto/meso	Meso/tele	Holo
Intensidade	Variável	Variável	Variável	Variável
Frequência	Agudo	Grave	Agudo	Grave
Timbre	Ejetivo	Aspirativo	Em ruflar	Regurgitativo
Configuração	Em diamante	Em decrescendo	Em crescendo	Em platô
Localização	Mais intenso foco aórtico	Foco aórtico acessório	Foco mitral	Foco mitral
Irradiação	Carótidas e fúrcula	Para o ápice	Para axila	Para axila e dorso

Representação gráfica dos principais sopros (Figura 1.2A, 1.2B, 1.2C e 1.2D).

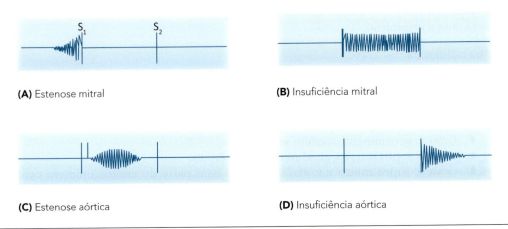

Figura 1.2 Características dos sopros nas valvopatias.

Fonte: Bonow RO, Mann DL, Zipes DP, et al. Braunwald, Tratado de doenças cardiovasculares. 9ª ed. Rio de Janeiro: Elsevier; 2013. p.113-131.

• Medida da pressão arterial

O paciente deve estar sentado confortavelmente, costas apoiadas, braços expostos, pernas descruzadas. O braço deve estar no nível do coração.

O comprimento e a largura do manguito devem medir, respectivamente, 80% e 40% da circunferência do braço. O manguito deve ser esvaziado a menos de 3 mmHg/s.

O primeiro som de Korotkoff audível é a pressão sistólica, e o último é a pressão diastólica.

O paciente deve permanecer em silêncio durante a aferição.

Deve-se medir a pressão arterial em ambos os braços, e as medidas devem diferir em menos de 10 mmHg.

Hipotensão ortostática – queda na pressão arterial maior do que 20 mmHg na pressão sistólica ou maior do que 10 mmHg na pressão diastólica, em resposta à mudança de posição de supina para ortostática, dentro de três minutos.

• Referências

1. Bonow RO, Mann DL, Zipes DP, et al. Braunwald: tratado de doenças cardiovasculares. 9 ed. Rio de Janeiro: Elsevier; 2013. p.113-31.
2. Nobre F, Romano MMD, Maciel BC, et al. Cardiologia de consultório. Barueri (SP): Manole; 2011. p. 5-17.
3. Santos ECL, Figuinha FCR, Lima AGS, Henares BB, Mastrocola F. Manual de cardiologia cardiopapers. São Paulo: Atheneu; 2013. p. 171-183.
4. Porto CC. Exame clínico. 4 ed. Rio de Janeiro: Guanabara Koogan; 2000. p.275-304.

Check-up

César Augusto Pereira Jardim • Tainara Sá Freire de Almeida

• Introdução

A medicina promete aumentar consideravelmente nossa expectativa de vida ao longo das próximas décadas. Contudo, ninguém que conheça as estatísticas consegue dizer que a batalha está ganha. Até lá, as pessoas devem fazer sua parte para viver mais e melhor. Alguns estudos sugerem que a longevidade depende, em grande parte, do estilo de vida.

O *check-up* cardiológico, por definição, é um procedimento que permite fazer diagnóstico das condições momentâneas de funcionamento do coração, por meio de exame clínico completo, análises laboratoriais, métodos gráficos e de imagens, além de avaliar a presença de fatores de risco para doença cardiovascular.

Os programas de *check-up* atualmente existentes visam a avaliar a saúde do indivíduo de maneira completa e personalizada, de acordo com a faixa etária, o histórico pessoal, os hábitos de vida e os antecedentes familiares, garantindo, desta forma, o diagnóstico preciso e gerando orientações adequadas para melhor qualidade de vida.

Neste capítulo serão abordados alguns dos exames que auxiliam na avaliação cardiológica, sem esquecer que outros métodos de investigação também podem ser utilizados a depender das queixas e das hipóteses diagnósticas de cada indivíduo.

• História clínica

A técnica da anamnese permite ao paciente a exposição de suas queixas para, em seguida, com perguntas pertinentes, aprofundar suas características. Os relatos mais comuns numa anamnese cardiológica são: dor torácica, dispneia, lipotímia, síncope, edema, palpitação, tosse e cianose.

A dor torácica é o sintoma mais importante da cardiopatia isquêmica, geralmente localizada na região precordial ou retroesternal, desencadeada pelo esforço físico ou estresse emocional, em caráter de aperto ou em queimação, com duração fugaz, até 20 minutos, com

Guia Prático de Cardiologia

irradiação para braço esquerdo, dorso ou mandíbula, e também pode estar acompanhada de náusea, palidez e sudorese.

Devemos redobrar a atenção aos subgrupos que, em geral, evoluem de forma assintomática ou com sintomas atípicos, por exemplo, diabéticos, idosos e mulheres.

Deve-se também considerar os hábitos, a presença de fatores de risco cardiovascular, que são classificados em: modificáveis (hipertensão arterial sistêmica, dislipidemia, tabagismo, obesidade, sedentarismo e *diabetes mellitus*); e não modificáveis (gênero, idade e hereditariedade, esta definida como presença de coronariopatia em familiares de primeiro grau, em homens com menos de 55 anos de idade, e em mulheres com menos de 65 anos de idade).

• Exames subsidiários

Realizando-se exames laboratoriais é possível identificar parte dos fatores de risco cardiovascular citados.

Existem evidências de que, quanto maior a associação de fatores de risco em um indivíduo, maior a probabilidade da doença, ou seja, o termo fator de risco geralmente aplica-se a um parâmetro, que pode prever uma maior chance de evento cardiovascular futuro, e que a modificação desses fatores pode alterar o índice de sua progressão, com redução da morbidade e mortalidade.

Um estudo internacional, o Interheart, avaliou pela primeira vez os fatores de risco para doença cardiovascular em dezenas de países dos seis continentes, incluindo o Brasil. Verificou-se que nove fatores de risco, simples de detectar e passíveis de modificação, são responsáveis por mais de 90% do risco atribuível para doença cardiovascular, seis atuando de forma prejudicial (dislipidemia, hipertensão arterial, Diabetes *mellitus*, sobrepeso/obesidade, tabagismo e estresse psicológico), e os outros três de forma protetora (exercício físico, consumo diário de vegetais e frutas, e bebidas alcoólicas em pequena dose). Portanto, o importante será identificá-los e controlá-los de modo eficiente.

• Eletrocardiograma (ECG)

Em pacientes assintomáticos, o ECG deve ser realizado nas seguintes situações: a) na avaliação de indivíduos acima de 40 anos de idade; b) para avaliar pacientes antes da administração de agentes farmacológicos com conhecido efeito cardiovascular (ex.: agentes quimioterápicos); c) antes de um teste ergométrico; d) para avaliar pacientes de qualquer idade que exercem ocupações especiais, que requerem alta *performance* cardiovascular ou ligados à segurança pública (bombeiros, policiais, pilotos, controladores de tráfego aéreo, motoristas de ônibus ou caminhões); e) na avaliação de atletas.

O ECG tem utilidade limitada na doença arterial coronária (DAC), já que alterações da repolarização não implicam obrigatoriamente em DAC, além de poder estar relacionadas a outras causas (sobrecarga ventricular esquerda, distúrbios eletrolíticos, bloqueio de ramo esquerdo, onda T cerebral, entre outras). Por isso, associado a essa limitação, o eletrocardiograma normal não exclui a presença de obstrução coronariana. Entretanto, o ECG apresenta importância diagnóstica: a) as alterações indicativas da presença de áreas inativas prévias (ondas QS ou Qr, acompanhadas de ondas T negativas nas derivações que exploram a necrose) permitem o diagnóstico de DAC; b) as alterações da repolarização ventricular são sugestivas de isquemia subepicárdica (onda T negativa, pontiaguda e simétrica); c) as alterações da repolarização ventricular são sugestivas de isquemia subendocárdica (onda T positiva, pontiaguda e simétrica); d) as alterações da repolarização ventricular são sugestivas de lesão subendocárdica (infradesnivelamento do ponto J e do segmento ST, com concavidade superior deste segmento nas derivações que exploram a lesão).

Check-up **13**

Assim, o ECG é indicado: nos pacientes com suspeita de causa cardíaca para dor torácica; durante um episódio de dor torácica.

• Teste ergométrico

O teste ergométrico serve para a avaliação ampla do funcionamento cardiovascular com um estresse físico programado, gradualmente crescente, em esteira rolante ou bicicleta, onde serão observados os sintomas e feita avaliação da resposta física, hemodinâmica e eletrocardiográfica, e com isso a análise da possibilidade de doença arterial coronária, capacidade funcional cardiorrespiratória, detecção de arritmias, comportamento anormal da pressão arterial. Também é possível avaliar o surgimento de sopros, sinais de falência ventricular esquerda, avaliação funcional de doença cardíaca já conhecida, e prescrição de exercícios.

Deve ser contraindicado em casos de arritmias não controladas, miocardites, pericardites, estenose valvar aórtica moderada/grave, hipertensão arterial sistêmica grave, embolia pulmonar, gestação, limitação física e enfermidades agudas.

O índice de complicações é baixo, pode ocorrer infarto agudo do miocárdio, arritmias graves e parada cardíaca numa proporção de 1: 20.000 exames.

A sensibilidade, ou seja, a chance de o exame ser positivo quando a doença está presente, e a especificidade, ou seja, a chance de o exame ser negativo quando a doença está ausente, está entre 70% e 80%.

Indicações: indivíduos com história familiar positiva de doença arterial coronária precoce ou morte súbita, indivíduos de alto risco pelo escore de Framingham; investigação de DAC em indivíduos hipertensos ou com mais de um fator de risco; palpitação, síncope, pré-síncope, mal-estar indefinido ou palidez relacionada ao esforço físico; candidatos a programas de exercício (classe lla, nível de evidência C); avaliação inicial de atletas de competição e atletas que necessitam ajuste da carga de exercícios.

• Ecodopplercardiograma

O ecocardiograma é um dos métodos diagnósticos mais empregados na prática clínica cardiológica.

O ecocardiograma transtorácico (ETT) com doppler colorido constitui exame não invasivo, de baixo custo, e de fácil acesso. É capaz de fornecer dados morfológicos e funcionais que, em associação com os elementos de ordem clínica, são essenciais para estabelecer o diagnóstico diferencial das patologias cardiovasculares. Com base na caracterização do envolvimento miocárdico, valvar ou pericárdico, bem como da análise das funções sistólica e diastólica ventricular ou, ainda, das modificações da geometria ventricular, é possível definir o diagnóstico etiológico na maior parte das situações clínicas.

Em linhas gerais, o uso apropriado da ecocardiografia é realizado para:

1. elucidação diagnóstica inicial;
2. orientar terapia;
3. avaliar mudança clínica ou no exame físico;
4. acompanhamento precoce e tardio de acordo com a patologia.

Nos pacientes portadores de hipertensão arterial sistêmica (HAS), o ETT pode avaliar os efeitos estruturais e funcionais da HAS sobre o miocárdio, sobre a função sistólica ou diastólica, e sobretudo em relação ao grau e às formas de hipertrofia ventricular esquerda (HVE). A avaliação da hipertrofia tem relevância clínica, pois representa fator de risco independente de morbimortalidade cardíaca. Já na síndrome coronariana aguda (SCA), o ETT auxilia no diagnóstico de isquemia aguda (infarto do miocárdio ou angina instável) através da avaliação da função contrátil do ventrículo esquerdo (VE) e das alterações segmentares da contratilidade que podem estar presentes no momento da dor e após o seu desaparecimento. Outra aplicação do ETT é na avaliação das complicações pós-infarto.

Nos últimos anos surgiram novas técnicas ecocardiográficas como *strain* e *strain rate*, que avaliam deformação miocárdica e apresentam grande sensibilidade, mesmo na detecção de alterações subclínicas da função sistólica segmentar. Tais técnicas ainda têm sua utilização limitada, porém são bastante promissoras e vêm para aprimorar ainda mais esse método.

• Cintilografia de perfusão miocárdica

Desde o final da década de 1970, alguns estudos forneceram bases para o estabelecimento da cintilografia miocárdica. Passou pelo emprego da técnica planar, do Tálio 201, e posteriormente um novo traçador baseado em Tecnécio 99 metaestável.

Na década de 1990, o método evoluiu para a técnica da tomografia computadorizada por emissão de um único fóton (Spect). Além disso, com a evolução do método, outras ferramentas foram incorporadas, como a quantificação em mapas polares e a avaliação simultânea da fração de ejeção e da motilidade das paredes ventriculares, por meio da sincronização da aquisição das imagens com eletrocardiograma.

Gradativamente, o tálio 201 foi sendo substituído por tecnécio 99 metaestável como principal isótopo utilizado na rotina na maioria dos serviços de cardiologia. O uso de programas específicos para a quantificação dos defeitos de perfusão permitiu observar que o tamanho médio do defeito foi maior para a adenosina do que para o exercício, sugerindo maior sensibilidade da prova farmacológica para a detecção de pequenos defeitos.

Uma extensa revisão evidencia sensibilidade de 83% a 98%, e especificidade de 53% a 100%. Entretanto, nesses números não estão computados dados relacionados à potencial melhora da acurácia implementada pelos programas de quantificação das imagens e técnicas de correção de atenuação.

O papel do Spect como ferramenta prognóstica e na avaliação do risco cardiovascular possui vasta literatura e resultado robusto. Numa metanálise que totalizou 70 mil pacientes, com um seguimento médio de 2,3 anos, utilizou-se Spect tanto com tálio como com tecnécio, mostrando significativa diferença na taxa de eventos entre grupos de baixo e alto risco. Quando analisados apenas a morte cardíaca e o infarto não fatal, o grupo correspondeu a aproximadamente 40 mil pacientes, e o método continuava discriminante entre os grupos.

A presença de defeitos transitórios ou reversíveis reflete isquemia, que por si só se associa a maior incidência de eventos futuros, quando são comparados às imagens normais ou com defeitos persistentes de perfusão. Da mesma forma, em pacientes com suspeita ou mesmo com doença coronária comprovada, a estimativa da quantidade de miocárdio em risco, avaliada por análises semiquantitativas de número, extensão, intensidade ou grau de reversibilidade dos defeitos existentes, bem como a medida da fração de ejeção pós-estresse físico ou após provas farmacológicas provocativas têm valor prognóstico, indicando risco de eventos no seguimento clínico.

Também podemos lançar mão de informações, tais como: a dilatação transitória do ventrículo esquerdo, induzida ou acentuada por exercício ou provas farmacológicas e/ou hipercaptação pulmonar; na tradução da disfunção ventricular esquerda podem ser avaliados, já que o aumento da captação em parede do ventrículo direito, sugerindo desbalanço das perfusões entre os ventrículos tem sido considerado neste sentido, mas sua aplicação clínica ainda não está bem estabelecida e seu uso rotineiro não é amplamente difundido.

• ESCORE DE CÁLCIO CORONÁRIO

A predição de risco cardiovascular é importante para definir prognóstico, traçar metas, motivar os pacientes a aderir ao tratamento medicamentoso e alterar o estilo de vida, sendo elemento fundamental no manejo de indivíduos sem manifestação prévia de doença cardiovascular – prevenção primária.

O Escore de Cálcio (EC) é realizado por meio de Tomografia Computadorizada Multislice, sem utilização de contraste iodado e com baixa dose de radiação ionizante. Além de ser um método de alta sensibilidade para detecção do cálcio e elevada acurácia para sua quantificação, realizada pelo método de Agatston.

Atualmente, a principal utilização do Escore de Cálcio (vide Tabela 2.1 abaixo) é como ferramenta para estratificação de risco cardiovascular por meio da detecção de aterosclerose subclínica, especialmente em pacientes assintomáticos, de risco intermediário, de acordo com o Escore de Risco de Framinghan. Segundo as diretrizes atuais de dislipidemias da Sociedade Brasileira de Cardiologia e publicações recentes internacionais, o Escore de Cálcio é considerado um fator agravante que, quando presente, reclassifica o indivíduo quanto ao risco cardiovascular. Desse modo, sua utilização pode complementar a avaliação clínica do risco do paciente.

Tabela 2.1 Interpretação clínica do grau de calcificação coronária para indivíduos assintomáticos.

Grau de calcificação	Interpretação clínica
Escore de cálcio zero	Risco muito baixo de eventos coronários futuros
EC < 100 e < percentil 75 para sexo, idade e raça	Baixo risco de eventos coronários futuros. Baixa probabilidade de isquemia miocárdica
EC > 100 ou > percentil 75 para sexo, idade e raça	Maior risco de eventos coronários futuros (fator agravante) Considerar reclassificação do indivíduo para alto risco
EC > 400	Maior probabilidade de isquemia miocárdica

Fonte : Retirada da II Diretriz de Ressonância Magnética e Tomografia Computadorizada Cardiovascular da Sociedade Brasileira de Cardiologia e do Colégio Brasileiro de Radiologia.

• Angiotomografia das artérias coronárias

A Angiotomografia das Artérias Coronárias (Angio-TC) permite a avaliação de maneira não invasiva, rápida e segura da luz e das paredes arteriais. Com o avanço da tecnologia dos tomógrafos, o método está cada vez mais acurado e reduzindo progressivamente a dose de radiação. É um método que está cada vez mais acessível à população, agregando informações quanto à anatomia coronária e ao risco cardiovascular do paciente.

O registro multicêntrico internacional Confirm (Coronary CT Angiography Evaluation For Clinical Outcomes: AN International Multicenter) avaliou 23.854 pacientes com seguimento médio de 2,3 anos e demonstrou que a identificação de doença arterial coronária (DAC) pela angio-TC está associada a taxas mais elevadas de mortalidade. Outros estudos demonstraram que a Angio-TC apresenta valor prognóstico independente e adicional aos testes de isquemia miocárdica.

Além da avaliação habitual da anatomia coronária, é um excelente método para avaliação dos enxertos cirúrgicos após revascularização miocárdica, desde a sua origem até o local da anastomose no leito nativo.

É um método extremamente útil na elucidação de exames funcionais discordantes, como o teste ergométrico positivo com cintilografia do miocárdio sem isquemia miocárdica e vice-versa, onde a Angio-TC acrescentará informação quanto à anatomia coronária do paciente.

Além da avaliação da anatomia coronária é possível a caracterização da placa aterosclerótica, visto que placas com alto conteúdo lipídico estão associadas a desfechos desfavoráveis ao paciente.

Dessa forma, um número cada vez maior de evidências vem demonstrando o valor prognóstico da Angio-TC, independentemente dos fatores de risco tradicionais, da fração de ejeção, dos resultados do Escore de Cálcio e de testes de isquemia miocárdica em diversos subgrupos de pacientes em diferentes situações clínicas.

• Ressonância magnética cardiovascular

A utilização da Ressonância Magnética para avaliação do coração está cada vez mais frequente. É importante ressaltar que a RMC não envolve qualquer radiação ionizante, o que confere segurança ao paciente em relação aos fenômenos físicos envolvidos na aquisição da imagem.

Um dos mais importantes marcos da RMC é a detecção do infarto do miocárdio e a avaliação da viabilidade miocárdica através da técnica do realce tardio após a injeção do gadolínio.

A RMC possui ampla utilização na cardiologia, desde a investigação da viabilidade do miocárdio, presença ou ausência de isquemia miocárdica, alterações da anatomia do miocárdio, e até a avaliação das cardiopatias congênitas, incluindo a análise de fluxos.

Vale lembrar o importante papel na avaliação das cardiopatias, como a Displasia Arritmogênica do Ventrículo Direito e a Cardiomiopatia Hipertrófica, principais causas de morte súbita cardíaca no mundo.

• Referências

1. Bonow RO, Mann DL, Zipes DP, Libby P. Braunwald: tratado de doenças cardiovasculares. 9 ed. Rio de Janeiro: Elsevier; 2013. p.113-31.
2. Nobre F, Romano MMD, Maciel BC, et al. Cardiologia de consultório. Barueri (SP): Manole; 2011. p. 5-17.
3. Santos ECL, Figuinha FCR, Lima AGS, Henares BB, Mastrocola F. Manual de cardiologia cardiopapers. São Paulo: Atheneu; 2013. p. 171-83.
4. Porto CC. Exame clínico. 4 ed. Rio de Janeiro: Guanabara Koogan; 2000. p.275-304.

Métodos Complementares

Eletrocardiograma

Irving Gabriel Araújo Bispo • Vera Márcia L. Gimenes

• Introdução

Willen Einthoven, em 1902, idealizou um aparelho para registrar as correntes elétricas que se originavam no coração. Surgia o eletrocardiógrafo e o eletrocardiograma. Nesses mais de cem anos, tanto os aparelhos quanto a própria metodologia de interpretação se modernizaram. Surgiram novas interpretações, fazendo com que o eletrocardiograma continue sendo um exame de extrema importância.

• Sistema de condução

Ativação ou despolarização cardíaca, em condições normais, têm origem no nódulo sinusal (nódulo de Keith-Flack), região do marca-passo cardíaco, localizado no átrio direito, sendo esta a primeira área do coração a se despolarizar. O estímulo alcança, em sequência, o átrio esquerdo, o nódulo atrioventricular (nódulo de Aschoff-Tawara), o feixe de His e seus ramos (esquerdo e direito), a rede de Purkinje, os ventrículos e, por fim, se extingue.

Durante a atividade cardíaca desencadeada pelo processo de ativação do coração, fenômenos elétricos são originados na despolarização e repolarização, podendo ser registrados pelo eletrocardiógrafo (Figura 3.1).

A ativação atrial inicia-se no Átrio Direito (AD) e se estende ao Átrio Esquerdo (AE), sendo representada por dois vetores do AD, que se orientam para baixo e um pouco para a frente, e do AE, que se orientam para trás e mais para a esquerda. O vetor resultante final, que determina o eixo elétrico, orienta-se para a esquerda, para baixo, em paralelo ao plano frontal. A deflexão resultante é denominada Onda P.

O vetor resultante final, que determina o eixo elétrico, orienta-se para a esquerda e algo para trás.

A deflexão resultante é denominada complexo QRS.

A repolarização ventricular inicia-se ao final da ativação ventricular. Inicialmente, as correntes de elétrons desenvolvidas não são intensas e não causam deflexão, sendo inscrita uma

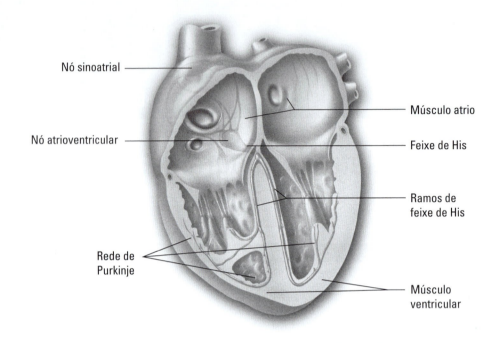

Figura 3.1 Sistema de condução.

linha isoelétrica. A seguir, surgem potenciais mais intensos, que determinam a inscrição da deflexão resultante, denominada Onda T.

A repolarização atrial (Onda Ta) não é identificada no ECG normal.

• Propedêutica eletrocardiográfica

A sistematização na interpretação do eletrocardiograma, cuja finalidade é facilitar o diagnóstico, deve seguir as seguintes etapas:

1. Frequência cardíaca.
2. Ritmo cardíaco.
3. Onda P.
4. Segmento PR.
5. Intervalo PR.
6. Complexo QRS.
7. Ponto J e segmento ST.
8. Onda T.
9. Intervalo QT.
10. Onda U.

• Interpretação geral

Onda P: avaliar ritmo.

Complexo QRS: avaliar orientação (entre -30 graus e +90 graus; avaliar duração (normal < 120 ms); sobrecargas ventriculares e área inativa (presença de ondas Q patológicas) (Figura 3.2).

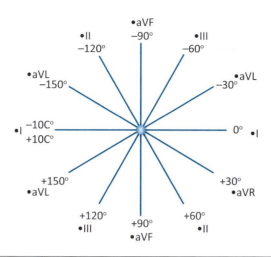

Figura 3.2 Vetores eletrocardiográficos.

Onda T: onda assimétrica, de início mais lento e final mais rápido, positiva em quase todas as derivações, habitualmente com polaridade semelhante à do QRS, e de amplitude equivalente a cerca de 10% a 30% do QRS. Avaliar segmentos ST (infra ou supradesnivelamento); avaliar alteração de repolarização de onda T.

Onda U: última e menor deflexão do ECG que, quando presente, inscreve-se logo após a onda T e antes da P do ciclo seguinte, de igual polaridade à T precedente e de amplitude entre 5% e 25% da mesma, na maioria das vezes.

Intervalo QT e intervalo QT corrigido: intervalo QT (QT): é a medida do início do QRS ao término da onda T, portanto representa a duração total da atividade elétrica ventricular. Intervalo QT corrigido (QTc): como o QT é variável, de acordo com a FC, habitualmente é corrigido (QTc) pela fórmula de Bazzet (Figura 3.3), onde: QT medido em milissegundos e distância RR em segundos.

$$QT_c = \frac{QT}{\sqrt{RR}}$$

Figura 3.3 Fórmula de Bazzet.

Os valores do QT e QTc não precisam ser registrados no laudo, mas sempre devem ter sua normalidade verificada.

Os valores para o QTc variam de acordo com o sexo e são aceitos como normais até o máximo de 450 ms para homens e 470 ms para mulheres.

Repolarização precoce

A Repolarização Precoce caracteriza-se por elevação do ponto J ≥ 1 mm, fazendo com que o final do QRS não coincida com a linha de base, gerando um segmento ST de concavidade superior em pelo menos duas derivações precordiais adjacentes, com valores também ≥ 1 mm. A presença de onda J (espessamento ou entalhe da porção final do QRS) e o aspecto retificado do segmento ST em derivações inferiores podem ser marcadores de risco elétrico para o desenvolvimento de taquiarritmias ventriculares.

- **Análise do ritmo cardíaco**

Ritmo sinusal: ritmo fisiológico que se origina no átrio direito alto. Onda P positiva em DI, DII E AVF.

- Se a onda P tiver orientação no plano frontal diferente da sinusal (negativa em AVF e positiva em AVR, por exemplo), o ritmo é ectópico atrial.
- Se a onda P não tiver relação com o QRS é bloqueio atrioventricular total (BAVT).
- Se a onda P tiver morfologias diferentes é ritmo atrial multifocal (pelo menos três morfologias diferentes).

- **Sobrecargas**
    - Sobrecarga atrial esquerda
    - Duração da onda P maior ou igual a 120 ms.
    - Desvio do Eixo da P para a esquerda.
    - Onda P entalhada e bífida em DII (onda P *mitrale*).
    - Índice de Morris: componente final negativo de P em V1 com duração > 40 ms e amplitude > 1 mm.
    - Índice de Macruz: duração total da P dividida pelo intervalo PR > 1,7.

Sobrecarga atrial direita

- Onda P pontiaguda, com amplitude > 2,5 mm em DII, DIII e AVF com duração normal.
- Amplitude da P > 1,5 mm em V1, V2 e AVR.
- Amplitude de onda P em DIII > DI.
- Sinal de Peñaloza-Tranchesi: indireto, aumento importante da amplitude do complexo QRS em V2 em relação ao V1 (Figura 3.4).

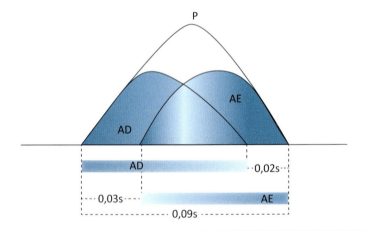

Figura 3.4 Sobrecargas atriais.

Sobrecarga ventricular esquerda

Na Sobrecarga Ventricular Esquerda (SVE), o ECG não é o padrão-ouro para este item, entretanto, quando alterado, tem prognóstico significativo, podendo-se utilizar vários critérios para o diagnóstico.

Critérios de Romhilt-Estes

Por esse critério, existe SVE quando se atingem cinco pontos ou mais no escore que se segue.

a) Critérios de 3 pontos: aumento de amplitude do QRS (20 mm no plano frontal e 30 mm no plano horizontal); padrão de *strain* na ausência de ação digitálica; e índice de Morris.

b) Critérios de 2 pontos: desvio do eixo elétrico do QRS além de – 30°.

c) Critérios de 1 ponto: aumento do Tempo de Ativação Ventricular (TAV) ou deflexão intrinsecoide além de 40 ms; aumento da duração do QRS (> 90 ms) em V5 e V6; e padrão *strain* sob ação do digital.

Índice de Sokolow Lyon

É considerado positivo quando a soma da amplitude da onda S na derivação V1 com a amplitude da onda R da derivação V5/V6 for > 35 mm. Nos jovens, esse limite pode ser de 40 mm.

Índice de Cornell

Quando a soma da amplitude da onda R na derivação aVL, com a amplitude da onda S de V3 for > 28 mm em homens e 20 mm em mulheres.

Alterações de repolarização ventricular

Onda T achatada nas derivações esquerdas (D1, aVL, V5 e V6) ou padrão tipo *strain* (infradesnivelamento do ST com onda T negativa e assimétrica).

Sobrecarga ventricular direita

- Desvio do eixo QRS para a direita > 110 graus em adultos.
- QRS em V1: onda R ampla, com aumento de amplitude (R V1 > 7 mm) com S V1 < 2 mm.
- Onda S em V5 e V6 > 7 mm.
- Alteração de segmento ST em derivações precordiais direitas (padrão *strain*).
- Sobrecarga biventricular
- Ondas R amplas em V5 e V6, com eixo elétrico do QRS > 90 graus com morfologia rSr' em V1 e V2.
- Complexos QRS de alta voltagem em derivações precordiais intermediárias, com onda R ampla em precordiais esquerdas.
- Onda S de pequena amplitude em V1, com S profunda em V2, onda R ampla em V5 e V6, desvio do eixo QRS para a direita, podendo apresentar padrão S1S2S3.

• Bloqueios de ramo

Bloqueio de ramo esquerdo

QRS alargados, com duração ≥ 120 ms, como condição fundamental (as manifestações clássicas do Bloqueio do Ramo Esquerdo – BRE, contudo, expressam-se em durações superiores a 130 ms).

- Ausência de "q" em D1, aVL, V5 e V6; variantes podem ter onda "q" apenas em aVL.

- Ondas R alargadas e com entalhes e/ou empastamentos médio-terminais em D1, aVL, V5 e V6.
- Onda "r" com crescimento lento de V1 a V3, podendo ocorrer QS.
- Ondas S alargadas com espessamentos e/ou entalhes em V1 e V2.
- Deflexão intrinsecoide em V5 e V6 ≥ 50 ms.
- Eixo elétrico de QRS entre –30° e +60°.
- Depressão de ST e T assimétrica em oposição ao retardo médio-terminal.

Bloqueio de ramo direito

- QRS alargados, com duração ≥ 120 ms como condição fundamental.
- Ondas S empastadas em D1, aVL, V5 e V6.
- Ondas qR em aVR com R empastada.
- rSR' ou rsR' em V1 com R' espessado.
- Eixo elétrico de QRS variável, tendendo para a direita no plano frontal.
- Onda T assimétrica em oposição ao retardo final de QRS (Figura 3.5).

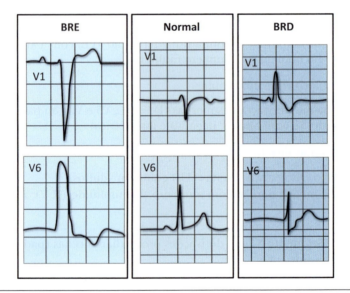

Figura 3.5 Bloqueios de ramo.

Bloqueio divisional anterossuperior esquerdo

Eixo elétrico de QRS ≥ –45°.

- rS em D2, D3 e aVF com S3 maior que S2; QRS com duração < 120 ms.
- Onda S de D3 com amplitude maior que 15 mm (ou área equivalente).
- qR em D1 e aVL com tempo da deflexão intrinsecoide maior que 50 ms ou qRs com "s" mínima em D1.
- qR em aVL com R empastado.
- Progressão lenta da onda r de V1 até V3.
- Presença de S de V4 a V6.

Bloqueio divisional anteromedial esquerdo

- Onda R ≥ 15 mm em V2 e V3 ou desde V1, crescendo para as derivações precordiais intermediárias e diminuindo de V5 para V6.
- Salto de crescimento súbito da onda "r" de V1 para V2 ("rS" em V1 para R em V2).
- Duração do QRS < 120 ms.
- Ausência de desvio do eixo elétrico de QRS no plano frontal.
- Ondas T, em geral negativas nas derivações precordiais direitas.
- Morfologia qR em V1 a V4.
- Todos esses critérios são válidos na ausência de SVD, hipertrofia septal ou infarto lateral.

Bloqueio divisional posteroinferior esquerdo

- Eixo elétrico de QRS no plano frontal orientado para a direita > +90°.
- qR em D2, D3 e aVF com R3 > R2 e deflexão intrinsecoide > 50 ms.
- Onda R em D3 > 15 mm (ou área equivalente).
- Tempo de deflexão intrinsecoide aumentado em aVF, V5,V6 maior ou igual a 50 ms.
- rS em D1 com duração < 120 ms; podendo ocorrer progressão mais lenta de "r" de V1-V3.
- Onda S de V2 a V6.

Atraso final de condução

A expressão "atraso final de condução" pode ser usada quando o distúrbio de condução no ramo direito for muito discreto. Pode também se expressar em alguns distúrbios de condução do ramo esquerdo, como o Bloqueio Divisional Anterossuperior Esquerdo (BDAS). A presença de atrasos finais de condução à direita pode se expressar pelas ondas R empastadas em aVR e ondas S em D1, aVL, V5 e V6 (com duração do atraso ≥ 30 ms). O atraso final da condução, quando tiver características definidas e empastamentos evidentes, pode ser definido como bloqueio divisional do ramo direito e ser uma variante dos padrões de normalidade.

• Infarto do miocárdio

Considera-se "Área Eletricamente Inativa (AEI)" aquela onde não existe ativação ventricular da forma esperada, sem configurar distúrbio de condução intraventricular, caracterizada pela presença de ondas Q patológicas em duas derivações contíguas, com duração superior a 40 ms, ou não à amplitude > 1 mm ou redução da onda R em área onde a mesma é esperada e deveria estar presente.

Análise topográfica das manifestações isquêmicas

- Análise topográfica das manifestações isquêmicas ao eletrocardiograma
- Parede anterosseptal – derivações V1, V2 e V3.
- Parede anterior – derivações V1, V2, V3 e V4.
- Parede anterior localizada – derivações V3, V4 ou V3-V5.
- Parede anterolateral – derivações V4 a V5, V6, D1 e aVL.
- Parede anterior extensa – V1 a V6, D1 e aVL.
- Parede lateral baixa – derivações V5 e V6.
- Parede lateral alta – D1 e aVL.

- Parede inferior – D2, D3 e aVF.
- Os termos "parede posterior" e "dorsal" não devem mais ser utilizados, dadas as evidências atuais de que o registro obtido por V7 a V9 refere-se à parede lateral.

Infarto do miocárdio de ventrículo direito

Elevação do segmento ST em derivações precordiais direitas (V1, V3R, V4R, V5R e V6R), particularmente com elevação do segmento ST superior a > 1 mm em V4R. A elevação do segmento ST nos infartos do VD aparece por um curto período de tempo, devido ao baixo consumo de oxigênio da musculatura do VD. Geralmente, esse infarto associa-se ao infarto da parede inferior e/ou lateral do ventrículo esquerdo.

Infarto atrial

Visível pela presença de desnivelamentos do segmento PR maiores que > 0,5 mm. Pode associar-se a arritmias atriais.

Critérios diagnósticos da presença de isquemia miocárdica

Presença de isquemia

- Isquemia subendocárdica: presença de onda T positiva, simétrica e pontiaguda.
- Isquemia subepicárdica: presença de onda T negativa, simétrica e pontiaguda; atualmente, atribui-se a essa alteração um padrão de reperfusão e não mais correspondendo a uma isquemia real da região subepicárdica (Figura 3.6).

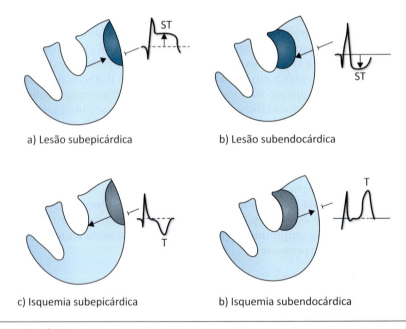

Figura 3.6 Isquemia e lesão.

Isquemia circunferencial ou global

Situação peculiar durante episódio de angina com infradesnivelamento do segmento ST em seis ou mais derivações, com maior intensidade de V4 a V6 acompanhado de ondas T negativas, em associação a supradesnivelamento do segmento ST em aVR.

Critérios diagnósticos da presença de lesão

▶ Lesão subepicárdica: elevação do ponto J e do segmento ST, com concavidade ou convexidade (mais específica) superior desse segmento em duas derivações contíguas que exploram a região envolvida, de pelo menos 1 mm no plano frontal e precordiais esquerdas. Para as derivações precordiais V1 a V3, considerar, em mulheres, $\geq 1,5$ mm; em homens acima de 40 anos de idade, $\geq 2,0$ mm; e em homens abaixo de 40 anos de idade, $\geq 2,5$ mm de supradesnivelamento do segmento ST.

▶ Lesão subendocárdica: depressão do ponto J e do segmento ST, horizontal ou descendente $\geq 0,5$ mm em duas derivações contíguas que exploram as regiões envolvidas, aferido 60 ms após o ponto J. O diagnóstico da corrente de lesão leva em consideração a presença concomitante de alterações da onda T e do segmento ST reconhecidas em pelo menos duas derivações concordantes.

• Diagnósticos diferenciais

Isquemia subepicárdica

Isquemia subepicárdica deve ser diferenciada das alterações secundárias da repolarização ventricular em SVE ou bloqueios de ramos (aspecto assimétrico da onda T).

Infarto agudo do miocárdio com supradesnivelamento do segmento ST

O IAM com supradesnivelamento do ST deve ser diferenciado das seguintes situações: repolarização precoce; pericardite e miocardite; IAM antigo com área discinética e supradesnível persistente; quadros abdominais agudos; hiperpotassemia e síndromes catecolaminérgicas.

Associação de infarto com bloqueios de ramo

Infarto de miocárdio na presença de bloqueio de ramo direito

Habitualmente, a presença de Bloqueio de Ramo Direito (BRD) não impede o reconhecimento de infarto do miocárdio associado.

Infarto do miocárdio na presença de bloqueio de ramo esquerdo

A presença de BRE dificulta o reconhecimento de infarto do miocárdio associado. Os desnivelamentos do segmento ST podem permitir a identificação de infarto do miocárdio recente, de acordo com os critérios definidos por Sgarbossa *et al.*:

▶ Elevação do segmento ST > 1,0 mm em concordância com o QRS/T.
▶ Depressão do segmento ST $\geq 1,0$ mm em V1, V2 e V3.
▶ Elevação do segmento ST $\geq 5,0$ mm em discordância com o QRS/T.

O diagnóstico eletrocardigráfico de arritmias será abordado na seção Arritmias.

• Referências

1. Pastore CA, Pinho JA, Pinho C, et al. III Diretrizes da Sociedade Brasileira de Cardiologia sobre análise e emissão de laudos eletrocardiográficos. Arq Bras Cardiol 2016; 106(4 Suppl I):1-23.

2. Oliveira Junior MT, Canesin MF, Marcolino MS, et al. Diretriz de Telecardiologia no cuidado de pacientes com síndrome coronariana aguda e outras doenças cardíacas. Arq Bras Cardiol 2015;104(5 Suppl I):1-26.
3. Santos ECL, Figuinha FCR, Lima AGS, Mastrocola F. Manual de cardiologia cardiopapers. São Paulo: Atheneu; 2013.

Radiografia de Tórax

Ana Carolina Proença Costa • Carlos Eduardo Rochitte

• Introdução

Embora seja a modalidade mais antiga e menos sofisticada em uso para a avaliação da imagem, a radiografia simples ainda é o estudo de imagem mais amplamente utilizado na prática clínica atual. Nos mais variados contextos clínicos, desde a sala de emergência até o leito de UTI, é enorme a quantidade de informações obtidas por esse método, principalmente quando realizado em condições técnicas adequadas e avaliado por médicos treinados.

Neste capítulo, revisitaremos alguns conceitos fundamentais para a interpretação sistemática da radiografia simples do tórax, além de apresentar e discutir os principais achados radiológicos cardiovasculares na radiologia convencional.

• Princípios básicos

Na prática radiológica, várias incidências podem ser utilizadas na aquisição de imagens por radiologia convencional. A incidência frontal Posteroanterior (PA) em apneia inspiratória é considerada a aquisição padrão, pois mantém o coração mais próximo do filme/placa detectora, reduzindo assim o efeito de magnificação do coração, e deve ser idealmente solicitada junto com a incidência em perfil (sobretudo na primeira avaliação imagenológica do paciente). A aquisição Anteroposterior (AP, realizada em sua imensa maioria através de aparelho portátil, é geralmente indicada em pacientes graves, restritos ao leito, inconscientes ou politraumatizados; quando não é possível realizar a radiografia PA padrão, estando classicamente associada à magnificação da silhueta cardíaca e aos graus insuficientes de inspiração.

Análise e interpretação de imagens

Com vistas à padronização das descrições e inclusão de todos os itens a serem avaliados, a sistematização da análise é sempre recomendada (Figura 4.1).

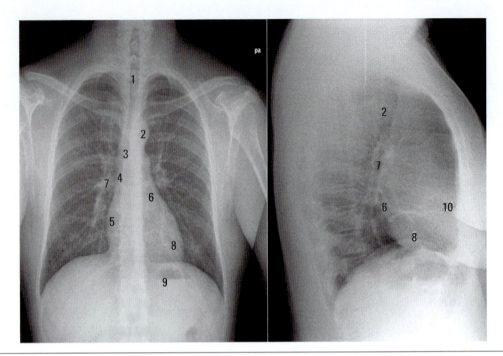

Figura 4.1 Principais estruturas anatômicas caracterizadas na radiografia de tórax em incidência PA e perfil: 1 - Traqueia; 2 - Arco aórtico; 3 - Carina; 4 - Veia cava superior; 5 - Átrio direito; 6 - Átrio esquerdo; 7 - Artéria pulmonar direita; 8 - Ventrículo esquerdo; 9 - Bolha gástrica, 10 - Ventrículo direito.

Fonte: Diagnóstico por Imagem das Doenças Torácicas; editor da série Giovanni Guido Cerri. Rio de Janeiro: Guanabara Koogan, 2012.

Chamada "de fora para dentro", a análise na qual se inicia o estudo pelo abdome superior, partes moles, estruturas ósseas (com especial atenção para as fraturas costais) e vai-se adentrando o tórax. Seguem-se as cúpulas diafragmáticas e os espaços pleurais, o parênquima pulmonar e sua vascularização, hilos pulmonares, mediastino, traqueia e brônquios-fonte, e, por fim, as estruturas mediastinais, inclusive coração e vasos da base. Cada pulmão deve ser avaliado individualmente e, a seguir, comparado com o contralateral em busca das assimetrias de volume ou densidade.

- **Indicações: avaliação da radiografia de tórax na doença cardiovascular**

Câmaras cardíacas

É possível identificar as principais estruturas anatômicas cardíacas na radiografia de tórax (Figura 4.2).

Radiografia de Tórax 31

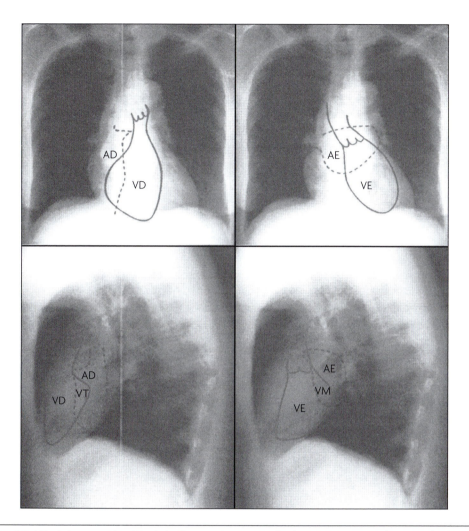

Figura 4.2 AE - átrio esquerdo; AD - átrio direito; VD - Ventrículo direito; VE - ventrículo esquerdo; VT - valva tricúspide; VM: valva mitral.

Fonte: Diagnóstico por Imagem das Doenças Torácicas; editor da série Giovanni Guido Cerri. Rio de Janeiro: Guanabara Koogan, 2012.

Átrio direito

O aumento isolado do Átrio Direito (AD) raramente ocorre, exceto na presença de atresia tricúspide congênita ou anomalia de Ebstein (Figura 4.3). O AD se dilata quando há hipertensão pulmonar ou insuficiência tricúspide, mas a dilatação ventricular direita normalmente predomina e impede a definição do átrio. O contorno atrial direito mistura-se com o da VCS, TP e VD.

Ventrículo direito

Sinais clássicos de aumento de tamanho do VD são um formato de bota ou tamanco holandês (Figura 4.4), e o enchimento do espaço aéreo retroesternal. O primeiro é causado pelo deslocamento transverso do ápice do VD à medida que ele se dilata. Em adultos é difícil ocorrer dilatação do VD sem a do VE associado. O aumento isolado é visto da T4F.

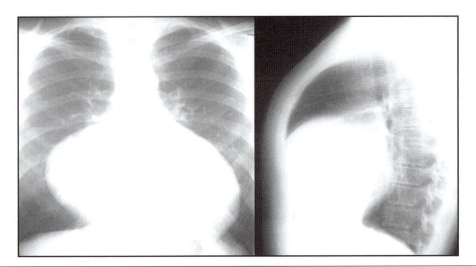

Figura 4.3 Vasculatura pulmonar diminuída e aumento de AD em paciente com anomalia de Ebstein.
Fonte: Imagem cedida pela Equipe de Tomografia e Ressonância Magnética Cardíaca do InCor.

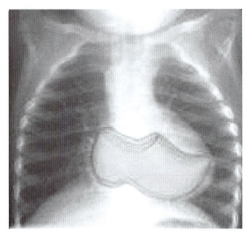

Figura 4.4 Tetralogia de Fallot.
Fonte: Imagem cedida pela Equipe de Tomografia e Ressonância Magnética Cardíaca do InCor.

Átrio esquerdo

Vários sinais clássicos definem o aumento do Átrio Esquerdo (AE). O primeiro: é a dilatação do apêndice atrial esquerdo visto como uma convexidade focal, onde normalmente há uma concavidade entre a Artéria Pulmonar Principal Esquerda (APE) e a borda esquerda do VE em projeção PA. Segundo: devido à sua localização, à medida que aumenta de tamanho o átrio esquerdo eleva o brônquio do tronco principal esquerdo. Ao fazer isso, ele alarga o ângulo da carina. Terceiro: à medida que aumenta de tamanho posteriormente, o átrio esquerdo pode causar arqueamento da aorta torácica média em direção à esquerda. Esse arqueamento é distinguível da tortuosidade visualizada com a aterosclerose progressiva, que envolve a aorta torácica descendente em sua porção superior difusamente. Quarto: com o acentuado aumento de tamanho do AE, uma dupla densidade pode ser vista em incidência PA porque o AE projeta lateralmente em direção à direita e posteriormente, e o contorno isolado do AE cheio de sangue é cercado pelo pulmão repleto de ar. Finalmente, em perfil, o aumento de tamanho do AE aparece como um abaulamento focal em direção posterior.

O aumento do AE é a principal característica da doença valvar mitral, e este, isoladamente em adultos, é mais visto na Estenose Mitral (EMi).

Na EMI o AE dilata-se progressivamente com o tempo (pelo aumento de pressão nessa câmara esquerda de baixa pressão), há consequente evidência de redistribuição vascular pulmonar, muitas vezes com linhas B de Kerley, e finalmente ocorre dilatação e aumento do tamanho do VD. O tamanho do VE, entretanto, permanece normal.

Em contrapartida, na IMI com maior volume no átrio e VE ambos se dilatam com o tempo (Figura 4.5). O padrão de redistribuição vascular pulmonar é mais variável na IMi do que na EMi, assim como é a dilatação do VD. Também é importante notar a calcificação do ânulo mitral: este é um achado comum, mas não tem forte associação com a disfunção valvar. Tem, de fato, uma associação com a doença arterial coronariana prematura.

Ventrículo esquerdo

O aumento de tamanho do VE caracteriza-se por um contorno proeminente do ápice em direção inferior, conforme se distingue pelo deslocamento transverso visualizado com o aumento de tamanho do VD.

Na radiografia PA, todo o contorno cardíaco é normalmente maior, embora este seja um achado não específico. É importante avaliar o VE na radiografia em perfil. Nesta, ele é visto como abaulamento posterior, abaixo do nível do ânulo mitral. Também pode ser visualizado posteriormente, empurrando a bolha gástrica. Tal aumento de tamanho do VE é uma ilustração dos achados situados externamente aos limites torácicos, e outro exemplo do valor do exame de todo o raio X de tórax.

O aumento de volume do VE focal em adultos é visualizado com mais frequência quando há Insuficiência Aórtica (IAo), com dilatação da raiz aórtica ou Insuficiência Mitral (IMi), com dilatação do AE (Figura 4.6). Em contrapartida, como a Estenose Aórtica (EAo) se caracteriza por Hipertrofia de VE em vez de dilatação do VE. Observa-se dilatação apenas quando a EAo é acompanhada de disfunção ventricular (Figura 4.7).

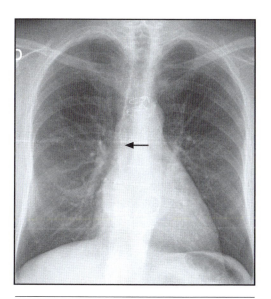

Figura 4.5 Duplo contorno atrial (seta) indicando aumento atrial esquerdo em paciente com prótese mitral com disfunção.

Fonte: Imagem cedida pela Equipe de Tomografia e Ressonância Magnética Cardíaca do InCor.

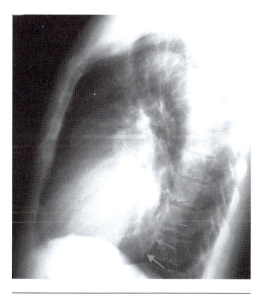

Figura 4.6 Aumento de VE em paciente com IA. A borda posterior do coração (setas) está posicionada mais posteriormente que o normal.

Fonte: Imagem cedida pela Equipe de Tomografia e Ressonância Magnética Cardíaca do InCor.

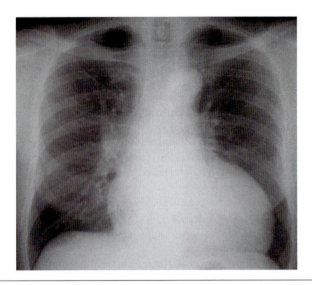

Figura 4.7 Aumento do VE: cardiomegalia é vista quando o coração ocupa mais de 50% do diâmetro transverso do tórax.

Fonte: Imagem cedida pela Equipe de Tomografia e Ressonância Magnética Cardíaca do InCor.

• Pericárdio

A presença do derrame pericárdico se apresenta como aumento e alteração de forma da silhueta cardíaca, que pode se tornar globosa ou "em moringa". O aumento da imagem cardíaca pode alargar ainda o ângulo subcarinal. O aumento significativo da imagem cardíaca em exames seriados ou alterações de sua forma devem levar à suspeita de derrame pericárdico (Figura 4.8).

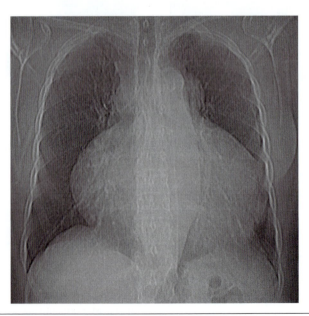

Figura 4.8 Volumoso derrame pericárdico – coração em "moringa".

Fonte: Imagem cedida pela Equipe de Tomografia e Ressonância Magnética Cardíaca do InCor.

• Mediastino

Podemos dividir didaticamente o mediastino em compartimentos superior e inferior, sendo este último subdivido em anterior, médio e posterior (Figura 4.9). Das afecções de maior relevância cardiovascular, ressaltaremos alterações na aorta e em artérias pulmonares.

Aorta

A anormalidade da aorta mais vista é a dilatação. Com frequência, é possível definir a patologia pela combinação do padrão de dilatação e anormalidades cardíacas associadas.

Na radiografia de tórax frontal, a dilatação aparece como uma proeminência à direita do mediastino médio (Figura 4.10). Há, também, uma proeminência no mediastino anterior em perfil, atrás, e superior ao trato de saída pulmonar.

A dilatação da raiz da aorta é vista na presença de doença valvar aórtica (estenose ou insuficiência), porém com mais frequência tem outras causas, como hipertensão sistêmica de longa data, malcontrolada ou aterosclerose generalizada com ectasia.

Artérias pulmonares

O Tronco Pulmonar (TP) pode parecer anormal em muitos quadros clínicos. Na presença de Estenose Pulmonar o TP e a Artéria Pulmonar Esquerda (APE) se dilatam. Acredita-se que essa dilatação seja causada pelo efeito de jato de fluxo sanguíneo sobre a parede do vaso através da valva estenótica. Ou seja, a artéria pulmonar principal continua diretamente para dentro da APE, mas a direita que sai em um ângulo acentuadamente agudo, em geral, não é alterada pelo jato da valva estenótica.

Esse aumento de tamanho pode ser visualizado com um hilo esquerdo proeminente na vista frontal e um fluxo de saída pulmonar proeminente na vista lateral (Figura 4.11). É

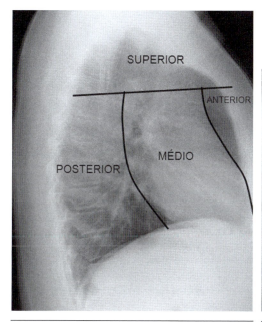

Figura 4.9 Divisão didática do mediastino em compartimentos.

Fonte: Funari MBG *et al.;* Diagnóstico por Imagem das Doenças Torácicas; editor da série Giovanni Guido Cerri. Rio de Janeiro: Guanabara Koogan, 2012.

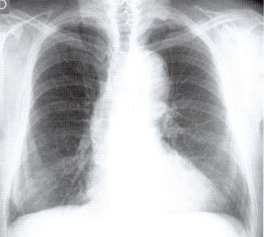

Figura 4.10 Alargamento mediastinal por aneurisma de aorta ascendente em idoso.

Fonte: Funari MBG *et al.;* Diagnóstico por Imagem das Doenças Torácicas; editor da série Giovanni Guido Cerri. Rio de Janeiro: Guanabara Koogan, 2012.

importante lembrar que a valva pulmonar se situa em direção superior no fluxo de saída, e mais anteriormente do que a valva aórtica.

Avaliação pulmonar

Além de afecções frequentes pulmonares e pleurais, que o cardiologista deve saber identificar (pneumonia, embolia pulmonar, atelectasia, derrame pleural e pneumotórax), são de extrema importância a avaliação da vasculatura pulmonar e sua correlação com a clínica.

A congestão venosa pulmonar resulta do aumento da pressão nas veias pulmonares, geralmente como consequência de hipertensão atrial esquerda, quando a pressão capilar pulmonar (PCP) atinge valor acima do normal (12-14 mmHg). Na elevação moderada da PCP ocorre a redistribuição do fluxo sanguíneo pulmonar com sua inversão para lobos superiores (Figuras 4.12, 4.13 e 4.14). Em pressões próximas de 20 mmHg, desenvolve-se edema instersticial. E uma vez atingido 20 mmHg pode ocorrer edema alveolar.

Causas comuns de congestão venosa pulmonar são: obstrução de VE, disfunção sistólica de VE, regurgitação mitral importante e sobrecarga de volume aguda pulmonar e sistêmica.

Dispositivos de monitorização e suporte

É crucial conhecer os dispositvos que foram implantados e as alterações que podem ocorrer. Avaliação de próteses valvares, marca-passos e CDIs, balões de contrapulsação intra-aórtica (BIA) e dispositivos de assistência ventricular (Figura 4.15). A avaliação dos cabos do marca-passo requer duas incidências (frontal e lateral) para que seja possível localizá-los de forma adequada. Os cabos devem ser cuidadosamente observados em toda a sua extensão para que sejam detectadas dobras ou fraturas. Eletrodos endocárdicos devem estar localizados cerca de 3 a 4 mm abaixo da gordura epicárdica, sinalizando sua posição adequada no interior do trabeculado cardíaco. A caracterização da extremidade do eletrodo além do plano adiposo epicárdico indica perfuração da parede miocárdica (Figura 4.16).

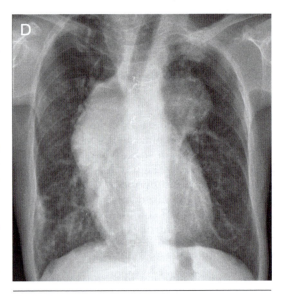

Figura 4.11 Hilos aumentados em paciente com hipertensão pulmonar.

Fonte: Imagem cedida pela Equipe de Tomografia e Ressonância Magnética Cardíaca do InCor.

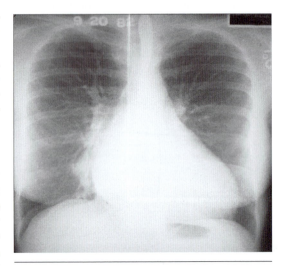

Figura 4.12 Redistribuição do fluxo sanguíneo para lobos superiores, resultando em aumento anormal dos vasos de lobos superiores.

Fonte: Imagem cedida pela Equipe de Tomografia e Ressonância Magnética Cardíaca do InCor.

Radiografia de Tórax 37

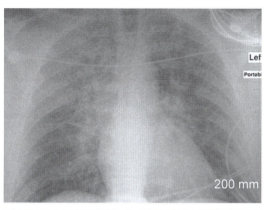

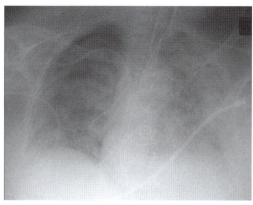

Figura 4.13 Edema instersticial com espessamento de septo interlobular (linhas B de Kerley).
Fonte: Imagem cedida pela Equipe de Tomografia e Ressonância Magnética Cardíaca do InCor.

Figura 4.14 Edema pulmonar com opacidades em ambos os pulmões.
Fonte: Imagem cedida pela Equipe de Tomografia e Ressonância Magnética Cardíaca do InCor.

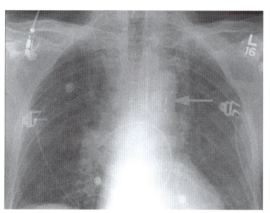

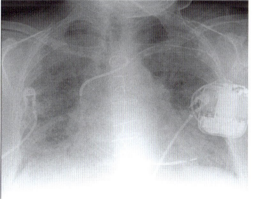

Figura 4.15 Seta aponta para ponta do BIA em posição correta.
Fonte: Imagem cedida pela Equipe de Tomografia e Ressonância Magnética Cardíaca do InCor.

Figura 4.16 Ponta do MP em VD.
Fonte: Imagem cedida pela Equipe de Tomografia e Ressonância Magnética Cardíaca do InCor.

- Conclusão

As radiografias de tórax produzem uma riqueza de informações fisiológicas e anatômicas. Deste modo, têm papel central na avaliação e no tratamento de pacientes com diferentes distúrbios cardiovasculares e outros.

Radiografias de tórax portáteis, no entanto, devem ser utilizadas com o mínimo possível de frequência porque as informações que produzem são limitadas e podem até ser enganosas.

- Referências

1. Lauand LSL, Souza Junior, EB, Andrade BA, Sprovieri SRS. Contribuição da interpretação da radiografia simples do tórax na sala de emergência. Arq Med Hosp Fac Cienc Med Santa Casa São Paulo 2008; 53 (2): 64-76.

2. Fernandez JD, Gay SB, Dee PM, Rubner RC, Jackson JM. Interpretation of the ICU chest film. [Cited Internet 2013; available from: http://www.med-ed.virginia.edu/courses/rad/chest/]
3. Libby P, Mann DL, Zippes DP, Bonow RO. Braunwald's heart disease: a textbook of cardiovascular medicine. 9th ed. Philadelphia: Saunder-Elsevier; 2011.

Ecodopplercardiografia

Irving Gabriel Araújo Bispo • Caroline Erika Pereira Nagano • Sérgio Parente Lira • Vera Márcia L. Gimenes

• Introdução

O ecocardiograma é utilizado para avaliação das cardiopatias, principalmente na determinação das câmaras cardíacas, da função ventricular e das valvopatias na prática clínica.

Devido à sua versatilidade e portabilidade, o ecocardiograma está altamente difundido no dia a dia do cardiologista. Como método inócuo (não usa radiação ionizante), pode ser usado em vários ambientes, como à beira do leito e no centro cirúrgico.

• Princípios básicos e janelas

As ondas de ultrassom são vibrações mecânicas que produzem refrações e compressões alternadas do meio físico. Tais ondas podem sofrer reflexão, dispersão, refração ou atenuação, sendo que a reflexão leva à formação da imagem ecocardiográfica.

A técnica unidimensional ou Modo M é baseada na representação gráfica da profundidade *versus* tempo, indicando a movimentação da estrutura ao longo de uma linha única.

A técnica Doppler é baseada no fenômeno que permite analisar a velocidade e direção do fluxo sanguíneo nas cavidades cardíacas. São quatro modalidades: pulsado, contínuo, colorido e tecidual.

As quatro principais janelas são paraesternal, apical, subcostal e supraesternal (Figura 5.1).

Na paraesternal, eixo longitudinal, podemos analisar os ventrículos na sístole e na diástole, além das seguintes estruturas: átrio esquerdo, septo, parede posterior, seio aórtico e aorta ascendente (Figura 5.2).

Na paraesternal, eixo transversal, temos uma avaliação da contratilidade de todas as paredes do ventrículo esquerdo em todos os seus segmentos, além da análise da valva aórtica, do septo interarterial, da valva pulmonar e da via de saída do ventrículo direito.

Na apical quatro câmaras podemos avaliar a função diastólica, os fluxos valvares tricúspide e mitral, e a contratilidade segmentar do ventrículo esquerdo (parede anterolateral e septo inferior).

40 Guia Prático de Cardiologia

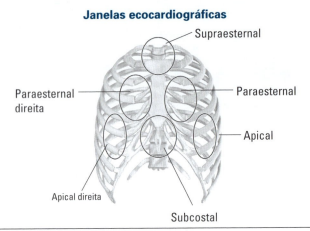

Figura 5.1 Janelas ecocardiográficas.
Fonte: Diretriz para Normatização dos Equipamentos e Técnicas de Exame para Realização de Exames Ecocardiográficos. Arq Bras Cardiol volume 82, (suplemento II), 2004.

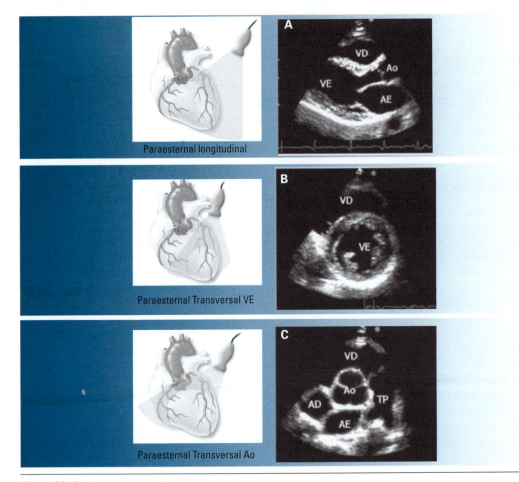

Figura 5.2 Cortes paraesternais.
Fonte: Diretriz para Normatização dos Equipamentos e Técnicas de Exame para Realização de Exames Ecocardiográficos. Arq Bras Cardiol volume 82, (suplemento II), 2004.

Na subcostal avaliamos a presença de derrame pericárdico, veia cava inferior e sua variabilidade com a respiração. Na supraesternal fazemos a análise do arco aórtico.

• Função sistólica e diastólica

A indicação do estudo ecocardiográfico com o objetivo de avaliar a função sistólica do ventrículo esquerdo corresponde a uma das principais aplicações clínicas deste método diagnóstico.

Para análise da função sistólica do VE são utilizados, de maneira tradicional, os índices ejetivos representados pela fração de ejeção e fração de encurtamento, os quais expressam o desempenho sistólico global da câmara.

A fórmula Teicholz, uma das mais utilizadas, calcula volumes diastólicos e sistólicos finais do ventrículo esquerdo por meio dos diâmetros aferidos na janela paraesternal do eixo longitudinal ou no modo M, e com esses valores calcula a fração de ejeção (FE = VDF − VSF/VDF). A função sistólica assim obtida avalia a dinâmica contrátil em uma única região basal, que é extrapolada para o resto da cavidade ventricular. Não devemos fazer tal método caso haja alteração segmentar do ventrículo esquerdo.

O método de Simpson realiza planimetria da cavidade do ventrículo esquerdo, tanto na sístole quanto na diástole, nas janelas apicais de duas e quatro câmaras. O ventrículo é dividido em diversos cilindros e a fração de ejeção é calculada para cada um desses cilindros. A média das frações é fração de ejeção do ventrículo esquerdo. Método de escolha nos casos de alteração segmentar ou ventrículos deformados.

A função diastólica pode ser avaliada pelo estudo do fluxo transvalvar mitral, fluxo venoso pulmonar, Doppler tecidual do anel mitral e modo M colorido. É analisada geralmente na janela apical, utilizando-se o Doppler Pulsado posicionado na ponta das cúspides da valva mitral ou na Veia Pulmonar Superior Direita (VPSD), obtendo-se as curvas para análise. A disfunção diastólica está presente em uma série de diferentes cardiopatias e influi negativamente no prognóstico das mesmas.

Na curva normal podemos observar que a onda E (enchimento rápido do ventrículo) é maior que a onda A (contração atrial) ao Doppler mitral. No Doppler tecidual, a onda E' é maior que a onda A' (telediastólica).

A elevação das pressões de enchimento do VE é a principal consequência hemodinâmica da disfunção diastólica. Quando a pressão capilar pulmonar excede 12 mmHg ou a pressão diastólica final do VE excede 16 mmHg, as pressões de enchimento são consideradas elevadas.

Na maioria das cardiopatiais, a função diastólica se inicia com o aumento da pressão diastólica final do VE. Quando a disfunção ventricular progride (grau II), o aumento da pressão diastólica resulta em aumento da pressão atrial esquerda (Figura 5.3).

Na presença de disfunção diastólica importante (grau III), o padrão restritivo de VE está presente, com E/A > 2, E/E'scptal > 15 e E/e' médio > 13.

Algumas aplicações clínicas da ecodopplercardiografia

Cardiopatia isquêmica

Em vigência de dor torácica por Doença Coronariana (DAC), o ecocardiograma é o método de grande sensibilidade na identificação de comprometimento contrátil segmentar decorrente de infarto do miocárdio ou isquemia aguda persistente.

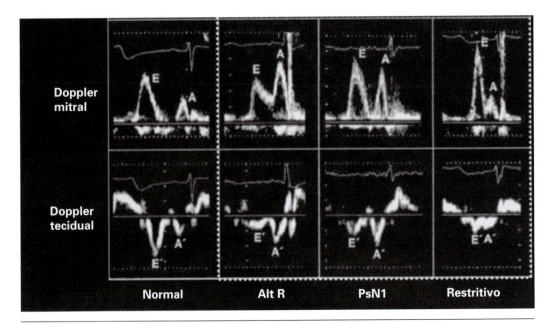

Figura 5.3 Padrões de disfunção diastólica.

As alterações de contratilidade devem ser classificadas em hipocinesia (diminuição do movimento), acinesia (ausência de contração ou espessamento do miocárdio), e discinesia (movimento oposto ao da contração).

Pode ser correlacionada também a alteração segmentar com a artéria envolvida no evento isquêmico (Tabela 5.1).

Tabela 5.1 Recomendações do ecocardiograma na DAC aguda.

Recomendações	Classe
Angina instável com instabilidade hemodinâmica	I
Sistema de complicações mecânicas no IAM (aneurisma de VE, rotura de parede livre, de septo interventricular ou de músculo papilar, derrame pericárdico)	Ib
No IAM de parede inferior, avaliação da possibilidade do envolvimento do VD	I
Auxílio no diagnóstico diferencial de EAo grave, embolia pulmonar, dissecção de aorta*, pericardites e presença de tumores cardíacos	I
Durante a dor de possível origem isquêmica, com ECG e enzimas cardíacas não conclusivas	IIa
Identificação da localização e gravidade da DAC em pacientes sob vigência de isquemia miocárdica aguda	IIb

* ETE tem maior acurácia e pode fornecer informações adicionais àquelas obtidas por meio da ecocardiografia transtorácica.

Fonte: Camarozano A, Rabischoffsky A, Maciel BC, Brindeiro Filho D, Horowitz ES, Pena JLB, et al. Sociedade Brasileira de Cardiologia. Diretrizes das indicações da ecocardiografia. Arq Bras Cardiol.2009;93(6 supl.3):e265-e302.

Ecodopplercardiografia **43**

A ecocardiografia sob estresse tem sido utilizada em pacientes admitidos na unidade de emergência com dor torácica, ECG não diagnóstico, enzimas cardíacas normais e suspeita de angina instável de risco baixo ou intermediário.

O ideal para seu uso é definir a presença ou não de isquemia, possibilitando alta hospitalar precoce nos casos com teste negativo, uma vez que apresenta alto valor preditivo negativo (Tabela 5.2).

Em pacientes com DAC crônica estabelecida, a função contrátil miocárdica pode estar deprimida devido à necrose miocárdica ou ao miocárdio hibernado; nesses casos há indicação para análise de viabilidade miocárdica.

Tabela 5.2 Indicações da ecocardiografia sob estresse na síndrome coronariana aguda.

Recomendações	Classe
Pacientes com angina instável de risco baixo ou intermediário controlada clinicamente	IIa
Para avaliar significado funcional de obstrução coronária moderada à angiografia desde que o resultado interfira na conduta	IIa
Estratificação de risco após o infarto do miocárdio não complicado	IIa
Estratificação de risco na angina instável após 48 horas de estabilização	IIb
Angina instável de alto risco ou infarto agudo do miocárdio complicado	III

Fonte: Camarozano A, Rabischoffsky A, Maciel BC, Brindeiro Filho D, Horowitz ES, Pena JLB, *et al.* Sociedade Brasileira de Cardiologia. Diretrizes das indicações da ecocardiografia. Arq Bras Cardiol.2009;93(6 supl.3):e265-e302.

Derrame pericárdico

A ecocardiografia deve ser indicada na suspeita de afecções pericárdicas, incluindo derrame pericárdico, massa pericárdica, pericardite constritiva, pericardite efusivo-constritiva, pacientes após cirurgia cardíaca e suspeita de tamponamento cardíaco.

O derrame pericárdico deve ser quantificado e alguns achados devem ser observados para a suspeita de tamponamento cardíaco: colapso do átrio direito, colapso diastólico de ventrículo direito, variação respiratória dos fluxos transvalvares mitral (> 25%), aórtico e tricuspídeo (> 40%).

Valvopatias

Estenose mitral

Na janela paraesternal longitudinal é possível avaliar a morfologia da valva e do aparelho subvalvar, além da calcificação, mobilidade das cúspides e espessamento subvalvar. Em caso de estenose mitral de origem reumática, observa-se o aspecto em bastão de "hockey" na abertura da cúspide anterior da valva. Na janela paraesternal transversal é visualizada fusão das comissuras e, na maioria dos pacientes, é possível medir a área valvar por planimetria. Também se permite calcular os gradientes diastólicos médio e máximo e identifica lesões associadas como refluxo valvar e hipertensão pulmonar (Tabela 5.3).

Com parâmetros citados, é possível calcular o escore de Wilkins, que analisa os seguintes aspectos: mobilidade, espessamento das cúspides, espessamento subvalvar e calcificação. Quando o escore é menor ou igual a 8, o paciente pode se beneficiar da valvoplastia por cateter balão.

O exame transesofágico possibilita a identificação de trombos não diagnosticados ao exame de superfície, sobretudo com localização do apêndice atrial.

Insuficiência mitral

Na Insuficiência Mitral (IM), os parâmetros que definem a gravidade são as medidas da área do jato de refluxo, do diâmetro da *vena contracta* e os cálculos da área do orifício e do volume de refluxo obtidos pela ecocardiografia Doppler, incluindo mapeamento de fluxo em cores e, eventualmente, ecocardiografia tridimensional.

Além da importância desses parâmetros, medidas dos diâmetros ou volumes ventriculares e cavidades atriais da FE do VE e da pressão pulmonar obtidas pelas mesmas técnicas ecocardiográficas são importantes no prognóstico e decisão terapêutica dos pacientes com ou sem sintomas (Tabela 5.4)

Tabela 5.3 Recomendações de ecocardiografia na estenose mitral.

Recomendações	Classe
Diagnóstico, avaliação da gravidade e da repercussão	I
Avaliação da morfologia valvar para determinar a possibilidade de tratamento por meio da valvoplastia percutânea	I
Diagnóstico e avaliação de lesão valvar associada	I
Reavaliação de pacientes com EM e mudanças dos sinais ou sintomas	I
Avaliação das alterações hemodinâmicas e adaptação ventricular durante a gravidez	I
Ecocardiografia sob estresse para avaliar pressão pulmonar e gradientes de pressão transvalvar em pacientes com discrepância entre sintomas e gravidade da estenose em repouso	I
Reavaliação anual da pressão da AP em pacientes assintomáticos com lesão importante	IIa

Fonte: Camarozano A, Rabischoffsky A, Maciel BC, Brindeiro Filho D, Horowitz ES, Pena JLB, *et al*. Sociedade Brasileira de Cardiologia. Diretrizes das indicações da ecocardiografia. Arq Bras Cardiol.2009;93(6 supl.3):e265-e302.

Tabela 5.4 Recomendações da ecocardiografia transtorácica na estenose mitral.

Recomendações	Classe
Avaliação inicial da gravidade e mecanismo da IM	I
Avaliação anual das dimensões e da função do VE em pacientes com IM moderada a grave sem mudanças de sintomas	I
Pacientes com IM e modificação dos sinais ou sintomas	I
Avaliação no primeiro mês pós-operatório	I
Avaliação das alterações hemodinâmicas e adaptação ventricular durante gestão	I
Ecocardiografia sob esforço em pacientes assintomáticos com IM grave para avaliar tolerância ao esforço e eeitos na pressão pulmonar	IIa
Avaliação rotineira de IM discreta com função e dimensões normais do VE	III

Fonte: Camarozano A, Rabischoffsky A, Maciel BC, Brindeiro Filho D, Horowitz ES, Pena JLB, *et al*. Sociedade Brasileira de Cardiologia. Diretrizes das indicações da ecocardiografia. Arq Bras Cardiol.2009;93(6 supl.3):e265-e302.

Ecodopplercardiografia **45**

A extensão do jato regurgitante por todo o átrio esquerdo, atingindo veias pulmonares, denota insuficiência mitral importante.

A área de isovelocidade proximal (método de Pisa) permite mensurar a área do orifício regurgitante efetivo, determinando de forma mais precisa a gravidade da insuficiência mitral.

A *vena contracta* é a medida da porção mais estreita do jato regurgitante demonstrado pelo mapeamento de fluxo em cores e mostrou boa correlação com outros métodos para quantificar a gravidade.

A ecocardiografia tridimensional facilita a visibilização espacial das valvas e suas anormalidades estruturais e proporciona maior precisão na análise da função do VE, importante nos pacientes com Insuficiência Mitral.

Estenose aórtica

A avaliação anatômica da valva aórtica permite, muitas vezes, a definição da causa da doença valvar (congênita, reumática ou degenerativa). As imagens e o Doppler permitem determinar o nível de obstrução (valvar, subvalvar ou supravalvar).

As imagens transtorácicas geralmente são adequadas, embora o ecocardiograma transesofágico possa ser útil quando as imagens são subótimas. O grau de calcificação é preditor de evolução clínica.

A estenose valvar aórtica reumática é caracterizada pela fusão comissural que resulta no orifício triangular com espessamento mais proeminente nas bordas das cúspides (Tabela 5.5).

Tabela 5.5 Recomendações de ecocardiograma na estenose aórtica.

Recomendações	Classe
Diagnóstico e avaliação da gravidade da EAo	I
Pacientes com estenose valvar aórtica para a avaliação da espessura de parede, tamanho e função do VE	I
Reavaliação de pacientes com o diagnóstico de EAo com mudança de sintomas ou sinais	I
Avaliação de mudanças na gravidade hemodinâmica e função do VE nas pacientes com diagnóstico de EAo durante a gravidez	I
Reavaliação anual dos pacientes assintomáticos com EAo	I

Fonte: Camarozano A, Rabischoffsky A, Maciel BC, Brindeiro Filho D, Horowitz ES, Pena JLB, *et al.* Sociedade Brasileira de Cardiologia. Diretrizes das indicações da ecocardiografia. Arq Bras Cardiol.2009;93(6 supl.3):e265-e302.

Insuficiência aórtica

O Doppler ecocardiograma é o método de escolha para detecção não invasiva, avaliação da severidade e da etiologia da Insuficiência Aórtica.

São várias as etiologias da Insuficiência Aórtica, como degeneração valvar, calcificação, fibrose ou infecção, alteração do suporte do aparelho valvar ou dilatação do anel valvar.

Valvopatias tricúspides e pulmonar

A existência de insuficiência tricúspide importante associada à lesão valvar significativa identificada à ecocardiografia, como retração ou destruição de parte das cúspides, representa importante marcador de necessidade de destruição da valva.

• Referências

1. Camarozano A, Rabischoffsky A, Maciel BC, et al. Diretrizes das Indicações da Ecocardiografia. Arq Bras Cardiol 2009; 93(6 Suppl 3): e265-e302.
2. Silva CES, editor. Normatização dos equipamentos e técnicas de exame para realização de exames ecocardiográficos. Arq Bras Cardiol 2004; 82 (Suppl II):1-10.
3. Otto CM. Fundamentos de ecocardiografia clínica. Rio de Janeiro: Elsevier; 2005.
4. Feigenbaum H, Armstrong WF, RyanT. Feigenbaum's echocardiography. Philadelphia; Lippincott Williams & Wilkins; 2006.
5. Mathias Jr. W. Manual de ecocardiografia. 3 ed. Barueri (SP): Manole; 2009.
6. Santos ECL, Figuinha FCR, Lima AGS, Henares BB, Mastrocola F. Manual de cardiologia cardiopapers. São Paulo: Atheneu; 2013.

Cintilografia Miocárdica

Caroline Erika Pereira Nagano • Luiz Eduardo Mastrocola

• Introdução

Método de imagem, que utiliza como princípio básico preparações farmacológicas denominadas radiofármacos, cuja biodistribuição mostra concentração no miocárdio proporcional ao fluxo sanguíneo regional e dependente do metabolismo celular.

Radiofármaco = marcador radioativo que, após injetado na corrente sanguínea, vai ser concentrado em determinado órgão-alvo pelo qual o mesmo tem maior afinidade e emitirá radiação que será convertida em uma imagem luminosa (cintilação) observada através de uma tomografia cardíaca.

São adquiridas imagens durante o repouso e após "estresse cardiovascular", com sequências invertidas (estresse/repouso), a depender do protocolo e do radionuclídeo empregados.

Podem ser avaliados defeitos perfusionais, pela análise comparativa da captação relativa do radiofármaco entre as paredes do ventrículo esquerdo na etapa de estresse, e entre as imagens de repouso e estresse (análise qualitativa), e além da quantificação da extensão e intensidade desses defeitos (análises semiquantitativa e quantitativa), bem como a estimativa da função ventricular e caracterização de viabilidade miocárdica.

• Radiofármacos

MIBI marcada com tecnécio-99 metaestável = MIBI -99mTc

MIBI ou Sestamibi é um complexo catiônico estável, pertencente à família de substâncias denominadas isonitrilas (2-metoxi-isobutil-isonitrila), que tem a propriedade de penetrar na membrana celular por mecanismo de difusão passiva, sem gasto de energia. Quando marcada pelo radioisótopo tecnécio 99 transforma-se no radiofármaco de maior utilização nos estudos de perfusão miocárdica.

Quando intracelular fixa-se às mitocôndrias, não evidenciando de modo claro o fenômeno de redistribuição (sair da célula, recircular e atravessar novamente a membrana celular.

Não é radioativa isoladamente, mas quando marcada pelo ^{99m}TC há emissão de fótons (quantum de energia) de alta energia, que são transformados em impulsos elétricos e sinais digitais, dando sequência ao processo de formação das imagens cardíacas com o emprego de softwares específicos.

A emissão de energia é medida em unidades internacionais denominadas KeV (*kilon eletron volt*), resultando em imagens de boa qualidade. A faixa principal de energia situa-se próxima a 140 KeV.

Tálio-201

Apresenta dosimetria menos favorável ao paciente (maior exposição à radiação), devido à meia-vida mais longa do radionuclídeo, em torno de 73 horas, quando comparada ao tecnécio 99m, em torno de seis horas.

É um análogo do potássio, atravessando a membrana celular íntegra por mecanismo de transporte ativo e utilizando a bomba de sódio e potássio e gasto de energia.

Ao contrário do tecnécio 99m, exibe o fenômeno de redistribuição. Quando injetado por via intravenosa chega ao miocárdio na dependência do fluxo coronário e da fração de extração celular. Na primeira passagem pelo coração é retirado da circulação em 85%, penetra na célula e começa a ser lavado (*washout*) rapidamente, a partir de 10 minutos.

A faixa principal de energia situa-se próxima a 70 KeV fornecendo imagens de qualidade inferior quando comparadas às realizadas com MIBI-^{99m}Tc.

Utilizado também para pesquisa de viabilidade miocárdica.

• Metodologia

"Estresse cardiovascular" combinado às técnicas radioisotópicas pode ser por teste ergométrico ou provas farmacológicas, quer dipiridamol, adenosina ou dobutamina.

O teste ergométrico costuma ser o método de escolha em populações com probabilidade intermediária/baixa de DAC, considerando-se o valor diagnóstico e prognóstico agregado, e em função das informações referentes às respostas clínicas e eletrocardiográficas ao esforço.

As provas farmacológicas são reservadas às situações em que o esforço físico está contraindicado ou não é possível atingir o nível submáximo de frequência cardíaca com o exercício.

O estresse farmacológico pode ser realizado por vasodilatadores arteriolares (adenosina, dipiridamol), preferencialmente, e agentes adrenérgicos, como a dobutamina nos casos de contraindicação aos primeiros (menor incremento do fluxo sanguíneo mesmo com doses máximas).

Indicações comuns para utilização da prova farmacológica

- Impossibilidade ou dificuldade de deambulação: doenças ortopédicas, sequelas de AVC, doença arterial periférica.
- Condições não cardíacas que resultem na inabilidade de realizar um exercício eficaz.
- Presença de bloqueio do ramo esquerdo.
- Portadores de marca-passo.
- Arritmias ventriculares complexas induzidas pelo exercício.
- Hipertensão arterial grave não controlada.
- Uso de fármacos que interfiram no consumo de oxigênio.

Cintilografia Miocárdica **49**

• Modo de ação dos fármacos indutores de estresse cardiovascular

Vasodilatadores

Aumento do fluxo coronário em três a cinco vezes em relação ao repouso em artérias sem obstrução significativa ou disfunção endotelial e/ou doença da microvasculatura. Nessa condição, a reserva coronária está preservada.

Em artérias com estenose importante essa vasodilatação é menor, já que previamente no repouso foi necessária a dilatação desse vaso para manutenção do fluxo sanguíneo basal, devido à obstrução grave, obtendo menor fluxo adicional com a vasodilatação farmacológica. Há, portanto, esgotamento precoce da reserva coronária, resultando na menor elevação do fluxo coronário e alteração da razão entre oferta e consumo de oxigênio.

Portanto, a gênese dos defeitos de perfusão é essencialmente a heterogeneidade do fluxo miocárdico regional, com importante aumento em artérias normais e pequeno ou inexistente nas artérias com estenose, não implicando, necessariamente, a instalação ou agravamento de verdadeira isquemia. Para tal, é necessário que ocorram de modo concomitante alterações no metabolismo celular, consequentes da diminuição de perfusão e alterações da contratilidade traduzidas por diminuição do espessamento.

Diferenças entre o estresse farmacológico e o físico

Farmacológico

Induz vasodilatação e aumento proporcional do fluxo coronário em coronárias normais ou livre de obstrução significativa ou, ainda, com função endotelial e microvasculatrua normais (conforme Tabela 6.1). Ressalta-se, no entanto, que o débito cardíaco não apresenta elevação (ou pequena) concomitante.

Observa-se hipocaptação relativa do radiofármaco na área de miocárdio irrigada pelo vaso estenótico, em comparação à parede do ventrículo esquerdo que recebe fluxo coronário normal. Quando na presença de circulação colateral pode ocorrer o "fenômeno do roubo coronário", que desvia o sangue das áreas com obstrução para as áreas normais (no caso de dipiridamol, adenosina e regadenoson).

Com os fármacos vasodilatadores empregados, à exceção da dobutamina, considerando-se não haver elevação expressiva do consumo de oxigênio pelo miocárdio e, consequentemente, do duplo produto (FC – PAS) não há "estresse miocárdico" resultante e sim "estímulo farmacológico" vasodilatador.

Exercício

Ocorre aumento da demanda de oxigênio pelo miocárdio frente a cargas progressivas de trabalho aplicadas, com aumento do duplo produto (FCXPAS), diferentemente da prova farmacológica (dipiridamol, adenosina, regadenoson). Tal condição caracteriza o exercício como prova de "estresse" verdadeiro.

Há limitação da oferta no caso de doença obstrutiva com alteração da reserva coronária (esgotamento precoce) e desequilíbrio entre a razão oferta/consumo com isquemia celular resultante.

Ressalta-se que o aumento do fluxo coronário é proporcional ao aumento do débito cardíaco.

A acurácia diagnóstica e prognóstica é relacionada à quantidade de exercício realizado, sendo ótima em testes ergométricos máximos.

Observação: As alterações eletrocardiográficas desencadeadas durante injeção de dipiridamol, adenosina ou regadenoson têm elevada especificidade, especialmente no sexo masculino. A despeito da baixa sensibilidade (baixa frequência das alterações de segmento ST) quando sexo feminino é preditor de alterações de ECG durante dipiridamol, com maior número de falsos-positivos.

Tabela 6.1 Fármacos utilizados na cintilografia miocárdica.

Substância	Modo de atuação	Paraefeitos	Antagonistas e interferentes
Adenosina	Atuação principal nos receptores **A2A** da membrana celular (vasodilatação coronária), **A1** (diminuição da condução no nó AV) **A2B** (vasodilatação periférica e broncoespasmo) e **A3** (broncoconstrição)	Incidência até 80%: rubor, calor, mal-estar, dor torácica, dispneia, cefaleia, desconforto na região cervical, diminuição da pressão arterial (sistólica e diastólica), elevação discreta da FC, alterações de ST (infradesnível)	Metilxantinas e derivados (aminofilina, teofilina e cafeína), raramente é necessária a reversão do efeito pela meia-vida plasmática curta da adenosina (de 2 a 10 s)
Dipiridamol	Inibidor da enzima adenosina-deaminase (degradação da adenosina) e inibição da recaptação de adenosina pela membrana celular, com aumento em meio extracelular	Semelhante à adenosina, porém menos frequente, alcançando até 50% dos pacientes	Metilxantinas e derivados – aminofilina administrada de rotina minutos após o término da injeção do radiofármaco (1 a 2 mg/kg), teofilina, cafeína. Meia-vida plasmática do dipiridamol > 40 min
Dobutamina	Aumento da demanda de O_2 miocárdico pela elevação do duplo produto (FC × PAS) e aumento da contratilidade	Palpitações, dor torácica, arritmias supra e ventriculares, alterações de ST, cefaleia, dispneia, parestesias. Em torno de 70% dos pacientes	Metroprolol EV – 5 mg (rotina em alguns serviços) Taquicardia persistente ou arritmias com instabilização

Contraindicações ao uso de dipiridamol/adenosina

◗ Broncoespasmo ativo ou crises de hiper-reatividade recentes, até três meses.

◗ História de broncoespasmo = contraindicação relativa. Porém, não realizar em pacientes com diagnóstico estabelecido de DPOC e asma.

◗ BAV de segundo grau e bloqueios atrioventriculares avançados não protegidos por marca-passo.

◗ Angina instável não estabilizada a pelo menos 48-72 horas.

◗ Uso de alimentos que contenham xantinas nas 24-36 horas (cafeína, teofilina).

◗ Insuficiência vascular cerebral sintomática.

◗ Cefaleia importante no dia do exame.

◗ Hipersensibilidade ao dipiridamol/adenosina.

◗ Lesão carotídea grave bilateral.

◗ Lesão carotídea grave unilateral e moderada contralateral.

Cintilografia Miocárdica **51**

Contraindicações à dobutamina

- Aneurisma ou dissecção de aorta.
- Estenose aórtica grave sintomática.
- Miocardiopatia hipertrófica obstrutiva.
- Arritmias ventriculares complexas.
- Angina instável ou infarto do miocárdio recente.
- Uso de betabloqueador ou outras medicações cronotrópicas negativas.
- Insuficiência vascular cerebral sintomática.
- Hipertensão arterial sistêmica (> 180/100 mmHg).

• Principais indicações da cintilografia

Avaliação de pacientes com dor torácica ou equivalente isquêmico

- Probabilidade pré-teste intermediária de DAC.
- SCA possível em pacientes com dor torácica recente, mas estratificados, como baixo risco na unidade de dor torácica.

Estratificação de risco e avaliação prognóstica

- Probabilidade pré-teste elevada de DAC.
- Evolução pós-infarto do miocárdio ou SCA.
- Avaliação da eficácia terapêutica clínica.
- Avaliação funcional de lesões anatômicas conhecidas.
- Pacientes sintomáticos submetidos à revascularização percutânea ou cirúrgica.
- Estudo de viabilidade miocárdica na presença de disfunção ventricular esquerda.
- Avaliação pré-operatória de cirurgia não cardíaca de grande porte, especialmente cirurgia vascular.

Assintomáticos – diagnóstico

- Alto risco.
- Escore de cálcio (Agatston) > 400.
- Escore de Duke de risco intermediário.

• Interpretação do exame

Os padrões de captação e retenção dos radiofármacos pelo miocárdio ventricular esquerdo permitem a diferenciação de tecidos normais, isquêmicos, provavelmente com fibrose ou viáveis (miocárdio hibernante), sendo possível avaliar indiretamente o fluxo sanguíneo e a contratilidade regional do miocárdio ventricular.

Análise qualitativa

Leva em consideração a análise visual do examinador comparando a perfusão miocárdica na fase de repouso com a fase de estresse.

As imagens tomográficas são reconstruídas como múltiplos cortes orientados ao longo do eixo anatômico do VE, definindo-se as regiões correspondentes e respectivas relações com os territórios coronários.

São utilizadas as regiões anterior, septal, inferior, lateral e apical do VE, nos cortes segundo os eixos menor, maior vertical e maior horizontal (Figura 6.1).

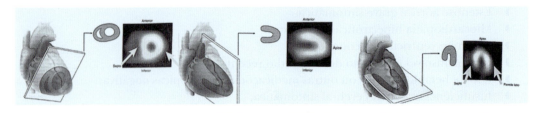

Figura 6.1 Cortes na cintilografia.

Análise visual semiquantitativa

Desenvolvida para diminuir a subjetividade da interpretação qualitativa, a partir da criação de escores.

É uma padronização da análise segmentar do miocárdio do VE que divide o coração em 17 segmentos em cortes tomográficos padronizados.

Consideram-se três cortes no eixo menor (porções distal ou média e basal) e um corte no eixo maior vertical (Figura 6.2).

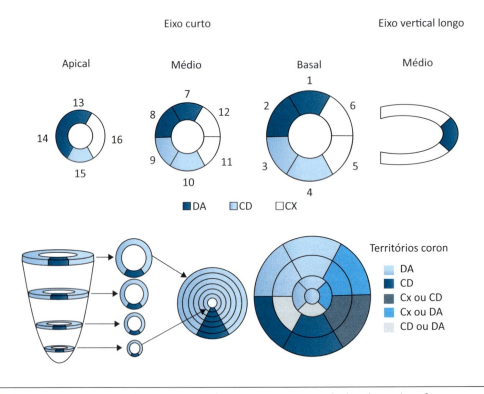

Figura 6.2 Segmentos miocárdicos e território de irrigação coronária avaliada pela cintilografia.

Em cada um dos 17 segmentos avalia-se a intensidade e a extensão dos defeitos de perfusão, e através de um sistema de escore dá-se uma nota a cada um desses segmentos:

- 0 → normal.
- 1 → captação discreta.
- 2 → captação moderada.
- 3 → captação intensa.
- 4 → ausência de captação.

Habitualmente, os escores 3 ou 4 associam-se à estenose coronariana de 90%.

Quanto maior for o número de segmentos acometidos, maior a extensão do processo; e quanto maior a soma dos escores, maior a gravidade, com inquestionável valor prognóstico em portadores de doença arterial coronariana.

Calcula-se o somatório dos valores atribuídos a cada segmento, representativo da fase de estresse e denominada *SSS* (*summed stress score*), repetida na fase basal ou de redistribuição, para o caso do Tálio-201, recebendo o nome de *SRS* (*summed rest/redistribuition score*). A diferença entre o *SSS* e o *SRS* mede o grau de reversibilidade ou de hipocaptação transitória, chamada de *SDS* (*summed difference score*).

SSS derivado do estudo de perfusão durante a fase de estresse é análogo à fração de ejeção obtida no pico do exercício.

Valores numéricos de SSS < 4 são considerados normais, entre 4 e 8 discretamente anormais, entre 9 e 13 moderadamente anormais, e > 13 francamente anormais.

Análise quantitativa – mapas polares

São reconstruções bidimensionais (ou tridimensionais, menos frequentemente) do ventrículo esquerdo, elaboradas inicialmente com o propósito de englobar, em apenas uma imagem, a distribuição relativa do radiofármaco por todo o coração.

São apresentados sob forma circular, assemelhando-se a um alvo, recebendo também a denominação de *Bull's Eye*.

A captação do radiofármaco, representativa da perfusão, é demonstrada por uma escala de cores, sendo que o ápice do ventrículo esquerdo ocupa o centro do "alvo" e a periferia do círculo a base do coração (ápice do coração comprimido em direção à base).

Programas quantificam o porcentual da área hipocaptante, quando são comparadas imagens de um banco de dados de indivíduos normais do mesmo sexo e idade (conforme Tabela 6.2).

Desvantagem: artefatos técnicos em determinados procedimentos não são reconhecidos, o que conseguiria ser feito pela análise visual realizada por profissional experiente. Logo, os três métodos de análise (visual quantitativa, qualitativa e semiquantitativa) são complementares.

Tabela 6.2 Extensão dos defeitos de perfusão (em relação à massa total do VE).

Mínima	<5%
Pequena	5%-9%
Moderada	10%-19%
Grande	≥ 20%

Parâmetros da cintilografia miocárdica que indicam alto risco de eventos isquêmicos:

1. Hipocaptação transitória envolvendo mais de 10% do miocárdio do VE.
2. SSS > 12-13.
3. Dilatação transitória do VE induzida ou acentuada pelo exercício ou provas farmacológicas.

4. Captação pulmonar aumentada, mas bem-visualizada quando se utiliza o Tálio 201.
5. Aumento relativo da captação em parede ventricular direita, sugerindo desbalanço de perfusão entre os ventrículos e lesões graves em território de coronária esquerda.
6. Disfunção ventricular (fração de ejeção < 30%).

Avaliação da função ventricular com agentes de perfusão

De maneira análoga à descrita no estudo de perfusão, a análise segmentar contrátil do ventrículo esquerdo emprega escores de motilidade e espessamento sistólico para cada segmento. A Figura 6.3 apresenta os mapas polares da motilidade regional e espessamento sistólico.

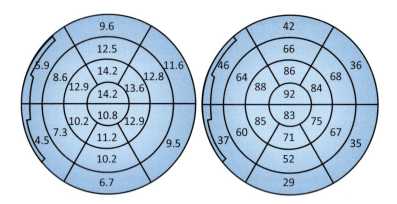

Figura 6.3 Mapas polares da motilidade regional e espessamento sistólico.

A análise da motilidade das paredes do ventrículo esquerdo é feita diretamente no monitor do computador, visibilizando-se o contorno subendocárdico, sendo que a análise do espessamento sistólico deve ser direcionada à escala de cores escolhida para um grupo de imagens.

Geralmente as anormalidades de motilidade e espessamento caminham em paralelo. A presença de espessamento conservado é índice muito confiável da ocorrência de miocárdio viável.

Sempre que possível, a análise da função ventricular deve ser feita na fase basal e após estresse, no sentido de se detectar alterações adicionais indicativas de miocárdio atordoado ou hibernante.

Pesquisa de viabilidade miocárdica

Importante para a identificação de miocárdio hibernante, ou seja, aqueles com disfunção ventricular por insuficiência coronariana que têm possibilidade de recuperação contrátil com intervenção, já que naquele local existe um miocárdio viável.

São avaliados: presença de perfusão, integridade da membrana celular, metabolismo e de reserva contrátil.

Pode ser utilizada cintilografia miocárdica com Tálio 201 empregando-se protocolo específico para viabilidade e não apenas repouso e estresse.

A Tomografia por Emissão de Pósitrons (PET) é considerada padrão-ouro para a caracterização de viabilidade, por avaliar perfusão e o metabolismo simultaneamente.

Variações normais comuns à cintilografia de perfusão miocárdica com SPECT.

▶ Variações estruturais normais do miocárdio.

Cintilografia Miocárdica **55**

- Desaparecimento do septo superior devido ao septo muscular misturar-se ao septo membranoso.
- Afilamento apical.
- Parede lateral mais brilhante.

Tabela 6.3 Artefatos técnicos.

Atenuação mamária	Em mulheres com mamas grandes e densas pode-se observar padrão sugestivo de hipocaptação persistente anterior e anterolateral. A ausência de hipocinesia e o espessamento normal falam a favor do diagnóstico de artefato em vez de IAM prévio. Existem, também, programas específicos para a correção de atenuação.
Atenuação da parede inferior	Hipocaptação persistente inferior, em geral causada pelo diafragma. Motilidade e espessamento normais corroboram o diagnóstico de artefato.
Captação em estruturas extracardíacas	Causam interferência na qualidade da imagem. Deve-se reforçar a necessidade do preparo adequado ou mudar a forma de estresse ou até em algumas situações modificar o tipo de radiofármaco (MIBI -99mTc para tálio).

• Referências

1. Chalela WA, Meneghetti JC, editores. Atualização da Diretriz da Sociedade Brasileira de Cardiologia sobre Cardiologia Nuclear; 2005. [Disponível em: http://publicacoes.cardiol.br/consenso/2005/cardiologianuclear.asp].
2. Chalela WA, Meneghetti JC, organizadores. I Diretriz da Sociedade Brasileira de Cardiologia sobre Cardiologia Nuclear. Arq Bras Cardiol 2002; 78 (Suppl III): 1-42.
3. Meneghelo RS, Costa RVC, editores. III Diretrizes da Sociedade Brasileira de Cardiologia sobre Teste Ergométrico. Arq Bras Cardiol 2010; (5 Suppl I): 1-26.

Teste Ergométrico

Caroline Erika Pereira Nagano • Luiz Eduardo Mastrocola

• Introdução

O Teste Ergométrico (TE) tem por objetivo submeter o paciente ao estresse físico programado e individualizado, com a finalidade de avaliar as respostas clínicas, hemodinâmicas, eletrocardiográficas e metabólicas ao exercício.

É procedimento de baixo custo, de fácil execução, e alta reprodutibilidade. Fornece informações importantes para o cardiologista clínico quando corretamente indicado e interpretado.

Excelente índice de segurança: mortalidade de 1:10.000 exames realizados.

• Indicações gerais

▶ Investigação de Doença Arterial Coronariana (DAC).
▶ Avaliação terapêutica e prognóstica de coronariopatia conhecida, de arritmias, marca-passo e Cardiodesfibrilador Implantável (CDI).
▶ Estratificação de risco pós-infarto agudo do miocárdio.
▶ Reconhecimento de arritmias e distúrbios hemodinâmicos pelo esforço.
▶ Capacidade funcional.
▶ Resposta da pressão arterial.

• Teste ergométrico para diagnóstico de doença coronária

Sensibilidade média de 68% e especificidade média de 77%, resultante de estudos de metanálise em aproximadamente 24.000 pacientes com teste ergométrico e cinecoronariografia.

População-alvo: pacientes com probabilidade pré-teste intermediária de Doença Arterial Coronária (DAC), caracterizada com o auxílio de escores clínicos. Nos sintomáticos pode ser utilizado o de Diamond Forrester (Tabelas 7.1 e 7.2), que envolve as variáveis idade, sexo e presença de dor torácica (conforme Tabela 7.3). Nos assintomáticos o escore de Framingham.

58 Guia Prático de Cardiologia

Quando a finalidade principal é diagnóstica deve-se avaliar a possibilidade de suspensão das medicações anti-isquêmicas (bloqueadores dos canais de cálcio e nitratos) ou que interfiram com a elevação da FC (betabloqueadores) => No exemplo de pacientes hipertensos há alternativa da substituição por inibidores da ECA (Tabela 7.1).

Tabela 7.1 Tempo para suspensão dos medicamentos para a realização do TE quando a finalidade é diagnóstica.

Medicação	Dias de suspensão prévia
Amiodarona (*58-60)	60
Betabloqueadores	7
Bloqueadores dos canais de cálcio	4
Digoxina	7
Antiarrítmicos	5
Nitrato	1
Metildopa e clonidina	1

O fenômeno de rebote pode ocorrer com a suspensão de betabloqueadores e de alguns agentes anti-hipertensivos, sendo minimizado com a retirada gradual dos fármacos.

Fármacos em vigência não devem ser suspensos quando o objetivo inclui a avaliação da terapêutica.

Tabela 7.2 Estimativa da probabilidade (%) de DAC em pacientes sintomáticos de acordo com sexo, idade e características da dor torácica. Assume-se prevalência mínima de DAC < 5%; baixa < 10%; intermediária entre 10% e 90%; e elevada > 90%. Cada valor representa a porcentagem com doença arterial coronária significativa presente no cateterismo.

Idade	Dor não anginosa		Angina atípica		Angina típica	
	Homem	Mulher	Homem	Mulher	Homem	Mulher
30-39	4	2	34	12	76	26
40-49	13	3	51	22	87	55
50-59	20	7	65	31	93	73
60-69	27	14	72	51	94	86

Fonte: III Diretrizes da Sociedade Brasileira de Cardiologia sobre Teste Ergométrico. Arq Bras Cardiol 2010; (5 Supl. 1): 1-26.

Outras indicações em coronariopatias

- Avaliação de prognóstico em DAC estável.
- Diagnóstico diferencial de apresentações atípicas em pacientes internados.
- Avaliação de risco e prescrição de exercício antes da alta hospitalar em síndromes coronarianas agudas compensadas e de baixo risco.

Tabela 7.3 Comparação da probabilidade de DAC (%) em pacientes sintomáticos de meia-idade de baixo risco versus pacientes sintomáticos de alto risco com a mesma idade. Assume-se prevalência mínima de DAC < 5%; baixa < 10 %; intermediária entre 10% e 90% e elevada > 90%. Cada valor representa a porcentagem presente de doença arterial coronária.

Idade	Dor não anginosa				Angina atípica				Angina típica			
	Homem		Mulher		Homem		Mulher		Homem		Mulher	
	BR	AR	BR	AR	BR	AR	BR	AR	BR	AR	BR	AR
35	3	35	1	19	8	59	2	39	30	88	10	78
45	9	47	2	22	21	70	5	43	51	92	20	79
55	23	59	4	25	45	79	10	47	80	95	38	82
65	49	69	9	29	71	86	20	51	93	97	56	84

BR = baixo risco (sem tabagismo, diabetes ou dislipidemia); AR = alto risco (tabagismo, diabetes ou dislipidemia).

Fonte: Modificada de Gibbons *et al.*, e Sociedade Brasileira de Cardiologia, 2010.

• Recomendações em outros cenários

Indivíduos assintomáticos e atletas

Não se recomenda o uso do teste de esforço como "rastreamento" de coronariopatia em pacientes assintomáticos (baixa prevalência no grupo e elevado falsos-positivos).

Pode ser usada nessa população para avaliar capacidade funcional e programação de exercícios, e também naqueles que darão início à prática esportiva (homens acima de 40 anos e mulheres acima de 50 anos).

Avaliação de indivíduos assintomáticos com história familiar de DAC precoce ou morte súbita.

Indivíduos de alto risco pelo escore de Framingham.

Pré-operatório de cirurgia não cardíaca nos pacientes de intermediário a alto risco e história familiar de DAC.

Observação: População diabética na ocasião do início de prática desportiva: teste é útil (probabilidade pré teste de DAC nessa população está aumentada).

Valvopatias

Quantificação objetiva da classe funcional e naqueles com dúvida de sintomas ou na apresentação de sintomas atípicos. Sobretudo na insuficiência aórtica, por manterem a capacidade funcional preservada mesmo em fases avançadas da doença.

IC

O teste cardiopulmonar de exercício tem maior aplicabilidade nesta população, principalmente para indicação de transplante, avaliação da capacidade funcional e prescrição de exercícios, além de ser utilizado para diagnóstico diferencial de dispneia.

Arritmias

- Avaliação de arritmias relacionadas ao esforço e de resposta cronotrópica em BAVT congênito e doença do nó sinusal.

Contraindicações absolutas

- IAM recente (< 2 dias) ou angina instável (< 48 a 72h)
- Pericardite, endocardite ou miocardites agudas.
- Dissecção de aorta.
- TEP recente.
- Distúrbios metabólicos graves (descompensação renal, cetoacidose diabética).
- Anemia grave.
- oença vascular periférica grave (dor ao repouso ou lesão trófica).

Relativas

- Insuficiência cardíaca descompensada.
- HAS grave (PAS > 200 mmHg, PAD > 110 mmHg).
- Estenoses valvares moderadas a graves em assintomáticos.
- Insuficiências valvares graves.
- Doença vascular periférica.
- Taquiarritmias, bradiarritmias ventriculares complexas.
- Presença de marca-passo com FC fixa.
- Lesão de tronco de coronária esquerda.
- Quadro infeccioso atual.
- Anemia.
- Pós-operatório recente de cirurgia cardíaca.
- Incapacidade motora para realizar exercício físico.

• Metodologia

Constituído de três fases distintas: repouso, exercício e recuperação. Avaliação eletrocardiográfica, pressórica e de sintomas em todas as fases.

Os ergômetros mais empregados em nosso meio são esteira rolante, bicicleta e o ergômetro de braço (manivela).

Protocolos para esteira rolante

Protocolo utilizado: individualizado, considerando as condições do paciente. Avalia-se as condições de aumento de carga, velocidade e inclinações.

De maneira geral, utilizamos protocolos mais intensos para indivíduos fisicamente ativos ou jovens aparentemente saudáveis, como o Bruce e o Ellestad, e teste mais atenuado naqueles com limitações de condicionamento ou em faixas etárias elevadas como o Bruce modificado ou o Naughton (principalmente em ICC compensada).

Protocolos

- **Bruce:** aumentos progressivos da velocidade e inclinação, não linear e súbitos a cada 3 min (duração de cada estágio). Mais bem indicado para avaliação diagnóstica e de capacidade funcional. Evitar em idosos, cardiopatas limitados e obesos. É o mais utilizado.

- **Ellestad:** também denota grande incremento de trabalho, porém aumentos expressivos de carga a partir do 3º estágio somente, prevalecendo o aumento de velocidade até o 5º estágio. Indicado para adultos ativos, atletas e jovens sedentários (duração do esforço até o 4º estágio pelo menos).
- **Bruce modificado**: atenuação do protocolo original. Primeiro estágio sem inclinação e os próximos dois estágios sem incremento da velocidade seguindo, então, o protocolo original. Indicado para idosos, baixa capacidade, limitação física e pós-IAM.

• Interpretações do teste ergométrico

Variáveis a serem interpretadas

- Alterações eletrocardiográficas;
- Arritmias;
- Comportamento da PA;
- Sintomas.
- FC;
- Motivo da interrupção do teste.

Frequência cardíaca

A FC eleva-se linearmente com o esforço devido à inativação vagal e à descarga adrenérgica.

Em algumas situações pode ser vista uma elevação exacerbada da FC desproporcional à carga de trabalho. Exemplos: sedentarismo, ansiedade, distonia neurovegetativa, hipertireoidismo, anemia, alterações metabólicas entre outras. Nessas condições, o teste aplicado apresenta menor acurácia para DAC, considerando-se que a elevação do débito cardíaco se faz de modo predominante pela variação da FC, sem aumento concomitante e proporcional da pré-carga e do volume sistólico.

O não incremento da FC frente ao esforço pode ser resultante de treinamento físico, hipotireoidismo, doença do nó sinusal, uso de drogas (betabloqueadores, amiodarona, antagonista do canal de cálcio), entre outros. Descartando-se essas condições, esse comportamento pode ser considerado anormal e preditor de eventos futuros, condição denominada de incompetência cronotrópica.

Incompetência cronotrópica isoladamente não caracteriza isquemia miocárdica.

Incompetência cronotrópica: FC atingida abaixo de dois desvios-padrão (30 bpm) da FC máxima prevista ou abaixo de 85% da FC prevista pela idade

FC Máx: (220 – idade) bpm   °FC Máx: 206 – 0,88 × Idade

Observação: Para pacientes em uso de betabloqueadores considerar resposta adequada 62% da FCmáx prevista.

A queda da FC durante o esforço tem alta correlação com doença arterial coronária grave => condições raras, porém motivo de encerramento da prova devido à gravidade.

Atualmente o retardo da redução da FC no primeiro minuto pós-teste tem sido associado à maior mortalidade. Se a fase de recuperação for ativa (caminhando) a FC no primeiro minuto deve ser, no mínimo, 12 bpm abaixo da FC máxima atingida, caso seja passiva, > 22 bpm.

62 Guia Prático de Cardiologia

• Pressão arterial

▶ Permite estimar o desempenho ventricular esquerdo frente ao esforço físico.

▶ Em condições normais, a PAS aumenta com a intensidade do trabalho aplicado, geralmente até 220 mmHg e a PAD mantém-se constante ou oscila cerca de 10 mmHg.

▶ Não existe consenso sobre os valores normais de variação da PA com o esforço.

▶ **Hiper-reatividade pressórica ao esforço**: valores de PAS > 220 mmHg e/ou elevação de 15 mmHg ou mais de PAD em relação aos valores basais em repouso. Denota probabilidade maior de HAS no futuro (4-5X).

▶ **Resposta da PAS deprimida:** incremento durante o TE inferior a 35 mmHg, na ausência de queda acentuada da PAD, o que indica disfunção ventricular.

▶ Queda da PAS durante o esforço tem valor preditivo para doença cardíaca grave. Lembrar que hipotensão discreta no esforço máximo em jovens bem condicionados pode ocorrer, e que mulheres, adolescentes e crianças podem ter níveis fixos de PAS e eventuais quedas sem significado patológico.

▶ Queda da PAS pós-esforço não tem associação com morbimortalidade cardiovascular.

Interpretação eletrocardiográfica

▶ As modificações durante a recuperação têm o mesmo significado diagnóstico daquelas ocorridas durante o exercício (conforme Figura 7.1).

▶ Principal marcador de isquemia miocárdica: modificações no segmento ST.

▶ Derivações laterais precordiais (V4-V6): maior sensibilidade, assim como a derivação CM5 quando utilizado o sistema de derivação bipolar.

▶ Avaliar infra ou supra-ST em relação à linha de base, que no esforço é a linha que une as junções PQ, levando em consideração, pelo menos, quatro complexos sucessivos e sem artefatos.

▶ Desaparecimento de infra-ST ou normalização de onda T invertida ao esforço quando presentes no ECG inicial, denotam isquemia transmural ("efeito de cancelamento de vetores" – pseudonormalização).

▶ Supra-ST tem valor localizatório; o infra-ST não.

▶ Alterações sugestivas de isquemia no esforço

▶ Infradesnivelamento com morfologia horizontal ou descendente => ≥ 1 mm do ponto J (ver Figura 7.2).

▶ Infradesnivelamento com morfologia ascendente ≥ 1,5 mm, em indivíduos com risco moderado ou alto de DAC e ≥ 2 mm em baixo risco; aferidos no ponto Y.

▶ Infradesnivelamento de convexidade superior => menor relevância, normalmente em assintomáticos ou sem cardiopatia esse achado é um "falso-positivo" e implica em bom prognóstico. Com exceção de pacientes com miocardiopatia hipertrófica, nos quais essa apresentação pode denotar maior mortalidade.

▶ Supradesnivelamentos ≥ 1 mm do ponto J apesar de infrequentes, traduzem grave isquemia miocárdica, espasmo coronário ou discinesia ventricular.

• Avaliação supra-ST

Na ausência de onda Q: lesão intramural. Associação com lesão de tronco de coronária esquerda, lesões proximais de ADA ou, ainda, espasmo coronariano. Exceção: derivação aVR e V1.

Na vigência de onda Q: pode representar discinesia ventricular (aneurisma) ou presença de viabilidade miocárdica residual.

Derivação aVR: associação atual com lesão em ADA, principalmente quando associado com infra-ST na derivação V5.

Teste Ergométrico 63

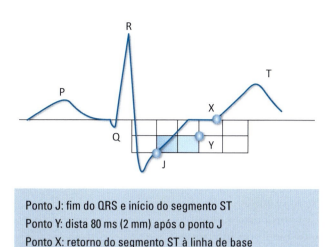

Ponto J: fim do QRS e início do segmento ST
Ponto Y: dista 80 ms (2 mm) após o ponto J
Ponto X: retorno do segmento ST à linha de base

Figura 7.1 Análise dos pontos do segmento ST.
Fonte: III Diretrizes da Sociedade Brasileira de Cardiologia sobre Teste Ergométrico. Arq Bras Cardiol 2010; (5 Supl. 1): 1-26.

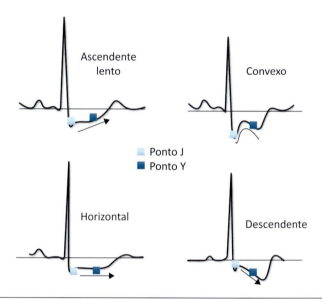

Figura 7.2. Tipos de infradesnível ST ascendente, horizontal, convexo e ascendente.
Fonte: III Diretrizes da Sociedade Brasileira de Cardiologia sobre Teste Ergométrico. Arq Bras Cardiol 2010; (5 Supl. 1): 1-26.

Alterações anormais, porém não específicas de isquemia

- Arritmias cardíacas complexas;
- Bloqueios de ramos;
- Dor torácica atípica;
- Hipotensão;
- Incompetência cronotrópica.

Teste ergométrico inconclusivo para isquemia miocárdica

- BRE.
- WPW nos traçados de controles.
- Ausência de alterações de ST se FC máxima atingida < 85%.
- Presença de ritmo de marca-passo.
- Má qualidade técnica.

Critérios para interrupção do TE

- Angina típica ou dispneia progressiva.
- Cianose, palidez ou pré-síncope (baixo débito cardíaco).
- Cansaço físico ou exaustão.
- Dificuldade de coordenação motora.
- Dor limitante de membros inferiores.
- A pedido do paciente.
- PAD ≥ 120 mmHg em normotensos; ≥ 140 mmHg em hipertensos.
- PAS ≥ 260 mmHg.
- Queda da PAS > 10 mmHg com incremento da carga.
- Supra-ST ≥ 2mm, em área sem onda Q.
- Depressão de ST ≥ 3mm.
- Arritmia ventricular complexa (definição não clara. Ex.: TVNS a partir de três batimentos, bigeminismo sustentado por 1 min).
- Taquiarritmia sustentada, TA, FA.
- BAV de 2º ou 3º graus.
- Falência do sistema de registro.

• Prognóstico

Sugestivo de mau prognóstico para DAC ou doença multiarterial

- Gasto energético estimado menor que 5 MET (exceção idoso sedentário).
- Incapacidade de se atingir pressão arterial sistólica = 120 mmHg.
- Presença de segmento ST infradesnivelado com morfologia descendente = 2 mm, com duração igual ou superior a 5 minutos na recuperação, em cinco ou mais derivações, em indivíduo com capacidade funcional menor que 6 MET.
- Hipotensão ≥ 10 mmHg em relação aos níveis de repouso.
- Elevação de segmento ST, na ausência de infarto prévio com onda Q.
- Sintoma de angina típica limitante.
- Taquicardia ventricular sustentada (mais que 30 segundos), reprodutível ou sintomática.
- Para estratificação de risco e avaliação da probabilidade de DAC grave (prognóstico) utiliza-se o escore de Duke nos pacientes sintomáticos de ambos os sexos, com idade entre 45 e 75 anos.
- Variáveis do teste ergométrico utilizadas no escore: magnitude do desnível do segmento ST em mm, a capacidade funcional em MET, ou tempo de tolerância em minutos e angina durante o esforço.
- Pontuação para angina: 0 (sem dor); 1 (angina não limitante); 2 (angina limitante).

Cálculo do escore de Duke

- ▸ Escore = Tempo de exercício – (5× desnível ST) – (4× Angina)
- ▸ É classificado em alto, intermediário ou baixo risco (vide Tabela 7.4).

Tabela 7.4 Risco cardiovascular conforme cálculo de escore de Duke.

Grupo de risco	Pontuação no escore	Mortalidade anual (%)
Baixo	≥ + 5	0,5
Moderado	Entre +5 e -11	0,5-5%
Alto	< - 11	≥ 5

Quanto mais negativo o escore, maior a taxa de evento em um ano.

Limitações: assintomáticos, idosos, após revascularização cirúrgica do miocárdio, e após infarto do miocárdio recente.

• Referências

1. Chalela WA, Meneghetti JC, editores. Atualização da Diretriz da Sociedade Brasileira de Cardiologia sobre Cardiologia Nuclear; 2005. [Disponível em: http://publicacoes.cardiol.br/consenso/2005/cardiologianuclear.asp].
2. Chalela WA, Meneghetti JC, org. I Diretriz da Sociedade Brasileira de Cardiologia sobre Cardiologia Nuclear. Arq Bras Cardiol 2002; 78 (Suppl III): 1-42.
3. Meneghelo RS, Costa RVC, editores. III Diretrizes da Sociedade Brasileira de Cardiologia sobre Teste Ergométrico. Arq Bras Cardiol 2010; (5 Suppl I): 1-26.

Tomografia de Coronária

Ana Carolina Proença Costa • Carlos Eduardo Rochitte

• Introdução

A angiografia por tomografia computadorizada, que tem recebido o nome de angiotomografia (AngioTC) é aplicada em cardiologia há mais de trinta anos, inicialmente para avaliação de doenças vasculares, como da aorta e no coração para exploração de pericardiopatias, nas quais apresentou importante contribuição, tanto na confirmação diagnóstica como no seu planejamento terapêutico. Contudo, foi a partir do desenvolvimento de tecnologias, com a sincronização da aquisição com o ECG, que possibilitaram a avaliação do coração de forma mais precisa. Com o desenvolvimento da quantificação da calcificação coronária, com o Escore de Cálcio (EC) e, posteriormente, de formas de avaliar a luz das artérias coronárias de forma não invasiva, a angiotomografia de artérias coronárias (AngioTCCor) ganhou espaço definitivo no arsenal diagnóstico em cardiologia.

Como resposta a um questionamento inicial da comunidade científica em relação ao uso de radiação ionizante, notáveis progressos tecnológicos permitiram a redução substancial da dose de radiação, aumentando ainda mais a segurança do método.

O papel do exame de angioTCCor foi estabelecido nas últimas diretrizes do American College of Cardiology/American Heart Association (ACC/AHA) e das Diretrizes Brasileiras da SBC (Sociedade Brasileira de Cardiologia) como método de imagem não invasivo para avaliação da doença arterial coronariana.

• Princípios básicos

A introdução da TC na prática clínica se deu em 1973, e sua aplicação em massa ocorreu a partir da década de 1980. O princípio básico da TC é a emissão de um feixe de raio X, usualmente em forma de leque, que passa pelo corpo por diversos ângulos, permitindo a criação de imagens seccionais (Figura 8.1).

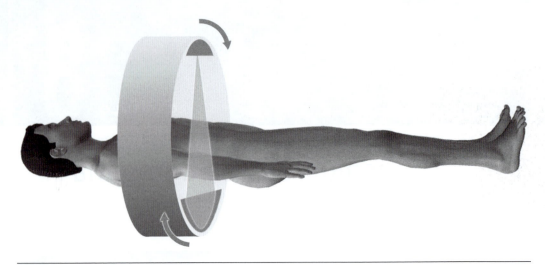

Figura 8.1 O princípio da tomografia computadorizada é uma fonte de raios X e uma unidade detectora rodando sincronizadamente em torno do paciente. Dados são obtidos continuamente durante a rotação.

A obtenção de imagens do coração por tomografia sempre foi um grande desafio, em virtude da movimentação do mesmo e das pequenas dimensões das estruturas cardíacas. Por isso, são necessárias: a aquisição de imagens de maneira suficientemente rápida, evitando artefatos de movimento causados pelos batimentos cardíacos e movimentos respiratórios (alta resolução temporal), e a realização de cortes ultrafinos, permitindo avaliação mais acurada das pequenas estruturas cardíacas (alta resolução espacial), além de sincronismo da aquisição com o ECG.

O desenvolvimento dos tomógrafos com múltiplas colunas de detectores permitiu a obtenção de imagens cardíacas com maior qualidade. O aumento da velocidade de rotação do tubo de raios X (< 0,4 segundos), as novas técnicas de reconstrução de imagens e a sincronização da aquisição das imagens com o Eletrocardiograma (ECG) permitiram minimizar os artefatos de movimento, com grande impacto na qualidade da imagem. Estudos demonstraram que, em termos de qualidade de imagem e acurácia diagnóstica, os sistemas com 64 colunas de detectores são superiores aos de ≤ 16 colunas. Além disso, a maioria dos dados de acurácia diagnóstica e de prognóstico foi obtida de estudos que utilizaram tomógrafos ≥ 64 colunas de detectores. Por isso, os tomógrafos com capacidade a partir de 64 cortes por rotação são os recomendados para a realização do exame de AngioTCCor.

- ## Limitações

Apesar do grande avanço tecnológico dos tomógrafos atuais, com a grande melhora nas resoluções temporal e espacial, estas continuam inferiores à angiografia invasiva, corroborando a maior frequência de falsos-positivos.

As limitações mais frequentes a uma boa qualidade de imagem são o índice de massa corporal alto do paciente, FC elevada, apneia inadequada durante a aquisição das imagens, presença de arritmias, presença de *stents* com diâmetros menores que 3 mm, acentuada tortuosidade arterial, artérias de fino calibre (< 1,5 mm) e, principalmente, a grande quantidade de calcificação coronária, muito embora não haja um limiar de EC acima do qual o exame seja contraindicado.

Radiação

As crescentes doses e os possíveis efeitos da radiação ionizante oriunda de métodos diagnósticos têm sido fonte de intensa preocupação, debate e pesquisa nos últimos anos.

Apesar de os efeitos diretos de baixas doses de radiação como causa de neoplasias ainda ser assunto conflituoso, as recomendações internacionais atuais apontam que doses ≤ 3 mSv conferem um risco muito baixo de efeitos deletérios. Mesmo assim, os documentos dos comitês internacionais sobre imagem cardíaca recomendam um enfoque conservador, reforçando a necessidade da realização de exames somente com indicação clínica bem estabelecida e enfatizando a utilização da menor dose de radiação possível para uma boa qualidade do exame. Dose de radiação da angioTCCor pode ser significativamente reduzida, seguindo o princípio Alara (*as low as reasonable achieavable* – tão baixo quanto razoavelmente exequível) combinando a indicação de exame com técnicas bem documentadas para a diminuição da dose de radiação, como o uso de betabloqueadores, a redução do Kv e uso de aplicativos de reconstrução iterativa para redução da dose de radiação.

Assim, a redução da dose de radiação deve ser uma preocupação de todos os centros que realizam a AngioTCCor, com o grande desafio de reduzir a dose e, ao mesmo tempo, manter a qualidade diagnóstica do exame.

O parâmetro de quantificação de radiação mais utilizado é o de dose efetiva, que avalia o risco de câncer envolvendo a radiação de um exame radiológico. A dose de radiação efetiva (expressa em unidades de miliSieverts) é a forma de aferição mais utilizada na literatura médica.

O conceito de dose efetiva foi desenvolvido com o propósito de proteção radiológica ocupacional e utilização em estudos populacionais, não sendo indicada para estimativa individual de dose. É um parâmetro grosseiro e genérico de risco, bastante útil quando se comparam procedimentos diagnósticos distintos, protocolos distintos ou, ainda, na otimização de protocolos que envolvam exposição de múltiplos órgãos e sistemas. Na Tabela 8.1 estão os valores de dose de radiação dos principais exames de imagem cardíaca.

Tabela 8.1 Valores de dose de radiação dos exames de imagem cardíaca.

Exame	Dose efetiva (mSV)
Radiografia de tórax (frente e perfil)	0,1
Angiografia coronária invasiva (diagnóstica)	7
Escore de cálcio	0,7-1,1
Angiotomografia de artérias coronárias em aparelho de 64 canais	
Sem modulação de corrente	15
Com modulação de corrente	9
Angiotomografia com aquisição prospectiva	3
Intervenção coronária percutânea ou ablação por radiofrequência	15
Cintilografia miocárdica	
Sestamibi (1 dia) estresse/repouso	12
Tetrofosmin (1 dia) estresse/repouso	10
Tálio estresse/redistribuição	29
Rubído-82 estresse/redistribuição	10
PET F-18 FDG	14
Tálio estresse/reinjeção	41

PET: tomografia por emissão de pósitron; FDG: fluorodeoxiglicose.

Fonte: Rochitte, CE; Nomura, CH; Fernandes, JL *et al.* – Ressonância e Tomografia Cardiovascular – 1 Edição - Ed.Manole - 2013.

• Preparo do paciente para angioTC de coronárias

Medicações

Betabloqueadores

A FC é um fator determinante na qualidade da imagem. Pacientes encaminhados para o exame podem receber betabloqueadores por via oral ou intravenosa para reduzir a frequência cardíaca, a não ser que haja contraindicações, como insuficiência cardíaca descompensada, asma ou anormalidades na condução atrioventricular.

Os protocolos de doses de betabloqueadores utilizados em nosso serviço estão na Tabela 8.2 a seguir.

Tabela 8.2 Frequência cardíaca × fármaco utilizado na tomografia.

FC	Medicação	Dose
Acima de 65 BPM	Metoprolol VO	75-150 mg - 1 hora antes
Entre 50-65 bpm	Metoprolol EV	5-30 mg durante exame
Acima de 70 bpm (associado ao betabloqueador) ou contraindicação a betabloqueador	Ivabradina VO	5-15 mg - no mínimo 1h antes do exame
Contraindicação a betabloqueador e a ivabradina	Diltiazem EV	0,35 mg/kg, se não eficaz, adicional 0,25 mg/kg

Nitratos

O dinitrato de isossorbida sublingual é administrado rotineiramente pouco antes da aquisição das imagens da angioTC de coronárias (no momento em que o paciente se deita na mesa) se não houver contraindicações, tais com: hipertensão pulmonar, estenose aórtica grave, uso de inibidores de fosfodiesterase tipo 5 (como sildenafil nas últimas 24 horas ou tadalafil nas últimas 72 horas) e enxaqueca. A dose utilizada é de 2,5-5 mg via sublingual.

Perfusão miocárdica por TC – adenosina e dipiridamol

Para avaliação da perfusão miocárdica por TC são utilizados agentes vasodilatadores: adenosina e dipiridamol. Ambos são contraindicados para pacientes com broncoespasmo e necessitam de preparo específico para promover o efeito vasodilatador esperado: abstenção por 24 horas antes do exame de substâncias que contenham cafeína, e por 48 horas de metilxantinas.

Adenosina

É um nucleosídeo formado pela união da adenina com a ribose. Provoca relaxamento do endotélio do músculo liso. A imagem retrospectiva é adquirida após 3 minutos do início da infusão e a medicação é descontinuada imediatamente após a aquisição. A dose recomendada para o início da infusão é de 140 mcg/kg/min. A dose típica do contraste é de 65 mL, com velocidade de 4 a 5 mL/s.

Efeitos colaterais mais comuns: rubor facial, complicações respiratórias, dor torácica, cefaleia, bloqueios atrioventriculares e arritmias. Como apresenta meia-vida extremamente curta, os efeitos são imediatamente suprimidos com a parada de infusão da droga.

Dipiridamol

É um derivado pirimidínico, que atua inibindo fosfodiesterases em vários tecidos, estimulando a adenilciclase e bloqueando a entrada intracelular de adenosina nas células endoteliais e nas hemácias, ação que provoca efeito vasodilatador. Sua metabolização ocorre no fígado e os metabólitos são quase totalmente excretados por via biliar (95%). Seu efeito é interrompido com a administração de aminofilina endovenosa. A dose recomendada é de 0,56 mg/kg em 4 minutos, diluída em 20 a 30 mL de soro fisiológico para facilitar a infusão.

Efeitos colaterais leves: náuseas, rubor facial, extrassístoles ventriculares, dispneia e tontura. Efeitos colaterais graves: mais raros: exantemas, urticárias, broncoespasmo grave e angioedema.

Contraste

A substância utilizada para melhorar a definição das imagens da TC é o meio de contraste iodado. Podem ser classificados como: iônico *versus* não iônico ou baixa osmolaridade *versus* alta osmolaridade.

O constraste iodado não iônico apresenta maior segurança e melhor tolerabilidade por parte do paciente e, portanto, seu uso deve ser preferido na rotina clínica. Muitos dos efeitos colaterais são inteiramente ou principalmente devidos à alta osmolaridade. As outras causas são quimiotoxicidade (sintomas tipo alérgicos), a toxicidade iônica (interferência com a função celular) e aqueles causados por uma dose elevada.

Reações adversas

As reações adversas são, geralmente, autolimitadas e não requerem tratamento específico. Entretanto, as reações moderadas e graves devem ser individualizadas.

Podem ser divididos em duas categorias: tempo decorrido da administração ou etiologia.

Tempo decorrido da administração: Agudas (nos primeiros 5 a 20 minutos) e/ou Tardias (de 1 hora até 7 dias depois).

Mecanismo etiológico

- ▶ **Reações anafilactoides/idiossincráticas:** liberação em grande quantidade de mediadores químicos de mastócitos e basófilos em resposta à exposição a um antígeno específico. Não é dose-dependente e se caracteriza pela presença de urticária, angioedema, hipotensão com taquicardia, broncoespasmo e edema laríngeo. Pode se manifestar com quadro leve ou extremamente grave.

- ▶ **Reações não idiossincráticas:** inerentes à droga. Efeitos tóxicos diretos, reações vasomotoras ou reações combinadas (a associação das duas geralmente evolui de forma grave). Os efeitos tóxicos diretos a um órgão-alvo específico são relacionados com a dose ou com a concentração do meio de contraste. Nefrotoxicidade (insuficiência renal aguda); cardiotoxicidade (arritmias, hipertensão, assistolia); toxicidade pulmonar (dispneia, broncoespasmo, laringoespasmo, hipóxia); neurológica (cefaleia, vertigem e convulsão); e dermatológico (dor, edema e eriterma no local da administração). As reações vasomotoras ocorrem durante a administração de contraste por dor, distensão visceral ou trauma da punção cutânea; bradicardia, vasodilatação, sudorese, palidez, confusão mental, náuseas, vômitos e liberação esfincteriana.

É importante ressaltar a acidose lática induzida pela metformina, um agente hipoglicemiante oral com excreção renal. Seu uso deve ser interrompido quando se administra meio de constrate iodado e o paciente deve aguardar 48 horas para retomar seu uso. A insuficiência renal pode reter a metformina em seus tecidos, causando precipitação e acidose lática, que pode ser fatal.

Nefropatia induzida por contraste

É definida pelo aumento na creatinina sérica de 0,5 mg/mL ou 25% acima da linha de base depois de 48 horas da administração de constraste, sem que haja outra etiologia.

O principal fator de risco é a disfunção renal de base. Outros fatores incluem: desidratação, uso de medicações nefrotóxicas, insuficiência cardíaca, idade acima de 70 anos, e o volume de contraste injetado. Sua profilaxia se baseia em manter boa hidratação antes e após administração do contraste. O uso da pré-medicação continua sendo uma prática bastante controversa.

• Indicações

Escore de cálcio

Estudos multicêntricos com grandes grupos de pacientes assintomáticos e metanálises já estabeleceram o EC como marcador de risco independente para eventos cardíacos, morte cardíaca e morte por todas as causas. A ausência de calcificação coronária em pacientes assintomáticos está associada à taxa muito baixa de eventos cardíacos (< 0,1% por ano) (ver Tabela 8.3).

Quando associado à estratificação de risco convencional pelo escore de Framingham, EC pode alterar a classificação de pacientes em todas as faixas de risco, destacando-se aqueles assintomáticos de risco intermediário e de baixo risco com HF de DAC precoce (parentes de primeiro grau, homens com idade < 55 anos e mulheres com idade < 65 anos), podendo alterar a conduta clínica. Estudos mais recentes sugerem, ainda, que o EC é preditor de eventos cardiovasculares superior a outras ferramentas de estratificação de risco como a PCR e o IMT. A utilização do EC não é recomendada a indivíduos sintomáticos ou para avaliação da progressão de aterosclerose.

Tabela 8.3 Indicações para a realização de cálcio coronário.

Indicação	Classe de recomendação	Nível de evidência
Pacientes assintomáticos de risco intermediário pelo ERF (10-20% em 10 anos) ou pelo escore de risco global (homens 5-20%, mulheres 5-10% em 10 anos)	I	A
Pacientes assintomáticos de baixo risco pelo ERF (< 10% em 10 anos) ou pelo ER global (homens ou mulheres < 5% em 10 anos) e com antecedente familiar de DAC precoce*	IIa	B
Pacientes diabéticos assintomáticos de baixo risco (como triagem para pesquisa de isquemia miocárdica)	IIa	B
Pacientes com suspeita de SCA de baixo risco	IIb	B
Pacientes assintomáticos de baixo risco sem antecedente familiar de DAC precoce	III	B
Pacientes assintomáticos de alto risco pelo ERF (> 20% em 10 anos) ou pelo escore de risco global (homens > 20%, mulheres > 10% em 10 anos) ou DAC já conhecida	III	B
Seguimento da evolução da calcificação coronária	III	B
Pacientes sintomáticos	III	B

ERF: escore de risco Framingham; DAC: doença arterial aterosclerótica; SCA: síndrome coronariana aguda.
*Parentes de primeiro grau, homens com idade < 55 anos e mulheres com idade < 65 anos.

AngioTC na avaliação da doença coronária

Apesar de ser um método de início ainda recente, alguns estudos de custo-efetividade já demonstram análise favorável da angiotomografia frente a outras estratégias de abordagem em pacientes com dor torácica. De forma geral, quando avaliamos a acurácia da angioTC de coronárias, em comparação com outros métodos funcionais, observamos principalmente maior sensibilidade e maior VPN do método, quando pareados para a mesma prevalência de doença. Essa característica faz com que tal método seja excelente ferramenta diagnóstica, geralmente superior a métodos funcionais, quando o foco é excluir DAC, a depender da população estudada. Está cada vez mais claro que a informação funcional, fornecida pelos métodos provocativos de isquemia, e a informação da anatomia coronária pela angiotomografia são independentes e complementares entre si.

A angioTC apresenta excelente acurácia para diagnóstico de lesões coronárias significativas, com especial destaque para sua alta capacidade de excluir DAC (ver Tabela 8.4). Por outro lado, métodos funcionais permitem a quantificação da isquemia, auxiliando na identificação dos pacientes com maior potencial de benefício da revascularização miocárdica.

No entanto, a estratégia ideal de investigação da doença coronária, que estabelece a melhor abordagem inicial do paciente sintomático (anatômica ou funcional), ainda não está bem definida, sendo muito provavelmente dependente da probabilidade pré-teste da doença.

Tabela 8.4 Indicações da angiotomografia das artérias coronárias na avaliação de doença arterial coronária (DAC).

Indicação	Classe de recomendação	Nível de evidência
Avaliação de DAC crônica em pacientes sintomáticos com probabilidade pré-teste intermediária (10-90%) calculada pelos critérios de Diamond-Forrester[201]	I	A
Pacientes com suspeita de DAC crônica com: ■ Testes de isquemia prévios conflitantes ou inconclusivos ■ Sintomas contínuos e testes de isquemia prévios normais ou inconclusivos ■ Discordância entre a clínica e resultados de testes de isquemia prévios	I	A
Suspeita de síndrome coronariana aguda de baixo/intermediário risco, eletrocardiograma normal ou não diagnóstico e marcadores de necrose miocárdica negativos	I	A
Avaliação da patência de enxertos de revascularização miocárdica em indivíduos sintomáticos com probabilidade pré-teste intermediária calculada pelos critérios de Diamond-Forrester[201]	IIa	B
Avaliação pré-operatória de cirurgia cardíaca não coronária (paciente de risco baixo/moderado)	IIa	B
Opção à angiografia invasiva no seguimento de pacientes com Kawasaki	IIa	B
Opção à angiografia invasiva na diferenciação entre cardiopatias isquêmicas e não isquêmicas	IIa	B

(Continua)

(Continuação)

Tabela 8.4 Indicações da angiotomografia das artérias coronárias na avaliação de doença arterial coronária (DAC).

Indicação	Classe de recomendação	Nível de evidência
Pacientes sintomáticos com probabilidade intermediária de DAC e com testes de isquemia positivos	IIb	C
Pacientes sintomáticos com probabilidade baixa de DAC (< 10% calculada pelos critérios de Diamond-Forrester[201]) com testes de isquemia negativos	IIb	C
Avaliação de reestenose intra-*stent* em indivíduos sintomáticos com probabilidade pré-teste intermediária (10-90%) calculada pelos critérios de Diamond-Forrester[201]	IIb	B
Investigação da dor torácica aguda pela técnica do descarte triplo (*triple rule-out*)	IIb	B
Avaliação pré-operatória de cirurgia não cardíaca de moderado a alto rísco	IIb	C
Pacientes sintomáticos com probabilidade alta de DAC (> 90% calculada pelos critérios de Diamond-Forrester[201])	III	C
Pacientes com suspeita de síndrome coronariana aguda de alto risco	III	C
Avaliação inicial de DAC em indivíduos assintomáticos com capacidade de realizar exercício físico e têm eletrocardiograma interpretável	III	C
Seguimento de lesões ateroscleróticas coronárias em indivíduos assintomáticos	III	C

Angio TC na avaliação de doença cardiovascular

A AngioTCCor, apesar de ter como finalidade principal a análise dos vasos coronários, também pode fornecer informações sobre a anatomia cardiovascular como pericárdio, câmaras cardíacas, septo interatrial e interventricular, valvas, aorta e seus ramos.

Sendo assim de grande importância na avaliação da valva aórtica, aorta e seus ramos necessária para realizar implante de Prótese Valvar Transcutânea (TAVI) (Figura 8.2), reconstrução tridimensional de átrio esquerdo e veias pulmonares (usados para o estudo eletrofisiológico), função ventricular esquerda global e regional, valores de volumes e massa ventriculares. Através da técnica de perfusão miocárdica com agentes vasodilatadores (adenosina ou dipiridamol), é possível obter dados funcionais e anatômicos no mesmo exame (Tabela 8.5 e 8.6).

É disponível ainda avaliação do padrão de fibrose miocárdica com a injeção de contraste e avaliação da sua retenção pelo miocárdio lesado (fibrose ou infarto), semelhante ao dado fornecido na ressonância magnética, porém com menor sensibilidade.

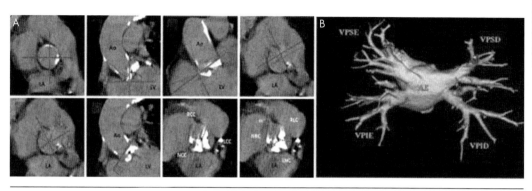

Figura 8.2 (A) Planimetria da válvula aórtica. (B) Reconstrução 3D das veias pulmonares.

Tabela 8.5 Indicações da angiotomografia na avaliação da cardiopatia congênita.

Indicação	Classe de recomendação	Nível de evidência
Avaliação de coronária anômala	I	B
Avaliação de cardiopatias congênitas complexas, tanto para planejamento cirúrgico quanto para avaliação pós-operatória	I	B
Avaliação de vias aéreas e parênquima pulmonar	I	B

Tabela 8.6 Indicações da angiotomografia na avaliação de doenças vasculares.

Indicação	Classe de recomendação	Nível de evidência
Avaliação de aneurismas de aorta	I	B
Avaliação de síndromes aórticas agudas (dissecção, úlceras, hematomas e ruptura)	I	B
Planejamento de abordagem cirúrgica da aorta (aberta ou endovascular)	I	B
Avaliação pós-operatória de implantes de endopróteses aórticas	I	B
Avaliação das artérias renais (para exclusão de redução luminal significativa)	I	B
Avaliação do tronco celíaco e das artérias mesentéricas (para exclusão de redução luminal significativa)	I	B
Avaliação das artérias dos membros superiores e inferiores	I	B
Diagnóstico de embolia pulmonar	I	B
Avaliação do átrio esquerdo e das veias pulmonares pré-ablação de fibrilação atrial	I	B
Planejamento de TAVI	I	B
Avaliação de estenoses carótidas	I	B

(*Continua*)

(Continuação)

Tabela 8.6 Indicações da angiotomografia na avaliação de doenças vasculares.

Indicação	Classe de recomendação	Nível de evidência
Arterites	IIa	B
Avaliação venosa central	IIa	B
Avaliação venosa periférica (membros)	IIb	B

TAVI: implante transcateter de prótese valvar aórtica.

• Interpretação da imagem

Escore de cálcio

Para a aquisição do EC são feitas imagens do coração em cortes transversais (em geral de 3 mm de espessura) de maneira sincronizada ao ECG, sem a utilização de contraste endovenoso e com baixa dose de radiação (aproximadamente 0,9 a 1,3 miliSievert – mSv). O método mais utilizado para a quantificação da Calcificação das Artérias Coronárias (CAC) se baseia no grau de atenuação dos raios X e na área dos depósitos de cálcio na parede arterial, tendo sido descrito por Agatston e colaboradores. A calcificação coronária pela tomografia é definida como uma lesão hiperatenuante, acima do limiar de densidade de 130 UH em uma área de três ou mais *pixels* adjacentes (≥ 1 mm^2). O produto da área total de cálcio por um fator derivado da densidade máxima dá o valor do EC (escore de Agatston).

• Angiotomografia de coronárias

Avaliação da doença coronária

Os princípios da interpretação das artérias coronárias incluem uma revisão sistemática de cada segmento coronário em múltiplos planos e cortes transversais, avaliação da morfologia e composição da lesão, avaliação da gravidade da estenose usando imagens de alta resolução em cortes longitudinais e transversais ao vaso, além da identificação de possíveis artefatos (ver Figura 8.3).

Avaliação da placa

Dividida sistematicamente em: calcificada, mista (parcialmente calcificada) e não calcificada. É importante salientar na análise a presença de placas com características de vulnerabilidade, isto é, maior chance de rotura e de consequente evento agudo: placa não calcificada volumosa (remodelamento positivo), hipodensidade central da placa (lipídio ou necrose central), nódulo de cálcio (*spotty calcification*). A associação dessas características pode aumentar a vulnerabilidade.

Avaliação da estenose

Na rotina clínica é realizada de forma qualitativa e visual, examinador-dependente, considerando-se o eixo longo do vaso e o eixo curto (de maior importância), e classificando em graus de estenose como recomendado por consensos de especialistas e de sociedades da área (SCCT, por exemplo, ver quadro ou tabela). Estenoses ou mais precisamente reduções luminais coronárias de grau mínimo e discreto apresentam probabilidade muito baixa de causar redução de fluxo sanguíneo coronário. Estenoses de grau importante, suboclusões e oclusões têm alta probabilidade de representar redução de fluxo sanguíneo coronário para o território específico. As estenoses de grau moderado podem apresentar probabilidade variável (e difícil de prever) de causar redução de fluxo coronário. Por este motivo, a estenose moderada juntamente com aquelas de grau importante são consideradas como estenose ou redução luminal significativa, o que quer dizer que devem merecer a atenção pelo potencial que têm de causar isquemia. Estenose significativa não representa que essa estenose obrigatoriamente mereça tratamento, embora não se deva descartar o fato de que esta seja causa de sintoma clínico, isquemia miocárdica e, portanto, possa ter indicação de revascularização miocárdica (percutânea ou cirúrgica).

Além da avaliação visual qualitativa, utiliza-se com frequência como auxílio na definição do grau de estenose, técnicas quantitativas. De forma quantitativa, avalia-se a área luminal transversal dos vasos, considerando-se estenoses não significativas, quando o diâmetro da luz respeita as seguintes medidas: maior que 6 mm^2 (para TCE), maior que 4 mm^2 (para DA e CX proximais). São realizadas, também, medidas automatizadas de software calculando a estenose com referências proximais e/ou distais, e reportando a estenose em percentual de redução da área ou do diâmetro luminal.

Graduação de estenose recomendada

(SCCT – *Society of Cardiovascular Computed Tomography*):

- Normal: ausência de placa.
- Mínima: placa com até 25% de estenose.
- Discreta: placa com 25% a 50% de estenose.
- Moderada: placa com 50% a 69% de estenose.
- Severa: placa com 70% a 99% de estenose.
- Ocluída.

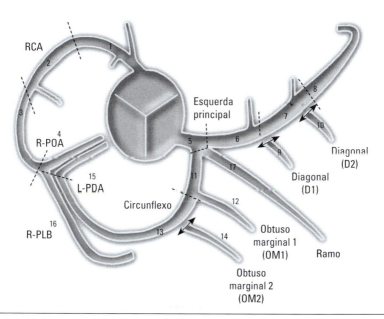

Figura 8.3 Diagrama da segmentação coronariana pela SCCT.

Fonte: Rochitte, CE; Nomura, CH; Fernandes, JL et al – Ressonância e Tomografia Cardiovascular – 1ª Edição - Ed.Manole - 2013.

Avaliação de *stents*

Em condições ideais, a acurácia da angiotomografia de coronárias para a avaliação de *stents* coronários pode chegar a 91,9% com equipamentos de 64 detectores em comparação com a angiografia convencional, com o diâmetro do *stent* sendo o fator preponderante (os de diâmetros ≥ 3 mm ou localizados no tronco da artéria coronária esquerda são mais bem analisados), alcançando-se VPP e VPN de até 100% e 99%. Entretanto, essa avaliação apresenta algumas limitações, principalmente pela presença de artefatos provocados pela estrutura metálica dos *stents*, os quais podem ser minimizados com o uso de algoritmos especiais de reconstrução. Recentemente, a combinação da angiotomografia com perfusão miocárdica de estresse por tomografia foi apontada como possível estratégia para melhorar a acurácia da angio TC em pacientes com *stents* coronários

Avaliação de enxertos cirúrgicos

Na avaliação de pacientes submetidos a revascularização miocárdica cirúrgica existem dois aspectos distintos a serem considerados: análise dos enxertos cirúrgicos e análise do leito nativo. A angiotomografia de coronárias avalia bem os enxertos venosos, em decorrência de sua menor mobilidade, frequente ausência de calcificação e maior calibre. No caso do enxerto de artéria mamária pode haver maior dificuldade, em virtude da presença de clipes metálicos e de seu menor diâmetro, porém raramente limitam a acurácia diagnóstica. A visualização adequada da anastomose distal também representa um desafio em função da presença de clipes metálicos e maior mobilidade nessa área.

A acurácia diagnóstica da angio TC em detectar lesão de enxertos de revascularização coronária é alta, com sensibilidade e especificidade próximas de 100%. Estudos recentes evidenciam que há boa correlação da angio TC com Ultrassom Intravascular (IVUS) e angiografia na medida dos diâmetros dos enxertos 787. No que se refere às artérias coronárias nativas, as dificuldades surgem pela presença habitual de doença coronária avançada, com calcificação acentuada e um percentual maior de segmentos não avaliáveis, porém, mantendo boa acurácia.

Limitações

Apesar do grande avanço tecnológico dos tomógrafos atuais, com a grande melhora nas resoluções temporal e espacial, estas continuam inferiores à angiografia invasiva, corroborando a maior frequência de falsos-positivos.

As limitações mais frequentes a uma boa qualidade de imagem da angio TC são o índice de massa corporal alto do paciente, a frequência cardíaca elevada e a apneia inadequada durante a aquisição das imagens, a presença de arritmias, a presença de *stents* de fino calibre, a acentuada tortuosidade arterial, artérias de fino calibre (< 1,5 mm) e, principalmente, a grande quantidade de calcificação coronária, muito embora não haja um limiar de EC acima do qual o exame seja contraindicado.

Valor prognóstico

Apesar de ser um método de início ainda recente, alguns estudos de custo-efetividade já demonstram análise favorável da AngioTCCor frente a outras estratégias de abordagem em pacientes com dor torácica.

De forma geral, quando avaliamos a acurácia da AngioTCCor em comparação com outros métodos funcionais, observamos principalmente maior sensibilidade e maior VPN do método, quando pareados para a mesma prevalência de doença. Essa característica faz com que tal método seja excelente ferramenta diagnóstica, geralmente superior a métodos funcionais, quando o foco é excluir DAC, a depender da população estudada. Está cada vez mais claro que a informação funcional, fornecida pelos métodos provocativos de isquemia, e a informação da anatomia coronária pela AngioTCCor são independentes e complementares entre si.

A AngioTCCor apresenta excelente acurácia para diagnóstico de lesões coronárias significativas, com especial destaque para sua alta capacidade de excluir DAC. Por outro lado, métodos funcionais permitem a quantificação da isquemia, auxiliando na identificação dos pacientes com maior potencial de benefício da revascularização miocárdica.

No entanto, a estratégia ideal de investigação da doença coronária, que estabelece a melhor abordagem inicial do paciente sintomático (anatômica ou funcional), ainda não está bem definida, sendo muito provavelmente dependente da probabilidade pré-teste da doença. Alguns estudos em andamento como os *trials Ischemia* (*International Study of Comparative Health Effectiveness with Medical and Invasive Approaches*), *Rescue* (*Randomized Evaluation of Patients with Stable Angina Comparing Utilization of Diagnostic Examinations*) e *Promise* (*Prospective Multicenter Imaging Study for Evaluation of Chest Pain*) prometem fornecer elementos que auxiliem nessa resposta.

• Referências

1. Sara L, Szarf G, Tachibana A, et al. II Diretriz de Ressonância Magnética e Tomografia Computadorizada Cardiovascular da Sociedade Brasileira de Cardiologia e do Colégio Brasileiro de Radiologia. Arq Bras Cardiol 2014; 103(6,supl.3): 1-86.
2. Fernandes JL, Rochitte CE, Nomura CH, et al. Ressonância e tomografia cardiovascular. Barueri (SP): Manole; 2013.
3. Bonow RO, Mann DL, Zipes DP, Libby P. Braunwald: tratado de doenças cardiovasculares. 9 ed. Rio de Janeiro: Elsevier; 2013. p.113-31.
4. http://media.wiley.com/product_data/excerpt/63/04712376/0471237663. pdf (Visitado em: 18 de outubro de 2015)
5. Strang J, Dogra V, editores. Segredos em tomografia computadorizada. Rio de Janeiro: Revinter; 2008.
6. Leipsic J, Abbara S, Achenbach S, et al. SCCT guidelines for the interpretation and reporting of coronary CT angiography: a report of the Society of Cardiovascular Computed Tomography Guidelines Committee. J Cardiovasc Comput Tomogr. 2014;8(5):342-58.
7. http://www.radiacao-medica.com.br/tipos-de-imagens-medicas/raios-x/tomografia-computadorizada-ct/(Visitado em: 18 de outubro de 2015)

Ressonância Magnética

• Introdução

Em pleno século XXI vivemos a era dos avanços tecnológicos. Na área da medicina, não poderia ser diferente. Nesse sentido, a Tomografia e a Ressonância Cardiovascular (RMC) assumem posição de destaque. No capítulo que se segue abordaremos os principais conceitos, as indicações e contraindicações da RMC de forma sucinta e direcionada ao cardiologista clínico.

A RMC é um excelente método diagnóstico, por não utilizar radiação ionizante e nem meio de contraste iodado, o qual apresenta maior potencial de nefrotoxicidade. Com os recentes avanços tecnológicos, tem havido um expressivo avanço na velocidade de aquisição e qualidade das imagens. Ela permite a avaliação da anatomia cardíaca e vascular, da função ventricular e da perfusão miocárdica, além da caracterização tecidual de forma acurada, reprodutível, e em um único exame. Sua versatilidade e acurácia diagnóstica a tornam um método altamente atraente para a avaliação de uma enorme gama de cardiopatias adquiridas ou congênitas, além das doenças da aorta, dos vasos pulmonares e de outros leitos vasculares. A técnica do realce tardio, que possibilita a detecção do infarto e fibrose é, hoje, uma ferramenta indispensável na avaliação da viabilidade miocárdica, assim como para a avaliação diagnóstica e prognóstica das cardiomiopatias não isquêmicas.

• Técnica

A Ressonância Magnética é, resumidamente, o resultado da interação do forte campo magnético produzido pelo equipamento (1,5 a 3,0T) com os prótons de hidrogênio, que se apresentam em grande concentração no corpo humano, criando uma condição para que possamos enviar um pulso de radiofrequência e, em seguida, coletar a radiofrequência modificada através de uma bobina ou antena receptora. Uma variedade de sequência de pulsos pode ser usada para aplicações específicas, tendo como alvo o sangue ou os demais tecidos. A sequência *spin-eco* produz imagens estáticas, com sangue escuro, enquanto a sequência gradiente-eco geralmente adquire múltiplas imagens através do ciclo cardíaco que exibem função cardiovascular e fluxo sanguíneo. O sinal recebido é processado e convertido através da Transformada de Fourier em uma imagem ou informação. Quando se encerra a aplicação do pulso de radiofrequência, o sinal gradualmente decai como resultado do processo de relaxação ou de retorno do vetor magnetização para o equilíbrio. Duas constantes de tempo foram criadas para caracterizar cada um destes processos: T1 e T2. A constante T1 está relacionada ao tempo de retorno da magnetização para o eixo longitudinal e é influenciada pela interação dos *spins* com a rede. Já a constante T2 faz referência à redução da magnetização no plano transversal e é influenciada pela interação *spin-spin* (dipolo-dipolo).

Na maior parte dos exames de RMC utiliza-se o meio de contraste baseado no metal paramagnético gadolínio, que se acumula no meio extracelular e nos tecidos lesados. Sua eliminação é predominantemente renal e reações adversas são incomuns. O uso de gadolínio em pacientes portadores de insuficiência renal com *clearence* de creatinina < 30 mL/min/1,73 m² deve ser evitado, pelo risco de ocorrer Fibrose Nefrogênica Sistêmica (síndrome, potencialmente fatal, caracterizada por fibrose cutânea, semelhante a esclerodermia, podendo envolver o acometimento de outras estruturas como fígado, cérebro, rins e articulações, entre outras).

• Indicações clínicas

Cardiomiopatia isquêmica

A avaliação de DAC pela RMC abrange, de maneira geral, a análise da função ventricular regional e global, a identificação de isquemia miocárdica, a caracterização da área de necrose/fibrose resultante de infarto agudo/crônico do miocárdio e a determinação da viabilidade miocárdica. Embora factível e promissora, a realização de coronariografia pela ressonância, com o objetivo de avaliar estenoses, é limitada pela resolução espacial.

Infarto do miocárdio

Infarto do miocárdio, áreas de fibrose e viabilidade são simultaneamente examinadas utilizando-se a técnica de Realce Tardio da RMC. Essa técnica consiste na aquisição das imagens cerca de 10 a 15 minutos após a administração do contraste endovenoso com gadolínio, que não penetra nas membranas celulares íntegras, tendo distribuição extracelular. Entretanto, nas regiões de infarto/fibrose ocorre ruptura das membranas celulares dos miócitos e formação de abundante espaço extracelular, permitindo que o gadolínio se distribua livremente. Além disso, a cinética de distribuição do contraste sofre alterações, resultando em um retardo na eliminação do gadolínio das áreas de infarto, explicando assim o surgimento da imagem de Realce Tardio nessa região. O miocárdio íntegro aparece com intensidade de sinal muito baixa (escuro) em contraste com a região de infarto com sinal intenso (branca).

Diversos estudos (em especial, Kim e cols.) demonstraram uma excelente correlação espacial entre a extensão de realce tardio e as áreas de isquemia miocárdica ou fibrose à histopatologia.

Devido à sua excelente resolução espacial, a RMC permite a caracterização detalhada não apenas dos grandes infartos transmurais, mas também dos pequenos infartos subendocárdicos. Em seu estudo, Wagner e cols. concluíram que a RMC foi capaz de detectar 92% dos segmentos com infarto subendocárdico, enquanto a cintilografia miocárdica detectou apenas 28% dos segmentos. Mesmo os pequenos infartos focais relacionados a procedimentos de intervenção percutânea são prontamente identificados. A RMC permite ainda identificar regiões de obstrução microvascular (fenômeno de *no-reflow*, caracterizado pelo surgimento de áreas escuras no interior do infarto) um marcador de lesão miocárdica grave e que também está associado a pior prognóstico pós-IAM.

A capacidade de identificação da presença e da extensão das regiões de infarto, da presença ou não de obstrução microvascular, da área de miocárdio em risco e da contratilidade regional faz da RMC uma ferramenta cada vez mais importante não apenas na avaliação diagnóstica, mas também na avaliação prognóstica dos pacientes.

Viabilidade miocárdica

A viabilidade do miocárdio tem diferentes definições, incluindo viabilidade funcional, que pode ser acessada pela resposta à dobutamina utilizando ecocardiografia ou RMC; viabilidade celular indicada pela cintilografia com Tálio; viabilidade metabólica acessada por PET, que demonstra a presença de metabolismo celular e viabilidade "histológica" determinada pelo realce tardio com gadolínio. A pesquisa de viabilidade do miocárdio realizada pela RMC pode ser feita por meio de duas técnicas específicas: avaliação da reserva contrátil com dobutamina em baixas doses, semelhante ao que é feito no ecocardiograma com estresse farmacológico; e avaliação do realce tardio com gadolínio, cuja técnica foi descrita anteriormente.

A distinção entre lesão miocárdica reversível e irreversível é fundamental na avaliação pré-operatória de pacientes que se submeterão a revascularização do miocárdio (cirúrgica ou percutânea), exercendo papel importante na seleção dos pacientes que se beneficiarão ou não de uma possível intervenção. Kim e cols. demonstraram que segmentos disfuncionais com área de realce tardio com extensão < 50% apresentavam grande probabilidade de recuperação funcional após a revascularização e, portanto, eram considerados viáveis. Por outro lado, apenas uma pequena proporção dos segmentos com realce tardio ≥ 50% apresentavam recuperação funcional após o procedimento de revascularização sendo considerados não viáveis. Desse modo, fica clara a relação inversamente proporcional que existe entre a extensão da área de realce tardio e a viabilidade miocárdica, ou seja, quanto maior a extensão do realce tardio do segmento avaliado, menor será a chance de melhora da fração de ejeção/contratilidade. Além disso, percebeu-se também que os segmentos com maior acometimento da contratilidade (hipocinesia severa, acinesia e discinesia) eram os que mais se beneficiavam da intervenção.

A RMC mostrou-se superior à cintilografia por *Spect* (*Single Photon Emission Computed Tomography*) e com a mesma sensibilidade e especificidade que o *PET* (*Positron Emission Tomography*) para a identificação de áreas de infarto antigo, especialmente em regiões de infarto subendocárdico. Observa-se vantagem para a técnica de realce tardio que não exige o emprego de estresse farmacológico e não envolve o uso de material radioativo.

Perfusão miocárdica

Os protocolos para o estudo de isquemia com perfusão miocárdica pela ressonância são similares aos utilizados em cintilografia. Os agentes vasodilatadores mais utilizados são a adenosina e o dipiridamol, sendo este último o fármaco mais utilizado no Brasil. Durante a infusão desses fármacos ocorre aumento do fluxo sanguíneo regional de quatro a cinco vezes na microcirculação dos territórios não relacionados a estenoses coronarianas. O mesmo não acontece nas áreas irrigadas por artérias coronárias com estenoses significativas, pois o leito arteriolar já apresenta dilatação máxima compensatória. A diferença de perfusão desses territórios permite a detecção de anormalidades e auxilia na identificação de isquemia miocárdica, fornecendo informações importantes para o manejo clínico do paciente (Figura 9.1).

No protocolo de RMC de perfusão podemos adquirir, além das imagens durante a infusão do vasodilatador (fase de estresse), outras imagens após a reversão do mesmo pela injeção endovenosa de aminofilina (fase de repouso). A avaliação da perfusão miocárdica regional pela RMC é realizada utilizando-se a técnica de perfusão de primeira passagem (após a administração endovenosa do gadolínio observa-se a primeira passagem do meio de contraste pelo tecido miocárdico). Nos pacientes sem isquemia ocorre o aumento homogêneo da intensidade de sinal em todo o miocárdio. Por outro lado, nos pacientes com isquemia miocárdica existe déficit de perfusão no território isquêmico que, portanto, apresenta menor aumento da intensidade de sinal durante a primeira passagem do gadolínio.

Schwitter e cols. compararam a RMC com o cateterismo para avaliar a existência de lesão hemodinamicamente significativa e obtiveram sensibilidade de 87% e especificidade de 85%. Entretanto, ao ser comparada à tomografia por emissão de pósitron (PET), a sensibilidade e especificidade foram 91% e 94%, respectivamente.

Angiorressonância coronariana

Apesar do bom resultado obtido com o uso da Angiorressonância para avaliação dos vasos sistêmicos, a avaliação do leito coronariano ainda enfrenta dificuldades devido à movimentação cardíaca e respiratória, e por tratar-se de vasos de fino calibre e alta complexidade. Desse modo, a angiografia por RMC ainda carece de resolução temporal e espacial suficientes para a adequada avaliação da DAC na prática clínica.

Os estudos apontam para o bom resultado desse método na avaliação da origem e porção proximal dos vasos coronarianos, identificação de coronárias anômalas e na análise da patência dos enxertos coronarianos.

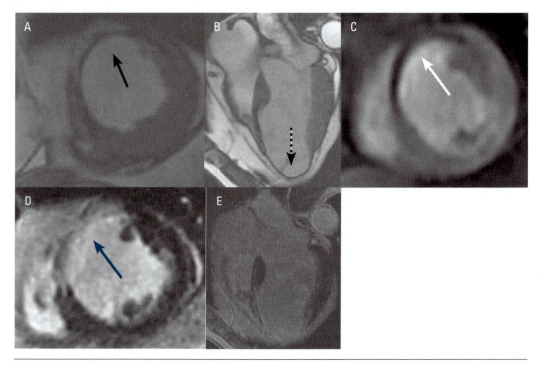

Figura 9.1 (A e B) Demonstram afilamento parietal discreto inferior e inferolateral médio-basais, e afilamento parietal importante anterosseptal basal, anterior e septal mediais (seta preta), e em todos os segmentos apicais, associado a aneurisma apical do VE (seta pontilhada). **(C)** Hipoperfusão de repouso persistente em segmentos anterior e septal medioapicais (seta branca), compatível com obstrução microvascular (*no-reflow*). **(D e E)** Realce tardio miocárdico não transmural nos segmentos anterosseptal basal e inferosseptal, e anterolateral mediais, compatível com infarto subendocárdico e potencial de recuperação contrátil preservada. Realce tardio miocárdico transmural nos segmentos anterior e anterosseptal mediais (seta azul) e em todos os segmentos apicais, compatível com infarto miocárdico e ausência de potencial de recuperação contrátil. Exame compatível com cardiomiopatia isquêmica devido a infarto anterosseptal extenso sem viabilidade miocárdica neste território. Viabilidade miocárdica preservada nos demais territórios, notando-se miocárdio hibernante inferior e inferolateral médio-basais. A: Cine eixo curto; B: Cine eixo longo; C: Cine perfusão de repouso; D: Realce tardio eixo curto; E: Realce tardio eixo longo.

Cardiomiopatias não isquêmicas

Uma das mais importantes aplicações da RMC está na diferenciação entre as doenças cardíacas de origens isquêmicas e não isquêmicas e na caracterização das diversas cardiomiopatias, auxiliando na investigação etiológica e fornecendo importantes informações prognósticas. Assim como na avaliação das cardiomiopatias isquêmicas, na análise das cardiomiopatias não isquêmicas a capacidade da RMC para avaliar a arquitetura do miocárdio, características do tecido, função e hemodinâmica desses pacientes é robusta e consistente.

Cardiomiopatia hipertrófica (CMH)

A CMH é uma doença genética que acomete uma em cada quinhentas pessoas. É caracterizada por hipertrofia ventricular inapropriada, geralmente assimétrica, e associada à disfunção diastólica, fibrose miocárdica e eventual obstrução da via de saída do VE.

O método fornece informações precisas sobre a massa ventricular (marcador prognóstico mais sensível que a espessura da parede ventricular) e perfeita avaliação da via de saída do VE. Além disso, a técnica de realce tardio, disponível através da RMC, nos permite identificar com excelente acurácia as áreas de fibrose miocárdica, que também configuram marcadores de pior prognóstico na evolução desses pacientes (Figura 9.2).

O padrão de fibrose miocárdica descrito para CMH é peculiar, habitualmente multifocal, não respeitando a anatomia coronária. Frequentemente, as áreas na junção entre o septo interventricular e a parede livre do VD, nas porções média e basal dos segmentos anerosseptal e inferosseptal, são acometidas pela fibrose miocárdica, padrão esse conhecido como junção ventricular.

Estudos comparativos entre a RMC e a ecocardiografia demonstraram melhor sensibilidade da RMC na detecção de segmentos com hipertrofia, principalmente nos casos de CMH apical e de hipertrofia da parede lateral.

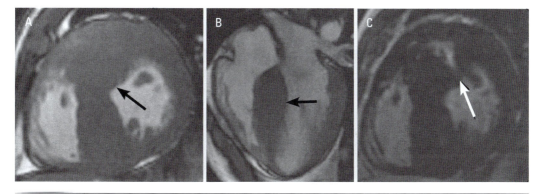

Figura 9.2 A e **B** demonstram hipertrofia miocárdica assimétrica acentuada do septo mediobasal (seta preta). **C** evidencia realce tardio mesocárdico em segmentos anterosseptal médio-basais (seta branca). Exame compatível com CMH Septal Assimétrica com fibrose miocárdica. **(A)** Cine eixo curto; **(B)** Cine eixo longo; **(C)** Realce tardio eixo curto.

Cardiomiopatia dilatada idiopática

Além de fornecer importantes informações, como a quantificação da função biventricular global e segmentar, a presença de dilatação das câmaras cardíacas e alterações do pericárdio, a RMC, por meio da técnica do realce tardio, pode identificar áreas de fibrose de padrão mesocárdico em cerca de 30% dos pacientes com cardiomiopatia dilatada idiopática. A presença e a extensão da fibrose pela técnica do realce tardio miocárdico apresentam valor prognóstico, uma vez que a mesma representa substrato para arritmia e morte súbita.

Displasia arritmogênica do VD (DAVD)

A Displasia Arritmogênica do VD é uma doença caracterizada pela desordem nas junções intercelulares (desmossomos), levando à substituição das células miocárdicas por material fibrogorduroso. Acomete preferencialmente o VD e está associada a arritmias ventriculares, por vezes fatais. Os sintomas mais frequentemente observados são palpitações e síncopes, e se manifestam entre a segunda e quinta décadas de vida.

A RMC é útil para confirmar se estão presentes alterações da contratilidade segmentar miocárdica do VD, alterações volumétricas, anormalidades morfológicas e infiltração gordurosa.

Miocardite

As miocardites são processos inflamatórios caracterizados por infiltrados celulares focais associados à necrose miocitária adjacente em variados graus. Tal processo pode ter causas infecciosas ou não, sendo a etiologia viral a mais prevalente e clinicamente relevante. O diagnóstico e a investigação de miocardite usando as técnicas convencionais têm sido difíceis. A RMC vem alterando este panorama, permitindo um diagnóstico confiável e a diferenciação de outras condições agudas.

A RMC é um importante instrumento no diagnóstico não invasivo da miocardite, sendo útil nos casos de IC de início recente, e nos casos de dor torácica com coronárias normais. Por meio de imagens ponderadas em T2, a ressonância pode identificar áreas sugestivas de edema miocárdico e utilizando-se a técnica do realce tardio, é possível identificar áreas de necrose miocárdica, principalmente nas paredes lateral e septal do VE. A presença e a extensão das áreas de realce tardio, tipicamente meso e subepicárdicas, são preditoras de pior prognóstico quanto ao remodelamento ventricular e podem servir para indicar a melhor região para uma eventual biópsia miocárdica (Figura 9.3).

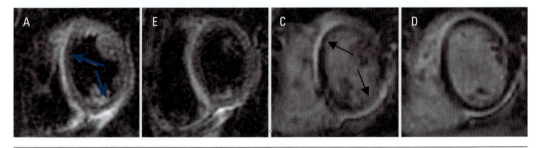

Figura 9.3 (A e B) observa-se hipersinal em paredes anterior e anterosseptal médio-basal, inferior, inferosseptal e inferolateral medial, compatível com edema miocárdico nesta topografia (setas azuis). **(C e D)** evidencia-se presença de realce tardio miocárdico de padrão epicárdico em paredes anterior e anterosseptal, inferior e inferolateral medial, compatível com fibrose miocárdica nesta topografia (seta preta). Exame sugestivo de cardiomiopatia inflamatória (miopericardite aguda).

Cardiomiopatias restritivas/infiltrativas

As cardiomiopatias restritivas abrangem doenças primárias e secundárias do coração, limitando principalmente o enchimento ventricular diastólico, embora a função sistólica também possa ser prejudicada. Nessas patologias, a RMC avalia de forma sistemática a função miocárdica, a morfologia do tecido, a espessura do pericárdio e o fluxo transvalvar, além de possibilitar a análise do realce tardio, que caracteriza cada patologia desse grupo de cardiomiopatias, conforme ilustrado na Figura 9.4.

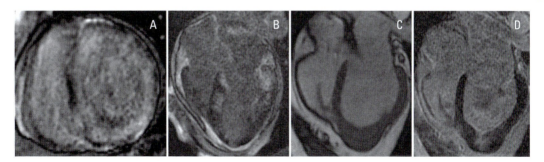

Figura 9.4 Painel ilustrativo das cardiomiopatias infiltrativas, demonstrando em **(A** e **B)** realce tardio subendocárdico difuso, sendo este achado compatível com presença de depósito amiloide. **(C** e **D)** observa-se fibrose subendocárdica em região apical de VE, compatível com quadro de endomiocardiofibrose.

• Outras indicações clínicas

Doença orovalvar

Apesar de o ecocardiograma ser a modalidade mais amplamente utilizada para avaliação inicial de pacientes com doenças valvares, nos últimos vinte anos a RM vem se firmando como método alternativo e eficaz para avaliação morfológica e funcional (quantitativa) das valvopatias. Além de oferecer informações detalhadas e precisas a respeito da anatomia do aparelho valvar, a RMC também propicia, com excelente reprodutibilidade, a avaliação quantitativa da função ventricular, das estenoses e das regurgitações.

Doenças do pericárdio

A RMC é bem indicada para avaliação e definição de alterações anatômicas do pericárdio, tendo como principal característica a habilidade de definir e quantificar as alterações funcionais e dinâmicas que podem estar relacionadas às pericardiopatias. O grande campo de visão da RMC é útil para dar uma melhor perspectiva da extensão da doença pericárdica e para definir sua relação com as estruturas anatômicas vizinhas. As diferentes sequências de pulsos disponíveis permitem caracterizar espessamentos pericárdicos, acometimento inflamatório ou tumoral, e quantificar a extensão e o volume dos derrames pericárdicos.

Cardiopatias congênitas

A RMC consiste de método não invasivo capaz de fornecer, em um único exame, informações morfofuncionais acuradas, medidas de fluxo e quantificação de *shunts*. Produz imagens de alta qualidade, com cortes em qualquer plano, reconstruções tridimensionais da aorta e da vasculatura pulmonar, além da avaliação de tubos e reconstruções vasculares. Mostra-se útil no manejo do paciente, tanto no pré-operatório quanto no controle pós-operatório.

• Dispositivos cardiovasculares e contraindicações à realização de RMC

Assim como é crescente o número de indivíduos submetidos ao exame de RMC, também é crescente o número de indivíduos submetidos ao implante de dispositivos cardiovasculares. Há muita confusão e controvérsia a respeito de quais desses pacientes podem ou não realizar ressonância magnética de forma segura. Na tentativa de facilitar a análise das verdadeiras contraindicações para a realização deste método, elaboramos a Tabela 9.1.

Tabela 9.1 Dispositivos cardíacos × ressonância magnética.

Dispositivo	CI*	Observação
MCP/CDI	Sim	Risco de aquecimento dos eletrodos e alteração na programação. Estudos sugerem que dispositivos produzidos a partir de 2000 seriam mais resistentes, porém não houve mudança nas recomendações das diretrizes.
Outros	Sim	Cateteres Hemodinâmicos (Swan-Ganz)/MCP Provisório/BIA/Clipe Cerebral/Corpo estranho**
Stent coronariano	Não	Considerado seguro, não havendo distinção entre *stent* farmacológico e não farmacológico.
Endoprótese aórtica	Não	Apenas no modelo Zenith AAA observou-se flexão e torque da prótese sendo considerado não seguro.
Próteses valvares	Não	Aquecimento < 1 °C em trabalhos *ex vivo*. Considerado seguro, independentemente do tipo e do tempo decorrido desde o implante.
Fios epicárdicos de MCP	Não	Relativamente curtos, sem muitos trajetos circulares, sendo considerados seguros.
Outros	Não	Próteses oclusoras (CIA/PCA/Fístula)/Filtro de Veia Cava***/ Sutura de Esterno

*CI: Contraindicado; **Corpo estranho: principalmente material ferromagnético em globo ocular (Profissão: Soldador); ***Recomendado aguardar seis semanas.

• Referências

1. Sara L, Szarf G, Tachibana A, et al. II Diretriz de Ressonância Magnética e Tomografia Computadorizada Cardiovascular da Sociedade Brasileira de Cardiologia. Arq Bras Cardiol 2014; 103(6 Suppl 3): 1-86.
2. ACCF/ACR/AHA/NASCI/SCMR 2010 expert consensus document on cardiovascular magnetic resonance: a report of the American College of Cardiology Foundation Task Force on Expert Consensus Documents. J Am Coll Cardiol. 2010;55(23):2614-62.
3. Kim HW, Crowley AL, Kim RJ. A clinical cardiovascular magnetic resonance service: operational considerations and the basic examination. Magn Reson Imaging Clin N Am 2007;15(4):473-85.
4. Grizzard JD, Judd RM, Kim RJ. Cardiovascular MRI in pratice. London: Springer; 2008.
5. Fernandes JL, Rochitte CE, Nomura CH, et al. Ressonância e tomografia cardiovascular. Barueri (SP): Manole; 2011.
6. Bonow RO, Mann DL, Zipes DP, Libby P. Braunwald: tratado de doenças cardiovasculares. 9 ed. Rio de Janeiro: Elsevier; 2013. p.557-83.
7. Paola AAV, Barbosa MM, Guimarães JI. Cardiologia: livro texto da Sociedade Brasileira de Cardiologia. Barueri (SP): Manole; 2012. p:364-77.
8. Nobre F. Cardiologia de consultório. Barueri (SP): Manole; 2012. P. 93-9.
9. Ridgway JP. Cardiovascular magnetic resonance physics for clinicians: part I - II. J Cardiovasc Magn Reson. 2010; 30:12:71.

10. Mazzola AA. Magnetic resonance: principles of image formation and applications in functional imaging. Rev Bras Física Med 2009;3(1):117-29.
11. Rodgers CT, Robson MD. Cardiovascular magnetic resonance. Prog Cardiovasc Dis 2011; 54(3):181-90.
12. Kim RJ, Fieno DS, Parrish TB, et al. Relationship of MRI delayed contrast enhancement to irreversible injury, infarct age, and contractile function. Circulation 1999;100(19):1992-2002.
13. Wagner A, Mahrholdt H, Holly TA, et al. Contrast-enhanced MRI and routine single photon emission computed tomography (SPECT) perfusion imaging for detection of subendocardial myocardial infarcts: an imaging study. Lancet 2003; 361(9355): 374-9.
14. Wu E, Judd RM, Vargas JD, Klocke FJ, Bonow RO, Kim RJ. Visualisation of presence, location, and transmural extent of healed Q-wave and nonQwave myocardial infarction. Lancet 2001;357(9249):21-8 .
15. Barranhas AD, Santos AASMD, Coelho-Filho OR, Marchiori E, Rochitte CE, Nacif MS. Cardiac magnetic resonance imaging in clinical practice. Radiol Bras 2014; 47(1):1-8.

Cardiologia Intervencionista

Roberto Franzini Jr. • José de Ribamar Costa Jr.

• Introdução

Nas últimas décadas observou-se marcante progresso na cardiologia invasiva, tanto no diagnóstico quanto na abordagem terapêutica percutânea de patologias coronárias e estruturais do coração, incluindo as patologias congênitas e valvares.

Neste capítulo abordaremos de forma abreviada as principais características e indicações dos procedimentos cardíacos percutâneos na abordagem de coronariopatias e da estenose aórtica. As demais intervenções estruturais do coração, incluindo nas cardiopatias congênitas, serão abordadas em outros capítulos.

• Métodos diagnósticos invasivos na doença arterial coronária

Cinecoronariografia

A cinecoronariografia, também chamada angiografia coronária, foi realizada pela primeira vez em 1958 por Mason Sones, e consiste do registro radiológico da luz coronária através da injeção endovenosa de contraste radiopaco. Atualmente, o acesso vascular é realizado na grande maioria das vezes por punção percutânea, utilizando as artérias femoral ou radial. As imagens angiográficas resultantes são obtidas a uma taxa de 7,5 a 60 quadros por segundo, em sequência dinâmica, registrando o fluxo coronário durante o tempo de filmagem.

Muito utilizada na prática clínica, a cinecoronariografia ainda representa o principal método diagnóstico para o planejamento terapêutico de pacientes com Doença Arterial Coronariana (DAC). A circulação coronária deve ser sempre estudada em múltiplos ângulos para uma visualização clara, sem reduções ou sobreposições. O grau de obstrução é comumente expresso em percentual de estenose, que é a relação do diâmetro do segmento mais estenótico com o do segmento normal adjacente proximal e/ou distal. Sabe-se que reduções de 50%, 70% e 90% no diâmetro coronariano resultam em comprometimento de respectivamente 75%, 90% e 99% da sua área.

Com relação ao fluxo coronário, 50% de redução na luz coronária resulta em diminuição de três a quatro vezes na reserva de fluxo coronário, mecanismo compensatório nas fases iniciais da DAC. Acima de 70% de obstrução, esta reserva é praticamente nula, passando a ocorrer significativa redução do fluxo coronário, muitas vezes de forma sintomática.

Além da detecção e quantificação da estenose luminar coronária, a cinecoronariografia também permite uma avaliação qualitativa da coronária, por meio da avaliação da morfologia do ateroma, detecção de trombo intraluminal e caracterização do fluxo sanguíneo anterógrado (classificação Timi), aspectos estes também relacionados ao prognóstico do paciente com DAC.

Apesar de sua seminal importância no manejo da DAC, a cinecoronariografia é um exame invasivo e, portanto, não isento de riscos. Estima-se a ocorrência de um infarto agudo do miocárdio não fatal a cada 2.000 cinecoronariografias realizadas, ao passo que óbito e AVC podem ocorrer a cada 1.000 exames realizados. Portanto, uma complicação maior (morte, IAM ou AVC) ocorre em menos de 1% dos casos, incluídos todos os possíveis cenários clínicos, inclusive condições de instabilidade do paciente, que elevam os riscos do procedimento.

Métodos adjuntos à cinecoronariografia

A tomada de decisão sobre a necessidade de intervir, assim como o acompanhamento da intervenção a fim de aperfeiçoar seus resultados, se faz cada vez mais necessária face à elevada complexidade dos pacientes abordados atualmente na cardiologia invasiva.

Para tal, a medida da Reserva Fracionada de Fluxo coronário (FFR), o ultrassom intracoronário (Usic) e a Tomografia de Coerência Óptica (OCT) têm sido empregados. Embora se alicercem em princípios completamente distintos (avaliação fisiológica/funcional [FFR] *versus* anatômica [Usic e OCT] do ateroma), estas modalidades de avaliação da doença aterosclerótica coronária foram bastante utilizadas na última década, havendo ampla variedade de estudos clínicos que suportam seu uso nos diversos cenários da prática intervencionista contemporânea, desde a avaliação das placas ateromatosas ditas moderadas ou intermediárias até a definição do implante ótimo do *stent* intracoronário.

Reserva de fluxo fracionada (FFR)

A reserva fracionada de fluxo do miocárdio é definida como a relação entre o fluxo de sangue no vaso coronário estenótico e o fluxo nesse mesmo vaso na ausência de estenose, durante hiperemia máxima (induzida por adenosina intracoronária ou sistêmica). Esse índice representa a fração do fluxo miocárdico máximo normal que poderá ser atingido, a despeito da presença da estenose. Para fins práticos, o cálculo da reserva fracionada é obtido dividindo-se a pressão média distal da artéria coronária (pressão distal à estenose) pela pressão média da aorta mensurada pelo cateter-guia, durante hiperemia máxima. A mensuração da pressão intracoronária é realizada de maneira invasiva, à semelhança da realização de uma ICP, por meio da ultrapassagem de fio-guia 0,014" com sensor de pressão localizado a 3 cm de sua extremidade distal.

Na prática contemporânea, a mensuração da FFR tem sido utilizada basicamente em dois cenários: avaliação da presença de isquemia em lesões moderadas/intermediárias em coronárias nativas e para guiar a ICP em pacientes multiarteriais, sempre que houver dúvidas quanto ao grau de severidade de uma ou mais das lesões a serem abordadas.

Em geral, a presença de valores de FFR < 0,80 correlaciona-se com a presença de isquemia na lesão avaliada, ao passo que valores acima deste ponto de corte associam-se a bom prognóstico quando o paciente é mantido exclusivamente em tratamento medicamentoso.

Vários estudos clínicos e metanálises validaram a segurança deste método em ambos os cenários, além de terem demonstrado sua utilização custo-efetiva. Assim sendo, ambas as indicações de realização de FFR recebem indicação I, com nível de evidência A nas diretrizes mais recentes.

Ultrassom intracoronário (Usic)

O ultrassom intracoronário (Usic) é uma modalidade de imagem invasiva e segura que, através de imagens tomográficas, permite visualizar a estrutura da parede vascular, identificando acuradamente a presença da Doença Arterial Coronária (DAC) nos seus diferentes estágios e as alterações dinâmicas do vaso coronário antes, durante e após a Intervenção Coronária Percutânea (ICP). Permite, também, a realização de medidas quantitativas, como avaliação do tamanho do vaso, área luminal, tamanho da placa, sua distribuição, e, de certo modo, sua composição. Atualmente, sua aplicabilidade estende-se desde a pesquisa clínica até a prática intervencionista cotidiana, ajudando na tomada de decisões sobre quando intervir, e guiando o procedimento de ICP a fim de otimizar seus resultados.

Usic na avaliação de lesões moderadas/ambíguas

Durante muitos anos, o Usic foi o método invasivo preferencial para avaliar lesões intermediárias (50% a 70%) localizadas nas artérias coronárias nativas, auxiliando na tomada de decisão sobre estratégias terapêuticas a serem tomadas.

Entre os trabalhos pioneiros que utilizaram o Usic para avaliar lesões intermediárias merece destaque o de Abizaid e colaboradores. A partir desse trabalho, passou-se a aceitar que em coronárias nativas de diâmetro entre 3,0 e 3,5 mm, uma área luminal $\geq 4,0$ mm^2 estaria associada a uma sobrevida livre de eventos (óbito, IAM e revascularização da lesão-alvo) superior a 95% no seguimento de médio prazo. Recentemente, uma série de estudos revisitaram a questão de qual seria o melhor valor de corte do Usic, inclusive estendendo a aplicabilidade do método para cenários antes não investigados (ex.: vasos finos), visando a correlacionar a avaliação anatômica com a presença de isquemia pelos métodos de avaliação funcional, em especial a reserva de fluxo fracionada (FFR). Entretanto, é importante destacar que mesmo quando se adequam os valores de corte da área luminar ao tamanho do vaso, a correlação com a FFR bem como sensibilidade e especificidade do Usic persistem baixos e aquém do desejado.

Notavelmente, o valor de área luminar $\geq 4,0$ mm^2 pode e deve ser utilizada como critério de segurança para não se indicar intervenção. O contrário, ou seja, a decisão de intervir é muito mais complexa e envolve outras importantes variáveis (quadro clínico, risco/benefício etc.). Estudos recentes demostram que, comparando à FFR, a utilização de Usic para avaliar lesões moderadas em coronárias nativas resulta em indicação mais frequente de procedimentos de revascularização sem que isso tenha impacto positivo nos desfechos clínicos, isto é, não se trata de uma estratégia custo-efetiva.

Na avaliação de lesões intermediárias/ambíguas do Tronco da Coronária Esquerda (TCE), o papel do Usic está mais bem definido. Dadas algumas particularidades daquele seguimento coronário (pequena extensão, dificuldade de visualização devido à cúspide aórtica e sobreposição de ramos na bifurcação), frequentemente somos levados a indicar procedimentos de revascularização desnecessários (e vice-versa). Na avaliação do tronco da coronária esquerda considera-se, em geral, lesão significativa quando: 1) diâmetro mínimo da luz < 2,0 mm; e/ou 2) área luminal $\leq 5,5$ a 6,0 mm^2.

Usic para guiar implante de *stents* em ICP complexa

Em termos de impacto do uso rotineiro do Usic na redução de desfechos clínicos há uma série de estudos e metanálises apontando para um provável benefício do uso desta modalidade de imagem para guiar o implante de *stents*, especialmente nos cenários de maior complexidade.

Análise recente utilizando um modelo de escore de propensão e avaliando mais de 8.000 pacientes incluídos no estudo Adapt-DES, demonstrou que os indivíduos submetidos a ICP guiada por Usic (39% da população total do estudo), tiveram redução de 60% na ocorrência de trombose do *stent*, 34% na ocorrência de IAM não fatal, e 30% na taxa de eventos cardíacos adversos maiores combinados (morte, IAM não fatal e necessidade de nova revascularização da lesão-alvo), todas significativas do ponto de vista estatístico.

Mais recentemente, o uso do Usic também tem sido proposto nos casos de falência da intervenção coronária percutânea (reestenose/trombose), nos quais poderia auxiliar na identificação da causa do problema (subexpansão, cobertura incompleta da placa etc.), bem como guiar na escola da melhor opção terapêutica.

Tomografia de coerência óptica (OCT)

A OCT, por meio de imagens de alta resolução axial (15 a 20 µm), permite acurada caracterização dos diferentes componentes da placa aterosclerótica, assim como diferentes aspectos morfométricos. Possui altas sensibilidade (94%) e especificidade (92%) para detecção de placas lipídicas, além de ser a única modalidade de imagem *in vivo* capaz de quantificar de forma acurada a espessura da capa fibrosa e detectar a presença de agregados de macrófagos, aspectos morfológicos fundamentais para a caracterização do fibroateroma de capa fina – a chamada "placa vulnerável", precursora que mais frequentemente leva à ruptura e à oclusão coronária.

Em comparação com a angiografia e com o Usic, a OCT demonstrou maior sensibilidade para identificar diferentes morfologias das placas ateroscleróticas em pacientes com infarto agudo do miocárdio, como ruptura e erosão das placas, presença de fibroateromas de capa fina e trombos intraluminais.

Entretanto, apesar de sua maior definição de imagem, a falta de estudos mais robustos faz com que o método de imagem ainda não tenha indicações clínicas tão solidificadas, sendo em geral utilizado nos mesmos cenários do Usic, ou seja, para guiar intervenções complexas como na identificação dos mecanismos de falência da ICP.

• Intervenção coronária percutânea

Há quatro décadas, mais precisamente no ano de 1977, surgia um método alternativo à cirurgia de revascularização do miocárdio: a angioplastia transluminal coronária. Essa técnica foi idealizada por Andreas Gruentzig, que utilizou um cateter-balão por ele concebido, para realizar a primeira dilatação em artéria coronária humana por via percutânea.

Inicialmente restrita a casos de baixa complexidade, tanto do ponto de vista clínico como anatômico, na atualidade as Intervenções Coronárias Percutâneas (ICP) representam uma opção real e efetiva no tratamento também de lesões complexas, incluindo pacientes multiarteriais, diabéticos e mesmo aqueles com lesões situadas no TCE, território até pouco tempo de domínio exclusivo da cirurgia.

A explicação para esta notável expansão nas indicações de ICP reside em um somatório de fatores, dentre os quais destacamos: aumento da experiência dos cardiologistas intervencionistas, aprimoramento progressivo das técnicas de intervenção percutânea, evolução da terapêutica farmacológica adjunta, sobretudo com o advento do regime antiplaquetário duplo (AAS + tienopiridínico), e introdução de novos instrumentais, com ênfase para os *stents* coronários e mais recentemente os *stents* farmacológicos.

Com o advento dos *stents* metálicos conseguiu-se superar as principais limitações da intervenção com cateter-balão, que restringiam sua indicação nos cenários de maior complexidade. As endopróteses metálicas tornaram o procedimento percutâneo mais previsível, com taxas de sucesso imediato próximas a 100%. Além do mais, impedindo a retração elástica aguda e o remodelamento coronário negativo crônico, esses dispositivos praticamente eliminaram os dois principais mecanismos de reestenose após a ICP com cateter-balão.

Entretanto, o implante de *stents* resulta em injúria à parede vascular, iniciando uma cascata reparatória visando a restaurar sua integridade. Em alguns casos, essa resposta cicatricial é excessiva, e resulta em reobstrução (reestenose) do vaso tratado, com recorrência dos sintomas anginosos, obscurecendo parcialmente os resultados da ICP.

Em 1999, Sousa e cols. introduziram os *stents* metálicos farmacológicos na prática intervencionista. Graças à liberação local de fármacos antiproliferativos, esses dispositivos minimizaram a resposta inflamatória cicatricial após a ICP, reduzindo assim a ocorrência de reestenose angiográfica e a necessidade de novos procedimentos de revascularização no seguimento previamente tratado. Os marcantes resultados dessa nova tecnologia, com taxas de falência tardia, em geral inferiores a 10%, mesmo nos cenários de maior complexidade, alavancou novamente a ICP, permitindo expandir sua indicação para antes praticamente restritos à cirurgia de revascularização miocárdica.

Desde a liberação dos *stents* farmacológicos para uso clínico em nosso país, em 2002, o HCor prontamente incorporou essa tecnologia em sua rotina, sendo que atualmente praticamente 95% de todas as ICPs neste hospital utilizam esses dispositivos. Ademais, ainda em 2002, sob a liderança dos professores J. Eduardo Sousa e Amanda Sousa, iniciou-se um registro visando a estabelecer a segurança e eficácia desses novos *stents* na prática clínica, sem restrições de utilização. O Registro *Desire* (***D**rug-**E**luting **S**tents **I**n the **RE**al world*) conta hoje com mais de 6.000 pacientes incluídos, e com um seguimento médio acima de cinco anos, tem repetidamente demonstrado as vantagens dessa nova tecnologia na prática diária.

Hoje, o *stent* farmacológico representa o principal instrumental utilizado na ICP, estando seu uso recomendado em todos os cenários clínicos e angiográficos passíveis de tratamento percutâneo, exceto quando o paciente a ser tratado não pode fazer uso da terapia antiagregante plaquetária dupla prolongada (pelo menos seis meses).

A seguir discutiremos com brevidade o papel da ICP no cenário da doença coronária estável e nas síndromes coronárias agudas.

Intervenção coronária percutânea (ICP) na síndrome coronariana estável

os procedimentos de revascularização miocárdica (cirurgia ou ICP) em pacientes com insuficiência coronária crônica têm suas indicações baseadas na redução da sintomatologia e na melhora do prognóstico.

Em pacientes sintomáticos, tanto a CRM quanto a ICP demostraram reduzir angina, aumentar tolerância à atividade física e melhorar a qualidade de vida. A realização de procedimentos de revascularização associa-se também à redução da carga isquêmica. Os principais estudos que demonstraram os benefícios da revascularização guiada pela presença de isquemia foram o Swiss I (*SWISs Silent Ischemia*), *Acip* (*Asymptomatic Cardiac Ischemia Pilot*), Courage (subgrupo com medicina nuclear), Bari-2D (braço cirúrgico). Os estudos Defer e Fame demostraram ausência de benefícios dos procedimentos de revascularização em pacientes sem isquemia.

Embora menos frequente, a realização de procedimentos de revascularização miocárdica pode influenciar também na redução dos chamados desfechos duros (óbito/IAM/AVC), sobretudo em pacientes com DAC estável mais avançada.

A Tabela 10.1 contém as principais indicações de procedimentos de revascularização miocárdica, visando a melhorar o prognóstico e/ou a sintomatologia. A Tabela 10.2 traz as principais recomendações para realização de ICP em portadores de DAC estável, de acordo com as principais diretrizes nacionais e internacionais.

A Figura 10.1 apresenta um modelo de decisão na abordagem dos pacientes com DAC estável e doença multiarterial e/ou obstrução significativa no TCE, ressaltando a importância do *heart team* na tomada de decisão terapêutica.

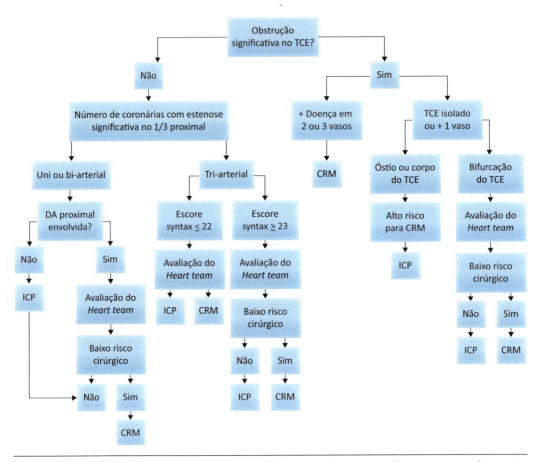

Figura 10.1 Algoritmo de decisão terapêutica em pacientes com doença arterial coronária estável. ICP = Intervenção coronária percutânea; CRM = cirurgia de revascularização miocárdica; TCE = tronco da coronária esquerda. **Fonte:** Modificada de Montalescot, 2013.

Intervenção coronária percutânea na síndrome coronariana aguda (SCA)

A estratificação de risco é fundamental na tomada de decisão quanto à indicação de ICP em pacientes portadores de SCA, recomendando-se um processo contínuo, desde a avaliação clínica inicial e exames subsidiários, culminando com os métodos complementares.

No cenário específico da SCA, a estratégia invasiva precoce (cinecoronariografia seguida de ICP quando factível) ocupa posição de destaque, com impacto inclusive na redução dos chamados desfechos duros (óbito/re IAM/AVC). As Tabelas 10.3, 10.4, 10.5 e 10.6 apresentam as principais indicações para estratégia invasiva em pacientes com SCA.

Cardiologia Intervencionista **97**

Tabela 10.1 Indicação para realização de revascularização em pacientes com DAC estável.

Extensão da DAC	Estável (anatômica e funcional)	Classe de recomendação	Nível de evidência
Para modificar prognóstico	TCE com estenose > 50%*	I	A
	Qualquer lesão > 50% na DA proximal*	I	A
	Bi ou triartérias com lesões > 50% e disfunção ventricular esquerda (FE < 40%)	I	A
	Grande área de isquemia (> 10%)	I	B
	Artéria coronária derradeira com estenose > 50%	I	C
Para reduzir sintomas	Qualquer artéria coronária com estenose > 50% na presença de angina limitante ou equivalente anginoso e que não responde à TMO	I	A

* Nas estenoses entre 50% e 90% sugere-se presença de teste não invasivo que documente presença de isquemia ou FFR < 0,80.

TCE = tronco de coronária esquerda. DA = artéria descendente anterior. TMO = terapia medicamentosa otimizada.

Fonte: Modificada a partir da Tabela 8 da Diretriz europeia de revascularização em pacientes com DAC estável. Wijns, 2010.

Tabela 10.2 Recomendações para ICP em pacientes com angina estável, de acordo com a diretriz nacional e as diretrizes internacionais mais relevantes.

Recomendação	Classe de recomendação (nível de evidência)
Sociedade Brasileira de Cardiologia (SBC) – ano 2014*	
ICP é benéfica em sobreviventes de morte súbita cardíaca com suspeita de taquicardia ventricular isquêmica, presumidamente causada por estenose significativa (≥ 70%) em artéria coronária principal	I (C)
ICP é benéfica em pacientes com estenose significativa (≥ 70%) em artéria coronária passível de revascularização e angina inaceitável, apesar de TMO	I (A)
ICP é razoável em pacientes com estenose significativa (≥ 70%) em artéria coronária passível de revascularização e angina inaceitável, para os quais TMO não pode ser implementado por causa de contraindicações/efeitos adversos de medicamentos, ou preferências do paciente	IIa (C)
ICP é razoável em pacientes com CRM prévia, estenose significativa (≥ 70%) de artéria coronária associada à isquemia e angina inaceitável, apesar de TMO	IIa (C)
ICP não deve ser realizada com a intenção de melhorar a sobrevida de paciente com DAC estável e estenose coronariana que não é anatômica ou funcionalmente significativa (por exemplo: lesão < 70% em artéria coronária principal; FFR > 0,80; e isquemia ausente ou leve em teste não invasivo), em DAC apenas na artéria Cx ou artéria coronária direita, ou apenas em uma pequena área de miocárdio viável	III (B)
ICP não deve ser realizada em pacientes que não cumprem critérios anatômicos (lesão ≥ 50% em TCE ou ≥ 70% em artéria coronária principal) ou fisiológicos (por exemplo, FFR < 0,80) para revascularização	III (C)

(*Continua*)

98 Guia Prático de Cardiologia

(*continuação*)

Tabela 10.2 Recomendações para ICP em pacientes com angina estável, de acordo com a diretriz nacional e as diretrizes internacionais mais relevantes.

Recomendação	Classe de recomendação (nível de evidência)
Sociedade Europeia de Cardiologia (ESC)/Sociedade Europeia de Cirurgia Cardiotorácica (ESCS) - ano 2014	
Uni ou biarterial sem estenose significativa na DA proximal	I (C)
Uniarterial com estenose significativa na DA proximal	I (A)
Biarterial com estenose significativa na DA proximal	I (C)
Estenose significativa no TCE com escore syntax $\leq$ 22	I (B)
Estenose significativa no TCE com escore syntax entre 22 e 32	IIa (B)
Estenose significativa no TCE com escore syntax > 32	III (B)
Triarterial com escore syntax $\leq$ 22	I (B)
Triarterial com escore syntax entre 22 e 32	III (B)
Triarterial com escore syntax > 32	III (B)
Colégio Americano de Cardiologia (ACC)/Associação Americana de Cardiologia (AHA) – ano 2012 (atualizada em 2014)	
Triarterial com ou sem comprometimento da DA proximal	IIb (B)
TCE não protegido	
■ Pacientes com baixo risco anatômico (escore syntax $\leq$ 22, com estenose no óstio ou corpo do TCE) e elevado risco cirúrgico (escore STS $\geq$ 5%)	IIa (B)
■ Pacientes com risco anatômico intermediário (escore syntax entre 22 e 32 ou bifurcação do TCE e risco clínico moderado para CRM (STS $\geq$ 2%)	IIb (B)
■ Pacientes com anatomia coronária desfavorável para ICP e baixo risco cirúrgico	III (B)
Biarterial com estenose significativa na DA proximal	IIb (B)
Biarterial sem estenose significativa na DA proximal	IIb (B)
Uniarterial com estenose significativa na DA proximal	IIb (B)
Uniarterial sem estenose significativa na DA proximal	III

ICP = intervenção coronária percutânea. TMO = terapia medicamentosa otimizada. CRM = cirurgia de revascularização miocárdica. DAC = doença arterial coronária. Cx = artéria circunflexa. FFR = reserva de fluxo coronário. TCE = tronco de coronária esquerda. DA = artéria descendente anterior.

Fonte: Cesar, 2014; Windecker, 2014; ESC/EACTS, 2015; Fihn, 2012; ACCF/AHA/ACP/AATS/PCNA/SCAI/STS, 2012.

Cardiologia Intervencionista **99**

Tabela 10.3 Recomendações para ICP em pacientes com SCA sem supradesnivelamento do segmento ST.

Cinecoronariografia e intervenção coronária percutânea na SCA sem supradesnível segmento ST	Recomendação	Nível de evidência
Cinecoronariografia emergencial em pacientes com angina refratária ou recorrente, com alterações dinâmicas do segmento ST ou sinais de insuficiência cardíaca, instabilidade hemodinâmica ou elétrica	I	C
Pacientes classificados como de moderada a alto risco, realização de cinecoronariografia precoce (< 72h) associada a intervenção coronária percutânea para aqueles com anatomia favorável	I	A
Pacientes classificados como de moderada a alto risco, realização de cinecoronariografia muito precoce (< 12h) associada a intervenção coronária percutânea para aqueles com anatomia favorável	IIb	B
Pacientes classificados como de baixo risco, realização de cinecoronariografia precoce (< 72h) na ausência de evidências de isquemia miocárdica	IIb	B

Tabela 10.4 Recomendações para ICP em pacientes com SCA com supradesnivelamento do segmento ST (angioplastia primária).

Intervenção coronária percutânea no infarto agudo do miocárdio com supradesnível segmento ST	Recomendação	Nível de evidência
Pacientes com diagnóstico de infarto agudo do miocárdio com sintomas iniciados < 12h e com viabilidade de efetivar o procedimento com retardo < 90 minutos após o diagnóstico*	I	A
Transferência para um centro de cardiologia intervencionista dos infartados, com contraindicação formal para fibrinólise, com retardo superior a 3h do início dos sintomas, expectativa de realizar intervenção coronária percutânea primária < 90 minutos e com disponibilidade logística, reconhecida e ativa, de um sistema de transporte (aéreo ou rodoviário) com retardo de deslocamento entre o centro diagnóstico e o intervencionista < 120 minutos	I	A
Transferência de um centro clínico para um de cardiologia intervencionista de todos os infartados com disponibilidade logística, reconhecida e ativa, de um sistema de transporte (aéreo ou rodoviário), com retardo de deslocamento entre o centro diagnóstico e o intervencionista < 120 minutos	IIa	A
Submeter pacientes infartados a transferência para um centro de cardiologia intervencionista sem a devida preparação logística para execução dessa prescrição e/ou diante de expectativa de retardo > 120 minutos	III	A

*Suporte cirúrgico presencial não é obrigatório desde que exista um sistema de suporte a distância, funcionante e ativo, com sua ativação com retardo inferior a 60 minutos; a classificação recomenda que os centros intervencionistas pratiquem › 75 casos de ICP/ano e › 12 casos no IAM/ano.

100 Guia Prático de Cardiologia

Tabela 10.5 Recomendações para ICP em pacientes com SCA com supradesnivelamento do segmento ST submetidos inicialmente a fibrinólise, sem critérios de reperfusão (angioplastia de resgate).

Pacientes submetidos a fibrinólise que exibem falência ventricular e/ou edema pulmonar (Killip III) ou arritmias que promovam comprometimento hemodinâmico	I	B/C
Pacientes com persistência de dor precordial e elevação > 50% do segmento ST > 1 derivação eletrocardiográfica (não regressão ou nova elevação < 12h do início do IAM	I	A
Pacientes com evidência de falência da fibrinólise em decorrência de resolução do segmento ST < 50% aos 90 minutos após o tratamento na derivação eletrocardiográfica com maior elevação inicial e com área de miocárdio em risco de moderada a grande (anterior, inferior com comprometimento de VD)	IIa	B

Tabela 10.6 Recomendações para ICP em pacientes com SCA com supradesnivelamento do segmento ST submetidos inicialmente a fibrinólise com critérios de reperfusão.

Evidência de isquemia miocárdica espontânea (dor ou alterações eletrocardiográficas do segmento ST) ou induzida	I	A
Estratégia invasiva de rotina após a fibrinólise (cinecoronariografia e intervenção coronária percutânea para o vaso alvo com evidência de estenose coronária < 100% e > 50%) com retardo < 96h após a fibrinólise	IIa	A

Tabela 10.7 Recomendações para implante de bioprótese valvar por cateter.

Recomendação	Indicação	Nível de evidência
I	Pacientes portadores de EAo importante, com indicação de CVAo, porém com contraindicações ao tratamento cirúrgico convencional	B
IIa	Como alternativa ao tratamento cirúrgico em pacientes portadores de EAo importante com indicação de CVAo, porém com alto risco cirúrgico	B
III	Como alternativa ao tratamento cirúrgico em pacientes portadores de EAo importante sem contraindicação à cirurgia e sem risco cirúrgico elevado	C

EAo = Estenose aórtica. CVAo = cirurgia da valva aórtica.

Intervenção percutânea na estenose aórtica (EAo) grave

A cirurgia para substituição da válvula aórtica em pacientes com EAo grave permanece como indicação classe I, nível de evidência A, devendo, portanto, ser considerada como primeira opção de tratamento, salvo em pacientes com contraindicação cirúrgica ou aqueles com elevado risco cirúrgico.

A seleção de pacientes para o implante transcateter de prótese valvar aórtica deve obedecer aos seguintes critérios gerais de avaliação:

- Presença de EAo importante sintomática.
- Idade avançada (> 80 anos) ou alta probabilidade de morbimortalidade cirúrgica.
- Presença de comorbidade que eleve de forma proibitiva o risco da cirurgia cardíaca tradicional, por exemplo: cirrose hepática; doença pulmonar grave [Volume Expiratório Forçado no Primeiro Segundo (VEF1) < 1L ou uso de oxigenoterapia domiciliar]; múltiplas cirurgias cardíacas prévias, especialmente com enxerto de artéria mamária; aorta em porcelana; HP acentuada (> 60 mmHg); radioterapia torácica prévia; fragilidade orgânica acentuada.
- Presença de condição anatômica e morfológica favorável para o procedimento por cateter, incluindo a avaliação pormenorizada da via de acesso e trajeto vascular, bem como dos aspectos cardíacos de interesse para a exequibilidade do procedimento.

Nesses cenários, o implante percutâneo de prótese valvar aórtica deve ser considerado na avaliação pelo *heart team*. Cabe ressaltar que, embora existam diversos escores de risco clínico e cirúrgico, é fundamental a individualização do paciente e o reconhecimento dos resultados oferecidos por serviço antes da tomada de decisão terapêutica.

A Figura 10.2 exemplifica o algoritmo de tomada de decisão na indicação do implante valvar percutâneo, com ênfase no papel decisório da equipe multidisciplinar.

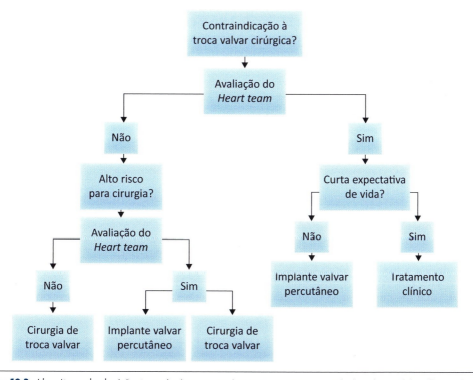

Figura 10.2 Algoritmo de decisão terapêutica em pacientes com estenose aórtica sintomática. Fonte: Reproduzido de Vahanian *et al.*, 2012.

102 Guia Prático de Cardiologia

Atualmente, existem no mercado brasileiro dois tipos de próteses cuja utilização foi validada em estudos randomizados, adequadamente desenhados para avaliar desfechos clínicos. São elas:

a) O sistema CoreValve, que consiste de três folhetos de pericárdio suíno, montados e suturados em um *stent* de nitinol de 5 cm de comprimento, autoexpansível. O implante é realizado tanto por acesso retrógrado, por punção ou dissecção das artérias femoral ou subclávia, ou pelo acesso transaórtico. Essa prótese foi comparada à cirurgia clássica de troca valvar no estudo randomizado CoreValve US, demonstrando redução de mortalidade de 6,5% ao final de dois anos de seguimento clínico (resultados apresentados no encontro anual do Colégio Americano de Cardiologia, em San Diego, EUA, 2015).

b) A prótese Edwards-Sapien, que consiste de um *stent* de aço inoxidável, expansível por balão, no qual se inserem três folhetos de pericárdio bovino. O procedimento pode ser realizado por acesso anterógrado – por via transapical, através de pequena toracotomia – ou retrógrado. Dentre outros estudos, o Partner avaliou de forma randomizada os desfechos clínicos de pacientes de alto risco tratados com esse dispositivo *versus* a cirurgia clássica, e demonstrou a final de cinco anos de seguimento, igual sobrevida com ambas as técnicas, com manutenção dos baixos gradientes transprotéticos. Nesse estudo havia ainda um segundo braço, comparando o implante percutâneo da prótese ao tratamento medicamentoso, apenas entre indivíduos considerados inoperáveis. Nesse grupo, o tratamento percutâneo associou-se a significativa redução na mortalidade no médio prazo.

Frente aos entusiásticos resultados de ambos os dispositivos, o implante percutâneo desses dispositivos tornou-se primeira opção de tratamento para pacientes com EAo grave e considerados inoperáveis, e uma alternativa à cirurgia clássica entre os pacientes com elevado risco pré-operatório, conforme demonstrado na Tabela 10.7.

• Referências

1. Bech GJ, Pijls NH, De Bruyne B, et al Usefulness of fractional flow reserve to predict clinical outcome after balloon angioplasty. Circulation. 1999; 99(7):883-8.
2. Tonino PA, De Bruyne B, Pijls NH, et al. Fractional flow reserve versus angiography for guiding percutaneous coronary intervention. N Engl J Med 2009; 360(3):213-24.
3. Pijls NH, Fearon WF, Tonino PA, et al. Fractional flow reserve versus angiography for guiding percutaneous coronary intervention in patients with multivessel coronary artery disease: 2-year follow-up of the FAME (Fractional Flow Reserve Versus Angiography for Multivessel Evaluation) study. J Am Coll Cardiol. 2010; 56(3):177-84.
4. De Bruyne B, Pijls NH, Kalesan B, et al. Fractional flow reserve-guided PCI versus medical therapy in stable coronary disease. N Engl J Med 2012; 367(11):991-1001.
5. Windecker S, Kolh P, Alfonso F, et al. 2014 ESC/EACTS Guidelines on myocardial revascularization: The Task Force on Myocardial Revascularization of the European Society of Cardiology (ESC) and the European Association for Cardio-Thoracic Surgery (EACTS)Developed with the special contribution of the European Association of Percutaneous Cardiovascular Interventions (EAPCI). Eur Heart J 2014; 35(37):2541-619.
6. Abizaid AS, Mintz GS, Mehran R, et al. Long-term follow-up after percutaneous transluminal coronary angioplasty was not performed based on intravascular ultrasound findings: importance of lumen dimensions. Circulation 1999;100(3):256-61.
7. Abizaid A, Mintz GS, Pichard AD, et al. Clinical, intravascular ultrasound, and quantitative angiographic determinants of the coronary flow reserve before and after percutaneous transluminal coronary angioplasty. Am J Cardiol 1998;82(4):423-8.

8. Levine GN, Bates ER, Blankenship JC, et al. 2011 ACCF/AHA/SCAI Guideline for Percutaneous Coronary Intervention. A report of the American College of Cardiology Foundation/American Heart Association Task Force on Practice Guidelines and the Society for Cardiovascular Angiography and Interventions. J Am Coll Cardiol 2011;58(24):e44-122.
9. Witzenbichler B, Maehara A, Weisz G, et al. Relationship between intravascular ultrasound guidance and clinical outcomes after drug-eluting stents: the assessment of dual antiplatelet therapy with drug-eluting stents (ADAPT-DES) study. Circulation 2014;129(4):463-70.
10. Bacelar AC, Lopes AS, Fernandes JR, et al. Brazilian Guidelines for Valve Disease - SBC 2011 / I Guideline Inter-American Valve Disease - 2011 SIAC. Arq Bras Cardiol 2011;97(5 Suppl I):1-67.
11. Mack MJ, Leon MB, Smith CR, et al. 5-year outcomes of transcatheter aortic valve replacement or surgical aortic valve replacement for high surgical risk patients with aortic stenosis (PARTNER 1): a randomised controlled trial. Lancet 2015;385(9986):2477-84.
12. Kapadia SR, Tuzcu EM, Makkar RR, et al. Long-term outcomes of inoperable patients with aortic stenosis randomly assigned to transcatheter aortic valve replacement or standard therapy. Circulation 2014;130(17):1483-92.

Coronariopatia

Angina Estável

• Introdução

A Angina Estável (AE) é uma síndrome clínica caracterizada por desconforto ou dor torácica na mandíbula, no ombro, nas costas ou no braço. É desencadeada e agravada por *stress* emocional ou esforço físico e aliviada por repouso ou nitratos.

A Doença Arterial Coronária (DAC) é uma das principais causas de mortalidade no mundo. Segundo o Datasus, a morte cardiovascular corresponde a cerca de 30% das causas de morte.

Estima-se que a AE acometa 7,12 milhões de pessoas nos Estados Unidos, sendo 2,86 milhões homens e 4,29 milhões mulheres.

De acordo com o Estudo Framingham ocorrem 350 mil novos casos de angina por ano.

• Etiologia/fisiopatologia

A angina usualmente acomete portadores de DAC, porém pode ocorrer em casos de doença cardíaca valvar, cardiomiopatia hipertrófica ou dilatada, e hipertensão arterial não controlada. Pacientes com coronárias normais e isquemia miocárdica relacionada ao espasmo ou disfunção endotelial também podem apresentar angina.

A AE ocorre devido a um desbalanço entre o aporte e o consumo de oxigênio miocárdico. Isso pode ocorrer no esforço físico, estresse emocional, frio ou descompensação de IC.

• Classificação

Segundo a Canadian Cardiovascular Society (CCS), a AE se classifica em (Tabela 11.1):

Guia Prático de Cardiologia

Tabela 11.1 Classificação da característica da dor anginosa.

Grau I	Angina aos esforços intensos, rápidos e prolongados. Não é desencadeada por atividade física habitual.
Grau II	Discreta limitação para atividades habituais.
Grau III	Grande limitação para atividades habituais.
Grau IV	Incapacidade de exercer qualquer atividade sem sentir desconforto. Angina de repouso.

• Diagnóstico

O exame clínico é um dos mais importantes passos para a avaliação do paciente com dor torácica, tendo alto grau de acurácia (90%) em estimar a probabilidade de DAC significativa.

Uma história clínica detalhada possibilita a caracterização adequada da dor torácica (Tabela 11.2), que pode ser classificada como: angina típica, atípica ou uma dor torácica não cardíaca. Para isso, algumas características da dor devem ser questionadas, tais como: qualidade, localização, irradiação, duração, fatores desencadeantes, fatores de alívio e sintomas associados ("equivalentes anginosos").

Tabela 11.2 Classificação clínica da dor torácica.

Angina típica (definitiva)	Presença desses três fatores: Desconforto ou dor retroesternal Desencadeada pelo exercício ou estresse emocional Aliviada com repouso ou uso de nitrato
Angina atípica (provável)	Presença somente de dois dos fatores acima
Dor torácica não cardíaca	Presença de somente um ou nenhum dos fatores acima

Fonte: Modificada de Diamond, 1983.

Possíveis equivalentes anginosos: dor apenas no membro superior ou na mandíbula, sudorese, náusea, vômito, palidez, dispneia, tosse, pré-síncope e síncope. Os grupos de pacientes com maior probabilidade de se apresentar dessa forma são: mulheres, diabéticos, idosos, pacientes com insuficiência renal crônica ou pós-transplante cardíaco.

• Diagnóstico diferencial

A dor anginosa assemelha-se a vários outros tipos de dor torácica. Os principais diagnósticos diferenciais são:

- **Dor esofágica (espasmo esofagiano difuso, refluxo gastroesofágico)**: tem pouca ou nenhuma relação com esforço, podendo ter relação com as refeições. Sua duração pode superar 30 minutos. Em geral o paciente tem queixa de pirose associada.
- **Dor musculoesquelética (distensão muscular ou costocondrite – síndrome de Tietze)**: piora com movimentação dos membros ou palpação, podendo haver sinais flogísticos.
- **Pericardite**: é contínua, piora com a inspiração e com o decúbito dorsal, melhora com a posição sentada e tronco inclinado para a frente, tem duração maior e irradiação para a crista do músculo trapézio.

Angina Estável **109**

- **Hipertrofia ventricular esquerda**: pode induzir à isquemia subendocárdica, sem presença de DAC obstrutiva, apenas devido à maior compressão dos vasos nessa região.
- **Hipertensão arterial pulmonar**: a distensão do tronco da artéria pulmonar pode causar dor tipo anginosa.
- **Causas psiquiátricas**: devem ser diagnósticas de exclusão.

• Exames complementares

De acordo com a última Diretriz Europeia de Angina Estável, publicada em 2013 (Tabela 11.3).

Tabela 11.3 Exames laboratoriais para avaliação da angina estável.

Exames laboratoriais	Recomendação/ nível de evidência
Dosagem seriada de Troponina na suspeita de instabilidade ou de SCA	I/A
Hemograma completo	I/B
Pesquisa de diabetes tipo II com glicemia de jejum e HbA1c, complementando com teste de tolerância à glicose se necessário	I/B
Creatinina e taxa de filtração glomerular	I/B
Lipidograma (incluindo LDL e HDL)	I/C
Função tireoidiana (se suspeita clínica de tireoideopatia)	I/C
Função hepática precoce após iniciar terapia com estatina	I/C
CPK para pacientes em uso de estatina com sintomas de mialgia	I/C
BNP/NT pró-BNP em pacientes com suspeita de disfunção ventricular	IIa/C
Reavaliação anual com lipidograma e creatinina	I/C

- Eletrocardiograma de repouso deve ser realizado em todos os pacientes com suspeita de AE, e deve ser repetido durante ou imediatamente após um episódio de dor torácica.
- Ecocardiograma transtorácico de repouso é recomendado em todos os pacientes (I/B), a fim de:
  - Excluir causas alternativas de angina.
  - Identificar alteração segmentar sugestiva de DAC.
  - Mensurar a função ventricular, com impacto no prognóstico.
  - Avaliar a função diastólica.
- Ultrassonografia de carótidas deve ser considerado, se houver equipe qualificada, a fim de avaliar o aumento da espessura médio-intimal e/ou presença de placas em pacientes com suspeita de DAC estável sem aterosclerose conhecida.
- Holter de 24 horas deverá ser realizado em pacientes com AE e suspeita de arritmia e naqueles em que há suspeita de angina vasoespástica.
- Radiografia de tórax em pacientes com dor torácica atípica ou suspeita de pneumopatia, e em pacientes com suspeita de disfunção ventricular.
- Teste ergométrico em pacientes com sintomas de angina e probabilidade intermediária de DAC, com boa capacidade de exercício.

110 Guia Prático de Cardiologia

▶ Exame de imagem associado ao estresse (ecocardiograma de estresse, cintilografia de perfusão miocárdica) está indicado para pacientes com probabilidade pré-teste intermediária de DAC e ECG de repouso alterado, teste ergométrico inconclusivo ou quando há limitações para realizar exercício físico.

▶ Angiotomografia de coronárias deve ser reservada para exclusão de DAC em pacientes com probabilidade pré-teste intermediária ou para pacientes com testes provocativos de isquemia discordantes da suspeita clínica. Não se recomenda o uso rotineiro em pacientes assintomáticos.

▶ Angiocoronariografia está indicada para pacientes com:
  ▶ Angina grau III ou IV e probabilidade pré-teste alta para DAC, principalmente se não houve resposta à terapia clínica otimizada.
  ▶ Sintomas leves, mas que a revascularização pode melhorar o prognóstico.
  ▶ Alto risco de DAC e provas não invasivas positivas para isquemia, inconclusivas ou conflitantes.

• Tratamento

Os objetivos do tratamento são a redução dos sintomas e melhora do prognóstico a longo prazo.

Fatores de risco (HAS, dislipidemia, obesidade, diabetes) e condições clínicas associadas que agravem a isquemia miocárdica (hipertireoidismo, anemia etc.) devem ser identificados e tratados adequadamente.

• Tratamento não farmacológico

▶ Conscientização do paciente quanto aos riscos e consequências, a fim de aumentar a aderência ao tratamento.
▶ Mudanças do estilo de vida: cessação de tabagismo e atividade física regular.
▶ Vacinação anual contra a gripe.
▶ Mudanças dietéticas e perda de peso, se indicado.
▶ Orientar o repouso em caso de dor.
▶ Procurar um serviço de emergência caso haja persistência da dor.

• Tratamento farmacológico

Nitrato

Antianginoso indicado durante as crises agudas de angina, via sublingual.

O mononitrato de isossorbida está indicado na prevenção a longo prazo das crises anginosas, com melhora da tolerância ao esforço.

Não há evidência de que os nitratos determinem redução de eventos cardiovasculares ou morte.

Betabloqueadores (BB)

Agentes anti-isquêmicos de primeira linha, aumentando a tolerância ao esforço físico, limitando os episódios isquêmicos sintomáticos e silenciosos.

Reduzem o risco de IAM.

Preferir os de longa duração: metoprolol e atenolol.

Bloqueadores dos canais de cálcio (BCC)

Entre os BCC não di-idropiridínicos, tanto o verapamil quanto o diltiazem têm indicação no tratamento da angina, com eficácia comparada à dos BB.

Entre os BCC di-idropiridínicos, nifedipino e anlodipino são particularmente úteis no controle da angina em indivíduos hipertensos.

Os BCC podem ser utilizados como terapia inicial para redução de sintomas quando os BB estão contraindicados e/ou em combinação com estes quando a terapia inicial não é satisfatória ou substituindo os BB, na presença de efeitos colaterais.

Trimetazidina

Reduz as crises de angina e o consumo de nitrato sublingual, aumenta a capacidade funcional, a tolerância ao exercício e a função ventricular esquerda.

Indicado como tratamento de segunda linha (IIb/B).

Deve ser evitada em indivíduos com doença de Parkinson

Ivabradina

Inibidor da corrente If (marca-passo de entrada) das células do nó sinusal, reduz a frequência cardíaca sem efeitos sobre a condução atrioventricular ou a contratilidade miocárdica.

A menor frequência cardíaca determina maior tempo de diástole e melhor perfusão coronária.

Teve seu uso aprovado para pacientes com angina estável intolerantes a (ou parcialmente controlados) betabloqueadores, em ritmo sinusal e frequência maior que 60 bpm (IIa/B).

Antiagregantes plaquetários

Esses agentes diminuem a agregação plaquetária envolvida na formação do trombo coronário.

O uso do ácido acetilsalicílico permanece como medida central na prevenção da trombose arterial (I/A). As doses ótimas variam de 75 a 150 mg/dia.

Alternativamente, inibidores da P2Y12, como o clopidogrel, podem ser usados em indivíduos intolerantes ao ácido acetilsalicílico (I/B). Alguns pacientes de muito alto risco cardiovascular parecem beneficiar-se da associação de dois antiagregantes plaquetários, a despeito de risco aumentado de sangramentos maiores (incluindo hemorragia intracraniana).

O prasugrel e o ticagrelor têm sido utilizados em pacientes com síndrome coronariana aguda.

Estatinas

Pacientes com AE são considerados de alto risco cardiovascular e, como tal, devem ser tratados com estatinas, de acordo com as recomendações atuais para o tratamento de dislipidemias nesse grupo de pacientes (I/A).

Inibidores da enzima conversora de angiotensina (IECA)

Reduzem a mortalidade total e a incidência de eventos cardiovasculares.

Seu uso deve ser considerado em pacientes com AE e/ou em uma das seguintes condições: HAS, IAM prévio, Feve < 40%, diabetes ou doença renal crônica, na ausência de contraindicações (I/A).

Se houver contraindicação ao uso de Ieca pode-se usar os bloqueadores do receptor de angiotensina.

Guia Prático de Cardiologia

Tabela 11.4 Tratamento da AE de acordo com a Diretriz Brasileira de Doença Coronária Estável.

Modificação do estilo de vida	Atividade física Abandono do tabagismo
Redução dos fatores de risco	Estatina Ácido acetilsalicílico Ieca/BRA (se HAS)

Terapia farmacológica	1ª linha: BB
	2ª linha (associados a BB e/ou entre si): BCC
	        Ivabradina
	        Trimetazidina
	3ª linha: Nitratos de ação prolongada

• Tratamento intervencionista

Principais indicações para procedimentos de revascularização miocárdica (percutâneo ou cirúrgico):

◗ Alívio de sintomas
  ◗ Em pacientes com pelo menos uma estenose significativa passível de revascularização e sintomas debilitantes, apesar da terapia clínica otimizada.
  ◗ Em pacientes com pelo menos uma estenose significativa passível de revascularização e sintomas debilitantes, em que a terapia clínica não pode ser plenamente implementada por contraindicações ou baixa tolerabilidade.
◗ Aumento da sobrevida
  ◗ Estenose maior ou igual a 50% no TCE.
  ◗ Padrão obstrutivo triarterial com disfunção ventricular.
  ◗ Presença de grande área isquêmica.

• Prognóstico

Depende do *status* clínico, funcional e anatômico. Sendo importante a identificação dos pacientes com as formas mais graves da doença, com indicação de estratégias mais agressivas de diagnóstico e tratamento.

São indicadores de mau prognóstico: disfunção ventricular, lesão de TCE ou DA proximal, padrão de obstrução triarterial, e fatores de risco associados, como HAS, diabetes, dislipidemia e tabagismo.

• Referências

1. Montalescot G, Sechtem U, Achenbach S, et al. 2013 ESC guidelines on the management of stable coronary artery disease: the Task Force on the management of stable coronary artery disease of the European Society of Cardiology. Eur Heart J 2013; 34 (38): 2949-3003.
2. Cesar LA, Ferreira JF, Armaganijan D, et al. Diretriz de Doença Coronária Estável. Arq Bras Cardiol 2014; 103 (2 Suppl II): 1-59.
3. Libby P, Bonow RO, Mann DL, et al. Braunwald's heart disease: a textbook of cardiovascular medicine. 9th ed. Philadelphia: Saunder-Elsevier; 2011.
4. Fihn SD, Gardin JM, Abrams J, et al. ACCF/AHA/ACP/ AATS/PCNA/ SCAI/STS. Guideline for the diagnosis and management of patients with stable ischemic heart disease. J Am Coll Cardiol 2012;60(24):e44-e164.

Abordagem da Dor Torácica na Sala de Emergência

• Introdução

Estima-se que 5 a 8 milhões de indivíduos com dor no peito ou outros sintomas sugestivos de isquemia miocárdica aguda sejam vistos anualmente nas salas de emergência nos Estados Unidos (EUA). Esse número representa cerca de 5% a 10% de todos os atendimentos emergenciais naquele país.

Nos EUA cerca de 2% a 3% dos pacientes que realmente estão sofrendo um IAM acabam sendo inapropriadamente liberados da sala de emergência por não ter a sua doença reconhecida ou suspeitada, e essa taxa pode chegar até 11% em alguns hospitais, o que representa cerca de 40 mil indivíduos com IAM não reconhecido por ano.

A dor torácica na emergência representa um grande desafio para o médico, pois além de ser frequente, compreende uma variedade de causas, com ampla gama de implicações clínicas, algumas potencialmente fatais.

É fundamental a identificação precoce de causas graves em meio ao grande volume de casos de menor complexidade e que permitam ao médico estabelecer o tratamento correto e internar apenas os casos de real necessidade.

As Síndromes Coronarianas Agudas (SCA) representam um quinto das causas de dor torácica nas salas de emergência. Desta forma, a abordagem inicial do paciente deve ser feita no sentido de afastar ou confirmar esse diagnóstico.

• Abordagem do paciente com dor torácica

A avaliação sistemática do paciente com dor torácica na sala de emergência deve seguir as seguintes etapas.

Avaliação da dor

A característica anginosa da dor é o dado com maior valor preditivo de doença coronariana aguda. No entanto, sintomas atípicos tais como dor epigástrica, dispneia, náuseas, vômitos e diaforese podem estar presentes em até 33% dos pacientes com SCA, principalmente nos idosos, diabéticos, mulheres, e naqueles com doença psiquiátrica.

Existem inúmeras causas de dor torácica, tais como: doença coronariana aguda, dissecção de aorta, pericardite, valvopatias (estenose aórtica, prolapso de válvula mitral), embolia pulmonar, pneumotórax, ruptura esofagiana, úlcera péptica, doenças osteomusculares (fibromialgia, costocondrite), origem psicogênica. É importante o diagnóstico diferencial entre as diversas etiologias da dor torácica, pois cada uma delas requer um tratamento precoce e específico.

A Tabela 12.1 e a Figura 12.1 demonstram as principais causas de dor torácica e suas características.

Tabela 12.1 Principais causas de dor torácica e suas características.

Principais causas de dor torácica	Manifestações clínicas
Síndrome coronariana aguda	▪ Dor ou desconforto ou queimação ou sensação opressiva, precordial ou retrosternal, com irradiação para o ombro e/ou braços, pescoço ou mandíbula ▪ Diaforese, náuseas, vômitos ou dispneia ▪ Duração de 10 a 20 minutos, melhora com repouso ou uso de nitratos
Dissecção de aorta	▪ Dor súbita, descrita como "rasgada", em tórax anterior com irradiação para dorso, pescoço ou mandíbula; dor abdominal ▪ Sopro de regurgitação aórtica, diferença de pulso e pressão nos braços
Pneumotórax	▪ Dor no dorso ou ombros ▪ Dispneia, taquipneia e ausência de ruídos ventilatórios na ausculta do pulmão afetado
Embolia pulmonar	▪ Dispneia, dor torácica súbita, taquipneia, cianose, taquicardia sinusal
Ruptura esofagiana	▪ Dor retroesternal ou no andar superior do abdome, pleurítica ▪ Pneumomediastino, derrame pleural à esquerda, enfisema subcutâneo
Pericardite	▪ Dor pleurítica, retroesternal ou no hemitórax esquerdo (piora ao deitar, deglutir; melhora em posição sentada e inclinada para a frente) ▪ Febre e atrito pericárdico
Osteomusculares	▪ Dor tem características pleuríticas por ser desencadeada ou exacerbada pelos movimentos dos músculos e/ou articulações produzidos pela respiração ▪ Palpação cuidadosa das articulações ou músculos envolvidos quase sempre reproduz ou desencadeia a dor
Psicogênica	▪ Dor difusa e imprecisa; sinais de ansiedade

História clínica

Realizar um breve histórico quanto a doenças associadas, fatores de risco cardiovascular, medicações em uso, alergias, contraindicações para uso de anticoagulantes e trombolíticos.

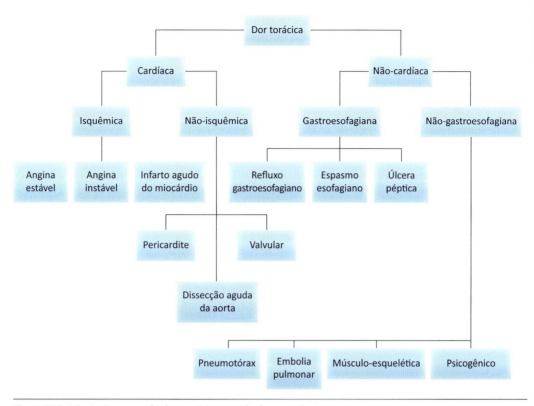

Figura 12.1 Principais causas de dor torácica na sala de emergência.

Exame físico

O exame físico no contexto da SCA muitas vezes é inexpressivo, mas achados como presença de B3 ou B4, diaforese, sopro de insuficiência mitral podem corroborar tal diagnóstico. Atenção para achados como diferença de pulso e pressão arterial nos membros superiores, sopro abdominal ou carotídeo, atrito pericárdico que podem direcionar o raciocínio para os outros diagnósticos diferenciais de dor torácica.

Eletrocardiograma

O eletrocardiograma (ECG) de 12 derivações deve ser obtido em até 10 minutos da admissão do paciente.

Um ECG absolutamente normal pode ser encontrado em grande número de pacientes que se apresenta com dor torácica na sala de emergência. A sensibilidade do ECG de admissão para infarto agudo do miocárdio varia de 45% a 60% quando se utiliza o supradesnível do segmento ST como critério diagnóstico. Essa sensibilidade poderá ser aumentada para 70% a 90% se considerarmos as alterações de infradesnível de ST e/ou alterações isquêmicas de onda T, e para até 95% quando se realizam ECGs seriados com intervalos de 3 a 4 horas nas primeiras 12 horas pós-chegada ao hospital.

Marcadores de necrose miocárdica

Os marcadores de necrose miocárdica devem ser colhidos logo após o atendimento inicial, e a coleta seriada nos tempos de 3, 6 e 9 horas aumentam a sensibilidade e especificidade do método para diagnóstico de IAM para 98%.

É importante conhecer a cinética dos marcadores, pois cada um deles apresenta tempos de início de detecção e pico distintos. O principal marcador utilizado é a troponina. A CKMB e a mioglobina são atualmente menos utilizadas.

As troponinas T e I são os marcadores laboratoriais mais sensíveis e mais específicos de lesão miocárdica e também possuem valor prognóstico. Devido à sua alta sensibilidade, discretas elevações são compatíveis com pequenos microinfartos, mesmo em ausência de elevação da CKMB. Por este motivo, as troponinas são atualmente consideradas como o marcador padrão-ouro para o diagnóstico de IAM.

A mioglobina tem sensibilidade diagnóstica para o IAM significativamente maior que a da CKMB nos pacientes que procuram a sala de emergência com menos de 4 horas de início dos sintomas. Apresenta alto valor preditivo negativo para SCA em pacientes com baixa probabilidade pré-teste (> 95%) e, desta forma, um resultado negativo obtido após 3 a 4 horas da chegada do paciente torna o diagnóstico de IAM improvável.

A CKMB apresenta papel importante no diagnóstico do reinfarto, uma vez que a troponina permanece elevada por um período de até 14 dias.

A Tabela 12.2 mostra os principais marcadores e sua cinética.

Tabela 12.2 Cinética dos principais marcadores de necrose miocárdica.

Marcador	Início	Pico	Duração
Troponinas	3-12h	18-24h	10-14 dias
CKMB	3-12h	18-24h	36-48h
Mioglobina	1-4h	6-7h	24h

O papel de outros testes diagnósticos e prognósticos

Se o paciente estiver em vigência de dor e o ECG evidenciar supradesnível do segmento ST deve-se iniciar imediatamente um dos processos de recanalização coronariana: trombolítico ou angioplastia primária.

A angioplastia coronariana percutânea é o método de eleição para a recanalização coronariana em pacientes com IAM com supradesnível do segmento ST, desde que o procedimento possa ser realizado dentro dos primeiros 60 a 90 minutos após a chegada do paciente à sala de emergência.

Alguns exames auxiliares podem ser usados de maneira precoce na emergência a fim de realizar diagnóstico daqueles pacientes com ECG normal e marcadores de necrose miocárdica negativos, e também com caráter prognóstico. Os exames mais utilizados para essa finalidade são o teste de esforço, o ecocardiograma e a cintilografia miocárdica. A tomografia computadorizada de artérias coronárias tem sido cada vez mais utilizada para a avaliação da anatomia coronariana.

Teste de esforço

Pode ser utilizado em pacientes com dor torácica de baixo risco, ainda sem diagnóstico estabelecido, que não apresentam dor recorrente, alterações no ECG e com marcadores de necrose miocárdica negativos.

Pacientes com TE negativo possuem 98% de probabilidade de não terem eventos cardíacos em seis meses, mostrando-se um teste eficaz, seguro, e de baixo custo para ser realizado no pronto-socorro.

Ecocardiograma

Para o diagnóstico de IAM a sensibilidade varia de 70% a 95%, mas a grande taxa de resultados falso-positivos torna o valor preditivo positivo baixo. Já o valor preditivo negativo varia de 85% a 95%.

Cintilografia miocárdica

Diversos estudos demostraram que a cintilografia miocárdica de repouso na sala de emergência apresenta sensibilidade de 90% a 100%, e valores preditivos negativos maiores que 99% para exclusão de SCA ou eventos isquêmicos a curto prazo. Isso permite a realização de alta hospitalar ainda da sala de emergência para pacientes de baixo risco e que apresentem cintilografia negativa.

Os melhores resultados têm sido obtidos quando a cintilografia é realizada na vigência de dor torácica, porém a Sociedade Americana de Cardiologia Nuclear recomenda a realização da mesma com até 2 horas após o término da dor.

O uso da cintilografia na sala de emergência tem reduzido a taxa de internações desnecessárias, sem comprometer o prognóstico, além de reduzir os dias de internação.

• Tomografia computadorizada de artérias coronárias

A progressiva melhora dos parâmetros técnicos da Tomografia Computadorizada de Múltiplos Detectores *Multislice* (TCMD) permite a determinação da extensão da calcificação coronária, imagens da angiografia coronária, função ventricular e, eventualmente, a perfusão miocárdica.

Atualmente, a TCMD apresenta sensibilidade de 95% e especificidade de 86% para a detecção de obstruções coronárias, com maior acurácia nas lesões de tronco de coronária esquerda e artéria descendente anterior.

Estudos compararam a TCMD e a cintilografia miocárdica na estratificação de pacientes com dor torácica de baixo a moderado risco na sala de emergência, concluindo que ambos possuem acurácia similar. No entanto, a TCMD apresenta a vantagem do menor custo e tempo de realização, o que implica em redução das taxas de internação.

Outra vantagem no uso da TCMD na investigação da dor torácica na sala de emergência está na possibilidade de realização dos diagnósticos diferencias da SCA, tais como: dissecção de aorta e embolia pulmonar. Outros diagnósticos de menor gravidade também podem ser excluídos, como pneumotórax, pneumonia, doenças pericárdicas e do abdome superior (colecistite, pancreatite).

A Figura 12.2 demonstra o fluxograma de atendimento de um paciente com dor torácica, preconizado pelo American College of Emergency Physicians.

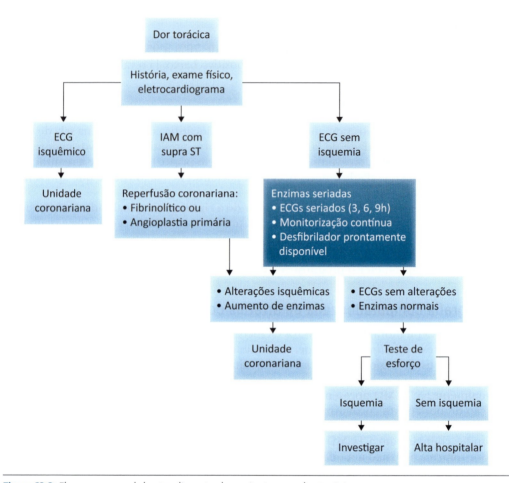

Figura 12.2 Fluxograma geral do atendimento do paciente com dor torácica.

Fonte: Gentilmente cedido pelo Departamento de Emergência do HCor.

- ## Referências

1. Bassan R, Pimenta L, Leães PE, Timerman A. I Diretriz de Dor Torácica na Sala de Emergência. Arq Bras Cardiol 2002; 79 (Suppl II): 1-22.
2. Martins HS, Avena LA. Abordagem da dor torácica no Pronto Socorro. In: Martins HS, Neto AS, Velasco IT. Emergências clínicas baseadas em evidências. São Paulo: Atheneu; 2005. p. 263-74.
3. Pfeferman E, Forlenza LMA. Estrutura da unidade de dor torácica. In: Serrano Jr CV, Timerman A, Stefanini E. Tratado de cardiologia SOCESP. 2 ed. Barueri: Manole; 2009. p. 844-60.

Síndrome Coronariana Aguda sem Supra de ST

Lívia Ferraz Accorsi • Bruna Moratore de Vasconcelos • Rafael Augusto Mendes Domiciano • Leopoldo S. Piegas

• Introdução

As Síndromes Coronarianas Agudas Sem Supra do Segmento ST (SCASST) compreendem a angina instável e o Infarto Agudo do Miocárdio Supradesnivelamento de ST (IAMSST) e são diferenciadas pela ausência ou presença de elevação dos biomarcadores de necrose miocárdica, respectivamente.

Os marcadores bioquímicos de lesão miocárdica se elevam horas após o início dos sintomas, impossibilitando a definição entre AI e o IAMSSST em uma avaliação inicial.

Em virtude de sua ampla manifestação clínica e da possibilidade de evolução para quadros mais graves, sua rápida identificação, classificação e tratamento adequado são fundamentais para prevenção de complicações e desfechos fatais.

• Definição

Define-se angina instável pela presença de um dos seguintes fatores:

▶ Dor em repouso, com duração maior que 20 minutos.
▶ Dor intensa e de início recente.
▶ Alteração no padrão anterior da angina estável (piora da intensidade, duração e frequência dos episódios).

O IAMSST possui apresentação semelhante, porém com dor mais prolongada, eletrocardiograma sem alterações sugestivas de IAM e elevação dos biomarcadores de necrose miocárdica. O ECG, embora sem alteração de supradesnivelamento de segmento ST, pode apresentar infradesnivelamento de ST ou alterações da onda T.

120 Guia Prático de Cardiologia

• Classificação

A classificação mais utilizada para a identificação da Angina Instável (AI) é a de Braunwald, que leva em consideração a gravidade dos sintomas, as circunstâncias clínicas da sua ocorrência, e a intensidade do tratamento utilizado (Tabela 13.1).

Tabela 13.1 Classificação de Braunwald para angina instável.

1. Gravidade dos sintomas

Classe I: Angina de início recente (menos de dois meses), frequente ou de grande intensidade (três ou mais vezes ao dia), acelerada (evolutivamente mais frequente e desencadeada por esforços progressivamente menores)

Classe II: Angina de repouso subaguda (um ou mais episódios em repouso nos últimos 30 dias, o último episódio ocorrido há mais de 48h)

Classe III: Angina de repouso aguda (um ou mais episódios em repouso nas últimas 48h)

2. Circunstâncias das manifestações clínicas

Classe A: Angina instável secundária (anemia, febre, hipotensão, hipertensão não controlada, emoções não rotineiras, estenose aórtica, arritmias, tireotoxicose, hipoxemia)

Classe B: Angina instável primária

Classe C: Angina pós-infarto do miocárdio (mais de 24h e menos de duas semanas)

3. Intensidade do tratamento

Classe 1: sem tratamento ou com tratamento mínimo

Classe 2: terapia antianginosa usual

Classe 3: terapia máxima

• Avaliação inicial

Uma análise rápida e direcionada deve ser realizada no atendimento inicial do paciente e consiste nos seguintes aspectos:

História clínica

- ▶ Quadro clínico atual (características da dor, início, duração).
- ▶ Terapia prévia em uso pelo paciente.
- ▶ Antecedente de doença coronariana pessoal e familiar.
- ▶ Sexo, idade avançada.
- ▶ Fatores de risco cardiovascular (*diabetes mellitus*, hipertensão arterial, tabagismo, doença vascular periférica, doença cerebrovascular prévia).

Exame físico

Apresenta-se normal na maioria dos casos, no entanto pode-se identificar a presença de alterações que corroboram o diagnóstico de SCASST e podem estar relacionadas a pior prognóstico, tais como:

- ◗ Diaforese, palidez, presença de B3 ou B4 e estertores pulmonares, taquicardia, pulsos finos, hipotensão.
- ◗ Sinais de isquemia do músculo papilar: presença de sopro sistólico mitral.

Eletrocardiograma (ECG)

Deve ser realizado em, no máximo, 10 minutos após a admissão, e pode ser normal em 50% dos pacientes.

As alterações mais encontradas são: infradesnivelamento do segmento ST e alterações da onda T.

A presença de infradesnível de ST > 0,5 mm associa-se a alto risco de eventos cardíacos em pacientes com SCASST. Alterações dinâmicas do segmento ST tais como depressão ou elevação do ST > 1 mm e/ou inversões da onda T, que se resolvem após o alívio dos sintomas, são marcadores de prognóstico adverso.

Marcadores de necrose miocárdica

Os marcadores de necrose miocárdica auxiliam na definição do diagnóstico e prognóstico de pacientes com SCASST, uma vez que existe associação direta entre a sua elevação e o risco de eventos cardíacos a curto e médio prazos.

Os resultados dos biomarcadores devem ser coletados em todos os pacientes com suspeita de SCASST na admissão, repetidos pelo menos uma vez seis horas após a primeira coleta, e seus resultados analisados em, no máximo, 60 minutos a partir da coleta.

O marcador mais utilizado e recomendado é a troponina. A CKMB atividade ou massa e mioglobina são menos utilizadas atualmente.

• Avaliação complementar

O ecocardiograma transtorácico de repouso pode ser usado na avaliação dos pacientes com dor torácica na emergência, principalmente na diferenciação de dor torácica de origem anginosa ou não (diagnóstico diferencial com dissecção de aorta, embolia pulmonar, doenças do pericárdio, valvopatias), e nos casos em que o ECG não permite uma análise fidedigna (presença de bloqueio de ramo esquerdo, marca-passo).

• Estratificação de risco

A estratificação de risco é fundamental na avaliação da SCASST, pois permite determinar estratégias de tratamento ambulatorial e hospitalar adequadas, com maior eficácia terapêutica.

Diversos escores de risco foram desenvolvidos, sendo os mais utilizados o escore TIMI e GRACE (Figuras 13.1 e 13.2). Quanto maior o escore inicial, maiores as taxas de óbito hospitalar e IAM.

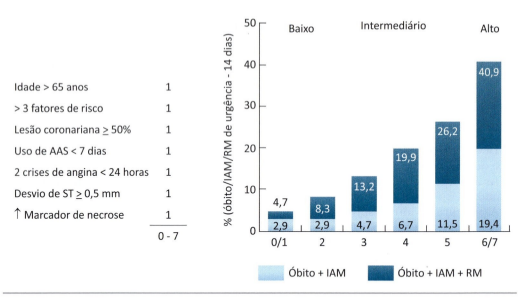

Figura 13.1 Escore TIMI.

Estratificação de risco

Idade (anos)	– 0-100
Frequência cardíaca	– 0-46
PA sistólica (mmHg)	– 58-0
Cratinina (mg/dL)	– 1-28
ICC (killip)	– 0-59
PCR na admisão	– 39
Desvio de ST	– 28
Elevação dos marcadores de necrose	1-372

Risco	Pontos	% Morte hospitalar
Baixo	1-108	< 1
Intermediário	109-140	1-3
Alto	> 140	> 3

Figura 13.2 Escore GRACE.

- **Tratamento**

O tratamento da SCASST visa a aliviar sintomas e prevenir complicações, tais como: IAM, reinfarto ou morte.

O paciente deve ser mantido em repouso, sob monitorização cardíaca contínua, e nos casos de SCASST de risco intermediário a alto deve-se proceder à internação em unidade coronária de terapia intensiva. Ofertar oxigênio (2-3 L/min) se saturação inferior a 90%.

Síndrome Coronariana Aguda sem Supra de ST **123**

A terapia medicamentosa deve incluir:

1. **Analgesia:**
   - Nitrato sublingual: dinitrato ou mononitrato de isossorbida 5 mg, podendo ser repetido 3 vezes, com intervalos de 5 minutos; contraindicações: bradicardia, hipotensão arterial (PAS < 90 mmHg), uso de inibidores da 5-fosfodiesterase nas últimas 24 a 48 horas, e infarto de ventrículo direito
   - Nitrato endovenoso: dose inicial de 5 a 10 ug/min.
   - Morfina 2 a 4 mg endovenoso (EV).

2. **Betabloqueadores:** devem ser iniciados por via oral (VO) o mais precocemente possível, em pacientes estáveis e na ausência de contraindicações. Nos pacientes com persistência de dor torácica e taquicardia não relacionada a sinais de insuficiência cardíaca pode-se iniciar o uso por via endovenosa.
   - Metoprolol 50 a 100 mg a cada 12 horas VO e/ou 5 mg EV (dose máxima 15 mg).
   - Atenolol 25 a 50 mg a cada 12 horas VO.
   - Propranolol 20 a 80 mg a cada 8 horas VO.
   - Bisoprolol 2,5 a 10 mg ao dia VO.

   Contraindicações absolutas ao uso de betabloqueadores são: bloqueio atrioventricular de primeiro grau com intervalo PR > 0,24, bloqueios de segundo ou terceiro graus, e instabilidade hemodinâmica.

3. **Bloqueadores de canal de cálcio:** são recomendados quando existe persistência ou recorrência dos sintomas anginosos, após o tratamento com doses plenas de nitrato e betabloqueador ou quando há contraindicação ao uso do betabloqueador. Também pode ser indicado nos casos de pacientes com angina de Prinzmetal.
   São contraindicados em casos de disfunção ventricular grave, devendo-se priorizar o uso dos bloqueadores de canal de cálcio de liberação lenta e prolongada, tais como o anlodipino:

   - Anlodipino 2,5 a 10 mg ao dia VO.
   - Diltiazem 90 a 360 mg ao dia VO.
   - Verapamil 120 a 480 mg ao dia VO.

4. **Agentes antiplaquetários:**
   - Ácido acetilsalicílico (AAS): sempre deve ser prescrito, com exceção da alergia verdadeira ao AAS ou nos casos de sangramento ativo e distúrbio plaquetário conhecido. Dose de ataque de 162 a 325 mg e manutenção de 100 mg ao dia.
   - Inibidores do receptor P2Y12: indicados para uso em associação com AAS ou em casos de contraindicação ao mesmo.
     - **Clopidogrel:** dose de ataque de 300 mg VO e manutenção de 75 mg ao dia por 12 meses.
     - **Ticagrelor:** dose de ataque de 180 mg e manutenção de 90 mg duas vezes ao dia.
     - **Prasugrel:** dose de ataque de 60 mg e manutenção de 10 mg ao dia; contraindicado em pacientes com alto risco de sangramento, tais como idade > 75 anos e < 60 kg, histórico de acidente vascular cerebral prévio.
   - Antagonistas dos receptores glicoproteicos IIb/IIIa: utilizado em pacientes de alto risco, diabéticos e naqueles com estratégia invasiva planejada, uma vez que nesses pacientes foi demonstrado redução nas taxas de reinfarto, isquemia e óbito, embora atualmente menos usados pela dificuldade de esquemas anticoagulantes mais eficazes.

- **Abciximab:** 0,25 ug/kg em *bolus* EV e manutenção de 0,125 ug/kg por 12 horas. Pode ser empregado como adjuvante na intervenção coronária percutânea em casos de altas carga de trombo.
- **Tirofiban:** 10 ug/kg em *bolus* EV e manutenção de 0,215 ug/kg/min por 24 a 36 horas.
- **Inibidores do sistema renina-angiotensina-aldosterona:** devem ser usados nos pacientes com risco intermediário e alto, com disfunção ventricular esquerda, hipertensão ou *diabetes mellitus.*

5. **Antitrombínicos:** seu uso rotineiro reduz infarto e morte na SCA em 30%, devendo ser iniciado em todos os pacientes.

- **Heparina não fracionada:** *bolus* inicial de 60 UI/kg (máximo de 4.000 UI) e manutenção de 12 UI/kg/h (manter TTPa entre 1,5 e 2 vezes o controle, coletados a cada 6 horas), endovenoso.
- **Heparina de baixo peso molecular (enoxaparina):** dose de 1 mg/kg a cada 12 horas; deve-se reduzir a dose em 25% (0,75 mg/kg a cada 12 horas) em idosos, e em 50% (1 mg/kg uma vez ao dia) para pacientes com *clearance* de creatinina < 30 mL/min, subcutâneo. Dose de 30 mg EV em *bolus* pode ser administrada a pacientes selecionados.
- **Fondaparinux:** 2,5 mg/dia por via subcutânea, por oito dias, ou até a alta hospitalar.

• Diagnóstico e estratificação de risco com métodos complementares

A estratificação de risco pode ser realizada de maneira invasiva, com métodos hemodinâmicos intravasculares (cinecoronariografia), ou não invasiva, por meio de métodos tais como: teste ergométrico, ecocardiograma de estresse, medicina nuclear ou tomografia de artérias coronárias.

A cinecoronariografia fornece dados anatômicos, com avaliação da extensão e da gravidade das obstruções coronárias, além de analisar a função ventricular. No entanto, fornece poucas informações quanto à ocorrência de isquemia miocárdica.

Os métodos não invasivos permitem avaliação funcional da ocorrência de isquemia, e também podem avaliar a função ventricular, como no caso do ecocardiograma.

Ambas as categorias de métodos são empregadas para complementação diagnóstica e prognóstica, no sentido de se definir a melhor conduta médica para pacientes com risco intermediário ou elevado de complicações isquêmicas.

A Tabela 13.2 mostra o nível de evidência e o grau de recomendação para o uso das diversas formas de estratificação.

Tabela 13.2 Nível de evidência e o grau de recomendação para o uso das diversas formas de estratificação.

	Classe I	Classe II	Classe III
Teste ergométrico	Pacientes de risco intermediário (**Nível b**)	Pacientes de alto risco após 48h (**Nível c**)	Pacientes de alto risco antes de 48h (**Nível c**)
Ecocardiograma com estresse	Pacientes em que persistem dúvidas após realização de TE (**Nível b**)	Alternativa ao TE (**Nível b**)	pacientes de alto risco (**Nível c**)

(*Continua*)

(Continuação)

Tabela 13.2 Nível de evidência e o grau de recomendação para o uso das diversas formas de estratificação.

	Classe I	Classe II	Classe III
Cate	Estudo precoce no risco intermediário a alto **(Nível a)**		
Cintilografia de perfusão miocárdica	Identificar presença/ extensão de isquemia em pacientes que não podem realizar cate ou quando o mesmo não foi suficiente para definir conduta **(Nível b)**	Primeira opção de estratificação **(Nível b)**	Pacientes de alto risco antes das primeiras 48h de estabilização **(Nível c)**
Ressonância magnética cardiovascular	Avaliação da função ventricular, da extensão da necrose e da viabilidade miocárdica **(Nível a)**	No diagnóstico diferencial de pacientes com SCA, ECG com alterações inespecíficas e MNM negativos **(Nível b)**	
Angiotomografia coronária	Avaliação de pacientes com dor torácica aguda, de risco baixo a intermediário e que apresentam ECG normal e MNM negativos **(Nível a)**	Alternativa ao teste de isquemia em pacientes com dor torácica aguda de risco baixo a intermediário **(Nível b)**	

TE: teste ergométrico.
CATE: cinecoronariografia.
MNM: marcadores de necrose miocárdica.

Revascularização miocárdica

A principal diferença entre o cuidado do paciente com AI ou IAM sem supradesnível do segmento ST e o paciente com doença arterial crônica é a mais rápida decisão e ação que o médico tem de assumir com referência à indicação da revascularização miocárdica. As indicações para revascularização são reforçadas pelo grau de isquemia e a capacidade de se obter a revascularização completa do miocárdio.

A decisão entre revascularização cirúrgica ou percutânea deve levar em conta a anatomia das lesões e o risco cirúrgico do paciente. Atualmente o SYNTAX SCORE tem sido uma ferramenta para auxílio na indicação cirúrgica, pois leva em conta diversos fatores tais como: extensão da doença coronária (uni, bi ou triarterial), importância anatômica do vaso, número de lesões a serem abordadas, características morfológicas da lesão, dificuldade técnica do procedimento, quantidade de miocárdio em risco, condições clínicas do paciente, doenças associadas (p. ex., *diabetes mellitus*). Naqueles pacientes com escore maior > 22 a revascularização cirúrgica mostrou-se benéfica.

Nesse contexto destaca-se a importância da existência de uma equipe cardiológica multidisciplinar (*heart team* - clínico, cirurgião e hemodinamicista) na avalição dos pacientes com SCASST.

126 Guia Prático de Cardiologia

• Referências

1. Nicolau JC, Timerman A, Marin-Neto JA, et al. Diretrizes da Sociedade Brasileira de Cardiologia sobre Angina Instável e Infarto Agudo do Miocárdio sem Supradesnível do Segmento ST. Arq Bras Cardiol 2014; 102(3 Suppl I):1-61.
2. Hamm CW, Bassand JP, Agewall S, et al. ESC Guidelines for the management of acute coronary syndromes in patients presenting without persistent ST-segment elevation: the Task Force for the management of acute coronary syndromes (ACS) in patients presenting without persistent ST-segment elevation of the European Society of Cardiology (ESC). Eur Heart J 2011; 32(23):2999-3054.
3. Martins HS, Kawabata VS. Síndromes coronarianas agudas sem elevação do segmento ST. In: Martins HS, Neto AS, Velasco IT. Emergências clínicas baseadas em evidências. São Paulo: Atheneu; 2005. p. 275-85.
4. Coelho OR, Marsaro EA, Neto JMR. Tratamento das síndromes coronarianas agudas sem supradesnivelamento do segmento ST: angina instável e infarto agudo do miocárdio sem supradesnivelamento do segmento ST. In: Serrano Jr CV, Timerman A, Stefanini E. Tratado de cardiologia SOCESP. 2 ed. Barueri (SP): Manole; 2009. p. 874-92.

Síndrome Coronariana Aguda com Supra de ST

Rafael Augusto Mendes Domiciano • Lívia Ferraz Accorsi • Leopoldo S. Piegas

• Introdução

Na maioria dos países a doença isquêmica do coração representa uma das principais causas de óbito em homens e mulheres acima de trinta anos de idade. O Infarto Agudo do Miocárdio (IAM) pode ser reconhecido por características clínicas, achados no eletrocardiograma (ECG), valores elevados de biomarcadores, exames de imagem ou pelo exame patológico. É uma das principais causas de morte e de incapacidade em todo o mundo. O IAM pode ser a primeira manifestação da doença arterial coronariana ou pode ocorrer, repetidamente, em pacientes com doença estabelecida.

• Definição

Infarto Agudo do Miocárdio com Supradesnível do Segmento ST (IAMCSST) é uma síndrome clínica definida por sintomas característicos da isquemia miocárdica em associação com achados eletrocardiográficos (supradesnível do segmento ST ou novo bloqueio de ramo esquerdo – BRE) e posterior liberação dos biomarcadores de necrose miocárdica. Troponina é o biomarcador preferencial para o diagnóstico de infarto do miocárdio.

Se a troponina inicial estiver dentro da normalidade deverá aumentar acima de 50% para confirmar o diagnóstico. Em pacientes submetidos à cirurgia de revascularização miocárdica e valores de troponina normais prévios, elevações de marcadores séricos cardíacos acima de 10 vezes o percentil 99, nova onda Q patológica ou novo BRE, exame de imagem demonstrando perda da viabilidade miocárdica ou disfunção segmentar são indicativos de IAM (Tabelas 14.1 e 14.2).

Tabela 14.1 Terceira definição IAM – Sociedade Europeia de Cardiologia – 2012.

Detecção de subida e/ou queda de valores dos biomarcadores cardíacos (preferencialmente troponina) com pelo menos um valor acima do percentil 99 da parte superior limite de referência e com, pelo menos, um dos seguintes:

- Sintomas de isquemia
- Novas ou presumivelmente novas alterações significativas ST-T ou BRE novo
- Desenvolvimento de ondas Q patológicas no ECG
- Imagem evidenciando nova perda de miocárdio viável, ou nova anormalidade de segmentar
- Identificação de um trombo intracoronário pela angiografia ou autópsia

Tabela 14.2 Classificação IAM.

Tipo 1	IAM espontâneo
Tipo 2	IAM por causas secundárias
Tipo 3	morte cardíaca súbita, com clínica compatível
Tipo 4a	IAM associado à intervenção percutânea
Tipo 4b	IAM associado à trombose comprovada de *stent*
Tipo 5	IAM associado à cirurgia de revascularização

• Epidemiologia

- As doenças cardiovasculares são responsáveis por 29,4% de todas as mortes registradas no Brasil.
- No Brasil, 60% são homens, com média de idade de 56 anos.
- O Brasil está entre os dez países com maior índice de morte por doenças cardiovasculares.
- Em 2009, cerca de 683 mil pacientes receberam alta de hospitais norte-americanos, com diagnóstico de Síndrome Coronariana Aguda (SCA).
- As taxas de incidência comunitárias para IAMCSST têm diminuído ao longo da última década, enquanto a incidência nas SCA sem elevação de ST aumentaram.
- Atualmente, IAMCSST compreende cerca de 25% a 40% dos IAM.
- Aproximadamente 30% dos pacientes com IAM são mulheres.
- O sexo feminino foi um forte preditor independente de que não recebeu terapia de reperfusão entre os pacientes que não tinham contraindicações no Escore Crusade.
- Em uma análise de 8.578 pacientes com IAMCSST de 226 hospitais norte-americanos que participaram do CRUSADE, de setembro de 2004 a dezembro de 2006, 7% dos pacientes elegíveis não receberam terapia de reperfusão.

• Patogênese

IAM é definido em patologia como morte celular miocárdica devido à prolongada isquemia que é o passo inicial para o desenvolvimento do IAM e resulta de um desequilíbrio entre a oferta e a demanda de oxigênio. Depois do aparecimento de isquemia do miocárdio,

Síndrome Coronariana Aguda com Supra de ST **129**

a morte celular não é imediata, mas leva um período finito de tempo para desenvolver-se em torno de 20 minutos. A necrose completa das células do miocárdio em risco requer pelo menos 2 a 4 horas, ou mais, dependendo da presença de circulação colateral para a zona de isquemia, oclusão coronariana persistente ou intermitente, sensibilidade dos miócitos a isquemia e pré-condicionamento, todo o processo que conduz a um infarto cicatrizado geralmente leva pelo menos cinco a seis semanas.

• Clínica

Isquemia do miocárdio em um ambiente clínico pode normalmente ser identificada pela história do paciente e o ECG. Sintomas isquêmicos possíveis incluem várias combinações de dor torácica, membros superiores, mandibular, desconforto epigástrico ou um equivalente isquêmico, como dispneia ou fadiga. Cerca de 80% dos pacientes apresentam dor torácica como sintoma predominante.

A dor, usualmente prolongada (> 20 minutos) e desencadeada por exercício ou por estresse, pode ocorrer em repouso e pode ser aliviada com o uso de nitratos. Muitas vezes, o desconforto é difuso, não localizado, nem posicional, nem altera com o movimento da região, e pode ser acompanhado de sudorese, náuseas ou síncope. No entanto, esses sintomas não são específicos para a isquemia do miocárdio. Por conseguinte, eles podem ser diagnosticados e atribuídos a distúrbios gastrointestinais, neurológicos, pulmonares ou musculoesqueléticos.

O IAM pode ocorrer com sintomas atípicos, tais como palpitações, com ou sem sintomas específicos; por exemplo, em mulheres, idosos, diabéticos, ou pacientes em pós-operatório e em estado grave. A avaliação cuidadosa desses pacientes é aconselhável, especialmente quando há uma tendência crescente e/ou queda de biomarcadores cardíacos.

• Exame físico

Menos de 20% dos pacientes apresentam alterações significativas na avaliação inicial. Entretanto, a presença de estertores pulmonares, hipotensão arterial sistêmica (pressão arterial sistólica < 110 mmHg) e taquicardia sinusal colocam o paciente em maior risco de desenvolver eventos cardíacos nas 72 horas seguintes. O exame físico deve auxiliar no diagnóstico diferencial de dissecção da aorta e no de complicações pulmonares ou cardíacas, como embolia pulmonar, pericardite e estenose aórtica.

• ECG

- ▸ Deve ser realizado em menos de 10 minutos, reavaliação seriada (5 a 10 min).
- ▸ Em pacientes com sintomas sugestivos, a elevação do segmento ST tem especificidade de 91% e sensibilidade de 46% para diagnóstico de infarto agudo do miocárdio.
- ▸ Supradesnivelamento do segmento ST > 1,0 mm em derivações contíguas no plano frontal, o bloqueio de ramo esquerdo novo ou o supradesnivelamento do segmento ST > 2,0 mm em derivações precordiais sugerem alta probabilidade de IAM. Em casos de supradesnivelamento do segmento ST (Tabela 14.3) em derivações da parede inferior recomenda-se a obtenção de derivações direitas e V7, V8.

Tabela 14.3 Correlação eletrocardiográfica × parede miocárdica.

Local do IAM	Supra de ST	Parede	Provável coronária
Anterior	V1-4	Apical e anterosseptal média	DA
Anterior extenso	V1-V6 (D1, AVL)	Apical e anterosseptal	DA
Inferior	D2, D3, AVF	Inferior e dorsal	CD ou Cx
Posterior	V7-8 e infra de ST na parede anterior	Posterior e/ou lateral	Cx ou CD
Lateral alto	D1, AVL	Lateral e/ou dorsal	Cx
VD	DV3-5, V1	Posterior e lateral do VD	CD

• Marcadores de lesão miocárdica

Dosar troponina na admissão, com 3 horas e 6 horas de evolução, outros marcadores como CKMB massa ou mioglobina também podem estar alterados (Tabela 14.4).

Tabela 14.4 Marcadores de necrose miocárdica.

Marcador	Elevação	Pico	Queda
CK-MB	4-8h	12-24h	72-96
Mioglobina	2-4h	8-10h	24h
cTnL	4-6h	12h	3-10 dias
cTnT	4-6h	12-48h	7-10 dias

CK-MS = isoenzima MB da creatina quinase: cTnL = troponina cardíaca I: cTnT = troponina cardíaca T.

• Outros exames

Radiografia de tórax

▶ Verificar a presença de lesões pulmonares, sinais de congestão, alargamento de mediastino, dilatação da aorta, entre outros.

Laboratório

▶ Análise eletrólitos (sódio, potássio, cálcio, magnésio) para evitar arritmias.
▶ Análise bioquímica (ureia, creatinina, glicose).
▶ Análise série vermelha (hemoglobina, hematócrito, plaquetas) para avaliar sinais ou sinal de sangramento.
▶ Análise distúrbios de coagulação, avaliar risco de sangramento.

Ecocardiograma

▶ Verificar disfunção segmentar, avaliar complicações mecânicas e disfunção do miocárdio.

Síndrome Coronariana Aguda com Supra de ST **131**

• Estratificação clínica

Complementando a avaliação clínica, laboratorial e eletrocardiográfica, utilizam-se escores de risco, sendo os mais utilizados o GRACE (Tabela 14.5) e o TIMI (Tabela 14.6)

Tabela 14.5 *GRACE (The Global Registry of Acute Coronary Events).*

	Pontos
Idade (anos)	
Menor 40	0
40-49	18
50-59	36
60-69	55
70-79	73
Maior igual 80	91
Frequência cardíaca	
Menor 70	0
70-89	7
90-109	13
110-149	23
150-199	36
Maior igual 200	46
PA sistólica (mmHg)	
Menor 80	63
80-99	58
100-119	47
120-139	37
140-159	26
160-199	11
Maior igual 200	0
Creatinina (mg/gl)	
0-0,39	2
0,4-0,79	5
0,8-1,19	8
1,2-1,59	11
1,6-1,99	14
2-3,99	23
Maior 4	31
Classe Killip	
Classe I	0
Classe II	21
Classe III	43
Classe IV	64
PCR na admissão	43
Desvio de ST	30
Elevação dos níveis de marcadores de necrose cardíaca	15
Total	**1-372**

Categoria de risco	Escore GRACE	Mortalidade Intra-hospitalar (%)
Baixo	≤ 108	< 1
Intermediário	109-140	1-3
Alto	> 140	> 3

Tabela 14.6 *TIMI RISK (Thrombolysis in Myocardial Infarction).*

Idade	
75 anos	3
65 a 74 anos	2
História da DM, HAS ou angina	1
Exame físico PAS 100 mmHg FC maior 100 bmp Classe Killip II-IV Peso menor 67 kg	3 2 2 1
Supradesnivelamento do segmento ST anterior ou BRE	1
Tempo de reperfusão maior 4h	1
Total	**14**

Escore	Mortalidade hospitalar	Risco
Inferior a 2	Menor 2%	Baixo risco
2 a 8	10%	Risco intermediário
Maior a 8	Maior 20%	Alto risco

Classificação de Killip-Kimball			
Grupo	**Aspectos clínicos**	**Frequência**	**Mortalidade**
I	Sem sinais de congestão pulmonar	40-50%	6%
II	B_3, estertores pulmonares bibasais	30-40%	17%
III	Edema agudo de pulmão	10-15%	38%
IV	Choque cardiogênico	5-10%	81%

• Tratamento

Oxigênio (O_2)

Indicação: hipoxemia arterial clinicamente evidente ou documentada (saturação de O_2 < 90%).
Posologia: O_2 a 100% por meio de máscara ou cateter nasal (2,0 a 4,0 l/min).
Contraindicações: Suplementação O_2 sem hipoxemia, pode haver vasoconstrição.

Analgesia

Indicação: hiperatividade do sistema nervoso simpático, descarga adrenérgica aumenta consumo de O_2.
Posologia: sulfato de morfina, via intravenosa na dose diluída de 2,0 a 4,0 mg, pode ser repetida em intervalos de 5 a 15 min, podem ser necessárias doses de até 30 mg.
Contraindicações: IAM de parede inferior, hipotensão.

Síndrome Coronariana Aguda com Supra de ST **133**

Antiplaquetários

Acido acetilsalicílico

Indicação: nas primeiras 24 horas da síndrome coronariana aguda, reduz o risco de morte e complicações em 23%.
Posologia: ataque AAS 160 a 325 mg/dia mastigável, manutenção 100 mg/dia.
Contraindicações: hipersensibilidade conhecida, úlcera péptica ativa, discrasia sanguínea ou hepatopatia grave.

Inibidores $P2Y_{12}$

Indicação: síndrome coronariana aguda, intervenção coronariana percutânea (ICP), Angioplastia (*stent* convencional mínimo 1 mês; *stent* farmacológico mínimo 6 meses).
Posologia: Clopidogrel 300 mg, 600 mg (ICP) ataque (se fibrinólise e paciente > 75 anos - ataque 75 mg), 75mg/dia, manutenção; se possibilidade de intervenção coronária percutânea – 600 mg ataque, ou **Prasugrel** 60 mg ataque, 10 mg manutenção; ou **Ticagrelor** 180 mg ataque, 90 mg, 2×/dia, manutenção.
Contraindicações: hipersensibilidade conhecida, sangramento ativo, úlcera péptica ativa, discrasia sanguínea ou hepatopatia grave.

Anticoagulação

Indicação: síndrome coronariana aguda.

Posologia

- **Heparina não fracionada:** *bolus* de 60 U/kg, com máximo de 4.000 U, seguido de uma infusão de 12 U/kg por 48 horas, com dose máxima inicial de 1.000 U/h; ajustar a dose para manter o TTPA de 50-70 segundos. Caso a terapia seja prolongada além das 48 horas por indicação clínica, aumentará o risco de plaquetopenia induzida por heparina.
- **Enoxaparina:** para pacientes com menos de 75 anos de idade, 30 mg EV em *bolus* seguido por 1,0 mg/kg SC a cada 12 horas; para pacientes com mais de 75 anos, não utilizar o *bolus* inicial e reduzir a dose para 0,75 mg/kg SC a cada 12 horas. Caso o *clearance* de creatinina estimado seja menor que 30 mL/min, utilizar a dose de 1,0 mg/kg a cada 24 horas. Manter o tratamento durante o período de internação ou até oito dias.
- **Foundaparinux**: dose inicial de 2,5 mg IV, seguida de 2,5 mg por via subcutânea diária a partir do dia seguinte, até oito dias de hospitalização, ou até revascularização.

Contraindicações: hipersensibilidade, sangramento ativo, úlcera péptica ativa, discrasia sanguínea ou hepatopatia grave.

Inibidores da glicoproteína IIb/IIIa

Indicação: inibe agregação plaquetária, adjuvantes na angioplastia primária, estando sua indicação a critério do cardiologista intervencionista (presença de trombo coronariano e situação atual da oclusão coronariana).

Posologia

- Abciximab: ataque: 0,25 mg/kg em *bolus* por via endovenosa, manutenção: 0,125 µg/kg durante 12 horas por via endovenosa.
- Tirofiban: ataque: 10 µg/kg em 30 minutos por via endovenosa, manutenção: 0,15 µg/kg/min por 24 horas.

Contraindicações: hipersensibilidade, sangramento ativo, histórico de hemorragia intracraniana, neoplasia intracraniana, malformação arteriovenosa, aneurisma, trombocitopenia grave pós uso prévio.

Nitratos

Indicação: síndrome coronariana aguda, alívio da dor e controle pressórico.

Posologia: nitroglicerina endovenosa em infusão contínua, com doses progressivas a cada 5 a 10 minutos, até reduzir a pressão arterial > 20 mmHg ou sistólica < 100 mmHg e/ou aumento da frequência cardíaca > 10%.

Contraindicações: hipersensibilidade, comprometimento clínico e/ou eletrocardiográfico de ventrículo direito, hipotensão, bradicardia, uso prévio de sildenafil nas últimas 24 horas.

Betabloqueadores

Indicação: síndrome coronariana aguda, redução do consumo de oxigênio pelo miocárdio melhoram a perfusão miocárdica (aumentam o fluxo subendocárdico e o fluxo das colaterais); usar o betabloqueador por via oral nas primeiras 24 horas, reservando-se a via endovenosa para casos selecionados (taquicardia ou hipertensão arterial na ausência de insuficiência cardíaca).

Posologia: via oral, metoprolol (25 a 200 mg/dia); carvedilol (3,125 a 50 mg/dia); atenolol (25 a 100 mg/dia); propranolol (60 a 240 mg/dia); bisoprolol (5 a 20 mg/dia).

Contraindicações: bradicardia, pressão sistólica < 100 mmHg, intervalo PR > 0,12s, bav 2º e 3º, história de asma ou doença pulmonar obstrutiva crônica grave, doença vascular periférica grave, disfunção ventricular grave, classificação de Killip II, III ou IV.

Inibidores da enzima de conversão da angiotensina (IECA)

Indicação: síndrome coronariana aguda

- uso de rotina em todos os pacientes, nas primeiras 24 horas;
- uso de rotina por tempo indeterminado na disfunção ventricular, diabetes ou doença renal crônica;
- uso por pelo menos cinco anos nos pacientes com: idade > 55 anos e pelo menos um dos seguintes fatores de risco: hipertensão arterial, colesterol total elevado, redução do HDL-colesterol, tabagismo ou microalbuminúria;
- uso por pelo menos cinco anos nos pacientes com sintomas e fatores de risco bem controlados pelo tratamento clínico ou procedimento de revascularização miocárdica bem-sucedido.

Posologia: captopril (12,5 a 150 mg/dia); enalapril (5 a 20 mg/dia); ramipril (2,5 a 10mg/dia).

Contraindicações: hipersensibilidade, hipotensão, choque, história da estenose da artéria renal bilateral e piora importante da função renal.

Estatinas

Indicação: não existem critérios estabelecidos até o momento para uso em fase aguda de IAM. Há estudos que levantam a possibilidade de estabilização de placas ateroscleróticas instáveis; deve ser iniciado precocemente, visando a alcançar meta estipulada do LDL.

Posologia: sinvastatina 10 a 80 mg; atorvastatina 10 a 80 mg; rosuvastatina 10 a 40 mg; pitavastatina 1 a 4 mg.

Contraindicações: hipersensibilidade, disfunção hepática grave.

Síndrome Coronariana Aguda com Supra de ST **135**

Terapia de reperfusão

A reperfusão pode ser realizada com a utilização de agentes fibrinolíticos ou com angioplastia primária com balão, com ou sem implante de *stents* (Tabela 14.7). Cada método tem vantagens e limitações.

Indicações: dor sugestiva de IAM (> 20 minutos, < 12 horas) e ECG com supra ST ou BRE novo.
- Angioplastia de escolha em até 90 minutos.
- Fibrinólise em até 30 minutos em locais sem hemodinâmica.

Tabela 14.7 Terapia de reperfusão no IAM c SST.

Procedimento Terapias de reperfusão	Classe	Nível de evidência
Dor sugestiva de IAM ■ Duração > 20 minutos e < 12 horas, não responsiva a nitrato sublingual ECG ■ Com supradesnível do segmento ST > 1,0 mm em pelo menos duas derivações contíguas ■ Bloqueio de ramo (considerado novo ou presumivelmente novo) Ausência de contraindicação absoluta	I	A
Pacientes com IAM em hospitais com capacidade de ICP devem ser tratados com ICP primária até 90 minutos do primeiro contato médico	I	A
Pacientes com IAM em hospitais sem capacidade de ICP e que não podem ser transferidos para um centro com ICP até 90 minutos do primeiro contato médico devem ser tratados com fibrinolíticos até 30 minutos de admissão hospitalar, a menos que contraindicado	I	A
ECG característico de IAM com persistência do supra de ST e da dor entre 12-24h (fibrinolítico ou angioplastia)	IIa	A

IAM – infarto agudo do miocárdio; ECG - eletrocardiograma.

Fibrinolíticos

O maior benefício do uso dos fibrinolíticos é visto nos pacientes tratados nas primeiras horas do IAMCSST (Tabela 14.8). Portanto, quanto mais precoce o início do fibrinolítico, maior o benefício em relação à preservação da função ventricular e redução da mortalidade.

Tabela 14.8 Uso dos fibrinolíticos no IAM com SST.

Procedimento Fibrinolíticos	Classe	Nível de evidência
Dor sugestiva de IAM < 75 anos ■ Duração > 20 minutos e < 12h não responsiva a nitrato sublingual ECG ■ Supradesnível do segmento ST > 1,0 mm em pelo menos duas derivações precordiais contíguas ou duas periféricas adjacentes ■ Bloqueio de ramo (novo ou presumivelmente novo) impossibilidade de realizar reperfusão mecânica em tempo adequado Ausência de contraindicação absoluta Em hospitais sem recurso para realizar imediata intervenção coronária (dentro de 90 minutos)	I	A
Acima de 75 anos (preferencialmente SK)	IIa	B

Contraindicações absolutas
Qualquer sangramento intracraniano
AVC isquêmico nos últimos três meses
Dano ou neoplasia no sistema nervoso central
Trauma significante na cabeça ou rosto nos últimos três meses
Sangramento ativo ou diástese hemorrágica (exceto menstruação)
Qualquer lesão vascular cerebral conhecida (malformação arteriovenosa)
Suspeita de dissecção de aorta

Contraindicações relativas
História de AVC isquêmico > 3 meses ou patologias intracranianas não listadas nas contraindicações
Gravidez
Uso atual de antagonistas da vitamina K: quanto maior o INR maior o risco de sangramento
Sangramento interno recente < 2-4 semanas
Ressuscitação cardiopulmonar traumática ou prolongada (> 10 min) ou cirurgia < 3 semanas
Hipertensão arterial não controlada (pressão arterial sistólica > 180 mmHg ou diastólica > 110 mmHg)
Punções não compressíveis
História de hipertensão arterial crônica importante e não controlada
Úlcera péptica ativa
Exposição prévia a SK (mais de 5 dias) ou reação alérgica prévia

Regime de doses dos fibrinolíticos		
Agente	Tratamento	Terapia antitrombótica
SK	1,5 milhão UI em 100 mL de SG 5% ou SF 0,9% em 30-60 minutos	HNF ajustada ao peso por 48 horas ou enoxaparina por ate 8 dias
tPA	15 mg EV em bolo, seguidos por 0,75 mg/kg em 30 minutos e então 0,50 mg/kg em 60 minutos A dose total não deve exceder 100 mg	HNF ajustada ao peso por 48 horas ou enoxaparina por ate 8 dias
TNK-tPA	Bolo único: 30 mg se < 60 kg 35 mg se entre 60 kg e menor que 70 kg 40 mg se entre 70 kg e menor que 80 kg 45 mg se entre 80 kg e menor que 90 kg 50 mg se maior que 90 kg de peso	HNF ajustada ao peso por 48 horas ou enoxaparina por ate 8 dias

SK (Streptoquinase); tPA (Alteplase); TNK (Tecneteplase)
- O fibrinolítico de escolha é o tenecteplase, por ser administrado em *bolus*, dose única.

• Intervenção coronária percutânea (ICP)

A ICP no infarto agudo do miocárdio pode ser dividida em primária (sem o uso prévio de fibrinolíticos), facilitada (relacionada à utilização de farmacologia prévia), de salvamento ou resgate (decorrente do insucesso da fibrinólise).

A ICP primária (Tabela 14.9) é a utilização do cateter-balão, com ou sem implante do *stent* coronário, e sem o uso prévio de fibrinolítico, com o objetivo de restabelecer o fluxo

Síndrome Coronariana Aguda com Supra de ST **137**

coronário anterógrado de maneira mecânica. Essa técnica, quando disponível, constitui-se na melhor opção para a obtenção da reperfusão coronária, se iniciada até 90 minutos após o diagnóstico do IAM.

Tabela 14.9 Intervenção coronária percutânea no IAM com SST.

Procedimento ICP primária	Recomendação	Nível de evidência
Pacientes com diagnóstico de IAM com sintomas iniciados < 12h e com a viabilidade de efetivar o procedimento com retardo < 90 minutos após o dignóstico	I	A
Transferência para um centro de cardiologia intervencionista em pacientes com contraindicação formal para a fibrinólise, desde que a ATC possa ser realizada em até 12h do início do quadro agudo	I	B
Transferência de um centro clínico para um de cardiologia intervencionista com retardo > 3h do início dos sintomas, expectativa de realizar ICP primária em < 90 minutos e com disponibilidade logística reconhecida e ativa	IIa	B

A ICP de salvamento ou resgate é definida como a estratégia de recanalização mecânica realizada precocemente quando a terapia fibrinolítica falha em atingir a reperfusão miocárdica.

Revascularização cirúrgica

Indicação: anatomia coronária favorável, contraindicação ou falhas das terapêuticas trombolítica e de revascularização percutânea (Tabela 14.10), complicações do IAM (isquemia recorrente, choque cardiogênico e complicações mecânicas do infarto) e angina recorrente.

A Figura 14.1 mostra o protocolo de atendimento de um paciente com IAM com Supra de ST pelo Departamento de Emergência do HCor.

Tabela 14.10 Revascularização cirúrgica no IAM com supra de ST.

Procedimento Revascularização cirúrgica	Classe	Nível de evidência
Lesão de tronco de coronária esquerda	I	C
Insucesso da ICP com instabilidade hemodinâmica e/ou grande área em risco	I	C
Associada à ecistência de complicações mecânicas do infarto, como ruptura do ventrículo esquerdo, comunicação interventricular e insuficiência valvar mitral por disfunção ou ruptura de músculo papilar	I	C
Na presença de choque cardiogênico, quando a anatomia é desfavorável à angioplastia	I	B
Pacientes estáveis candidatos à revascularização cirúrgica	I	C

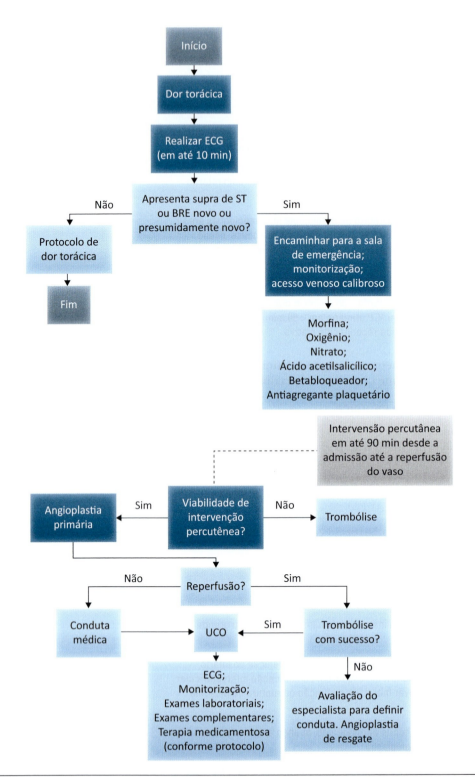

Figura 14.1 Fluxograma de atendimento HCor.

Fonte: Fluxograma cedido pelo Departamento de Emergência do HCor.

• Referências

1. Nicolau JC, Timerman A, Piegas LS, editores. Diretrizes da Sociedade Brasileira de Cardiologia sobre angina instável e infarto agudo do miocárdio sem supradesnível do segmento ST (II Edição, 2007). Arq Bras Cardiol 2007;89(4): e 89-e131.
2. Thygesen K, Alpert JS, Jaffe AS, et al. Third universal definition of myocardial infarction. Eur Heart J 2012; 33(20): 2551-67.
3. Steg PG, James SK, Atar D, Badano LP, et al. Guidelines for the management of acute myocardial infarction in patients presenting with ST-segment elevation. Eur Heart J 2012; 33(20): 2569-19.
4. O'Gara PT, Kushner FG, Ascheim DD, et al. ACCF/AHA. Guideline for the Management of ST-Elevation Myocardial Infarction. J Am Coll Cardiol 2013;61(4): e78-140.
5. Webb JG. Interventional management of cardiogenic shock. Can J Cardiol 1998; 14(2):233-44.
6. Avezum A, Guimarães HP, Berwanger O, Piegas LS. Aspectos epidemiológicos do infarto agudo do miocárdio no Brasil. São Paulo: Grupo Editorial Moreira Junior/Instituto Dante Pazzanese de Cardiologia; 2005. p.93-6.

Complicações de Infarto Agudo do Miocárdio

Rafael Augusto Mendes Domiciano • Bruna Moratore de Vasconcelos • Leopoldo S. Piegas

• Choque cardiogênico

Choque cardiogênico é um estado de hipoperfusão tecidual caracterizado por pressão arterial sistólica < 90 mmHg, índice cardíaco < 1,8 l/min/m² e pressões de enchimento do Ventrículo Esquerdo (VE) elevadas. Em geral, embora esteja relacionado ao dano ventricular extenso, pode acontecer em outras situações, tais como: o infarto associado de ventrículo direito, defeitos mecânicos tipo insuficiência mitral ou comunicação interventricular, derrame pericárdico ou tamponamento cardíaco, ou quando há complicações na evolução do Infarto Agudo do Miocárdio (IAM) tipo tromboembolismo pulmonar ou sepse, especialmente em diabéticos e idosos.

O tratamento deverá ser guiado pela etiologia do choque:

- Revascularização de emergência por Intervenção Coronária Percutânea (ICP) ou Revascularização Cirúrgica do Miocárdio (CRM) é recomendada em pacientes adequados com choque cardiogênico devido a falha da bomba após IAM com supradesnivelamento do segmento ST (IAMCSST) independentemente do tempo de início do IAM.
- Candidatos inadequados para ICP ou CRM devem receber fibrinolítico.
- O uso de balão intra-aórtico pode ser útil para pacientes que não estabilizaram, mantendo choque cardiogênico, mesmo com terapia farmacológica, ICP ou CRM, sendo considerado Classe II.
- Dispositivos de assistência circulatória podem ser considerados em pacientes com choque cardiogênico refratário.

• Arritmias

Os pacientes pós-IAM podem evoluir com taquiarritmias ou bradiarritmias, sendo que a etiologia desta complicação pode ser atribuída a diversos fatores, tais como: arritmias de reperfusão, distúrbios metabólicos, distúrbios hidroeletrolíticos, aumento do tônus adrenérgico, isquemia do nó atrioventricular, aumento da atividade parassimpática pós-reperfusão.

As arritmias encontradas são taquicardia sinusal, fibrilação ou flutter atrial, taquicardia supraventricular, fibrilação ventricular, taquicardia ventricular, bloqueios atrioventriculares. Devem ser tratadas – excluindo fatores desencadeantes – com antiarrítmicos e, no caso das bradiarritmias, com marca-passo.

O uso de Cardioversor Desfibrilador Implantável (CDI) é indicado antes da alta nos pacientes que desenvolvem episódios de taquicardia ventricular sustentada/fibrilação ventricular mais de 48 horas após IAMCSST, desde que a arritmia não esteja atribuída a isquemia transitória ou reversível, reinfarto, ou anormalidades metabólicas.

• Pericardite pós-IAM

É frequente e costuma se manifestar em torno de 24 horas após o início do evento agudo. Clinicamente, a pericardite deve ser suspeitada quando for detectada dor torácica ventilatório-dependente, agravada por inspiração profunda, tosse e deglutição, e aliviada quando o paciente flete o tórax anteriormente. Pode ser acompanhada de febrícula, sem alterações hematológicas compatíveis com infecção. A ausculta de atrito pericárdico é comum e facilita o diagnóstico definitivo. No ECG pode haver elevação do segmento ST em precordiais esquerdas, com concavidade superior preservada. Presença de taquicardia sinusal sem manifestações de insuficiência cardíaca pode ser outro achado, bem como concomitância com outras taquiarritmias supraventriculares, principalmente fibrilação atrial. A aspirina é recomendação classe I para o tratamento da pericardite após IAM. A administração de acetaminofeno, colchicina ou analgésicos narcóticos podem ser associados se a aspirina, mesmo em doses elevadas, não for eficaz.

• Pericardite tardia – Síndrome de Dressler

Ocorre tardiamente, após o evento agudo (2-12 semanas). Alterações dinâmicas de segmento ST poderão ser detectadas, como elevação ou depressão inespecíficas, pode haver dor pleurítica, febre, atrito pericárdico, podendo ser detectado também derrame pleural, tipicamente hemorrágico.

O tratamento pode ser farmacológico, similar ao da pericardite precoce do pós-infarto. Corticoides poderão ser necessários para o adequado controle dos sintomas (prednisona 20 mg/dia); o tempo médio de tratamento é de cerca de uma a quatro semanas, ou cirúrgico, quando for detectado derrame pericárdio volumoso que comprometa a dinâmica cardiopulmonar.

É processo autolimitado, com baixa prevalência de complicações. Derrames pericárdicos volumosos são raros, mas quando presentes necessitam de intervenção precoce; tem bom prognóstico a longo prazo.

• Angina pós-infarto

A presença de isquemia miocárdica poucas semanas após IAM piora de forma significativa o prognóstico grave do paciente pelo alto risco de eventos cardiovasculares subsequentes, incluindo morte, reinfarto e isquemia grave recorrente. Pode estar relacionada a novo evento em parede já afetada ou instabilidade de lesões residuais. O tratamento consiste em estabilização clínica e investigação da lesão culpada pela cineangiocoronariografia.

• Distúrbios de coagulação

Trombóticos

Pode haver fenômenos trombóticos relacionados ao IAM, sendo indicado o tratamento com anticoagulação para diversas situações. Os últimos consensos trazem orientações para algumas situações:

- ◗ Trombo mural em ventrículo esquerdo em pacientes assintomáticos: a anticoagulação é indicada para evitar eventos embólicos, com recomendação de uso de varfarina por três meses.
- ◗ Fibrilação atrial e IAM: devem receber anticoagulação, avaliar riscos de terapia tripla (varfarina, ácido acetilsalicílico e clopidogrel). Podem ser mantidas de quatro semanas a dois meses, dependendo do risco de Acidente Vascular Cerebral (AVC) e sangramentos.
- ◗ Válvulas cardíacas mecânicas, tromboembolismo venoso, ou estado de hipercoagulabilidade devem receber anticoagulação.

É orientado que a duração da terapia tripla antitrombótica com um antagonista da vitamina K, aspirina, e um inibidor do receptor $P2Y_{12}$ seja minimizada na medida do possível para limitar o risco de hemorragia.

• Hemorrágicos

O tratamento do IAM envolve terapia antitrombótica, que demonstrou ser eficaz e de grande importância clínica, utilizando-se diversas classes de fármacos anticoagulantes tais como: heparinas, antiplaquetários, inibidores da GPIIb/IIIa, além do uso de trombolíticos que diminuíram a mortalidade nos casos de IAMCSST. Essas terapias, apesar de eficazes, podem propiciar o aparecimento de sangramento de sistema nervoso central, gastrointestinal e de outros sistemas vulneráveis, sendo necessário atentar para as dosagens e contraindicações de cada terapia prescrita.

• Complicações mecânicas

Quando o paciente com IAM apresenta súbita ou progressiva deterioração hemodinâmica, com baixo débito cardíaco ou edema pulmonar, é preciso levantar a hipótese de presença de defeito mecânico, pois o rápido diagnóstico e a correta orientação terapêutica são elementos básicos para melhor evolução e sobrevida desses pacientes.

Regurgitação da valva mitral com ou sem ruptura do músculo papilar

Suspeitar quando houver presença de novo sopro, associado a piora do quadro clínico, o tratamento está relacionado ao grau de comprometimento hemodinâmico, podendo ser clínico e até cirúrgico de urgência, como nos casos de ruptura do músculo papilar, em que a mortalidade em 24 horas chega a 75%. O quadro clínico e o ecocardiograma são fundamentais para o diagnóstico.

Ruptura do septo ventricular

Suspeitar na presença de sopro intenso, holossistólico, audível com mais nitidez em região do bordo esternal esquerdo baixa, geralmente associado a abrupto declínio do estado clínico do paciente, com sinais de insuficiência cardíaca congestiva e choque cardiogênico. O tratamento para estabilização clínica inclui inotrópicos, vasodilatadores e antiarrítmicos, quando necessários, utilização de balão intra-aórtico para os casos instáveis, e realização de cirurgia o mais precocemente possível para todos os pacientes com ruptura septal aguda, independentemente da estabilidade clínica pelo risco de expansão da lesão. Assim como na insuficiência mitral aguda, o auxílio do ecocardiograma é fundamental.

Ruptura da parede livre do ventrículo

Pode ser completa ou incompleta. Na completa leva a hemopericárdio volumoso e evolui com tamponamento cardíaco; na incompleta o trombo e o pericárdio ocluem a parede livre do ventrículo, evoluindo com pseudoaneurisma. O tratamento é cirúrgico de urgência.

Aneurisma do ventrículo esquerdo

Sua gênese está relacionada com a extensão da área necrótica, ausência de circulação colateral e mecanismos fisiopatológicos de remodelamento ventricular. O diagnóstico clínico é feito pela presença de sinais de insuficiência cardíaca e/ou de arritmia ventricular acentuada, e com o auxílio de exames complementares. O eletrocardiograma costuma apresentar persistência do supradesnível do segmento ST. O tratamento inicial é clínico, e pode-se utilizar balão intra-aórtico para auxiliar na estabilização clínica. O tratamento cirúrgico precoce (no primeiro mês pós-IAM) só é indicado nos pacientes que se apresentam em choque cardiogênico refratário à terapêutica clínica, com progressivo comprometimento da função ventricular e taquicardia ventricular refratária ao tratamento clínico, pois a área infartada apresenta-se friável e o risco cirúrgico é elevado.

• Referências

1. Nicolau JC, Timerman A, Piegas LS, Marin-Neto JA, editores. Diretrizes da Sociedade Brasileira de Cardiologia sobre Angina Instável e Infarto Agudo do Miocárdio sem Supradesnível do Segmento ST (II Edição, 2007) Arq Bras Cardiol 2007;89(4): e 89-e131.
2. Thygesen K, Alpert JS, Jaffe AS, et al. Third universal definition of myocardial infarction. Eur Heart J 2012; 33(20): 2551-67.
3. Steg PG, James SK, Atar D, Badano LP, et al. Guidelines for the management of acute myocardial infarction in patients presenting with ST-segment elevation. Eur Heart J 2012; 33(20): 2569-19.
4. O'Gara PT, Kushner FG, Ascheim DD, et al. 2013 ACCF/AHA guideline for the management of ST-elevation myocardial infarction: a report of the American College of Cardiology Foundation/American Heart Association Task Force on Practice Guidelines. J Am Coll Cardiol 2013;61(4):e78-140.
5. Webb JG. Interventional management of cardiogenic shock. Can J Cardiol 1998; 14(2):233-44.

Angina de Causa Não Aterosclerótica

• Introdução

A incidência da Doença Arterial Coronariana (DAC) não aterosclerótica é difícil de ser determinada. Estima-se que ocorra em 1% a 2% da população normal, sendo mais incidente em pacientes jovens, que necessitam de cinecoronariografia.

Aproximadamente 15% dos pacientes com SCA que realizam cinecoronariografia apresentam coronárias normais ou lesões não obstrutivas, com estenose inferior a 50%.

Nesse contexto, surge a hipótese de diagnóstico de doença coronária não aterosclerótica, que inclui vasto número de patologias que podem afetar a circulação coronariana desde a sua origem na aorta até a microcirculação.

• Etiologia/fisiopatologia

A DAC não aterosclerótica consiste no déficit de aporte de oxigênio ao miocárdio, causado por uma alteração física ou funcional das artérias coronárias, sem um processo aterosclerótico significativo subjacente.

• Classificação

Principais causas de angina não aterosclerótica.

- Anomalias congênitas das coronárias
- Angina variante de Prinzmetal (espasmo coronariano)
- Síndrome X
- Embolia coronariana
- Cardiomiopatia de Takotsubo

146 Guia Prático de Cardiologia

Principais causas de angina não aterosclerótica.
■ Dissecção espontânea da coronária
■ Arterite coronariana
■ Radioterapia
■ Estenose aórtica
■ Cardiomiopatia hipertrófica

• Anomalias congênitas das coronárias (ACC)

São anomalias referentes à origem ou ao trajeto das artérias coronárias.

Apesar de na maioria das vezes serem assintomáticas, as ACC constituem a segunda causa de morte súbita em jovens atletas aparentemente saudáveis.

Estima-se que sua incidência na população geral esteja entre 0,3% e 1,6 %.

Recomendações da American Heart Association (AHA):

A avaliação de sobreviventes de morte súbita ou arritmia ameaçadora de vida e de indivíduos com sintomas de doença coronária isquêmica ou disfunção ventricular esquerda deve incluir a determinação da origem e do trajeto das artérias coronárias.	I/B
A angiotomografia ou ressonância nuclear magnética do coração são úteis como exame inicial para o diagnóstico.	I/B
A revascularização cirúrgica deve ser realizada caso se verifique: Origem anômala da CE com trajeto entre a Ao e AP. Evidência de isquemia resultante de compressão (quando trajeto entre os grandes vasos ou intramural). Evidência de isquemia na origem anômala da CD com trajeto entre Ao e AP.	I/B
A cirurgia de revascularização miocárdica pode ser benéfica no caso de se documentar hipoplasia da parede vascular, compressão coronária ou obstrução do fluxo, apesar da inexistência de isquemia documentada.	IIa/C
A determinação de mecanismos de restrição de fluxo por ultrassonografia intravascular pode ser útil em pacientes com origem da coronária a partir do seio coronário oposto.	IIa/C
A cirurgia de revascularização miocárdica pode ser razoável em pacientes com trajeto da DA entre Ao e AP.	IIb/C

Ao: aorta; AP: artéria pulmonar; CD: coronária direita; CE: coronária esquerda; DA: descendente anterior.

• Angina variante de Prinzmetal

Refere-se à vasoconstrição intensa e súbita de uma artéria coronária epicárdica, que causa oclusão ou suboclusão do vaso.

Sua patogênese ainda é pouco compreendida.

É caracterizada por episódios recorrentes de dor torácica tipo anginosa, em repouso, associados a elevação transitória do segmento ST.

Características clínicas:

- Jovens sem fatores de risco cardiovascular habituais (exceto tabagismo).
- Pode haver associação com outros vasoespasmos (fenômeno de Raynaud, migrânea).
- Drogas (cocaína, maconha, álcool e anfetamina).
- Exercícios físicos e hiperventilação podem ser fatores precipitantes.
- Variação circadiana com aumento da prevalência das crises pela manhã.
- Não há intolerância ao esforço.

O diagnóstico é feito pelos sintomas clínicos associados à elevação do segmento ST, retornando à linha de base após a resolução dos sintomas. A cinecoronariografia fica reservada para casos duvidosos e com possíveis lesões ateroscleróticas associadas.

O tratamento deve ser precoce a fim de evitar complicações (infarto agudo do miocárdio, arritmias fatais e morte súbita).

Cessação do tabagismo e adesão medicamentosa são essenciais para o sucesso terapêutico.

Bloqueadores de canais de cálcio (nifedipina e diltiazem) constituem a classe farmacológica mais utilizada, sendo efetivos na prevenção de sintomas.

Nitratos de longa duração são úteis na prevenção de sintomas, devendo ser usados intermitentemente para evitar a taquifilaxia.

Estatinas estão indicadas em caso de disfunção endotelial.

A angioplastia com *stent* pode ser considerada caso haja lesão obstrutiva em pacientes refratários a terapia medicamentosa e com espasmos em segmentos claramente definidos. É contraindicado a pacientes com espasmos focais e doença obstrutiva mínima. Em geral, apresenta bom prognóstico.

• Síndrome X

Também chamada de angina microvascular, caracteriza-se por dor torácica associada à cinecoronariografia normal e ao teste ergométrico positivo.

Acomete principalmente mulheres na perimenopausa.

A angina não é responsiva a nitrato.

Tem forte associação com distúrbios psiquiátricos.

O diagnóstico é feito por exclusão. Sempre que possível deve-se realizar algum teste de isquemia. A ausência de obstrução coronariana é obrigatória.

O tratamento não farmacológico consiste em realizar exercício físico programado, a fim de aumentar a tolerância ao esforço.

Betabloqueadores diminuem a angina e aumentam a tolerância ao exercício, além de Inibidores da Enzima Conversora de Angiotensina (IECA) e estatinas, que melhoram a disfunção endotelial, a angina e a tolerância ao exercício.

O uso de imipramina reduz a frequência de angina.

A reposição hormonal não está indicada, pois aumenta o risco cardiovascular.

O prognóstico é favorável.

• Embolia coronariana

É um evento raro, em geral relacionado a:

- Fibrilação atrial ou flutter atrial.
- Valvopatias ou prótese valvar.
- Fragmentação de trombo mural atrial ou ventricular.
- Endocardite infecciosa.
- Mixoma atrial.

• Cardiomiopatia de Takotsubo

Caracteriza-se por disfunção transitória do ventrículo esquerdo associado a dor torácica, alterações eletrocardiográficas e liberação discreta de enzimas cardíacas, mimetizando um infarto agudo do miocárdio.

A ventriculografia esquerda mostra um balonamento apical com hipercinesia do segmento basal do ventrículo, lembrando halteres ou *takotsubo* (armadilha utilizada no Japão para pescar polvo).

Apesar de a etiologia ser desconhecida, a estimulação simpática exagerada tem sido proposta como fator central na fisiopatologia.

Precipitada por forte estresse físico ou emocional, é mais comum em mulheres com idades variando entre 60 e 75 anos.

O diagnóstico diferencial com IAM pode ser feito por ressonância nuclear magnética, que não mostra realce tardio.

O tratamento é essencialmente de suporte, com reversão espontânea e completa das alterações num intervalo de dias a semanas.

Contudo, a ocorrência de complicações e algumas comorbidades podem predizer um prognóstico menos benigno. O índice de recorrência é de 10%.

Diagnóstico de cardiomiopatia de Takotsubo (critérios da Mayo Clinic) Todos os quatro critérios devem estar presentes.
Hipocinesia, acinesia ou discinesia transitória do segmento médio do VE com ou sem envolvimento apical, em geral não limitado a um único território coronariano.
Ausência de obstrução coronariana ou rotura aguda de placa.
Alteração eletrocardiográfica não preexistente ou aumento moderado de troponina.
Ausência de miocardite ou feocromocitoma.

• Referências

1. Bugiardini R, Bairey Merz CN. Angina with "normal" coronary arteries: a changing philosophy. JAMA. 2005;293(4):477-84.
2. Libby P, Bonow RO, Mann DL, et al. Braunwald's heart disease: a textbook of cardiovascular medicine. 9th ed. Philadelphia: Saunder/Elsevier; 2011.
3. Mesquita CT, Nobrega AC. Adrenergic cardiomyopathy: can stress cause acute heart disease? Arq Bras Cardiol 2005;84(4):283-4.
4. Cesar LA, Ferreira JF, Armaganijan D, et al. Diretriz de Doença Coronária Estável. Arq Bras Cardiol 2014; 103 (2 Suppl 2): 1-59.

Hipertenção Arterial Sistêmica

Hipertensão Arterial Sistêmica

Deivide Ribeiro Silveira • Celso Amodeo

• Introdução

A Hipertensão Arterial Sistêmica (HAS) é uma condição clínica caracterizada pelos níveis elevados e sustentados da pressão arterial. Cerca de 90% dos casos a etiologia é multifatorial (hipertensão arterial essencial ou primária), enquanto 5% a 10% tem etiologia definida (hipertensão arterial secundária). É considerada um dos principais fatores de risco para doenças cardiovasculares e cerebrovasculares. Está associada frequentemente a alterações funcionais e/ou estruturais dos órgãos-alvo como coração, encéfalo, rins e vasos sanguíneos.

• Epidemiologia

No Brasil, a HAS é considerada um problema de saúde pública, acometendo grande número de pessoas e com baixas taxas de controle em torno de 19,6%. É um importante fator de risco modificável para Doença Cardiovascular (DCV). A mortalidade por doença cardiovascular aumenta progressivamente quando os níveis de pressão arterial aumentam a partir de 115/75 mmHg de forma linear, contínua e independente. No mundo, a mortalidade anual por HAS é de 9,4 milhões de pessoas, sendo responsável por 45% dos Infartos Agudos do Miocárdio (IAM), e 51% dos Acidentes Vasculares Cerebrais (AVCs). Números da Organização Mundial da Saúde (OMS) indicam que há cerca de 600 milhões de hipertensos no mundo. Segundo a Sociedade Brasileira de Hipertensão, a HAS atinge, em média, 25% da população brasileira, chegando a 75% nos indivíduos acima de 70 anos de idade. Estudos clínicos demonstraram que a detecção, o tratamento e o controle da HAS são fundamentais para a redução dos eventos cardiovasculares.

• Fatores de risco

Os principais fatores de risco relacionados à HAS estão descritos na Tabela 17.1.

Tabela 17.1	Fatores de risco para hipertensão arterial sistêmica.
Idade	Há uma relação direta e linear da pressão arterial com a idade, sendo a prevalência de HAS superior a 60% na faixa etária acima de 65 anos.
Gênero e etnia	A prevalência de HAS entre homens e mulheres é semelhante, sendo mais elevada nos homens até os 50 anos de idade, invertendo-se a partir da 5ª década. A HAS é duas vezes mais prevalente em indivíduos afrodescendentes.
Genética	A etiopatogenia da hipertensão é multifatorial e poligênica, resultante da interação de diferentes genes com fatores ambientais que atua em conjunto para o aumento da pressão arterial.
Sedentarismo	O sedentarismo tem relação direta e significativa com a HAS e com o aumento da incidência de DCV. Indivíduos sedentários apresentam risco aproximado 30% maior de desenvolver hipertensão que os ativos.
Excesso de peso e obesidade	O incremento de 2,4 kg/m² no índice de massa corporal eleva o risco de desenvolver hipertensão. A obesidade central está associada com aumento da pressão arterial.
Ingestão de sal	Em indivíduos geneticamente predispostos, a ingesta excessiva de sódio tem-se correlacionado com a elevação da pressão arterial.
Ingestão de álcool	A ingestão de álcool por períodos prolongados de tempo pode aumentar a pressão arterial e a mortalidade cardiovascular em geral.
Fatores socioeconômicos	O nível socioeconômico mais baixo está associado à ocorrência da HAS. No Brasil, a HAS é mais prevalente entre indivíduos com menor escolaridade.

Fonte: Adaptada de Sociedade Brasileira de Cardiologia, 2010.

• Diagnóstico

Pela VII Diretriz Brasileira de HAS, o diagnóstico de hipertensão arterial é dado pelos níveis elevados e sustentados da pressão arterial (PA sistólica $\geq$ 140 mmHg e/ou de PA diastólica $\geq$ 90 mmHg) em medidas realizadas em consultório. A cada consulta deverão ser realizadas pelo menos três medidas, com o intervalo de 1 minuto entre elas. A média das duas últimas deve ser considerada a pressão arterial real. Equipamentos adequados e bem calibrados devem ser utilizados para medição da pressão arterial.

Em crianças a HAS é definida quando os níveis são iguais ou maiores ao percentil 95 de distribuição da pressão arterial.

A medida da pressão arterial realizada no consultório é considerada "padrão-ouro" para o rastreio, diagnóstico e tratamento da hipertensão arterial. Ultimamente, medições da PA fora do ambiente do consultório por meio da MAPA (Medida Ambulatorial da PA) tem sido cada vez mais utilizada para auxílio no diagnóstico e controle da hipertensão arterial.

• Mapa - medida ambulatorial da pressão arterial

A MAPA é o método que registra de forma indireta e intermitente a pressão arterial durante 24 horas ou mais, enquanto o paciente realiza suas atividades habituais durante os períodos de vigília e sono. Com a MAPA é possível entender melhor o comportamento da pressão arterial ao longo das 24 horas e analisar a sua relação com as atividades habituais do paciente.

De modo geral, a pressão arterial diminui com o sono. Esse descenso é considerado normal quando está entre 10% e 20% dos valores pressóricos da vigília. Valores menores que 10% ou maiores que 20% se relacionam com maior risco cardiovascular.

Hipertensão Arterial Sistêmica **153**

Valores considerados anormais na MAPA são as médias da pressão arterial:

◗ De 24 horas > 130 × 80 mmHg
◗ Da Vigília > 135 × 85 mmHg
◗ Do Sono > 120/70 mmHg.

A seguir encontram-se as indicações para realização da MAPA conforme orientação da V Diretriz de Monitorização Ambulatorial da Pressão Arterial (MAPA) e III Diretriz de Monitorização Residencial da Pressão Arterial (MRPA):

◗ Suspeita de hipertensão do avental branco.
◗ Avaliação de normotensos no consultório com lesão de órgão-alvo.
◗ Avaliação da eficácia terapêutica anti-hipertensiva.
◗ Avaliação de sintomas, principalmente de hipotensão arterial.

• Classificação

A Tabela 17.2 traz a classificação da hipertensão arterial conforme a VII Diretriz Brasileira de HAS e o seguimento a ser adotado.

Tabela 17.2 Classificação da hipertensão arterial sistêmica.

Classificação	PAS (mmHg)	PAD (mmHg)
Normal	< 120	< 80
Pré Hipertensão	121-139	81-89
Hipertensão estágio 1	140-159	90-99
Hipertensão estágio 2	160-179	100-109
Hipertensão estágio 3	≥ 180	≥ 110
Hipertensão sistólica isolada	≥ 140	< 90

Fonte: Sociedade Brasileira de Cardiologia, 2016.

Se as pressões sistólica e diastólica estiverem em categorias diferentes, a maior deve ser utilizada para classificação da pressão arterial.

• Hipertensão do jaleco branco

A hipertensão do jaleco branco ocorre quando há valores anormais na medida da pressão arterial no consultório (≥ 140/90 mmHg) e valores normais de pressão arterial pela MAPA durante o período de vigília (≤ 135/85 mmHg) (Tabela 17.3). Nessa condição, ocorre mudança de diagnóstico de normotensão fora do consultório, para hipertensão no consultório. O efeito do avental branco refere-se à diferença entre a medida da pressão arterial no consultório e a média da MAPA na vigília, sem que haja mudança no diagnóstico de normotensão ou hipertensão. Considera-se efeito do avental branco quando essa diferença é superior a 20 para PAS e 10 mmHg para PAD. A prevalência do efeito do avental branco na população adulta varia entre 18% e 60%. Pode estar associado a componente familiar, ocorrendo mais em brancos, mulheres, idosos, pacientes com sobrepeso e obesos. As Lesões de Órgãos-Alvo (LOA) são menos prevalentes na hipertensão do avental branco.

• Hipertensão mascarada

A hipertensão mascarada ocorre quando há valores normais na medida da pressão arterial no consultório (< 140/90 mmHg) e valores anormais da pressão arterial pela MAPA durante o período de vigília (> 135/85 mmHg). Nessa situação, também ocorre mudança de diagnóstico de hipertensão fora do consultório para normotensão no consultório (Tabela 17.3).

A prevalência é, em média, de 13% na população geral. Deve ser pesquisada em indivíduos com pressão arterial normal ou limítrofe, nos hipertensos controlados, mas com sinais de LOA, histórico familiar positivo para HAS, risco cardiovascular alto, e medida casual fora do consultório anormal. Metanálises indicam que a incidência de eventos cardiovasculares é duas vezes maior do que em normotensos verdadeiros.

Tabela 17.3 Diagnóstico da hipertensão do avental branco e mascarada.

	Consultório	MAPA vigília
Hipertensão do avental branco	≥ 140/90	< 135/85
Hipertensão mascarada	< 140/90	> 135/85

Fonte: Adaptada de Sociedade Brasileira de Cardiologia, 2016.

• Hipertensão sistólica isolada

Hipertensão sistólica isolada é definida como comportamento anormal da pressão arterial sistólica com pressão arterial diastólica normal. A hipertensão sistólica isolada é fator de risco importante para doença cardiovascular em pacientes idosos acima de 60 anos de idade (Tabela 17.3).

• Avaliação clínica no paciente hipertenso

Segundo orientações da VII Diretriz Brasileira de HAS, a avaliação laboratorial básica é indicada para todos os pacientes hipertensos (Tabela 17.4). Os exames adicionais podem ser solicitados como avaliação complementar para melhorar a estratificação do risco cardiovascular e identificar LOAs clínicas ou subclínicas (Tabela 17.5). Deve ser utilizada na presença de elementos indicativos de doença cardiovascular e outras doenças associadas, em pacientes com dois ou mais fatores de risco, e naqueles acima de 40 anos de idade com diabetes.

Tabela 17.4 Avaliação laboratorial na HAS.

- Sumário de urina
- Potássio plasmático
- Creatinina plasmática e estimativa do ritmo de filtração glomerular
- Glicemia de jejum
- Colesterol total, HDL, triglicérides plasmáticos
- Ácido úrico plasmático
- Eletrocardiograma convencional

Fonte: Adaptada de Sociedade Brasileira de Cardiologia, 2016.

Hipertensão Arterial Sistêmica **155**

Tabela 17.5 Avaliação complementar da HAS.

Radiografia de tórax	Na presença de sinais de insuficiência cardíaca
Ecocardiograma	Hipertensos estágios 1 e 2, com dois ou mais fatores de risco Hipertensos com suspeita de insuficiência cardíaca
Microalbuminúria	Hipertensos diabéticos Hipertensos com síndrome metabólica Hipertensos com dois ou mais fatores de risco
Ultrassonografia de carótida	Na presença de sopro carotídeo, com sinais de doença cerebrovascular, ou com doença aterosclerótica em outros territórios
Teste ergométrico	Na suspeita de doença coronariana estável, diabetes ou antecedente familiar para doença coronariana em paciente com PA controlada
Hemoglobina glicada ou teste oral de tolerância à glicose	Em pacientes com glicemia de jejum alterada (100-125 mg/dL)

Fonte: Adaptada de Sociedade Brasileira de Cardiologia, 2016.

• Estratificação de risco

Para uma adequada estratificação de risco cardiovascular global (Tabela 17.6) é necessária aferição de valores de pressão arterial, pesquisar presença de fatores de risco adicionais (Tabela 17.7), de LOA (Tabela 17.8) e de doenças cardiovasculares associadas (Tabela 17.9).

Tabela 17.6 Estratificação de risco.

	PAS 130-139 ou PAD 85-89	HAS Estágio 1 PAS 140-159 ou PAD 90-99	HAS Estágio 2 PAS 160-179 ou PAD 100-109	HAS Estágio 3 PAS ≥ 180 ou PAD ≥ 110
Sem fator de risco	Sem risco adicional	Risco baixo	Risco moderado	Risco alto
1-2 fatores de risco	Risco baixo	Risco moderado	Risco alto	Risco alto
≥ 3 fatores de risco	Risco moderado	Risco alto	Risco alto	Risco alto
Presença de LOA, DCV, DRC ou DM	Risco alto	Risco alto	Risco alto	Risco alto

Fonte: Adaptada de Sociedade Brasileira de Cardiologia, 2016.

Tabela 17.7 Fatores de risco adicionais.

- Idade (homem > 55 e mulheres > 65 anos)
- Tabagismo
- Dislipidemias: triglicérides > 150 mg/dL
- LDL colesterol > 100 mg/dL; HDL < 40 mg/dL
- Diabetes mellitus
- História familiar prematura de doença cardiovascular (homens < 55 anos e mulheres < 65 anos)

Fonte: Adaptada de Sociedade Brasileira de Cardiologia, 2016.

Tabela 17.8 Lesões subclínicas de órgãos alvos.

Eletrocardiograma com sinais de hipertrofia ventricular esquerda

Ecocardiograma com sinais de hipertrofia ventricular esquerda

Espessura médio-intimal de carótida > 0,9 mm ou presença de placa de ateroma

Índice tornozelo braquial < 0,9

Depuração de creatinina estimada < 60 mL/min/1,72 m^2

Baixo ritmo de filtração glomerular ou *clearance* de creatinina (< 60 mL/min)

Microalbuminúria 30 - 300 mg/24h ou relação albumina/creatinina > 30 mg/g

Velocidade de onda de pulso > 12 m/s

Fonte: Adaptada de Sociedade Brasileira de Cardiologia, 2016.

Tabela 17.9 Condições clínicas associadas.

Doença cerebrovascular (acidente vascular isquêmico ou hemorrágico, alteração da função cognitiva)

Doença cardíaca (IAM, angina, revascularização coronária, insuficiência cardíaca)

Doença renal: nefropatia diabética, déficit importante de função renal (*clearance* < 60 mL/min)

Retinopatia avançada: hemorragias ou exsudatos, papiledema

Doença arterial periférica

Fonte: Adaptada de Sociedade Brasileira de Cardiologia, 2016.

• Hipertensão arterial secundária

A hipertensão arterial secundária é uma forma de HAS, em que existe uma causa identificável passível ou não de tratamento. A prevalência de hipertensão secundária na população adulta em geral é de aproximadamente 5% a 10%. As principais causas de hipertensão arterial secundária são:

▶ Doença parenquimatosa renal.

▶ Apneia obstrutiva do sono.

Hipertensão Arterial Sistêmica **157**

- Doença renovascular.
- Hiperaldosteronismo primário.
- Feocromocitoma.
- Hipo/hipertireoidismo.
- Hiperparatireoidismo.
- Acromegalia.
- Coarctação da aorta.
- Síndrome de Cushing.

A abordagem clínica da hipertensão secundária consiste na identificação dos sinais clínicos, que dão indícios de causas secundárias de hipertensão arterial, e, após suspeitas clínicas, prosseguir com investigação por meio de exames complementares direcionados para cada causa. O tratamento da hipertensão arterial secundária vai depender do fator causal identificado.

Na Tabela 17.10 encontram-se os principais achados clínicos que sugerem hipertensão arterial secundária, além dos exames para os respectivos diagnósticos conforme a VI Diretriz Brasileira de HAS.

Tabela 17.10 Condições clínicas associadas.

Sinais clínicos	Hipótese diagnóstica	Exames complementares
Ronco, sonolência diurna, síndrome metabólica	Apneia obstrutiva do sono	Polissonografia
Hipertensão resistente ao tratamento e/ou com hipocalemia e/ou com nódulo adrenal	Hiperaldosteronismo primário	Relação aldosterona/atividade de renina plasmática com níveis de aldosterona altos
Insuficiência renal, doença cardiovascular aterosclerótica, edema, ureia elevada, creatinina elevada, proteinúria/hematúria	Doença renal parenquimatosa	Taxa de filtração glomerular, ultrassonografia renal, pesquisa de microalbuminúria ou proteinúria
Sopro sistólico/diastólico abdominal, edema pulmonar súbito, alteração de função renal por medicamentos que bloqueiam o sistema renina-angiotensina	Doença renovascular	Angiografia por ressonância magnética ou tomografia computadorizada, ultrassonografia com Doppler, arteriografia renal
Pulsos em femorais reduzidos ou retardados, raios X de tórax anormal	Coarctação da aorta	Doppler ou tomografia computadorizada de aorta
Ganho de peso, fadiga, fraqueza, hirsutismo, amenorreia, face em "lua cheia", "corcova" dorsal, estrias purpúricas, obesidade central, hipopotassemia	Síndrome de Cushing	Dosagens de cortisol urinário de 24h e cortisol matinal (8h) basal e 8h após administração de 1 mg de dexametasona às 24h
Hipertensão paroxística com cefaleia, sudorese e palpitações	Feocromocitoma	Dosagens de catecolaminas e seus metabólitos em sangue e urina
Intolerância ao calor, perda de peso, palpitações, Hipertensão sistólica, exoftalmia, tremores, taquicardia.	Hipertireoidismo	Dosagens de T4 livre e TSH

(Continua)

158 Guia Prático de Cardiologia

(*Continuação*)

Tabela 17.10 Condições clínicas associadas.

Sinais clínicos	Hipótese diagnóstica	Exames complementares
Fadiga, ganho de peso, perda de cabelo, hipertensão diastólica, fraqueza muscular	Hipotireoidismo	Dosagens de T4 livre e TSH
Litíase urinária, osteoporose, depressão, letargia, fraqueza muscular	Hiperparatireoidismo	Dosagens de cálcio sérico e PTH
Cefaleias, fadiga, problemas visuais, aumento de mãos, pés e língua	Acromegalia	Dosagens IGF-1 e de hormônio do crescimento basal e durante teste de tolerância oral à glicose

Fonte: Adaptada de Sociedade Brasileira de Cardiologia, 2016.

• Referências

1. Toledo JCY, Martin JFV. Novos fatores de risco cardiovascular. Rev Bras Hipertens 2014; 21(1): 3-12.
2. Burgos PFM, Costa W, Bombig MTN, Bianco HT. A obesidade como fator de risco para a hipertensão. Rev Bras Hipertens 2014; 21(2): 68-74.
3. Bombig MTN, Francisco YA, Machado CA. A importância do sal na origem da hipertensão. Rev Bras Hipertens 2014; 21(2): 63-7.
4. Aziz JL. Sedentarismo e hipertensão arterial. Rev Bras Hipertens 2014; 21(2): 75-82.
5. Souza DS. M. Álcool e hipertensão. Rev Bras Hipertens 2014; 21(2):83-6.
6. Lopes HF. Genética e hipertensão arterial. Rev Bras Hipertens 2014; 21(2): 87-91.
7. Martinez LRC, Murad N. Hipertensão, diabetes e dislipidemia: mecanismos envolvidos. Rev Bras Hipertens 2014; 21(2): 92-7.
8. Sociedade Brasileira de Cardiologia. VI Diretrizes Brasileiras de Hipertensão Arterial. Arq Bras Cardiol 2010;95(1 Suppl):1-51.
9. Malachias MVB, Souza WKSB, Plavnik FL, Rodrigues CIS, Brandão AA, Neves MFT, et al. 7ª Diretriz Brasileira de Hipertensão Arterial. Arq Bras Cardiol 2016; 107(3Supl.3):1-83

Tratamento da Hipertensão Arterial

Deivide Ribeiro Silveira • Celso Amodeo

• Introdução

O tratamento da HAS, descrito neste capítulo, segue as orientações da VII Diretriz Brasileira de HAS e compreende a terapêutica não medicamentosa e medicamentosa. A decisão de tratamento, descrita na Tabela 18.1, toma como base a estratificação pelo risco cardiovascular e suas metas a serem seguidas (Tabela 18.2).

Tabela 18.1 Decisão terapêutica.

Categoria de risco	Considerar
Sem risco adicional	Tratamento não medicamentoso isolado
Risco adicional baixo	Tratamento não medicamentoso isolado por até 6 meses. Se não atingir a meta, associar tratamento medicamentoso
Risco adicional médio, alto e muito alto	Tratamento não medicamentoso + medicamentoso

Tabela 18.2 Metas de pressão arterial.

Categoria	Considerar
Hipertensos estágios 1 e 2, com risco CV baixo e moderado e HA estágio 3	< 140/90 mmHg
Hipertensos estágios 1 e 2 com risco CV alto	130/80 mmHg

Fonte: Adaptada de Sociedade Brasileira de Cardiologia, 2016.

• Tratamento não medicamentoso

As mudanças do estilo de vida fazem parte da terapêutica não medicamentosa, a qual é importante tanto para prevenção quanto para o tratamento da HAS (Tabela 18.3).

Tabela 18.3 Tratamento não medicamentoso.

Mudança do estilo de vida	Considerações
Controle de peso	Manter o peso corporal na faixa normal (IMC entre 18,5 a 24,9 kg/m).
Dieta	Adotar dieta DASH O (*Dietary Approaches to Stop Hypertension*), rica em frutas, hortaliças, fibras, minerais e laticínios com baixos teores de gordura.
Redução do consumo de sal	Reduzir a ingestão de sódio para não mais que 2 g (5 g de sal/dia) que corresponde a, no máximo, 3 colheres de café rasas de sal.
Moderação no consumo de álcool	Limitar o consumo a 30 g/dia de etanol para os homens e 15 g/dia para mulheres.
Exercício físico	Praticar regularmente atividade física aeróbica, como caminhada por, pelo menos, 30 min/dia, 3×/semana, para prevenção, e diariamente para tratamento.
Cessação do tabagismo	A cessação do tabagismo constitui medida fundamental e prioritária na prevenção primária e secundária das doenças cardiovasculares.
Controle do estresse psicossocial	O controle do estresse emocional tem se mostrado efetivo em reduzir discretamente a pressão arterial em hipertensos. O estresse participa no desencadeamento e manutenção da HAS.

Fonte: Adaptada de Sociedade Brasileira de Cardiologia, 2016.

• Tratamento medicamentoso

O tratamento da HAS tem como objetivo reduzir a morbidade e mortalidade cardiovascular. Assim, os anti-hipertensivos devem não só reduzir a pressão arterial, mas também os eventos cardiovasculares fatais e não fatais. A terapia medicamentosa deve obedecer a alguns princípios, tais como: tolerabilidade, boa eficácia, permitir administração do menor número possível de tomadas, de preferência dose única diária, e considerar as condições socioeconômicas dos pacientes.

Inicialmente devem ser prescritos em monoterapia, especialmente para pacientes com hipertensão arterial em estágio 1, que não responderam às medidas não medicamentosas. Entretanto, a monoterapia inicial é eficaz em apenas 40% a 50% dos casos. Muitos pacientes necessitam da associação de anti-hipertensivos de classes diferentes. Em hipertensos no estágio 2, pode-se considerar o uso de associações de fármacos anti-hipertensivos como terapia inicial. As principais classes de anti-hipertensivos utilizadas no tratamento da HAS são:

- ❯ Diuréticos.
- ❯ Inibidores centrais alfa-2 adrenérgicos.
- ❯ Bloqueadores beta-adrenérgicos.
- ❯ Bloqueadores alfa-1 adrenérgicos.
- ❯ Vasodilatadores diretos.
- ❯ Bloqueadores dos canais de cálcio.
- ❯ Inibidores da enzima conversora da angiotensina.
- ❯ Bloqueadores do receptor AT1 da angiotensina II.

Na Tabela 18.4 são descritos os principais anti-hipertensivos com suas respectivas classes e doses usuais recomendadas.

Tabela 18.4 Principais medicações utilizadas no tratamento da HAS.

Medicações	Dose inicial (mg)	Dose máx. (mg)	Nº de doses
Diuréticos tiazídicos			
Clortalidona	12,5	25	1
Hidroclorotiazida	12,5	25	1
Indapamida	2,5	5	1
Diuréticos de alça			
Bumetamida	0,5		1-2
Furosemida	20		1-2
Diuréticos poupadores de potássio			
Amilorida	2,5	10	1
Espironolactona	25	100	1-2
Triantereno	50	100	1
Betabloqueadores			
Atenolol	25	100	1-2
Bisoprolol	2,5	10	1-2
Carvedilol	12,5	50	1-2
Metoprolol	50	200	1-2
Nebivolol	5	10	1
Propranolol	40	240	2-3
Inibidores da ECA			
Captopril	25	150	2-3
Enalapril	5	40	1-2
Ramipril	2,5	10	1
Bloqueadores dos receptores de angiotensina II			
Candesartana	8	32	1
Losartana	25	100	2
Olmesartana	20	40	1
Telmisartana	40	160	1
Valsartana	80	320	1

(*Continua*)

162 Guia Prático de Cardiologia

(*Continuação*)

Tabela 18.4 Principais medicações utilizadas no tratamento da HAS.

Medicações	Dose inicial (mg)	Dose máx. (mg)	Nº de doses
Bloqueadores dos canais de Ca			
Verapamil Retard	120	480	1-2
Diltiazem	180	480	1-2
Anlodipino	2,5	10	1
Nifedipino Retard	20	60	2-3
Nitrendipino	10	40	2-3
Felodipino	5	20	1-2
Bloqueadores alfa-1 adrenérgicos			
Doxazosina	1	16	1
Prazosina	1	20	2-3
Vasodilatadores diretos			
Hidralazina	50	150	2-3
Minoxidil	2,5	80	2-3
Inibidores centrais alfa-2 adrenérgicos			
Alfametildopa	500	1.500	2-3
Clonidina	0,2	0,6	2-3

Fonte: Adaptada de Sociedade Brasileira de Cardiologia, 2010.

As principais associações As principais associações de anti-hipertensivos com eficácia comprovada em reduzir a pressão arterial estão descritas na Tabela 18.5.

Tabela 18.5 Principais associações de anti-hipertensivos.

- Diuréticos com outros diuréticos de diferentes mecanismos de ação
- Diuréticos com agonistas de ação central
- Diuréticos com betabloqueadores
- Diuréticos com IECA
- Diuréticos com BRA
- Diuréticos com BCC
- BCC com betabloqueadores
- Bloqueadores dos canais de cálcio com IECA
- BCC com BRA

Fonte: Adaptada de Sociedade Brasileira de Cardiologia, 2016.

Na Figura 18.1, encontra-se o fluxograma que pode ser adotado na tomada de conduta, de acordo com as orientações.

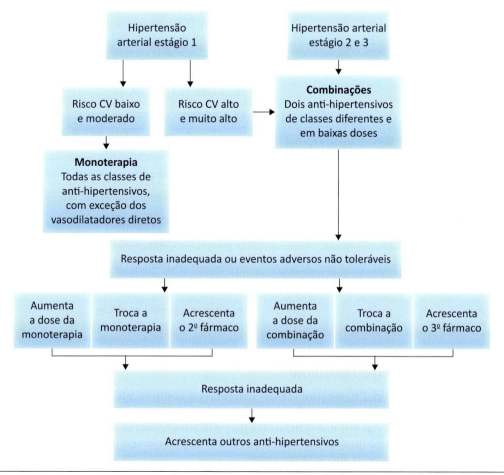

Figura 18.1 Fluxograma de tratamento da hipertensão arterial.
Fonte: Adaptada de Nobre *et al.*, 2013.

A escolha da melhor monoterapia ou tratamento combinado dependerá da presença de algumas situações clínicas. A seguir, na Tabela 18.6, estão os principais exemplos presentes na prática clínica e a melhor associação de classes a serem escolhidas.

Guia Prático de Cardiologia

Tabela 18.6 Fármacos indicados de acordo com situação clínica.

Situações clínicas	Medicamentos
HVE e aterosclerose assintomática	Inibidor da ECA, antagonista do cálcio, BRA
Microalbuminúria e disfunção renal	Inibidor da ECA, BRA
AVC prévio	Qualquer medicação que reduza efetivamente a PA
IAM prévio	BB, inibidor da ECA, BRA
Angina	BB, antagonista do cálcio
Insuficiência cardíaca	Diurético, BB, inibidor da ECA, BRA, antagonista de receptores mineralocorticoides
Fibrilação atrial	BB, antagonista do cálcio não hidropiridínico
Doença arterial periférica	Inibidor da ECA, antagonista do cálcio
Hipertensão arterial sistólica isolada (idosos)	Diurético, antagonista do cálcio
Síndrome metabólica	Inibidor da ECA, BRA, antagonista do cálcio
Diabetes *mellitus*	Inibidor da ECA, BRA
Gravidez	Metildopa, BB, antagonista do cálcio
Negros	Diurético, antagonista do cálcio

Fonte: Adaptada de Sociedade Brasileira de Cardiologia, 2010.

• Hipertensão arterial resistente

A Hipertensão Arterial Resistente (HAR) é definida quando os níveis de pressão arterial permanecem elevados por mais de três meses, apesar do uso de três fármacos anti-hipertensivos com ações sinérgicas em doses máximas preconizadas e toleradas, sendo um deles de preferência um diurético ou quando o paciente está com pressão arterial controlada em uso de quatro ou mais fármacos anti-hipertensivos.

A HAR verdadeira deve ser diferenciada da pseudorresistência, a qual está relacionada à má adesão terapêutica, tratamento inapropriado ou a presença do efeito do avental branco o qual está presente em 30% dos pacientes com HAR. A utilização da MAPA é obrigatória para o diagnóstico diferencial com pseudorresistência.

Estima-se que a HAR atinja 12% a 15% dos hipertensos. Alguns fatores estão relacionados à presença da HAR, que incluem: maior consumo de sal, hipervolemia, uso de substâncias exógenas (álcool, cocaína, quimioterápicos, antidepressivos), apneia obstrutiva do sono, progressão do dano renal e causas secundárias. Pacientes com HAR, em geral, são de idade mais avançada, afrodescendentes, obesos, apresentam hipertrofia ventricular esquerda, *diabetes mellitus*, nefropatia crônica, síndrome metabólica, aumento da ingestão de sal e menor atividade física.

Em termos de prognósticos, a HAR está associada a alto risco cardiovascular devido à exposição prolongada a níveis pressóricos elevados, aumentando, assim, a prevalência de LOA nesse grupo de pacientes. Por isso, durante a abordagem clínica, deve-se fazer uma investigação especial em busca de sinais de LOA e de hipertensão secundária de difícil controle.

Nas figuras a seguir encontram-se as orientações para o diagnóstico (Figura 18.2) e tratamento da HAR (Figura 18.3) conforme o primeiro posicionamento brasileiro sobre Hipertensão Arterial Resistente em 2012.

Tratamento da Hipertensão Arterial 165

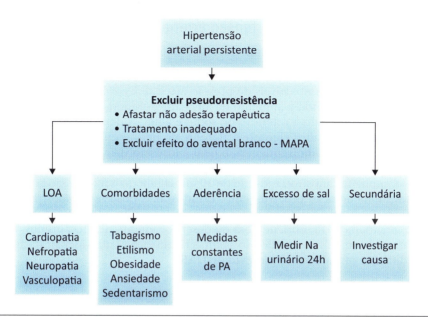

Figura 18.2 Fluxograma para diagnóstico de hipertensão arterial secundária.
Fonte: Adaptada de Nobre *et al.*, 2013.

Figura 18.3 Fluxograma de tratamento da HAR.
Fonte: Adaptada de Nobre *et al.*, 2013.

• Novos tratamentos para hipertensão arterial resistente

Denervação simpática da artéria renal

Na HAR a ativação do sistema nervoso simpático renal tem papel importante no desenvolvimento e na progressão nos níveis de pressão arterial. Esse mecanismo acontece tanto por estímulo aferente, levando a aumento da atividade adrenérgica central, quanto por estímulo eferente, aumentando a retenção de sódio e água. A denervação renal consiste no bloqueio da atividade simpática eferente e aferente do nervo renal por meio de um cateter conectado ao gerador de radiofrequência, o qual é inserido via artérias renais aplicando-se energias de baixa potência bloqueando essas vias.

O estudo Symplicity-2 mostrou redução de 10 mmHg ou mais na pressão arterial em 84% dos pacientes submetidos ao procedimento. Estudos mais posteriores mostraram que essa redução da pressão arterial foi mantida em 12 meses de seguimento, mostrando que não há reinervação, recuperação da fibra nervosa ou desenvolvimento de mecanismos de elevação de pressão arterial compensatório. Sendo assim, a denervação endovascular da artéria renal é um procedimento promissor no contexto de HAR.

Estimulação dos barorreceptores

O papel da ativação do sistema nervoso simpático no desenvolvimento e na progressão da HAS vem sendo sugerido. Na HAR ocorre aumento significativo da atividade simpática, indicando sua importante participação nesse contexto. Um dos mecanismos que atua para manter a pressão arterial dentro de limites da normalidade é o controle reflexo mediado pelos barorreceptores, que é ativado pela distensão e ativação receptoras localizadas na croça da aorta e nos corpos carotídeos. Com o aumento dos disparos dos barorreceptores há uma redução da atividade simpática para o coração e para os vasos, fazendo com que a pressão arterial retorne aos níveis normais. Atualmente a estimulação dos barorreceptores ocorre através de dispositivos que envolvem ambas as carótidas, e que são acoplados a um gerador implantado no subcutâneo, o qual emite estímulos de radiofrequência de forma programada, levando à redução da pressão arterial e da frequência cardíaca de forma sustentada. Em indivíduos com HAR, a estimulação elétrica dos barorreceptores vem sendo alternativa terapêutica no controle da pressão arterial, apesar de haver a necessidade de estudos adicionais para o estabelecimento desse dispositivo na prática clínica.

• Referências

1. Mancia G, Fagard R, Narkiewicz K, et al. European Society of Hypertension (ESH) and of the European Society of Cardiology (ESC).Guidelines for the management of arterial hypertension. Eur Heart J 2013; 34(28): 2159-219.
2. Nobre F, Coelho EB, Lopes PC, Geleilete TJM. Hipertensão arterial sistêmica primária. Medicina (Ribeirão Preto) 2013; 46(3): 256-72.
3. Alessi A, Brandão AA, Coca A, et al. I posicionamento brasileiro sobre HA resistente. Arq Bras Cardiol 2012; 99(1): 576-585.
4. Bortolotto LA, Malachias MVB. Atualização no diagnóstico e tratamento das principais causas de hipertensão secundária. Rev Bras Hipertens 2011;18(2): 46-66.
5. Sociedade Brasileira de Cardiologia. VI Diretrizes Brasileiras de Hipertensão Arterial. Arq Bras Cardiol 2010; 95(4):1-51.
6. Malachias MVB, Souza WKSB, Plavnik FL, Rodrigues CIS, Brandão AA, Neves MFT, et al. 7ª Diretriz Brasileira de Hipertensão Arterial. Arq Bras Cardiol 2016; 107(3Supl.3):1-83

Emergências Hipertensivas

Deivide Ribeiro Silveira • Celso Amodeo

• Crise hipertensiva

Crise hipertensiva é uma situação clínica em que há aumento acentuado da PA associada a sintomas. A crise hipertensiva é dividida em urgência hipertensiva e emergência hipertensiva, a depender, respectivamente, da ausência ou da presença de lesões em órgãos-alvo em evolução.

• Urgência hipertensiva

É definida como uma importante elevação da pressão arterial a níveis superiores a 180/120 mmHg, porém sem evidências de lesão em órgão-alvo em evolução e, por isso, os níveis pressóricos devem ser reduzidos no pronto atendimento em 24 a 48 horas com fármacos de uso oral, sem necessidade de internação hospitalar. Não há nenhum benefício de uma abrupta redução da pressão arterial nesses pacientes e, além disso, uma queda rápida da pressão arterial pode trazer mais prejuízo do que benefício.

Sabe-se que pacientes que cursam com urgência hipertensiva estão sujeitos a eventos cardiovasculares futuros, sendo importante enfatizar o controle e uso correto das medicações.

• Emergência hipertensiva

É definida como uma situação clínica caracterizada por uma elevação pressórica acentuada, geralmente acima de 180/120 mmHg, com dano de órgãos-alvo e trazendo risco à vida do paciente. Os principais sintomas são aqueles relacionados aos órgãos-alvo acometidos, como distúrbios visuais, cefaleia, sinais clínicos de insuficiência cardíaca, déficit motor. Após o diagnóstico de emergência hipertensiva deve-se reduzir a pressão arterial média entre 20% e 25% na 1ª hora. Ao atingir a pressão arterial diastólica entre 100 e 110 mmHg, manter esses níveis entre a 2ª e a 6ª hora.

168 Guia Prático de Cardiologia

Encefalopatia hipertensiva

É uma emergência neurológica mais difícil de diagnosticar, e frequentemente é um diagnóstico de exclusão. Surge da perda da autorregulação do fluxo sanguíneo no território do sistema nervoso central. O quadro se instala num período de dias. A tríade de sintomas são: HAS severa, alterações do nível de consciência e, frequentemente, papiledema.

Dissecção aguda de aorta

É uma síndrome clínica causada pelo súbito desenvolvimento de fenda na camada íntima da parede da aorta, formando um falso trajeto que destrói a camada média e desloca a íntima da adventícia ao longo da aorta. Está associada a alta mortalidade, exige rápido controle da pressão arterial e, muitas das vezes, requer tratamento cirúrgico.

É classificada em Stanford tipo A (acomete aorta ascendente); tipo B (não acomete aorta ascendente). Os exames complementares mais utilizados para o diagnóstico de dissecção de aorta são: Ecocardiograma bidimensional transesofágico, Angiotomografia computadorizada de tórax e/ou abdome, Angiografia por ressonância nuclear magnética e Aortografia invasiva. O tratamento é reduzir a pressão arterial e a frequência cardíaca.

Edema agudo de pulmão

É uma condição clínica que surge do extravasamento de líquido dos capilares pulmonares para o interstício pulmonar e espaços aéreos alveolares, secundário à elevação da pressão hidrostática nos capilares pulmonares (edema pulmonar de origem cardiogênica) ou da permeabilidade capilar pulmonar anormal (edema pulmonar não cardiogênico).

O edema agudo de pulmão associado à hipertensão arterial surge pelo aumento súbito da PA, que piora a disfunção diastólica presente na cardiopatia hipertensiva, leva a um aumento da pressão de enchimento ventricular e do tônus simpático (ativação neuro-humoral), provocando assim a redistribuição dos fluidos da circulação sistêmica para a pulmonar, piorando a *performance* cardíaca. A estenose da artéria renal, frequentemente bilateral, tem sido descrita como possível mecanismo capaz de promover episódios recidivantes de edema agudo de pulmão hipertensivo (edema agudo de pulmão do tipo *flash*). O tratamento inclui a redução do volume circulante com diurético de alça por via intravenosa, associado a fármacos vasodilatadores venosos e arteriais (predominantemente venosos), e suporte respiratório com VNI.

Acidente vascular encefálico

O AVE pode ser do tipo isquêmico e hemorrágico. O AVE isquêmico corresponde a 85% dos casos, e é caracterizado pela interrupção do fluxo sanguíneo em uma área encefálica, que pode estar relacionada a embolia, aterosclerose e arterite de pequenos vasos. Uma redução total do fluxo sanguíneo cerebral causa morte do tecido cerebral em 4 a 10 minutos. Ao redor desse tecido infartado forma-se uma área de isquemia conhecida como "penumbra isquêmica", a qual apresenta viabilidade de função se a PA permanecer elevada a níveis aceitáveis. Assim, no AVE isquêmico a pressão arterial não deve ser reduzida, exceto se os níveis forem extremamente altos

(PAS > 220 mmHg ou PAD > 120 mmHg). Nesses casos, a redução não deve exceder 15% nas primeiras 24 horas. Caso haja indicação de trombólise, o uso de anti-hipertensivos deve ser iniciado se a PA for maior ou igual a 185 × 110 mmHg.

O AVE hemorrágico corresponde a 10% e 15% de todos os AVCs. Surge a partir da ruptura por enfraquecimento da camada média das pequenas artérias que sofreram o processo de lipo-hialinose, formando um hematoma intraparenquimatoso. Para controle pressórico dos pacientes portadores de AVE hemorrágico recomenda-se PAS < 180 mmHg e PAD < 105 mmHg.

Emergências Hipertensivas **169**

Síndrome coronariana aguda (SCA)

A SCA é frequentemente acompanhada da elevação dos níveis pressóricos devido à maior liberação de catecolaminas e ativação do sistema renina-angiotensina. Os betabloqueadores são a classe de medicamentos de eleição nesses casos, pois diminuem o consumo miocárdico de oxigênio pela redução da frequência cardíaca e da pressão sistólica. A nitroglicerina é o agente anti-hipertensivo também de eleição, e o seu uso deve ser limitado às primeiras 24 a 48 horas pelo risco de taquifilaxia.

Pré-eclâmpsia e eclâmpsia

A pré-eclâmpsia é caracterizada pela pressão arterial elevada ($\geq$ 140/90 mmHg) e proteinúria > 300 mg/24 horas, após a 20ª semana de gestação. A eclâmpsia pode ocorrer durante o parto e perdurar até duas semanas depois, sendo o tratamento curativo a interrupção da gestação. Quando os níveis de pressão sistólica e diastólica atingem valores $\geq$ 170 e 110 mmHg, respectivamente, configura uma emergência hipertensiva com necessidade de internação hospitalar. A hidralazina por via intramuscular ou endovenosa é a medicação de escolha.

Na Tabela 19.1, são descritas as principais medicações utilizadas nas emergências hipertensivas.

Tabela 19.1 Medicações utilizadas nas emergências hipertensivas.

Medicações	Dose	Início	Duração	Indicações
Nitroprussiato de sódio	0,25-10 µg/kg/min	Imediato	1-2 min	Maioria das emergências hipertensivas
Nitroglicerina	Início: 5 µg/min Aumentos de 5 µg/min a cada 3-5 min	2-5 min	3-5 min	Insuficiência coronariana; insuficiência ventricular esquerda
Metoprolol	5 mg/EV (repetir 10/10 min, até o máx. de 20 mg)	5-10 min	3-4h	Insuficiência coronariana; dissecção aguda de aorta; feocromocitoma
Furosemida	20-60 mg (repetir após 30 min)	2-5 min	30-60 min	Insuficiência ventricular esquerda; hipervolemia

Fonte: Adaptada de Sociedade Brasileira de Cardiologia, 2010.

• Referências

1. Mancia G, Fagard R, Narkiewicz K, et al. 2013 ESH/ESC guidelines for the management of arterial hypertension: the Task Force for the Management of Arterial Hypertension of the European Society of Hypertension (ESH) and of the European Society of Cardiology (ESC). Eur Heart J 2013;34(28):2159-219.
2. Ayoub JCA. Urgência hipertensiva no pronto atendimento: como eu trato. Rev Bras Hipertens 2012; 19(1): 26-7.
3. Chaves H. Abordagem das emergências hipertensivas. Rev Bras Hipertens 2012; 19(1): 21-5.
4. Sociedade Brasileira de Cardiologia. VI Diretrizes Brasileiras de Hipertensão Arterial. Arq Bras Cardiol 2010; 95(1 Suppl):1-51.

Insuficiência Cardíaca

Perfil Clínico.
Insuficiência Cardíaca

• Introdução

A Insuficiência Cardíaca (IC) é uma disfunção orgânica que acarreta inadequado fornecimento sanguíneo para a realização das necessidades do organismo.

Segundo os dados fornecidos pelo Datasus, as doenças cardiovasculares são a terceira causa de internações, sendo a IC a principal delas (responsável por 2,6% de internações e 6% dos óbitos). Com o crescimento da população idosa no Brasil, associado à melhoria no tratamento dos pacientes, podemos constatar um aumento gradual na incidência com diminuição no número de internações por IC.

Etiologia

A IC pode ser ocasionada por diversas etiologias, sendo as principais listadas na Tabela 20.1).

Tabela 20.1 Fatores etiológicos da IC.

Etiologia	Considerações
Hipertensão arterial	Mais comumente associado à hipertrofia ventricular e à IC FE preservada
Isquemia miocárdica	Avaliar fatores de risco, disfunções segmentares ou quadros anginosos
Doença de Chagas	Epidemiologia favorável, ECG: BRD/BDAS, sorologias
Cardiomiopatias	Hipertrófica, dilatada, restritiva, displasia arritmogênica do VD, miocardiopatia puerperal, infiltrativa (sarcoidose, amiloidose e hemocromatose), taquicardiomiopatias
Drogas/toxinas	Álcool, cocaína, microelementos, bloqueadores do canal de cálcio, agente citotóxicos (por exemplo os quimioterápicos)

(Continua)

(Continuação)

Tabela 20.1 Fatores etiológicos da IC.

Etiologia	Considerações
Endocrinopatias	Diabetes, hipertireoidismo, hipotireoidismo, síndrome de Cushing, insuficiência adrenal, feocromocitoma, hipersecreção do hormônio do crescimento
Nutricional	Deficiência de carnitina, de tiamina, de selênio Obesidade, caquexia
Outras	Fístula arteriovenosa, miocardiopatia do HIV, doença renal crônica, anemia, beribéri, doença de Paget

• Classificação

As classificações da IC baseiam-se essencialmente em variáveis clínicas, sendo complementadas por exames subsidiários. Esses dados orientam o planejamento terapêutico e estabelecem prognóstico.

A seguir estão listadas as formas de classificação da IC, lembrando que essa avaliação deve ser global, levando em conta todos os fatores simultaneamente.

- Duração.
- Aguda (< 6 meses) e crônica (> 6 m).
- Débito cardíaco.
- Alto ou baixo.
- Fase do ciclo cardíaco.
- Sistólica (fração de ejeção reduzida).
- Diastólica (fração de ejeção preservada).
- Câmara cardíaca acometida.
- Ventrículo esquerdo ou direito.

A classificação clínica proposta pela New York Heart Association (NYHA) utiliza como variável a presença e intensidade da dispneia (Tabela 20.2). É de fácil aplicação e possui valor prognóstico.

Tabela 20.2 Classificação de doenças cardíacas, segundo a NYHA.

Classe	Característica	Mortalidade
I	Ausência de sintomas nas atividades habituais	5%
II	Presença de sintomas leves nas atividades habituais	10%
III	Presença de sintomas aos pequenos esforços	30%
IV	Presença de sintomas no repouso	50%-60%

A Tabela 20.3 mostra outro exemplo de classificação baseada em aspectos fisiopatológicos e evolução da doença, considerando a correlação de fatores preventivos, prognósticos e terapêuticos.

Tabela 20.3 Classificação segundo a fase evolutiva da doença.

Estágios	Características	Observações
A	Alto risco de desenvolver IC Ausência de sintomas e alterações estruturais	Avaliar fatores de risco para desenvolver IC: coronariopatia; HAS; uso de drogas cardiotóxicas
B	Paciente com lesão estrutural cardíaca, mas sem manifestações de sintomas	Valvopatias; fibrose; hipertrofia ventricular esquerda; dilatação ventricular esquerda
C	Pacientes com lesões estruturais e sintomas pregressos ou atuais de IC	Pacientes com dispneia ou fadiga por disfunção do ventrículo esquerdo ou paciente com tratamento otimizado para IC
D	Pacientes com sintomas refratários ao tratamento clínico otimizado que requerem intervenções especializadas	Avaliar: transplante, tratamento domiciliar ou em unidade especializada com terapia IV

Já a Tabela 20.4 correlaciona a classificação do perfil hemodinâmico de pacientes com IC descompensada com a mortalidade, fornecendo informações que auxiliam na abordagem terapêutica.

Tabela 20.4 Classificação segundo o perfil hemodinâmico.

Perfil hemodinâmico	Característica	Mortalidade
A	Boa perfusão periférica e sem congestão pulmonar (quente e seco)	39%
B	Boa perfusão periférica e com congestão pulmonar (quente e úmido)	52%
L	Má perfusão periférica e congestão pulmonar ausente (frio e seco)	56%
C	Má perfusão periférica e com congestão pulmonar	66%

Diagnóstico

O diagnóstico pode ser realizado através do quadro clínico do paciente. A seguir encontram-se os sinais e sintomas mais comuns em pacientes portadores de IC descompensada.

Sinais

Cardiovasculares: turgência jugular, cardiomegalia, presença de B3 e/ou B4, ritmo de galope, pulsatilidade da parede torácica, abafamento de bulhas cardíacas, atrito pericárdico, temperatura e perfusão periférica diminuídas, refluxo hepatojugular.

- ◗ Neurológico: alteração do estado mental.
- ◗ Pulmonar: presença de estertores e/ou derrame pleural (macicez à percussão).
- ◗ Outros: ascite, hepatomegalia, edema, caquexia.
- ◗ Sintomas
- ◗ Fadiga.
- ◗ Fraqueza.
- ◗ Dispneia.

176 Guia Prático de Cardiologia

- Ortopneia.
- Dispneia paroxística noturna.
- Palpitações.
- Síncope.
- Dor torácica.
- Anorexia.
- Intolerância aos exercícios.

Além disso, a avaliação clínica permite a utilização de escores diagnósticos. Alguns exames podem ser necessários para a confirmação diagnóstica, etiológica e, se possível, tentar descobrir o fator desencadeante da descompensação. A seguir, nas Tabelas 20.5 e 20.6, encontram-se, respectivamente, os critérios de Framingham e os critérios de Boston.

Tabela 20.5 Critérios de Framingham.

São necessários 2 critérios maiores ou 1 maior e 1 menor ou 2 menores para o diagnóstico clínico de IC.	
Critérios maiores	**Critérios menores**
Dispneia paroxística noturna	Edema de tornozelos bilateral
Estase jugular	Tosse noturna
Estertores crepitantes à ausculta pulmonar	Dispneia aos esforços
Cardiomegalia à radiografia de tórax	Hepatomegalia
Terceira bulha	Derrame pleural
Refluxo hepatojugular	Taquicardia
PVC >16 cm/H_2O	
Perda de 4,5kg após 5 dias de tratamento	

Tabela 20.6 Critérios de Boston para diagnóstico de IC.

< 4 pontos: Diagnóstico improvável 5-7 pontos: possível 8-12 pontos: diagnóstico definitivo	
Critério	**Valor**
Categoria I: história	Ponto
Dispneia em repouso	4
Ortopneia	4
Dispneia paroxística noturna	3
Dispneia enquanto caminha em área plana	2
Dispneia em área íngreme	1
Categoria II: exame físico	
FC anormal (1 ponto de 91 a 110 bpm; 2 pontos se maior que 110 bpm)	1 ou 2
Distensão venosa jugular (2 pontos se maior do que 6 cmH_2O; 3 pontos se maior do que 6 cmH_2O + hepatomegalia ou edema)	2 ou 3

(Continua)

(*Continuação*)

Tabela 20.6 Critérios de Boston para diagnóstico de IC.

< 4 pontos: Diagnóstico improvável 5-7 pontos: possível 8-12 pontos: diagnóstico definitivo	
Critério	**Valor**
Crepitações pulmonares (1 ponto se em bases; 2 pontos se além das bases)	1 ou 2
Sibilos	3
Terceira bulha cardíaca	3
Categoria III: radiografia de tórax	
Edema pulmonar alveolar	4
Edema pulmonar intersticial	3
Efusão pleural bilateral	3
Índice cardiotorácico maior do que 0,5	3
Inversão do fluxo para zona superior	2

Exames complementares

Atualmente temos uma gama importante de exames complementares para auxiliar no diagnóstico e na etiologia da IC. Logo a seguir iremos comentar os exames e algumas de suas utilidades.

Eletrocardiograma

- Utilizado para avaliar sinais isquêmicos.
- Sinais de sobrecargas atriais e ventriculares.
- Presença de bradi e taquiarritmias.
- Avaliação do QRS como fator prognóstico.

Radiografia de tórax

- Avaliar cardiomegalia.
- Sinais de congestão.
- Avaliar presença de doença pulmonar.
- BNP/N-terminal pró-BNP
- Auxilia no complemento diagnóstico da IC
- Utilizado como estratificação prognóstica e para guiar otimização terapêutica.

Ecodopplercardiograma

- Confirmação diagnóstica.
- Procurar etiologia.
- Avaliar perfil hemodinâmico.
- Prognóstico e auxílio na indicação terapêutica.

Exames laboratoriais

- Investigação etiológica (função tireoidiana, sorologia para Chagas, entre outros).

- Avaliar os preditores prognósticos adversos (anemia, hiponatremia e alteração da função renal).

Ecocardiografia de estresse
- Avaliar presença e extensão da isquemia.
- Avaliar viabilidade miocárdica.

Cineangiocoronariografia + ventriculografia
- Avaliação de isquemia em pacientes com angina.
- Avaliar disfunção ventricular sistólica.

Ressonância magnética cardíaca
- Avaliar viabilidade miocárdica.
- Avaliação de fatores etiológicos.

Tomografia coronariana
- Exclusão de coronariopatia.

SPECT e PET
- Avaliar perfusão miocárdica e função ventricular.

Holter
- Avaliar a possibilidade de taquimiocardiopatias.
- Avaliar quadros de palpitações.
- Síncopes.
- Avaliar arritmias no geral.

Estudo eletrofisiológico
- Não é usado de forma rotineira.
- Utilizado na suspeita etiológica de taquimiocardiopatias (taquicardia supraventricular sustentada).
- Pacientes pós-infarto com arritmias ventriculares são candidatos ao implante de cardiodesfibrilador.

Biópsia endomiocárdica
- Auxílio no diagnóstico etiológico.

• Conclusão

Neste capítulo pudemos ver um pouco sobre o perfil clínico da IC, sua classificação, e como realizar o diagnóstico. Esses conceitos serão a base para os próximos dois capítulos, nos quais especificaremos a IC de fração reduzida e a IC de fração de ejeção preservada.

• Referências

1. Bocchi EA, Marcondes-Braga FG, Bacal F, et al. Atualização da Diretriz Brasileira de Insuficiência Cardíaca Crônica. Arq Bras Cardiol 2012: 98(1 Suppl I): 1-33.
2. Bocchi EA, Marcondes-Braga FG, Ayub-Ferreira SM, et al. III Diretriz Brasileira de Insuficiência Cardíaca Crônica. Arq Bras Cardiol 2009;93(1 Suppl I):1-71.

3. Bonow RO, Mann DL, Zipes Dp, et al. Braunwald: tratado de doenças cardiovasculares. 9 ed. Rio de Janeiro: Elsevier; 2013. p. 557-83.
4. Paola AAV, Barbosa MM, Guimarães JI, et al. Cardiologia: livro texto da Sociedade Brasileira de Cardiologia. Barueri (SP): Manole; 2012. p. 981-1037.
5. McMurray JJ, Adamopoulos S, Anker SD, et al. ESC guidelines for the diagnosis and treatment of acute and chronic heart failure 2012: the Task Force for the diagnosis and treatment of acute and chronic heart failure 2012 of the European Society of Cardiology. Developed in collaboration with the Heart Failure Association of the ESC (HFA) of the ESC. Eur Heart J 2012; 33(14):1787-847.
6. Yancy CW, Jessup M, Bozkurt B, et al. 2013 ACCF/AHA guideline for the management of heart failure: a report of the American College of Cardiology Foundation/American Heart Association Task Force on Practice Guidelines. Circulation 2013;128(16):e240-e327.

Insuficiência Cardíaca de Fração de Ejeção Reduzida

• Introdução

As doenças cardiovasculares são a terceira causa de internações e a primeira causa de mortalidade (segundo Datasus). Dentre elas, a insuficiência cardíaca se destaca, sendo a primeira causa de internação, apresentando mortalidade de 6%, e a cardiopatia isquêmica é a principal causa de Insuficiência Cardíaca (IC).

Quando ocorre uma lesão miocárdica com comprometimento da função contrátil há ativação de mecanismos neuro-hormonais, sendo os principais o sistema renina- angiotensina-aldosterona e o sistema nervoso simpático. Esses mecanismos são capazes de modular a função ventricular, podendo controlar os sintomas por um período de tempo variável. Apesar de inicialmente compensatório, esse processo acarreta o remodelamento cardíaco e, consequentemente, a deterioração da função cardíaca.

Em capítulo anterior vimos a definição, a etiologia, a classificação e o diagnóstico da IC. Nas Figuras 21.1 e 21.2 estão pontuados aspectos importantes para o diagnóstico de IC fração de ejeção reduzida.

Neste capítulo serão abordados o seguimento clínico, o tratamento farmacológico e não farmacológico, e as terapias alternativas para pacientes portadores de Insuficiência cardíaca fração de ejeção reduzida.

• Seguimento clínico

Os pacientes com IC devem ser monitorados periodicamente, embora não exista um intervalo de tempo bem estabelecido entre as consultas, devendo ser levadas em conta a gravidade da doença, sua evolução, e como podemos melhorar o tratamento do paciente. A avaliação nos primeiros trinta dias após a alta é marcador de qualidade assistencial.

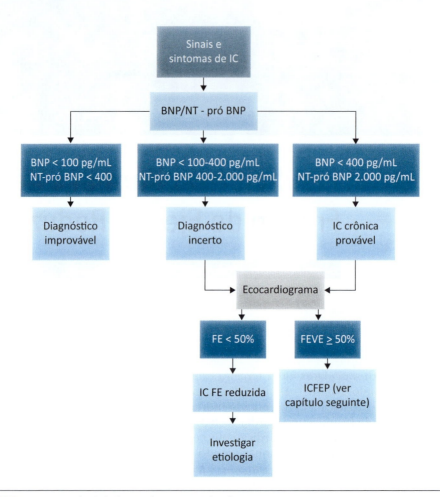

Figura 21.1 Diagnóstico de IC de fração de ejeção reduzida.

Devemos sempre avaliar a capacidade funcional do paciente, questionando a capacidade de realizar suas atividades habituais, se houve piora no padrão do sono ou de classe funcional. A classificação da New York Heart Association é uma das mais utilizadas.

O exame físico deve ser minucioso, com ênfase nos sinais clínicos de congestão pulmonar e periférica. A monitorização do peso é fundamental para avaliação da volemia e do estado nutricional do paciente com IC crônica.

Deve ser enfatizada, a cada contato com o paciente, a necessidade de aderência ao tratamento farmacológico e não farmacológico. A seguir vamos abordar as opções que temos para o tratamento do paciente com IC.

• Tratamento

Tratamento não farmacológico

O tratamento não medicamentoso é fundamental para os pacientes portadores de IC, sendo essencial para o sucesso do tratamento. Na Tabela 21.1 constam as opções não medicamentosas e alguns de seus detalhes.

Insuficiência Cardíaca de Fração de Ejeção Reduzida

Figura 21.2 Fluxograma para o diagnóstico etiológico da IC de fração de ejeção reduzida.

Tabela 21.1 Tratamento não medicamentoso da IC.

Tratamento	Detalhes	Classe de recomendação/nível de evidência
Dieta	Valor calórico total 28 a 32 kcal/kg (peso seco), com composição que deve variar de 50% a 55% de carboidratos, 30% a 35% de lipídios e 15% a 20% de proteínas	IIa/C
Restrição hídrica	1.000 a 1.500 mL em pacientes sintomáticos com risco de hipervolemia	IIa/C
Restrição sódica	2 a 3 g/dia, desde que não comprometa a ingesta calórica e na ausência de hiponatremia	I/C
Vacinação	Vacinar contra *Influenza* (anualmente) e *Pneumococcus* (a cada cinco anos) caso não haja contraindicação	I/C
Tabagismo	Estimular a supressão do tabaco	I/C
Aine	Evitar o uso de Aine	I/C
Drogas ilícitas	Abstinência total em relação ao uso de drogas ilícitas	I/C

(*Continua*)

(Continuação)

Tabela 21.1 Tratamento não medicamentoso da IC.

Tratamento	Detalhes	Classe de recomendação/nível de evidência
Profilaxia em viagens	■ Uso de meia elástica de média compressão em viagens acima de 4h, com movimentações periódicas dos membros	IIa/C
	■ Utilizar heparina fracionada subcutânea no dia de viagens aéreas acima de 4 horas	IIb/C
Clínicas de IC	■ O acompanhamento em clínicas de IC melhora a adesão ao tratamento, diminui o número de hospitalizações relacionadas diretamente à IC, e melhora a qualidade de vida	I/A
Planejamento familiar	■ Orientar planejamento familiar desaconselhando gestação nas classes funcionais III e IV	I/C
Reabilitação cardíaca	■ Reabilitação cardiovascular para pacientes com IC crônica estável em CF II-III (NYHA)	I/B

Aine: anti-inflamatórios não esteroidais.
Fonte: Bocchi *et al.*, 2009.

Tratamento farmacológico – medicações que diminuem a mortalidade

Inibidores da enzima de conversão de angiotensina II (IECA)

Os IECAs inibem a enzima responsável pela conversão da angiotensina I em angiotensina II. Essa ação impede a formação de angiotensina II endógena e seus respectivos efeitos (vasoconstrição e estimulante da síntese de aldosterona).

Outro efeito é a inibição da degradação da bradicinina, responsável por vasodilatação e outros efeitos benéficos dos IECA, mas também ocasionam os seus principais efeitos colaterais (tosse seca irritativa e angioedema). Outros efeitos colaterais importantes são a hipotensão arterial e hipercalemia.

As evidências atuais demonstram que os inibidores da enzima de conversão em angiotensina II são essenciais na terapêutica da IC. Seu efeito na estabilização do remodelamento cardíaco é responsável pela importância dessa medicação.

Dentre os estudos, temos o *Consensus* (*Cooperative North Scandinavian Enalapril Survival Study*). Esse estudo mostrou que a introdução de IECA (Enalapril) no tratamento melhorou consideravelmente a morbimortalidade dos pacientes. Na Tabela 21.2 podemos ver as opções medicamentosas dentro dessa classe com sua posologia.

Apesar dos inúmeros benefícios, devemos nos atentar para as seguintes contraindicações da medicação, que são: estenose bilateral de artérias renais ou unilateral com rim único, K > 5,5, angioedema, estenose aórtica grave, hipotensão sintomática. Em pacientes com disfunção renal, seu uso deve ser com parcimônia.

Insuficiência Cardíaca de Fração de Ejeção Reduzida **185**

Tabela 21.2 IECA e suas doses.

Fármaco	Dose inicial	Dose-alvo	Frequência ao dia
Captopril	6,25 mg	50 mg	3×
Enalapril	2,5 mg	20 mg	2×
Lisinopril	2,5-5 mg	40 mg	1×
Perindopril	2 mg	16 mg	1×
Ramipril	1,25-2,5 mg	10 mg	1×

Bloqueadores do receptor de angiotensina II (BRA)

Os bloqueadores do receptor de angiotensina II atuam como antagonistas seletivos dos receptores de angiotensina II (subtipo AT1) e estimulam os receptores AT2 devido aos níveis elevados de angiotensina II.Com a ação dos receptores AT2, temos uma redução nos níveis de catecolaminas e aldosterona, gerando vasodilatação arterial.

São utilizados como alternativa aos inibidores da enzima conversora da angiotensina em pacientes com intolerância, principalmente tosse, por não interferir no metabolismo da bradicinina. Na Tabela 21.3 temos as opções terapêuticas e suas posologias.

A associação de IECA e BRA em pacientes com IC não tem sido indicada de forma rotineira. Grandes estudos (Val-HeFT, On Target entre outros) foram realizados, mas seus resultados são controversos, principalmente devido ao risco de efeitos adversos dessa associação.

Tabela 21.3 Posologia do BRA.

Droga	Dose inicial	Dose-alvo	Frequência ao dia
Candesartan	4 a 8 mg	32 mg	1×/dia
Losartana	25 mg	50 a 100 mg	1-2×/dia
Valsartana	40 mg	320 mg	2×/dia
Irbesartan	75 mg	300 mg	1×/dia

Betabloqueador (BB)

Os betabloqueadores inibem a ação das catecolaminas (epinefrina e norepinefrina) nos receptores beta-adrenérgicos inibindo a sua ação vasoconstritora, cronotrópicas e inotrópicas.

Existem três tipos de receptores beta (1, 2 e 3) e cada um exerce uma função distinta. Para o tratamento da IC, o bloqueio dos receptores beta 1 e 2 é essencial para a melhora clínica, diminui o número de internações, melhora a morbimortalidade, com consequente aumento na sobrevida dos pacientes.

Três grandes estudos (Cibis II, Copernicus e Merit-HF) mostraram que o uso de carvedilol, succinato de metoprolol e bisoprolol em pacientes com IC FE reduzida diminuíram a mortalidade em 34%.

Em idosos com idade igual ou superior a 70 anos, o nebivolol reduziu o número de internações e diminuiu a internação e a mortalidade. Já em pacientes com IC descompensada

186 Guia Prático de Cardiologia

devemos tentar não suspender o uso de betabloqueadores. Em algumas situações está indicada a redução de 50% da dose ou até mesmo a suspensão da medicação.

Algumas situações são consideradas contraindicadas ao uso do betabloqueador, que são: bloqueio atrioventricular avançado, bradicardia sinusal (FC < 50 bpm), hipotensão sintomática, piora da insuficiência vascular periférica, e broncoespasmo.

Na Tabela 21.4 temos as opções entre os betabloqueadores de escolha para o tratamento da IC FE reduzida.

Tabela 21.4 Posologia do betabloqueador.

Droga	Dose inicial	Dose-alvo	Frequência ao dia
Bisoprolol	1,25 mg	10 mg	1×/dia
Nebivolol	1,25 mg	10 mg	1×/dia
Succinato de metoprolol	12,5 mg	200 mg	1×/dia
Carvedilol	3,125 mg	50 mg	2×/dia

Antagonistas da aldosterona

O bloqueio da aldosterona reduz seu efeito deletério (aumento na produção de fibroblastos, aumento da fibrose miocárdica, perivascular, perimiocárdica). Assim, temos uma redução na síntese e no depósito de colágeno.

Dois grandes estudos mostraram o grande impacto na sobrevida de pacientes com IC FE reduzida quando os antagonistas da aldosterona foram adicionados à terapia otimizada preconizada. O estudo Rales mostrou que a introdução de espironolactona 25 a 50 mg/dia em pacientes com a terapia otimizada diminuiu a mortalidade em 30%, e as hospitalizações em 35% em dois anos após o início do tratamento.

O estudo Emphasis-HF selecionou pacientes com idade igual ou superior a 55 anos, com FE menor ou igual a 30%, e em classe funcional II. Após a seleção foi introduzido eplerone 50 mg/dia. Concluiu-se que a adição da medicação reduziu o risco de mortalidade cardiovascular e/ou internação por IC em 37%.

Existem contraindicações ao uso dos antagonistas da aldosterona, que são a presença de potássio sérico maior que 5 mEq/L e/ou creatinina maior que 2,5 mg/dL.

A seguir, temos a tabela da Sociedade Europeia de Cardiologia com as recomendações das drogas já citadas, sua classe de recomendação e seus níveis de evidência (Tabela 21.5).

Tabela 21.5 Indicações das medicações em pacientes com IC sintomática.

Recomendações	Classe	Nível de evidência
Uso de IECA é recomendado, em associação com betabloqueadores em todos os pacientes com FE ≤ 40% para reduzir o risco de internação e mortalidade	I	A
Os betabloqueadores estão indicados a pacientes em uso de IECA ou BRA, em todos os pacientes com FE ≤ 40% para reduzir o risco de internação e mortalidade	I	A
Os antagonistas da aldosterona são recomendados para todos os pacientes com sintomas persistentes (NYHA CF III/IV) e com FE ≤ 35%, apesar da associação de IECA ou BRA com betabloqueador para reduzir as taxas de internação e a mortalidade	I	A

Fonte: Adaptada de Dickstein *et al.*, 2012.

Hidralazina + nitrato

Responsáveis pela vasodilatação venosa e arterial (conforme dose administrada). Essa associação diminui a mortalidade, mas em valores menores que o IECA/BRA (Estudos VHEFT-1/VHEFT-2).

São drogas de escolha para pacientes impossibilitados do uso de IECA/BRA (Tabela 21.6).

Contraindicação: hipotensão, taquicardia reflexa, lúpus induzido por medicação (hidralazina), cefaleia (nitrato).

Doses:
- ◗ Hidralazina 12,5 a 100 mg, 3×/dia.
- ◗ Dinitrato de isossorbida 20 a 40 mg 3×/dia.

Tabela 21.6 Indicações do uso da associação entre nitrato e hidralazina.

Classe de Recomendação	Indicações	Nível de Evidência
I	▪ Afrodescendentes em CFIII/IV em uso de terapêutica otimizada	A
	▪ Pacientes de qualquer etnia, CF II-IV com contraindicação a IECA ou BRA (insuficiência renal progressiva e/ou hipercalemia)	B
	▪ Pacientes de qualquer etnia, CF I com contraindicação a IECA ou BRA (insuficiência renal progressiva e/ou hipercalemia)	C
IIa	Pacientes de qualquer etnia refratária ao tratamento otimizado	C

Fonte: Bocchi et al., 2012.

LCZ696

Essa nova medicação foi divulgada recentemente através do estudo Paradigm-HF. Nesse estudo foi comparada a medicação LCZ696 com o enalapril 10 mg 2×/dia em pacientes com IC FE reduzida (FE ≤ 40%) e com classe funcional II, III ou IV.

A LCZ696 é uma associação entre a valsartana (bloqueador direto do receptor da angiotensina) com um inibidor da neprilisina.

O estudo foi interrompido precocemente devido à redução de mortalidade e do risco de hospitalização por IC em cerca de 20%. Por conta dos resultados, existe grande expectativa pela chegada da medicação para o início da utilização do LCZ696.

Tratamento medicamentoso – medicações que melhoram sintomas

Diuréticos

O uso de diuréticos em doses elevadas está associado com a melhora clínica dos sintomas devido à congestão. Em pacientes refratários, a associação de diuréticos pode ser benéfica. Entre os mais utilizados temos a furosemida, cuja dose varia de 20 a 240 mg/dia.

Ivabradina

Atua bloqueando seletivamente os canais F do nódulo sinoatrial, gerando uma queda na frequência cardíaca. Conforme mostrado no estudo Shift, a associação de ivabradina em pacientes com otimização terapêutica máxima reduziu a taxa de hospitalização em 26%, e a taxa de mortalidade em 26%.

Inicia-se com dose de 5 mg, duas vezes ao dia, podendo-se aumentar para 7,5 mg se houver tolerância clínica.

Digitálicos

Estão indicados a pacientes com frequência ventricular elevada, e com ritmo sinusal, mas sintomáticos, apesar da terapia adequada (Tabela 21.7).

O estudo *DIG* (*Digitalis Investigation Group*) avaliou o uso de digoxina em pacientes com IC (FE reduzida) sintomáticos. Os resultados mostraram que não houve redução da mortalidade, mas diminuiu em cerca de 30% as hospitalizações por IC descompensada.

Tabela 21.7 Outras opções e suas evidências em pacientes com IC descompensada (NYHA II-IV).

Recomendações	Classe de recomendação	Nível de evidência
Ivabradina		
Pode ser considerado para redução do risco de hospitalização a pacientes em ritmo sinusal com FE $\leq$ 35% e FC $\geq$ 70 bpm, na persistência de sintomas a pacientes otimizados com betabloqueadores (dose máxima tolerada), IECA e antagonistas de aldosterona	IIa	B
Digoxina		
Pode ser considerado para redução do risco de hospitalização a pacientes em ritmo sinusal com FE $\leq$ 45%, intolerantes ao betabloqueador, mas recebendo IECA ou BRA e antagonistas da aldosterona	IIb	B
Pode ser considerado para redução do risco de hospitalização a pacientes com FE $\leq$ 45% e sintomático (NYHA II-IV) apesar de ter o tratamento otimizado com IECA ou BRA, betabloqueador e antagonistas de aldosterona	IIb	B
Hidralazina + nitrato		
Pode ser utilizado como alternativa ao IECA ou BRA (no caso de contraindicações) na redução de internações e mortalidade precoce, a pacientes com FE $\leq$ 45% e dilatação ventricular ou FE $\leq$ 35%. (Devem estar recebendo betabloqueadores e antagonistas da aldosterona)	IIb	B
Pode ser considerado na redução do risco de internação e mortalidade precoce em pacientes com FE $\leq$ 45% e dilatação ventricular (ou FE $\leq$ 35%), sintomáticos (NYHA II-IV) apesar do tratamento otimizado com betabloqueadores, IECA e antagonistas da aldosterona.	IIb	B

Fonte: Adaptada de Dickstein *et al.*, 2012.

A seguir, constam alguns procedimentos cirúrgicos que podem auxiliar no tratamento da IC.

• Terapia de ressincronização cardíaca associada ou não ao cardiodesfibrilador implantável (CDI)

Ressincronização cardíaca (RSC)

Está indicada a pacientes com insuficiência cardíaca avançada, refratária ao tratamento medicamentoso. O objetivo do implante é melhorar a dissincronia ventricular, presente com grande frequência em pacientes com disfunção ventricular grave.

Insuficiência Cardíaca de Fração de Ejeção Reduzida **189**

O CARE-HF, um dos estudos com maior importância nesse tema, definiu que pacientes com classe funcional III e QRS ≥ 150 ms ou QRS de 120 a 150 ms associado à dissincronia no ecocardiograma apresentam indicação à terapêutica de ressincronização miocárdica.

Para melhor contemplar as indicações, as Tabelas 21.8 e 21.9 apresentam as indicações e seus níveis de evidência conforme a Sociedade Europeia de Cardiologia.

Tabela 21.8 Recomendações para a Terapia de Ressincronização Cardíaca (TRC) em doentes na classe funcional III (NYHA), e insuficiência cardíaca na classe IV em regime ambulatorial e com fração de ejeção persistentemente reduzida, apesar do tratamento farmacológico otimizado.

Recomendações	Classe de recomendação	Nível de evidência
Morfologia do QRS com BRE A terapia de ressincronização cardíaca é recomendada a pacientes com ritmo sinusal, com duração do QRS ≥ 120 ms, morfologia do QRS BRE e FE ≤ 35%, com expectativa de vida > 1 ano, com o objetivo de redução do risco de hospitalização e risco de morte prematura	I	A
Morfologia do QRS sem BRE A terapia de ressincronização cardíaca deve ser considerada em pacientes com ritmo sinusal, QRS > 150 ms, e FE ≤ 35%, com expectativa de vida > 1 ano, com o objetivo de redução do risco de hospitalização por IC e o risco de mortalidade precoce	IIa	A

Fonte: Adaptada de Dickstein *et al.*, 2012.

Tabela 21.9 Recomendações para utilização de TRC em pacientes com ritmo sinusal, em classe funcional II (NYHA) e FE persistentemente reduzida, apesar da terapia farmacológica otimizada

Recomendações	Classe de recomendação	Nível de evidência
Morfologia do QRS com BRE A terapia de ressincronização cardíaca associada preferencialmente com desfibrilador é recomendada a pacientes com ritmo sinusal, QRS ≥ 130 ms, morfologia do QRS com BRE e FE ≤ 30%, com expectativa de vida em boa capacidade funcional > 1 ano, com o objetivo de reduzir o risco de hospitalização por IC e o risco de morte prematura	I	A
Morfologia do QRS sem BRE A terapia de ressincronização cardíaca associada preferencialmente deve ser considerada em doentes em ritmo sinusal, QRS ≥ 150 ms, independentemente da morfologia do QRS, e FE ≤ 30%, com expectativa de vida em boa capacidade funcional > 1 ano, com o objetivo de reduzir o risco de hospitalização por IC e o risco de morte prematura	IIa	A

Fonte: Adaptada de Dickstein *et al.*, 2012.

Cardiodesfibrilador Implantável (CDI)

A morte súbita ocorre em até 50% dos óbitos em pacientes com insuficiência cardíaca. Desses óbitos, 80% estão relacionados a arritmias ventriculares (taquicardia e fibrilação ventricular).

Guia Prático de Cardiologia

O CDI é utilizado como terapia de prevenção (primária ou secundária) de morte súbita na insuficiência cardíaca.

Nas Tabelas 21.10 e 21.11, encontram-se as indicações de prevenção primária e secundária conforme a Diretriz Europeia de Insuficiência Cardíaca.

Tabela 21.10 Indicações para a prevenção primária de morte súbita em pacientes portadores de disfunção ventricular sistólica.

Recomendações	Classe de recomendação	Nível de evidência
Prevenção secundária Recomenda-se o CDI para reduzir o risco de vida em paciente com arritmia ventricular que cause instabilidade hemodinâmica, bom estado funcional, expectativa de vida maior que 1 ano	I	A
Prevenção primária Recomenda-se o implante do CDI para redução de mortalidade em paciente com IC sintomática (NHYA II-III) e FE ≤ 35%, com mais de 3 meses de terapia farmacológica otimizada, expectativa de vida > 1 ano e bom estado funcional. 1 - Etiologia isquêmica e > 40 dias após IAM 2 - Etiologia não isquêmica	I I	A B

Fonte: ESC, 2012.

• Tratamento cirúrgico

Revascularização miocárdica

Está indicada a pacientes com sintomas de insuficiência cardíaca e de doença arterial coronariana. A revascularização (cirúrgica ou percutânea) pode levar à melhora dos sintomas, redução no risco de mortalidade e a melhoria na disfunção ventricular esquerda.

Tabela 21.11 Indicações para a revascularização miocárdica em pacientes com IC FE reduzida.

Recomendações	Classe de recomendação	Nível de evidência
A revascularização miocárdica (RM) é recomendada com o objetivo de reduzir o risco de morte prematura de pacientes com angina e estenose de tronco significativa, que têm condições cirúrgicas e com expectativa de vida com bom estado funcional > 1 ano.	I	C
A RM é recomendada a pacientes com doença de pelo menos 2 vasos, incluindo lesão na descendente anterior, que têm condições cirúrgicas, com angina, apresentando expectativa de sobrevida em bom estado funcional > 1 ano.	I	B
A intervenção percutânea pode ser considerada como alternativa à RM nas situações acima em pacientes sem condições cirúrgicas.	IIb	C
Não é recomendada terapia de revascularização, cirúrgica ou percutânea, a pacientes sem angina e sem miocárdio viável.	III	C

Fonte: Dickstein et al., 2012.

Remodelamento cirúrgico

As cirurgias de remodelamento cardíaco (cardiomioplastia) apresentam resultados controversos, não sendo realizadas de forma rotineira.

A cirurgia de ressecção de aneurismas no ventrículo esquerdo é indicada a pacientes com insuficiência cardíaca refratária, apresentando arritmias ventriculares sem controle com o tratamento, ou pela presença de eventos tromboembólicos.

Transplante cardíaco

As principais indicações (nível de evidência IC) são os casos de IC refratária na dependência de drogas inotrópicas e/ou de suporte circulatório e/ou ventilação, doença isquêmica com angina refratária ao tratamento clínico e com impossibilidade de tratamento cirúrgico, arritmia ventricular refratária, VO2 pico ≤ 10 mL/kg/min e paciente persistentemente em classe funcional III/IV.

Prognóstico

O reconhecimento do prognóstico é importante para auxiliar o médico na indicação de terapias de maior complexidade, assim como para preparo do aspecto psicológico dos pacientes e familiares. Existem diversos fatores prognósticos, mas entre eles os de maior ênfase são: sinais, sintomas e exames que demonstrem descompensação da IC, arritmias complexas, disfunção de outros órgãos, queda na qualidade de vida, caquexia e múltiplas internações hospitalares.

Devido à complexidade da doença e sua evolução, os pacientes portadores de IC devem ser monitorizados e tratados adequadamente para obter melhor qualidade de vida e prognóstico clínico. Segue abaixo fluxograma de tratamento da insuficiência cardíaca de acordo com perfil hemodinâmico (Figura 21.3).

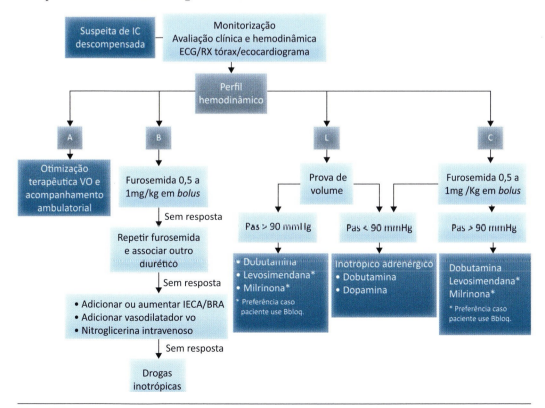

Figura 21.3 Tratamento da Insuficiência cardíaca de acordo com perfil hemodinâmico.

192 Guia Prático de Cardiologia

• Referências

1. Bocchi EA, Marcondes-Braga FG, Bacal F, et al. Atualização da Diretriz Brasileira de Insuficiência Cardíaca Crônica. Arq Bras Cardiol 2012; 98(1 Suppl I): 1-33.
2. Bocchi EA, Marcondes-Braga FG, Ayub-Ferreira SM, et al. III Diretriz Brasileira de Insuficiência Cardíaca Crônica. Arq Bras Cardiol 2009;93(1 Suppl I):1-71.
3. Bonow RO, Mann DL, Zipes DP, et al. Braunwald: tratado de doenças cardiovasculares. 9 ed. Rio de Janeiro: Elsevier; 2013. p. 557-83.
4. Paola AAV, Barbosa MM, Guimarães JI, et al. Cardiologia: livro texto da Sociedade Brasileira de Cardiologia. Barueri (SP): Manole; 2012. p. 981-1037.
5. Dickstein K, Cohen-Solal A, Filippatos G, McMurray J, et al. ESC guidelines for the diagnosis and treatment of acute and chronic heart failure 2012: the Task Force for the diagnosis and treatment of acute and chronic heart failure 2012 of the European Society of Cardiology. Developed in collaboration with the Heart Failure Association of the ESC (HFA) of the ESC. Eur Heart J 2012l;33(14):1787-847.
6. Yancy CW, Jessup M, Bozkurt B, et al. 2013 ACCF/AHA guideline for the management of heart failure: a report of the American College of Cardiology Foundation/American Heart Association Task Force on Practice Guidelines. Circulation 2013;128(16):e240-327.

Insuficiência Cardíaca de Fração de Ejeção Normal

Jasvan Leite de Oliveira • Ricardo Pavanello

• Introdução

A primeira descrição clínica da insuficiência cardíaca com função sistólica preservada foi feita por Topol e colaboradores, em 1985. De início foi designada Insuficiência Cardíaca Diastólica, e atualmente recebe o nome de Insuficiência Cardíaca com Fração de Ejeção Normal (ICFEN), tendo como ponto de corte uma FEVE > 50%, conforme orientação da III Diretriz Brasileira de Insuficiência Cardíaca Crônica. A divisão clássica da IC em ICFEN e Insuficiência Cardíaca com Fração de Ejeção Reduzida (ICFER) tem sido questionado por diversos autores, os quais argumentam que se trata de uma mesma doença com diferentes fenótipos de apresentação.

Entretanto, existem muitos argumentos demográficos, epidemiológicos, histológicos, moleculares, de estrutura e função ventricular, e mesmo de eficácia terapêutica, que corroboram a hipótese de que são duas entidades distintas, cursando com sinais e sintomas semelhantes, porém apresentando particularidades que a tornam uma síndrome complexa e de difícil tratamento.

• Epidemiologia

Treze estudos epidemiológicos definiram a prevalência da ICFEN em diversas populações com IC e documentaram a prevalência média de 50%. Além disso, nas últimas duas décadas a proporção de doentes com ICFEN aumentou de 38% para 54% do total de casos de IC, proporção que continuará a aumentar devido ao progressivo envelhecimento da população brasileira e ao esperado aumento da prevalência de HAS, obesidade e diabetes.

É mais prevalente entre mulheres, idosos, portadores de HAS, HVE, diabetes, obesidade, doença coronária e fibrilação atrial. A ICFEN deixou de ser vista como doença "benigna", uma vez que está associada a mau prognóstico e a elevada prevalência. Os estudos epidemiológicos demonstraram que o prognóstico desses doentes é tão mau como o daqueles que apresentam

ICFER. Os doentes com ICFEN apresentam taxas de mortalidade ao fim de um ano de 29% (*versus* 32% nos doentes com ICFER), e de 65% ao fim de cinco anos (*versus* 68%).

• Fisiopatologia

A fisiopatologia da ICFEN ainda não foi revelada. Muito se deve ao fato de que esta síndrome tenha a participação de diversos fatores, os quais exercem influência variável no desenvolvimento da patologia, a depender das particularidades do paciente. É possível que o envelhecimento tenha impacto maior no enchimento ventricular do que na FEVE. A fibrose que ocorre com o envelhecimento ocasiona redução nas propriedades elásticas e complacência.

A disfunção diastólica desempenha papel central na fisiopatologia dessa patologia, uma vez que a maioria dos doentes evidencia atraso do relaxamento do miocárdio e/ou aumento da rigidez ventricular. Por esse motivo, essa patologia foi designada por muito tempo por IC Diastólica. Atualmente, após a descoberta de outros mecanismos, que também parecem contribuir para a fisiopatologia dessa entidade, preferiu-se a substituição do termo IC diastólica pelo termo mais abrangente de ICFEN.

Por outro lado, sabemos que a disfunção diastólica do VE, por si só, não parece ser suficiente para causar o quadro clínico de insuficiência cardíaca. Existe um grupo importante de doentes, que apresenta disfunção diastólica, apesar de se manter assintomático e sem IC. Além disso, a prevalência de disfunção diastólica na população em geral (presente em até 25% da população) é muito superior à prevalência de IC. Permanece, contudo, por explicar por que alguns doentes com disfunção diastólica têm ICFEN, enquanto outros permanecem assintomáticos.

Recentemente, vários estudos têm demonstrado que na fisiopatologia da ICFEN estão envolvidos outros mecanismos fisiopatológicos adicionais, incluindo fatores "cardíacos" e "extracardíacos" (Tabela 22.1).

Tabela 22.1 Potenciais mecanismos fisiopatológicos envolvidos na fisiopatologia da ICFEN.

Mecanismos fisiopatológicos da ICFEN	
Cardíacos	**Extracardíacos**
Aumento da rigidez ventricular	Disfunção endotelial
Atraso do relaxamento ventricular	Ativação SRAA
HVE	Retenção de Na^+/água
Incompetência cronotrópica	Anemia
Perda da reserva cardíaca	Rigidez vascular

Fonte: Adaptada de Carvalho e Moreira, 2011.

• Diagnóstico

O diagnóstico de ICFEN requer a presença simultânea de três condições:

1. Sinais ou sintomas de IC congestiva.
2. FEVE normal ou discretamente reduzida (FEVE > 50%).
3. Evidências objetivas de disfunção diastólica do VE: relaxamento e enchimento anormal do VE, distensibilidade diastólica anormal ou rigidez diastólica.

Essas evidências de disfunção diastólica podem ser obtidas a partir de dados hemodinâmicos, níveis de peptídios natriuréticos, dados ecocardiográficos e do doppler tecidual.

O papel do ecocardiograma no diagnóstico da ICFEN

Três padrões de disfunção diastólica são definidos através da ecodopplercardiografia: relaxamento diastólico anormal (grau I), padrão pseudonormal (grau II), e padrão restritivo (grau III).

Com o ecocardiograma é possível obter vários parâmetros diastólicos que permitem estimar as pressões de enchimento do VE. O parâmetro mais utilizado e mais fácil de interpretar é a relação E/e', obtida pela razão entre o pico de velocidade do fluxo transmitral (onda E) e a velocidade de deslocação do anel mitral, determinada a partir do Doppler tecidual (onda e'). A presença de uma relação E/e'> 15, a nível da parede septal, significa a presença de pressões de enchimento elevadas, enquanto um valor de E/e' < 8 traduz pressões normais. Para valores intermédios de E/e', entre 8 e 15, é necessário integrar esse valor com os outros parâmetros ecocardiográficos de avaliação da função diastólica, tais como: tempo de relaxamento isovolumétrico (TRIV), velocidade de propagação do fluxo mitral (Vp), análise do fluxo nas veias pulmonares, volume do átrio esquerdo, entre outros.

Dosagem do peptídio natriurético cerebral (BNP) e N-terminal pró-peptídio natriurético cerebral (NT-pró BNP)

Numerosos estudos têm mostrado que, em geral, os resultados dos testes de BNP e NT-Pró-BNP são elevados em pacientes com ICFEN, quando comparados com os resultados de pessoas sem IC. No entanto, encontram-se em valores inferiores aos de pacientes portadores de IC com fração de ejeção reduzida.

Em pacientes com sintomas de dispneia e sem evidência de congestão o diagnóstico de ICFEP ou com disfunção sistólica é difícil. Uma estratégia proposta tem sido a utilização de peptídios natriuréticos. Níveis de NT-pró BNP < 120 pg/mL ou BNP < 100 pg/mL, associados aos dados da ecodopplercardiografia excluem o diagnóstico de IC. Diversos estudos têm demonstrado a sua grande utilidade na avaliação de pacientes com suspeita diagnóstica de IC na sala de emergência e em nível ambulatorial. Nesses cenários, o BNP é particularmente útil em afastar o diagnóstico de IC, dado seu elevado valor preditivo negativo.

• Diagnóstico diferencial

Recomenda-se cuidadosa atenção no diagnóstico diferencial de pacientes com ICFEN para se distinguir entre a variedade de outras afecções cardiovasculares cujo tratamento e abordagem são diferentes. Segue-se a Tabela 22.2 com as principais patologias a serem consideradas.

• Tratamento

Este representa o principal desafio na condução dos pacientes portadores de ICFEP, uma vez que a maioria dos estudos que avaliaram os medicamentos empregados no tratamento da IC incluía pacientes com FE reduzida, desse modo, o emprego de tais medicamentos para portadores de ICFEN é feito sem estudos que comprovem a eficácia dos mesmos nessas populações.

Na ausência de estudos clínicos com resultados positivos, o tratamento é baseado no controle dos fatores que influenciam a síndrome e suas manifestações: pressão arterial, frequência cardíaca, volemia e isquemia miocárdica, os quais são conhecidos por exercer efeitos importantes no relaxamento ventricular.

Tabela 22.2 Diagnóstico diferencial em pacientes com ICFEN.

Diagnóstico incorreto de IC Medida inadequada da FEVE	Doença pulmonar obstrutiva crônica com IC direita
Disfunção sistólica de VE episódica ou reversível	Hipertensão pulmonar associada com doença vascular pulmonar
Doença valvular primária	Mixoma atrial
Cardiomiopatias restritivas (infiltrativas): amiloidose, sarcoidose, hemocromatose, doença de Fabry/ Constrição pericárdica	IC de alto débito: anemia, tireotoxicose, fístula arteriovenosa
HAS grave	Disfunção diastólica de origem incerta
Isquemia miocárdica	Obesidade

Fonte: Adaptada de Bocchi *et al.*, 2009.

Tratamento não medicamentoso

O tratamento não medicamentoso da ICFEN segue as mesmas recomendações da ICFER: perda de peso, atividade física regular, cessar tabagismo, reduzir consumo de álcool e restrição à ingestão de sódio, além da vacinação da população de risco para infecções como *Influenza* e *Pneumococcus*.

Tratamento medicamentoso

a) Betabloqueadores (BB)

O tratamento com betabloqueadores pode ser útil de várias formas: regressão da HVE, controle da frequência cardíaca com subsequente melhora do enchimento ventricular, controle da HAS e melhora das propriedades diastólicas na presença de isquemia miocárdica. Deve ser iniciado em baixas doses e, gradativamente, ser aumentado até alcançar a dose máxima recomendada. Em uma subanálise do estudo Seniors observou-se que os efeitos do nebivolol, em termos de mortalidade ou hospitalização em pacientes idosos com IC, foram semelhantes nos pacientes com FEVE acima e abaixo de 35% (ver Tabela 22.3).

b) Inibidores da Enzima Conversora de Angiotensina II (IECA)/Bloqueadores dos receptores de Angiotensina II (BRA)

Contrariamente ao que se observa nos pacientes portadores de IC com fração de ejeção reduzida, na ICFEN o bloqueio do eixo renina-angiotensina é pouco útil em termos de redução dos eventos clínicos ou da mortalidade, como foi demonstrado nos estudos com perindopril (PEPCHF), com irbesartan (I-Preserve) ou candesartan (Charm-Preserved). Embora esses estudos não tenham mostrado resultados favoráveis na redução de desfechos primários, há uma tendência em generalizar os benefícios do antagonismo neuro-hormonal observado em pacientes com ICFER para a ICFEN, tais como reduzir o crescimento de células do músculo liso, prevenir o depó-

Insuficiência Cardíaca de Fração de Ejeção Normal 197

Tabela 22.3 Tratamento farmacológico da ICFEN

Indicações	Classe de recomendação	Nível de evidência
Controle de HAS	Classe I	C
Controle da FC em pacientes com FA		C
Diuréticos para controle da congestão pulmonar e periférica		B
RM em pacientes com DAC com tratamento clínico otimizado e isquemia sintomática ou demonstrada em teste de provocação e com efeitos adversos na função cardíaca	Classe IIa	C
Restauração e manutenção do ritmo sinusal em pacientes com FA para melhora dos sintomas		C
Uso de BB, IECA, BRA no controle da ICFEP, independentemente da presença de HAS ou isquemia		B
Uso de bloqueadores de canais de cálcio no controle da ICFEP, independentemente da presença de HAS ou isquemia	Classe IIb	C
Uso de digital para minimizar sintomas de ICFEP	Classe III	C

Fonte: Adaptada de Bocchi *et al.*, 2009.

sito de colágeno, reduzir a expressão do fator de crescimento e promover a regressão da fibrose miocárdica. Além disso, o tratamento da hipertensão arterial é associado com aumento do relaxamento ventricular e melhora da IC.

Antagonistas da aldosterona

A utilização dos antagonistas da aldosterona na ICFEN pode ser benéfica, pelo menos do ponto de vista teórico, uma vez que a aldosterona atua sobre o miocárdio e sobre os vasos, induzindo hipertrofia miocitária, fibrose e deposição de colágeno, levando ao aumento da rigidez miocárdica e arterial, e contribuindo para a fisiopatologia da ICFEN. No entanto, o estudo Topcat, um trial randomizado, duplo-cego, que avaliou o uso de espironolactona (15 a 45 mg por dia) em 3.445 pacientes com ICFEN (FEVE $\geq$ 45%), não demonstrou redução significativa da incidência do desfecho primário (morte por causas cardiovasculares, parada cardíaca abortada ou hospitalização por insuficiência cardíaca) quando avaliados como um todo (18,6% × 20,4% placebo – OR: 0,89; [IC]: 0,77-1,04; P = 0,14).

No entanto, ao ser avaliado apenas o desfecho hospitalização por IC, observou-se uma redução significativa no número de internações para o grupo que fez uso de espironolactona (12% × 14,2% placebo – OR: 0,83; [IC]: 0,69-0,99; P = 0,04), resultado já esperado, uma vez que essa droga tem propriedades diuréticas, reduzindo a congestão venosa pulmonar e sistêmica, gerando melhora clínica dos pacientes.

Diuréticos

Promovem natriurese, contribuindo para a manutenção e melhor controle do estado volêmico. Observa-se melhora dos sintomas de congestão, aumento da capacidade ao exercício, e redução do risco de descompensação, no entanto não alteram mortalidade.

Os diuréticos de alça são frequentemente utilizados nos pacientes com classes funcionais mais avançadas (NYHA III/IV), em decorrência das suas ações: 1) maior excreção de água para o mesmo nível de natriurese; 2) manutenção da sua eficácia, a despeito da disfunção renal que frequentemente se observa na IC; 3) ação diurética diretamente relacionada à dose utilizada.

Por outro lado, os diuréticos tiazídicos têm sido utilizados não apenas por suas propriedades natriuréticas, mas também no controle pressórico dos pacientes com ICFEN e HAS.

Outras abordagens

A conversão da FA para ritmo sinusal ainda é controversa, desde que a resposta ventricular esteja controlada. A reversão farmacológica ou a cardioversão elétrica com restauração do ritmo sinusal melhora o volume sistólico, embora essa medida não tenha impacto diferente na mortalidade quando comparada com os benefícios do uso de anticoagulantes e controle da frequência cardíaca. Os bloqueadores dos canais de cálcio podem ser benéficos no controle da FC, HAS, HVE e tratamento da isquemia.

O benefício das estatinas em pacientes com ICFEN podem ser divididos em dois tipos: primeiro, o fato de as estatinas estarem associadas com a redução dos níveis sanguíneos dos lipídios, associa-se com a redução de eventos cardiovasculares; em segundo, as estatinas podem ter um efeito independente da redução dos lipídios (efeito pleiotrópico), incluindo a diminuição da massa do VE, redução da fibrose cardíaca, efeitos favoráveis no sistema neuro-hormonal e aumento da elasticidade arterial, efeitos estes que podem ter impacto na evolução da disfunção diastólica.

Considerações finais

Embora seja uma síndrome descrita há mais de trinta anos, ainda não se tem o perfeito domínio de sua fisiopatologia e, consequentemente, de sua terapia específica. Por muito tempo subestimada e tida como uma patologia benigna, demonstra através da sua alta prevalência e morbimortalidade que se trata de uma síndrome de magnitude semelhante à ICFER.

• Referências

1. Bonow RO, Mann DL, Zipes DP, et al. Braunwald: tratado de doenças cardiovasculares. 9 ed. Rio de Janeiro: Elsevier; 2013. p. 557-83.
2. Bocchi EA, Marcondes-Braga FG, Ayub-Ferreira SM, et al. III Diretriz Brasileira de Insuficiência Cardíaca Crônica. Arq Bras Cardiol 2009;93(1 Suppl I):1-71.
3. Bocchi EA, Marcondes-Braga FG, Bacal F, et al. Atualização da Diretriz Brasileira de Insuficiência Cardíaca Crônica. Arq Bras Cardiol 2012; 98(1 Suppl I):1-33.
4. Owan TE, Hodge DO, Herges RM, Jacobsen SJ, Roger VL, Redfield MM. Trends in prevalence and outcome of heart failure with preserved ejection fraction. N Engl J Med 2006; 355 (3):251-259.
5. Carvalho RF, Moreira AL. Heart failure with preserved ejection fraction: fighting misconceptions for a new approach. Arq Bras Cardiol 2011; 96(6): 504-14.
6. Bhatia RS, Tu J, Lee DS, et al. Outcome of heart failure with preserved ejection fraction in a population-based study. N Engl J Med 2006; 355 (3): 260-9.
7. Zile MR, Brutsaert DL. New concepts in diastolic dysfunction and diastolic heart failure: part I: diagnosis, prognosis, and measurement of diastolic function. Circulation 2002;105(12):1387-93.
8. Paola AAV de, Barbosa MM, Guimarães JI, et al. Cardiologia: livro texto da Sociedade Brasileira de Cardiologia. Barueri (SP): Manole; 2012. p. 364-77.
9. Paulus WJ, Tschöpe C, Sanderson JE, et al. How to diagnose diastolic heart failure: a consensus statement on the diagnosis of heart failure with normal left ventricular ejection fraction by

the Heart Failure and Echocardiography Associations of the European Society of Cardiology. Eur Heart J 2007; 28(20):2539-50.
10. Flather MD, Shibata MC,Coat AJS, et al. Randomized trial to determine the effect of nebivolol on mortality and cardiovascular hospital admission in elderly patients with heart failure (SENIORS). Eur Heart J 2005; 26(3): 215–25.
11. Jorge AJL, Mesquita ET. Insuficiência cardíaca com fração de ejeção normal: estado da arte. Rev SOCERJ 2008; 21(6):409-17.
12. Pitt B, Marc A, Assmann SF, et al. Spironolactone for heart failure with preserved ejection fraction. N Engl J Med 2014;370(15):1383-92.
13. 13. Wyse DG, Waldo AL, DiMarco JP, et al. A comparison of rate control and rhythm control in patients with atrial fibrillation. N Engl J Med 2002;347(23):1825-833.

Transplante Cardíaco

• Introdução

O transplante cardíaco ainda é o tratamento classe ouro para pacientes com insuficiência cardíaca refratária a terapêutica farmacológica e não farmacológica otimizada. Quando bem indicada, pode aumentar a sobrevida do paciente e melhorar significativamente sua qualidade de vida. Na Tabela 23.1 estão listadas as principais indicações de transplante cardíaco.

Tabela 23.1 Indicações de transplante cardíaco.

Indicações	Classe de recomendação/ Nível de evidência
IC refratária na dependência de drogas inotrópicas e/ou suporte circulatório e/ou ventilação mecânica	I/C
Consumo de oxigênio (VO_2) pico ≤ 10 mL/kg/min	I/C
Doença isquêmica com angina refratária sem possibilidade de revascularização	I/C
Arritmia ventricular refratária	I/C
Classe funcional III/IV persistente	I/C
Teste da caminhada dos 6 minutos < 300 metros	IIa/C
Uso de betabloqueador (BB) com VO_2 pico ≤ 12 mL/kg/min e sem BB pico ≤ 14 mL/kg/min	IIa/C
Teste cardiopulmonar com a relação VE/VCO_2 > 35 e VO_2 pico ≤ 14 mL/kg/min	IIa/C

Fonte: Adaptada de Bacal et al., 2009.

202 Guia Prático de Cardiologia

A Tabela 23.2 mostra as contraindicações absolutas e relativas do transplante cardíaco.

Tabela 23.2 Contraindicações relativas e absolutas do transplante cardíaco.

Contraindicações absolutas	▪ RVP fixa > 5 *wood*, mesmo após provas farmacológicas ▪ Doenças cerebrovasculares e/ou vasculares periféricas graves ▪ Insuficiência hepática irreversível ▪ Doença pulmonar grave ▪ Incompatibilidade ABO na prova cruzada prospectiva entre receptor e doador ▪ Doença psiquiátrica grave, dependência química e não aderência às recomendações da equipe
Contraindicações relativas	▪ Idade > 70 anos ▪ Diabetes insulinodependente, com lesões de órgãos-alvo ou DM de difícil controle ▪ Comorbidades com baixa expectativa de vida ▪ Obesidade mórbida ▪ Infecção sistêmica ativa ▪ Úlcera péptica em atividade ▪ Embolia pulmonar com menos de três semanas ▪ Neoplasia com liberação do oncologista ▪ Insuficiência renal com ClCr < 30 mL/min/1,73 m^2 ▪ Amiloidose/sarcoidose/hemocromatose ▪ Hepatite B ou C ▪ Síndrome de imunodeficiência adquirida ▪ Painel linfocitário > 10%

Após a avaliação das indicações e contraindicações para o transplante cardíaco, devemos avaliar a gravidade da IC. Para isso, foi criado o registro de Intermacs com sete níveis de gravidade. Essa classificação auxilia na indicação de prioridade do transplante cardíaco ou do uso de dispositivos de assistência ventricular (Tabela 23.3).

Tabela 23.3 Classificação INTERMACS para transplante cardíaco.

Nível Intermacs	*Status*	Prazo
1	Choque cardiogênico	Horas
2	Piora progressiva da hemodinâmica do paciente	Dias/semanas
3	Estável com o uso de inotrópicos	Semanas
4	IC avançada recorrente	Semanas/poucos meses
5	Intolerância ao exercício	Semanas/meses
6	Limitação ao exercício	Meses, dependendo do quadro clínico
7	IC CFIII	-

Transplante Cardíaco **203**

Todos os pacientes devem receber avaliação nutricional, psicológica, odontológica, social, de enfermagem e fisioterápica. A avaliação multidisciplinar é essencial para a indicação e uma evolução favorável do paciente.

• Preparo do paciente ao transplante cardíaco

Exames de avaliação/seleção e acompanhamento dos pacientes

A seleção de pacientes candidatos para o transplante cardíaco é um processo delicado, que envolve o uso de diversas variáveis utilizadas para estabelecer o prognóstico do doente. Além disso, o paciente deve passar por avaliação de equipe multidisciplinar com experiência no manejo de pacientes com IC avançada.

A avaliação consiste na realização de anamnese e exame físico completos, exames para verificação da imunocompatibilidade, teste cardiopulmonar, ecodopplercardiograma, avaliação hemodinâmica pulmonar, eletrocardiograma, avaliação da função renal e hepática, sorologias para infecções, vacinação, rastreamento de neoplasia e consultas especializadas (equipe multidisciplinar).

Teste de esforço cardiopulmonar

Um dos parâmetros fornecidos no TCP é medida do VO_2 pico durante o esforço, que avalia a capacidade funcional e a reserva cardiovascular do paciente. Portanto, é essencial para a avaliação do candidato. Um dos critérios para indicação do transplante é VO_2 pico < 10mL/kg/min, já que esses pacientes apresentam sobrevida média de 47% em um ano.

Na impossibilidade da realização do TCP, pode ser realizado o teste da caminhada de 6 minutos. Existe maior taxa de mortalidade naqueles pacientes que percorrem menos de 300 metros.

Escore prognóstico – *Heart Failure Survival Score* (HFSS) e *Seattle Heart Failure Model* (SHFM)

O HFSS é um modelo estatístico que avalia a mortalidade no grupo de pacientes portadores de IC com indicação de transplante cardíaco. Após o cálculo pode ser classificado de acordo com os valores. Na Tabela 23.4 constam: a classificação, a pontuação e a sobrevida.

Tabela 23.4 Escore prognóstico - *Heart Failure Survival Score* e sua correlação com mortalidade.

Classificação	Pontuação de HFSS	Sobrevida em 1 ano
Baixo risco	≥ 8,1	93%
Médio risco	7,2 - 8,09	72%
Alto risco	≤ 7,19	43%

Já a escala de SHFM utiliza o benefício das medicações, procedimentos terapêuticos e características clínicas para avaliação do risco de mortalidade.

Prioridade de receptores

A prioridade no transplante está relacionada com a maior probabilidade de morte no período que o paciente está na lista de espera. Os critérios de prioridade são a dependência de ventilação mecânica, de inotrópicos ou vasopressores, de balão intra-aórtico ou de dispositivos de assistência ventricular.

Tratamento e manutenção de pacientes ambulatoriais na lista de espera

A seleção de um paciente para a lista de transplantes não significa que o transplante será realizado. Existe uma escassez de órgãos e, com isso, o transplante cardíaco deve favorecer os pacientes mais graves e que teriam maior benefício.

Os pacientes ambulatoriais, que permanecem na lista de transplante, devem receber avaliação contínua. Sempre que possível devemos aperfeiçoar o tratamento farmacológico e não farmacológico.

Algo relativamente comum nesses pacientes é o surgimento de comorbidades importantes, que podem adiar o procedimento ou até mesmo contraindicar o transplante.

• Tratamento multidisciplinar

A abordagem multidisciplinar é fundamental durante o seguimento desses pacientes. Além do manejo complexo dos sintomas e da disfunção miocárdica, não podemos nos esquecer da importância do suporte psicológico e nutricional.

A avaliação da equipe de enfermagem consiste em identificar as necessidades do candidato e dos familiares; orientar sobre os hábitos de higiene e saúde, realizar visitas domiciliares e, principalmente, auxiliar no esclarecimento de dúvidas do paciente e de seus familiares. Esse acompanhamento permite a observação da presença de algum fator que contraindique o transplante ou que possa comprometer o sucesso do procedimento.

A avaliação social consiste em quatro categorias, que são: aceitabilidade, dinâmica familiar, acesso e condição socioeconômica. É realizada com uma entrevista, e nos apresenta um parecer com medidas possíveis para estabelecer um acompanhamento adequado.

A avaliação odontológica deve excluir possíveis focos infecciosos ou proceder com o tratamento precoce, caso necessário.

Um dos objetivos da avaliação nutricional é a prevenção da caquexia cardíaca, além de otimizar medidas não farmacológicas nos pacientes diabéticos, dislipidêmicos, portadores de doença renal, obesos e alcoolismo.

Terapia imunossupressora

A utilização dos imunossupressores tem garantido o sucesso dos transplantes. A terapia mais utilizada é a associação entre os corticosteroides, inibidor de calcineurina e antiproliferativos.

Corticosteroides

Atuam na regulação dos genes que afetam a função de leucócitos, citocinas, moléculas de adesão e fatores de crescimento. São utilizadas em doses altas nas fases iniciais e nos casos de rejeição. A partir do sexto mês é preconizada a retirada dessa droga.

Inibidores de calcineurina

Bloqueiam a enzima calcineurina, consequentemente, inibem a síntese de interleucinas 2 pela célula T. As drogas mais utilizadas dessa classe são: ciclosporina e o tacrolimus. São drogas metabolizadas na via do citocromo P450 (metabolismo hepático), portanto devemos tomar cuidado com as interações medicamentosas (Tabela 23.5) e os seus efeitos colaterais (Tabela 23.6).

Tabela 23.5 Drogas com interação medicamentosa com os inibidores de calcineurina.

Drogas que diminuem o nível sérico dos inibidores de calcineurina	Drogas que aumentam o nível sérico dos inibidores de calcineurina
Rifampicina	Diltiazem
Isoniazida	Verapamil
Fenobarbital	Eritromicina
Carbamazepina	Cetoconazol
	Itraconazol
	Nifedipina
	Metilprednisona

Fonte: Adaptada de Bacal *et al.*, 2009.

Tabela 23.6 Efeitos colaterais dos inibidores de calcineurina.

Efeitos colaterais (tipos)	Exemplos
Metabólicos	Diabetes, dislipidemia, insuficiência renal, hipercalemia, hipomagnesemia, hiperuricemia, hiperbilirrubinemia
Neoplásicos	Pele e linfoproliferativos
Neurológicos	Tremor, convulsão, cefaleia, depressão, neuropatia periférica
Tróficos	Hiperplasia gengival
Vasculares	Vasoconstrição periférica, hipertensão arterial, distrofia simpática reflexa, síndrome álgica óssea

Fonte: Adaptada de Bacal *et al.*, 2009.

Antiproliferativos

A azatioprina age inibindo a síntese de DNA e RNA pela incorporação da 6-mercaptopurina aos ribonucleotídeos das células.

O micofenolato monofetil inibe não competitivamente a enzima inosina monofosfato desidrogenase na via da síntese de purinas, promovendo redução da proliferação de linfócitos de forma mais seletiva.

Inibidores do sinal de proliferação (ISP)

Inibem a atividade da enzima MTOR (*mammelian target of rapamycin*) e interferem em mecanismos celulares de crescimento e proliferação (sistema imune e outros tecidos). As drogas dessa classe são o everolimus e o sirulimos.

• Pós-operatório do transplante cardíaco

Os cuidados clínicos imediatos são semelhantes aos pós-operatórios de cirurgia cardíaca. A evolução deve enfatizar um exame físico cuidadoso, controle dos sinais vitais, diurese, san-

Guia Prático de Cardiologia

gramento pelos drenos, presença de hiper/hipotermia, presença de disfunção ventricular esquerda e direita.

Cuidados gerais no pós-operatório

Os cuidados são muito parecidos com os do pós-operatório de qualquer cirurgia cardíaca. O controle de diurese deve ser rigoroso, assim como a profilaxia de eventos gástricos. A antibioticoterapia profilática é realizada com cefalosporinas de 2ª geração (até a retirada dos drenos torácicos). No caso de uso recente de antibióticos pode-se optar pela utilização da vancomicina.

Complicações infecciosas

São as maiores causas de mortalidade e morbidade nos pacientes pós-transplante cardíaco. No primeiro mês de pós-operatório temos a incidência maior de infecções bacterianas, enquanto as fúngicas e as virais ocorrem com maior importância a partir do segundo mês. Para evitarmos isso, está indicada a profilaxia pós-operatória e a coleta de hemoculturas caso a temperatura do paciente se apresente maior que 37,5 ºC.

• Referências

1. Bacal F, Souza-Neto JD, Fiorelli AI, et al. II Diretriz Brasileira de Transplante Cardíaco. Arq Bras Cardiol 2009; 94(1 Suppl I):e16-e73.
2. Dickstein K, Cohen-Solal A, Filippatos G, et al. ESC guidelines for the diagnosis and treatment of acute and chronic heart failure 2012: the Task Force for the diagnosis and treatment of acute and chronic heart failure 2012 of the European Society of Cardiology. Developed in collaboration with the Heart Failure Association of the ESC (HFA) of the ESC. Eur Heart J 2012; 33(14):1787-847.
3. Bocchi EA, Marcondes-Braga FG, Bacal F, et al. Atualização da Diretriz Brasileira de Insuficiência Cardíaca Crônica. Arq Bras Cardiol 2012: 98(1 Suppl I): 1-33.
4. Bocchi EA, Marcondes-Braga FG, Ayub-Ferreira SM, et al. III Diretriz Brasileira de Insuficiência Cardíaca Crônica. Arq Bras Cardiol 2009;93(1 Suppl I):1-71.
5. Yancy CW, Jessup M, Bozkurt B, et al. 2013 ACCF/AHA guideline for the management of heart failure: a report of the American College of Cardiology Foundation/American Heart Association Task Force on Practice Guidelines. Circulation. 2013;128(16):e240-e327.
6. Paola AAV de, Barbosa MM, Guimarães JI, et al. Cardiologia: livro texto da Sociedade Brasileira de Cardiologia. Barueri(SP): Manole; 2012. p.1058-100.

Miocardiopatias e Pericardiopatias

Cardiomiopatia Hipertrófica

• Introdução

A Cardiomiopatia Hipertrófica (CMH) é doença primária do coração, caracterizada por hipertrofia miocárdica do Ventrículo Esquerdo (VE), sem dilatação ventricular, na ausência de doenças cardíacas ou sistêmicas que possam justificar essa hipertrofia. A hipertrofia geralmente é assimétrica, acomete preferencialmente o septo ventricular, podendo ou não gerar obstrução da Via de Saída do VE (VSVE), e a cavidade ventricular esquerda é normal ou reduzida, havendo importante disfunção diastólica com função sistólica normal ou em estado hiperdinâmico. Entretanto, aproximadamente 10% dos pacientes podem evoluir tardiamente para dilatação do VE com função sistólica diminuída.

• Epidemiologia

A prevalência de CMH na população geral é de aproximadamente 0,2% (1 em 500) e de 0,5% entre os portadores de cardiopatia. Dessa forma, a CMH é a doença cardíaca mais comum transmitida geneticamente.

Apresenta como manifestação mais temível a Morte Súbita Cardíaca (MSC), constituindo a principal causa de MSC entre jovens e atletas. Porém, a mortalidade anual é de 0,5% a 1% em adultos, e 6% em crianças.

• Etiopatogenia

A CMH é transmitida de forma genética autossômica dominante (ver Tabela 24.1) em 50% a 63% dos casos, sendo que nas formas familiares é possível determinar a mutação em até 82% dos casos, e nas formas esporádicas até 60%. Nos outros, ainda não se tem a etiologia definida, podendo ser também genética com mutações ainda não reconhecidas.

Até o momento foram identificadas alterações em 23 genes, dos quais 11 são os mais importantes, que codificam proteínas do miofilamento cardíaco, do disco Z e controladores do cálcio, com mais de 1.500 mutações, a maioria missense, sendo que 70% delas ocorre nos genes da cadeia pesada da β-miosina cardíaca, da proteína C de ligação à miosina e da troponina T (Tabela 24.1).

Tabela 24.1 Genes relacionados à CMH.

Gene da cadeia pesada da β-miosina cardíaca	Cadeia leve da miosina regulatória	Titina	Teletonina	Miozenina
Troponina T cardíaca	Cadeia leve da miosina essencial	Cadeia pesada da α-miosina cardíaca	Domínio 3 de ligação LIM	Nexilina
α-tropomiosina	Troponina I cardíaca	Troponina C	Vinculina Metavinculina	Junctofilina-2
Proteína C de ligação à miosina	Actina cardíaca α	α-actinina	Proteína muscular LIM	Fosfolambam

Fisiopatologia

O mecanismo molecular na CMH não é conhecido, porém as possíveis vias incluem: aumento da fibrose miocárdica, alteração do ciclo do cálcio, do estresse mecânico e da homeostase energética, que associadas levam a modificações anatômicas, as quais determinam disfunções que podem manifestar-se clinicamente. Assim, as alterações fisiopatológicas observadas são:

Disfunção diastólica por alteração do relaxamento ventricular e da distensibilidade ventricular: principal responsável pelos sinais e sintomas de insuficiência cardíaca.

Isquemia miocárdica: relacionada ao desbalanço entre a oferta e o consumo de O_2, como resultado do aumento da demanda pelo aumento da massa miocárdica, assim como da anormalidade das pequenas artérias intramurais ou pela dificuldade de enchimento dessas durante a diástole, por causa da pressão diastólica elevada.

Obstrução da via de saída do ventrículo esquerdo (VSVE) em mais de 75% dos pacientes, definida pela presença de gradiente de repouso na VSVE > 30 mmHg.

Quadro clínico

Comumente diagnosticada entre os trinta e quarenta anos de idade, embora também seja encontrada em natimortos e octogenários, a maioria dos pacientes é assintomática.

Muitas vezes, a Morte Súbita Cardíaca (MSC) é a primeira e única manifestação da doença (ocorrendo principalmente em jovens), mas é também a forma mais frequente de morte.

Os sintomas, por ordem de frequência, são: dispneia, precordialgia, palpitações, síncope e pré-síncope. A intensidade de cada um deles depende da combinação dos seus componentes fisiopatológicos que são: a disfunção diastólica, a isquemia, a obstrução e as arritmias.

Exame físico

Quando assintomáticos e sem obstrução na VSVE, o exame físico costuma ser normal. Porém, quando presente a obstrução da VSVE, o exame físico costuma ser muito rico.

Na análise dos pulsos podemos encontrar: 1) o pulso venoso jugular normal, ou pode apresentar onda *a* elevada por causa da contração atrial acentuada devido à diminuição da distensibilidade do ventrículo; 2) o pulso carotídeo bisferiens (característico): apresentando ascensão rápida, uma vez que não existe obstrução na protossístole, diminuindo na metade da sístole (aspecto digitiforme), quando aparece a obstrução para, no final, apresentar discreta elevação.

Na palpação, pode ser detectado frêmito sistólico no nível da ponta ou na borda esternal esquerda baixa.

Na ausculta, o primeiro ruído é normal, enquanto a segunda bulha pode apresentar desdobramento paradoxal na presença de obstrução acentuada da VSVE. O terceiro e o quarto ruídos podem estar presentes, principalmente este último, relacionado à contração atrial vigorosa. Na maioria dos pacientes com a forma obstrutiva, ausculta-se sopro sistólico rude em "crescendo-decrescendo", que se inicia em curto tempo após o primeiro ruído, sendo bem audível entre o foco mitral e a borda esternal esquerda baixa, e não se irradia para o pescoço (diferentemente do sopro da estenose aórtica). Pode-se ouvir, também, sopro suave holossistólico de regurgitação na região apical, com irradiação para a axila, pela Insuficiência Mitral (IMi).

Existem certas manobras que modificam o gradiente de pressão entre o VE e a aorta, alterando a intensidade do sopro, podendo ser úteis na sua caracterização (Tabela 24.2).

Tabela 24.2 Manobras que modificam o gradiente VE-Ao e a intensidade do sopro

Causando aumento	Causando diminuição
Diminuindo a pós-carga: ■ Posição ortostática rápida ■ Hipovolemia ■ Uso de diuréticos	**Aumentando a pós-carga:** ■ Exercícios isoméricos (ex.: manobra de *Handgrip*) ■ Posição de cócoras (agachamento abrupto)
Aumentando a contratilidade miocárdica ■ Exercícios ■ Uso de drogas como isoproterenol e digitálicos	**Diminuindo a contratilidade miocárdica** ■ Anestesia geral
Diminuindo a pré-carga ■ Posição postural ereta rápida ■ Manobra de Valsalva ■ Uso de diuréticos	**Aumentando a pré-carga** ■ Elevação dos membros inferiores ■ Depois da manobra de Valsalva

• Diagnóstico

O diagnóstico deve ser suspeitado pela anamnese quando da presença de outros casos na família ou relatos de morte súbita em parentes jovens de primeiro grau, associado ao achado de sopros no exame físico. Entretanto, sua confirmação se dá pela demonstração de hipertrofia de mais de 15 mm de espessura da parede ventricular no ecocardiograma, que estabelece o diagnóstico definitivo.

Sabe-se que, em mais da metade dos pacientes existe algum erro genético e, portanto, é importante que se realize a avaliação clínica com estudo eletro e ecocardiográfico em familiares de primeiro grau, de forma ascendente e descendente, com o objetivo de diagnóstico precoce para orientação e acompanhamento. O estudo genético também pode ser realizado, uma vez que, apesar de complexo, está ficando cada vez mais acessível.

Assim, no arsenal diagnóstico encontramos os seguintes exames complementares:

▶ **Eletrocardiograma** (ECG) de repouso em 12 derivações: alterado em aproximadamente 90% dos pacientes. Entre suas alterações podemos encontrar: sobrecarga ventricular esquerda com alteração do segmento S-T e inversão da onda T, sobrecarga atrial esquerda e ondas Q anormais; a Fibrilação Atrial (FA) é observada em 5% a 8% dos pacientes e 1% a 2% têm síndrome de Wolff-Parkinson-White associada. Em formas especiais da doença, como a hipertrofia localizada na ponta do VE (acometendo 25% dos pacientes portadores dessa doença no Japão), o ECG mostra ondas T (*gigantes*) invertidas e profundas, com mais de 10 mV nas derivações precordiais.

❱ **Holter 24 horas:** importante e mandatório para estratificação do risco de morte súbita, uma vez que vários trabalhos têm mostrado a relação entre esse desfecho e a incidência de taquicardia ventricular não sustentada em até um terço dos pacientes.

❱ **Ecocardiograma:** método padrão, utilizado no diagnóstico e seguimento da MCH. Ele permite a caracterização da hipertrofia, avaliação da obstrução da via de saída, da insuficiência mitral e da função sistólica e diastólica do ventrículo esquerdo. Os principais sinais observados à ecocardiografia são:

- ❱ Espessamento de qualquer segmento do miocárdio, principalmente do SIV (assimétrico), ≥ 15 mm ou em pacientes com história familiar positiva para MCH ≥ 13 mm.
- ❱ Gradiente de via de saída do ventrículo esquerdo > 30 mmHg (determinando a forma obstrutiva da doença) em 25% dos pacientes em repouso e em 75% com exercício.
- ❱ Movimento anterior sistólico da VM.
- ❱ Movimento sistólico anormal da valva aórtica.
- ❱ Cavidade de VE normal ou reduzida.
- ❱ AE aumentado.
- ❱ Função sistólica normal ou hiperdinâmica.
- ❱ Disfunção diastólica.

❱ **Ressonância magnética:** principalmente quando o ecocardiograma é duvidoso ou quando a avaliação deste é limitada. Atualmente, muito utilizada para melhor avaliar a presença e distribuição da hipertrofia e da quantidade de fibrose através da utilização do gadolínio. Estudos recentes mostram uma relação entre a presença de fibrose com a ocorrência de arritmias e morte súbita e, portanto, pior prognóstico, podendo se utilizada na estratificação de risco.

❱ **Estudo hemodinâmico:** quando se pretende indicar tratamento invasivo ou quando há suspeita de doença coronariana associada.

❱ **Estudo eletrofisiológico:** para avaliação do substrato arritmogênico; porém, ainda com acurácia limitada.

❱ **Estudo genético-molecular:** método definitivo de identificação da MCH, que permite a realização do diagnóstico ainda na fase pré-clínica. Porém, com aplicação ainda limitada na prática clínica.

Tratamento

O objetivo do tratamento é aliviar os sintomas, melhorando a qualidade de vida do paciente e, a longo prazo, evitar a progressão da doença e a morte súbita. Acreditava-se, anteriormente, que tanto o tratamento clínico como o cirúrgico não modificavam a ocorrência de MSC. Entretanto, trabalhos mais recentes no tratamento das arritmias com fármacos e, principalmente, o uso de cardiodesfibriladores têm mostrado melhor prognóstico.

Sabe-se que, quando assintomáticos, os pacientes não necessitam de nenhum tratamento específico, pois sua evolução costuma ser benigna.

Pacientes jovens assintomáticos, sem parada cardiorrespiratória prévia ou taquicardia ventricular sustentada/fibrilação ventricular, devem ser acompanhados com controle ecocardiográfico e eletrocardiografia dinâmica anual. Deverão ser orientados para evitar a prática de exercícios físicos intensos e esportes competitivos, uma vez que essa doença é a causa mais frequente de morte súbita em jovens atletas.

Cardiomiopatia Hipertrófica **213**

O uso profilático de antibióticos é indicado para pacientes com sopros, submetidos a tratamento dentário ou a qualquer outro procedimento cirúrgico, uma vez que apresentam maior risco de endocardite infecciosa. Deverão ser medicados com 2 g de amoxicilina, por via oral (VO), 1 hora antes do procedimento.

Já os pacientes sintomáticos necessitam de tratamento específico, sendo que a sequência proposta atualmente é: tratamento clínico, terapia percutânea transcoronária de redução da hipertrofia miocárdica septal (ablação septal) e cardiomiectomia transvalvar aórtica.

Tratamento clínico: as principais drogas empregadas são os beta-bloqueadores e os bloqueadores dos canais de cálcio.

Betabloqueadores	▪ As drogas de escolha nos casos de MCH com obstrução de VSVE.
	▪ Principais: propranolol (dose inicial: 80 mg/d; aumentada progressivamente até a dose máxima de 480 mg/d), atenolol ou metoprolol.
	▪ Buscando uma FC de repouso ≤ 60 bpm.
	▪ Causam redução do inotropismo, do consumo de oxigênio miocárdico, melhoram o relaxamento e o enchimento ventricular cardíaco, diminuindo assim os sintomas (dispneia, precordialgia e síncope).
	▪ Sabe-se, porém, que não diminuem a incidência de arritmias ventriculares ou de MSC.
Bloqueadores do canal de cálcio	▪ Mais indicados nas formas não obstrutivas.
	▪ Principal: verapamil (dose: 80-480 mg/d).
	▪ Outras: nifedipina e diltiazem (porém com menor efeito sobre a função diastólica).
	▪ Pode ser usada em associação aos betabloqueadores em pacientes que respondem inadequadamente à monoterapia.

Outros fármacos, como os digitálicos, diuréticos, inibidores da enzima conversora da angiotensina e bloqueadoras da angiotensina estão indicados somente nos casos que evoluem para dilatação, com diminuição da função sistólica, em fase tardia da moléstia.

Tem-se utilizado a losartana (100 mg/dia) associada à espironolactona (25 mg/dia), para bloquear o sistema renina-angiotensina-aldosterona e diminuir a formação de colágeno que está aumentado, com melhora dos sintomas e da função diastólica.

A amiodarona tem sido utilizada na dose de 200 mg/dia em pacientes com taquicardia ventricular não sustentada, com o intuito de diminuir a incidência de MSC. Também é indicada no controle da FA, que leva à piora dos sintomas pela perda da contribuição atrial ao enchimento do ventrículo, já com a complacência diminuída.

Em pacientes com FA crônica, o risco de episódios tromboembólicos está aumentado e ocorre em 19% a 26%, devendo, por isso, receber terapêutica anticoagulante com varfarina, mantendo a relação internacional normalizada (INR, *International Normalized Ratio*) entre 2 e 3.

▶ **Tratamento invasivo:** indicado a pacientes com sintomas importantes de insuficiência cardíaca CF III e IV, refratários às medicações e que possuem gradiente de VSVE > 30 mmHg. No entanto, para pacientes que não apresentam obstrução da VSVE, e em fases avançadas, com disfunção sistólica, o transplante cardíaco seria a única opção de tratamento.

▶ **Terapia percutânea transcoronária de redução da hipertrofia miocárdica septal (ablação septal alcoólica):** uma das terapias invasivas realizadas até com frequência em nosso serviço. Consiste na oclusão do ramo septal principal da artéria descendente anterior através da injeção de 1 a 5 mL de álcool absoluto, provocando um infarto de miocárdio localizado e controlado por meio da técnica de cinecoronariografia percutânea. Procedimento realizado na sala de hemodinâmica, com o paciente sob anestesia geral, e colocado previamente marca-passo temporário. Após o procedimento, o paciente fica em unidade coronária e segue o protocolo de paciente infartado. Com o procedimento, os pacientes apresentam queda significativa do gradiente, assim como melhora dos sintomas (em mais de 90%), da classe funcional, da capacidade de exercício e aumento da área da via de saída do VE. Está indicado a pacientes refratários ao tratamento clínico, com gradiente > 50 mmHg, e ao tratamento cirúrgico, sendo considerado opcional nos casos em que o tratamento cirúrgico implica em alto risco. As complicações observadas são: bloqueio atrioventricular temporário em 65%, precisando de marca-passo definitivo em menos de 5%. A mortalidade está entre 1% e 2%.

◗ **Cardiomiectomia transvalvar aórtica:** o primeiro tipo de tratamento proposto para essa doença. Entretanto, hoje é indicado para pacientes com gradiente na VSVE > 50 mmHg, que não respondem ao tratamento clínico. O objetivo é diminuir a obstrução e o refluxo mitral, levando à diminuição do tamanho do AE e para evitar a FA, além de diminuir outros sintomas e tolerância ao exercício. Na experiência de centros dos Estados Unidos e do Canadá, atualmente, a mortalidade operatória é menor que 5%, com melhora imediata da qualidade de vida em 90% dos pacientes e, a longo prazo, em 80%, não alterando a incidência de morte súbita. Nos pacientes com MCHO operados (miectomia) a sobrevida foi igual à da população geral dos Estados Unidos, e significativamente maior que os pacientes obstrutivos não operados.

◗ **Estimulação cardíaca artificial (marca-passo):** indicado apenas a pacientes muito sintomáticos, refratários ao tratamento farmacológico, não candidatos à miectomia septal cirúrgica ou à ablação septal percutânea (classe IIb). Objetiva diminuir o gradiente pela VSVE através do movimento paradoxal interventricular do septo na sístole.

◗ **Cardiodesfibrilador implantável (CDI):** a taquicardia ou fibrilação ventricular é o principal mecanismo de morte súbita de pacientes com MCH. Esses aparelhos são eficazes no controle das mesmas e são indicados para pacientes recuperados de morte súbita por FV/TV sem pulso (prevenção secundária - classe I), e podem ser indicados a pacientes que tenham um ou mais fatores de risco maior para MSC, com expectativa de pelo menos um ano (prevenção primária - classe IIa), associação de história de morte súbita familiar, espessura miocárdica maior que 30 mm, e síncope de repetição (prevenção primária). Abaixo descrevemos os principais fatores de risco para Morte Súbita Cardíaca (MSC) na CMH (Tabela 24.3). Também descrevemos na Figura 24.1, o acompanhamento do paciente com MCH

Tabela 24.3 Fatores de risco para MSC em pacientes com MCH		
Fatores de risco maior		**Fatores de risco possíveis**
Prevenção secundária ■ MSC revertida (FV/TV)	Prevenção primária ■ TVS espontânea ■ TVNS (TV não sustentada) ao Holter ■ História familiar de MSC em parentes de primeiro grau (< 45 anos) ■ Síncopes inexplicadas e recorrentes ■ Espessura da parede miocárdica > 30 mm ■ Não resposta da pressão arterial ao exercício.	■ Fibrilação atrial ■ Obstrução de VSVE ■ Mutação de alto risco

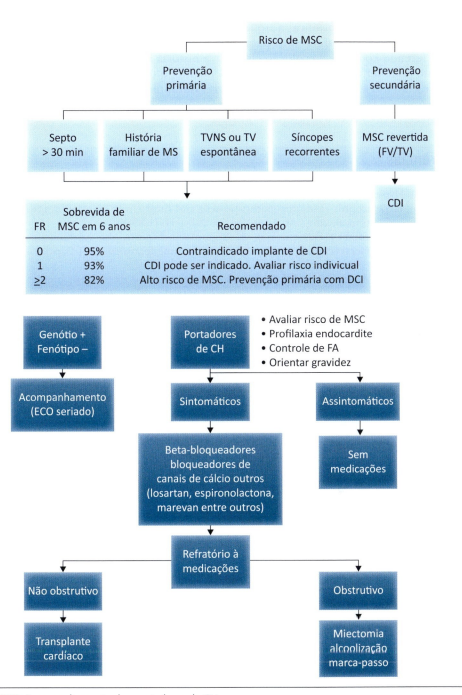

Figura 24.1 Acompanhamento dos portadores de CH.

- ## Prognóstico

A evolução clínica e a história natural dos pacientes com MCH resultam da complexa interação entre a hipertrofia ventricular, o remodelamento cardíaco e as alterações funcionais, como a disfunção diastólica, a isquemia miocárdica, a obstrução da VSVE e as arritmias. Essas alterações são diferentes para cada paciente, possivelmente por determinação genética, fazendo com que a evolução clínica e a história natural variem. Hoje se sabe que o indivíduo pode ter a hipertrofia desde o nascimento, que pode aparecer ou aumentar na fase de crescimento e, a partir daí, poderá ocorrer diminuição após os 65 anos ou, se evoluir para dilatação, em fase avançada da doença, será acompanhada de disfunção sistólica (o que ocorre em cerca de 5% a 10% dos pacientes).

• Referências

1. Maron BJ. Hypertrophic cardiomyopathy: a systematic review. JAMA 2002; 287(10):1308-20.
2. Maron BJ. Hypertrophic cardiomyopathy: present and future, with translation into contemporary cardiovascular medicine. J Am Coll Cardiol 2014; 64(1):83-99.
3. McKenna W, Deanfield J, Faruqui A, et al. Prognosis in hypertrophic cardiomyopathy: role of age and clinical, electrocardiographic and hemodynamic features. Am J Cardiol 1981; 47(3): 532-8.
4. Bos JM, Towbin JA, Ackerman MJ. Diagnostic, prognostic, and therapeutic implications of genetic testing for hypertrophic cardiomyopathy. J Am Coll Cardiol 2009; 54(3):201-11.
5. Maron BJ, Bonow RO, Cannon RO, et al. Hypertrophic cardiomyopathy: interrelations of clinical manifestations, pathophysiology, and therapy (two parts). N Engl J Med 1987; 316(14):844-52. Review.
6. Bockstall KE, Link MS. A primer on arrhythmias in patients with hypertrophic cardiomyopathy. Curr Cardiol Rep 2012;14(5):552-62.
7. Adabag AS, Maron BJ, Appelbaum E, et al. Occurrence and frequency of arrhythmias in hypertrophic cardiomyopathy in relation to delayed enhancement on cardiovascular magnetic resonance. J Am Coll Cardiol. 2008;51(14):1369-74.
8. Briasoulis A, Mallikethi-Reddy S, Palla M, Alesh I, Afonso L. Myocardial fibrosis on cardiac magnetic resonance and cardiac outcomes in hypertrophic cardiomyopathy: a meta-analysis. Heart 2015;101(17):1406-11.
9. Shiozaki AA, Senra T, Arteaga E et al. Fibrose miocárdica em pacientes com cardiomiopatia hipertrófica com alto risco para morte súbita cardíaca. Arq Bras Cardiol 2010; 94(4): 535-40.
10. Gersh BJ, Maron BJ, Bonow RO, et al. Guidelines for the diagnosis and treatment of hypertrophic cardiomyopathy: executive summary: a report of the American College of Cardiology Foundation/American Heart Association task force. Circulation 2011;124(24): 2761-96.
11. Cano MN. Remodelamento ventricular progressivo pós-ablação septal por álccol na cardiomiopatia hipertrófica obstrutiva: mito ou realidade? Rev Bras Ecocardiogr Imagem Cardiovasc 2009; 22 (1): 36-45.
12. Seggewiss H, Faber L, Gluchmann V. Percutaneus transluminal septal ablation in hypertrophic obstructive cardiomyopathy. Thorac Cardiovasc Surg 1999;47(2):94-100.
13. Ommen SR, Maron BJ, Olivotto I, et al. Long-term effects of surgical septal myectomy on survival in patients with obstructive hypertrophic cardiomyopathy. J Am Coll Cardiol 2005;46(3):470-6.
14. Maron BJ, Maron MS. The 20 advances that have defined contemporary hypertrophic cardiomyopathy. Trends Cardiovasc Med 2015; 25(1):54-64.
15. Maron BJ. Contemporary insights and strategies for risk stratification and prevention of sudden death in hypertrophic cardiomyopathy. Circulation 2010;121(3):445-56.
16. Maron BJ, Spirito P, Shen WK, et al. Implantable cardioverterdefibrillators and prevention of sudden cardiac death in hypertrophic cardiomyopathy. JAMA 2007;298(4):405-12.

Cardiomiopatia Dilatada

• Introdução

As miocardiopatias são um grupo heterogêneo de doenças do miocárdio, associadas à disfunção elétrica e/ou mecânica, que invariavelmente apresentam dilatação ou hipertrofia inapropriada, de etiologias diversas, e frequentemente de causas genéticas. Elas podem estar confinadas ao coração ou fazer parte de uma doença sistêmica, evoluindo para insuficiência cardíaca progressiva e podendo ocorrer fenômenos como arritmias, tromboembolismo ou morte súbita, independentemente do estágio do processo.

Dessa forma, segundo o comitê europeu, miocardiopatia é afecção na qual o músculo cardíaco é funcional e estruturalmente anormal, na ausência de hipertensão arterial, doenças coronarianas, valvares e congênitas como causas para essa anormalidade, sendo reconhecidos cinco tipos, que são: dilatadas, hipertróficas, restritivas, arritmogênicas do ventrículo direito, e um grupo de não classificáveis.

A Cardiomiopatia Dilatada (CMD) é a forma mais frequente de apresentação clínica das miocardiopatias, caracterizada por dilatação ventricular e disfunção. A forma idiopática (cerca de 50% das CMD) é aquela de etiologia desconhecida, excluídas as causas secundárias, tais como: hipertensão arterial, doenças coronarianas, valvares, congênitas, miocardite, hipertensão pulmonar e dilatação do VD isolada. Porém, várias são as causas de CMD.

• Epidemiologia

No caso de CMD idiopática, sua incidência gira em torno de 5 a 8/100.000 habitantes na população geral norte-americana, o que representa um quarto das CMD, com prevalência ajustada à idade de 36/100.000 na população geral, sobrevida em cinco anos de 25% a 65%, conforme o estágio evolutivo, e mortalidade anual de 10 mil casos.

Mais frequente no sexo masculino e pessoas de cor negra, com risco 2,5 vezes maior, quando comparados com pacientes de cor branca do sexo feminino. Ocorre principalmente na faixa etária de 18 a 50 anos, embora possa estar presente também em crianças e idosos. É hoje a terceira causa mais frequente de insuficiência cardíaca, e a primeira de indicação de transplante.

218 Guia Prático de Cardiologia

• Etiopatogenia

Tendo em vista que, quando encontradas, a disfunção e a dilatação cardíacas poderem ser resultantes de grande variedade de doenças adquiridas ou hereditárias, a diferenciação entre miocardiopatia dilatada idiopática das de formas secundárias e potencialmente reversíveis é de grande importância terapêutica e prognóstica (Tabela 25.1).

Tabela 25.1 Causas conhecidas de miocardiopatia dilatada.

Toxinas	▪ Álcool ▪ Agentes quimioterápicos (antraciclinas, CiclofosfamidaCiccoflsfamida, Trazumab) ▪ Agenles retrovirais (Zidovudina) ▪ Fenotiazinas ▪ Monóxido de carbono ▪ Cocaína ▪ Anfetamina ▪ Cobalto ▪ Chumbo ▪ Mercúrio
Doenças de depósito	▪ Hemocromatose ▪ Amiloidose
Anormalidades metabólicas	
Deficiências nutricionais	▪ Tiamina, selênio, carnitina
Distúrbios endocrinológicos	▪ Hipotireoidismo, tireotoxicose, acromegalia, doença de Cushing, feocromocitoma, diabetes melito
Distúrbios eletrolíticos	▪ Hipocalcemia e hipofosfatemia
Doenças de depósito	▪ Hemocromatose ▪ Amiloidose
Infecciosas	▪ Viral (coxsackievírus, citomegalovírus, HIV, varicela, hepatite, Epstein-Barr, Ecovírus, etc) ▪ Bacteriana (Febre tifoide, difteria, brucelosepsiticose, Rickéttsia) ▪ Fúngica (histoplasmose, criptococose) ▪ Parasitária (toxoplasmose, tripanossomíase, triquinose, doença de Chagas)
Não infecciosas/Inflamatórias	▪ Doenças reumatológicas (esclerodermia, lúpus, dermatopolimiosite, etc. ▪ Miocardite por hipersensibilidade ▪ Sarcoidose
Causas neuromusculares	▪ Distrofia muscular de Duchenne ▪ Distrofia miotônica ▪ Ataxia de Friedreich
Cardiomiopatia dilatadas familiares	
Alterações de estruturas contráteis	▪ distrofinas e proteínas de membrana celular (emerina e proteínas laminares), a maioria ligada ao X

*HIV: virús da imunodeficiência humana.

Cardiomiopatia Dilatada **219**

A miocardiopatia dilatada idiopática é considerada doença de origem multifatorial, sendo vários os mecanismos relacionados. Dentre estes, destacam-se: fatores genéticos, imunológicos (resposta autoimune a antígenos epítopos miocárdicos) e fatores adquiridos, tais como infecciosos (infecções virais prévias), metabólicos e tóxicos que agiriam de forma sinérgica. As hipóteses viral, autoimune e genética são as mais aceitas por serem responsáveis pela etiopatogenia da miocardiopatia dilatada.

A hipótese autoimune embasa-se no achado de auto-anticorpos séricos em pacientes com miocardiopatia dilatada. São descritos autoanticorpos contra miosinas de cadeia pesada alfa e beta, proteínas sarcoplasmáticas, enzimas mitocondriais e receptores beta-adrenérgicos e muscarínicos. Esse processo autoimune pode ser deflagrado por diversas formas de agressão, tais como infecções virais e bacterianas. O mimetismo entre proteínas virais e bacterianas com moléculas cardíacas desencadeia a autorreatividade e a produção de anticorpos contra antígenos cardíacos.

Algumas formas de miocardiopatia dilatada hereditária não podem ser diferenciadas pelo padrão anatomopatológico; dessa forma, a distinção depende do padrão de transmissão. Formas autossômicas dominantes (mais frequentes), autossômicas recessivas, ligadas ao cromossomo X e mitocondrial são descritas. Mutações em mais de 40 genes tem sido implicadas na sua patogênese. Sabe-se que cerca de 20 a 30% de parentes em primeiro grau de pacientes com miocardiopatia dilatada podem apresentar algum grau de comprometimento miocárdico. A implicação desse achado é de grande importância para a avaliação de familiares para comprometimento miocárdico. Outras formas de miocardiopatia dilatada familiares estão relacionadas a mutações específicas de miosina de cadeia pesada e de troponina e a deleção/mutação do gene da distrofina nos miócitos cardíacos.

Fisiopatologia

A insuficiência cardíaca é o resultado de agressões ao tecido miocárdico, como as que ocorrem em sobrecargas de volume, de pressão, inflamações ou isquemia (Tabela 25.2). Em muitos casos, porém, a retirada do fator causal não leva à reversão da disfunção. Isso ocorre porque esta agressão desencadeia um processo de remodelamento miocárdico, envolvendo os compartimentos miocítico, vascular e intersticial com repercussões clínicas no tamanho, massa, geometria e função do coração. Conforme descrito por Cohn, não é a disfunção contrátil, e sim o remodelamento cardíaco que é a chave para a depressão da fração de ejeção e esta deve ser vista como um marcador clínico de alterações estruturais e de geometria que ocorrem no miocárdio, à medida que a síndrome de insuficiência cardíaca progride.

Tabela 25.2 Alterações estruturais que contribuem para deterioração hemodinâmica na miocardiopatia dilatada.

- Fibrose miocárdica
- Os diferentes tipos de colágeno
- Aumento da atividade das metaloproteinase
- Desenvolvimento de hipertrofia
- Ativação do sistema renina-angiotensina-aldosterona e outros neuro-hormônios
- Expressão de determinados componentes do sistema imune, tais como as citocinas
- Inflamação miocárdica

Anatomia patológica e histologia

A alteração morfológica descrita é a dilatação de ambos os ventrículos (principalmente) e átrios. Podem também estar presentes trombos intracavitários, espessamentos focais dos folhetos mitral, tricúspide e dilatação dos anéis valvares. Há um aumento do peso cardíaco, podendo chegar a 2 ou 3 vezes o peso normal; além de um miocárdio pálido e flácido.

A alteração estrutural histológica é representada pelo acúmulo inadequado de colágeno, fibrose e hipertrofia dos diferentes compartimentos do miocárdio, promovendo desorganização da morfologia do coração e dilatação ventricular.

Soufen constatou, em pacientes com miocardiopatia dilatada de diferentes etiologias, que a disfunção do ventrículo esquerdo (VE) era caracterizada por fibrose miocárdica, sendo maior na alcoólica e na hipertensiva quando comparadas à idiopática. Assim, pode-se sugerir que algumas etiologias, por meio de seus mecanismos patogênicos, determinariam alterações histológicas diferentes e evoluções prognósticas distintas, mas ainda é incerto se existe relação direta entre elas.

• Manifestações clínicas

A CMD se mostra com uma grande variedade de apresentação clínica, muito dependente do grau de disfunção ventricular e de presença de manifestações clínicas.

Os sintomas podem surgir em qualquer idade, sendo mais frequente entre a 4ª e 6ª década, principalmente em homens do que em mulheres; geralmente com desenvolvimento gradual. Alguns pacientes permanecem assintomáticos por muitos meses ou anos, a despeito da presença da disfunção ventricular. Os sintomas mais presentes são os de falência ventricular esquerda, como fadiga, astenia, dispneia progressiva aos esforços, dispneia paroxística noturna, cansaço, extremidades frias, palpitações e desmaios, dor torácica pode surgir em uma minoria de pacientes e pode sugerir doença isquêmica concomitante e presença de sinais de falência ventricular direita.

Exame físico

A gama de apresentação clínica também é grande. A respiração pode ser normal, taquipnéico ou com presença de respiração de Cheyne-Stokes que está associada a um pior prognóstico. A pressão arterial sistólica pode estar normal ou diminuída e a pressão de pulso esta deprimida (refletindo baixo volume sistólico ventricular), o pulso alternante é comum em pacientes com insuficiência ventricular esquerda. A frequência cardíaca se encontra normal ou aumentada, as extremidades podem estar frias, evidenciar cianose de extremidades e má perfusão periférica.

Dependendo do grau de insuficiência cardíaca e da causa de seu aparecimento podem predominar os sinais de insuficiência ventricular esquerda, congestão venosa pulmonar, tais como dispneia aos esforços, ortopneia e dispneia paroxística noturna, ou os sinais de insuficiência ventricular direita com congestão venosa sistêmica, tais como estase jugular, hepatomegalia, derrames cavitários e edema de membros inferiores. Arritmias (ventriculares e supraventriculares), fenômenos tromboembolicos e até morte súbita podem fazer parte da apresentação clínica.

No exame do precórdio apresenta, à palpação, o desvio do ictus para a posição apical e lateral esquerda, evidenciando o aumento do ventrículo esquerdo.

À ausculta cardíaca podem ser detectados sopros ou bulhas acessórias, como o ritmo de galope, a terceira bulha (nos casos de IC descompensada) e a quarta bulha (que pode preceder a insuficiência franca). Hiperfonese de segunda bulha, à custa do segundo componente (pulmonar), que pode refletir hipertensão pulmonar; ou o desdobramento paradoxal de B2 que reflete a presença de bloqueio de ramo esquerdo. Se presença de dilatação do anel mitral, que determina insuficiência mitral, pode-se auscultar sopro sistólico no foco mitral com irradiação para região lateral esquerda até a região dorsal.

• Diagnóstico

A depender dos dados de história e exame físico, outros exames podem ser utilizados a fim de se excluir causas de miocardiopatias dilatadas que não de origem idiopática. Assim dosagem de níveis de ureia e creatinina, fósforo sérico, cálcio sérico, testes de função tireoidiana, ferro sérico, ferritina, sorologia para HIV, sorologia para chagas e outros devem ser solicitados. O diagnóstico será firmado apenas após a exclusão de todas as causas possíveis. Quanto aos demais exames complementares, descrevemos na Tabela 25.3

Tabela 25.3 Exames complementares no diagnóstico de MCD.

Tipo de exame	Comentários
Rx de tórax	■ Achado mais comum: cardiomegalia; sinais de congestão pulmonar (aumento da trama vascular pulmonar até edema intersticial) e mesmo derrame pleural.
Eletrocardiograma (ECG)	■ Pode ser normal; ■ Frequentemente se encontra: taquicardia sinusal, distúrbios de condução, hipertrofia, alterações de repolarização ventricular, ondas "q" patológicas e arritmias cardíacas (principalmente FA). ■ Os distúrbios de condução descritos são: bloqueio atrioventricular de primeiro grau, bloqueio de ramo esquerdo, bloqueios divisional ântero-superior e atraso final de condução.
Ergoespirometria	■ Útil para avaliar a gravidade da MCD e um importante marcador prognóstico de mortalidade ■ Parte do screening para indicação de entrada em fila de transplante cardíaco
Holter 24h	■ Para registrar presença de arritmias ventriculares e/ou supraventriculares, principalmente as taquicardias ventriculares não sustentadas (TVNS); ■ Talvez o achado de TVNS seja um marcador de extensão de lesão miocárdica -> porém sem consenso entre sua presença e a ocorrência de morte súbita, mas com valor preditivo em relação à mortalidade total.
Ecocardiograma	■ Essencial para o diagnóstico; permite afastar as doenças valvares, doenças do pericárdio, além de permitir a avaliação anatômica das dimensões das cavidades cardíacas, das espessuras das paredes e a avaliação da função ventricular. ■ Pode-se evidenciar: dilatação do VE, sem aumento de espessura ventricular, depressão da função sistólica, graus variáveis de disfunção diastólica, disfunções valvares, trombos intracardíacos, estimativas indiretas de pressão intraventricular e de pressão arterial sistólica pulmonar. ■ Importante no acompanhamento de parentes com antecedentes de cardiomiopatia hereditária.
Ventriculografia radioisotópica	■ Calcula com precisão a fração de ejeção do ventrículo esquerdo e direito e avaliando a presença de anormalidades regionais de contração ventricular. ■ Realizado somente quando o ecocardiograma não encontra condições técnicas adequadas.

(continua)

(continuação)

Tabela 25.3 Exames complementares no diagnóstico de MCD.

Tipo de exame	Comentários
Cintilografia miocárdica	■ Para avaliar a perfusão miocárdica durante stress, na diferenciação de etiologia isquêmica ou não da insuficiência cardíaca.
Ressonância nuclear magnética cardíaca	■ Observa-se aumento dos ventrículos, átrios e espessamento uniforme da parede. ■ Pela cine-ressonância nuclear magnética pode-se quantificar a massa ventricular e os volumes ventriculares para a determinação do grau de disfunção. - As imagens são inespecíficas, no entanto em alguns casos podem-se diferenciar formas dilatadas idiopáticas de isquêmicas ou hemocromatose cardíaca. ■ Afilamento da parede segmentar é característica que sugere área de infarto antigo, já o espessamento uniforme e o aumento das trabéculas do VE são mais característicos de cardiomiopatia dilatada idiopática. ■ A hemocromatose cardíaca caracteriza-se pela perda de sinal ao *spin-echo* e *gradiente-echo* miocárdico
Angiotomografia de coronárias	■ No diagnóstico diferencial de etiologia isquêmica. Quando evidencia coronárias normais, exclui a isquemia ou infarto do miocárdio e a doença isquêmica do coração.
Cateterismo cardíaco	■ Para aqueles pacientes que evoluem com dor torácica e suspeita de origem isquêmica. ■ Na MCD encontram-se pressões diastólicas finais e pressãocapilar pulmonarelevada. A ventriculografia esquerda mostra dilatação ventricular e redução difusa da contratilidade segmentar. Podem estar presentes anormalidades regionais de contração ventricular, mas esta característica é frequente na doença isquêmica. Pode estar presente insuficiência da valva mitral e também pode ser encontrada a presença de trombo no ventrículo esquerdo. ■ Geralmente revela vasos normais na MCD
Biopsia endomiocárdica de VD	■ Fornece importantes informações diagnósticas e prognósticas. ■ É utilizada na avaliação de pacientes com suspeita de causas específicas de cardiomiopatias e no diagnóstico de miocardite.
Testes genéticos	■ Uma abordagem em painel, em que vários genes mais frequentes para a doença estejam presentes; ■ Testes negativos não implicam que o paciente não tenha uma forma genética; ■ Nem todas as variações genéticas identificadas por testes genéticos são necessariamente patogênicas e as decisões clínicas não devem ser baseadas em variantes genéticas de significado clínico incerto ou indeterminado. Para esta associação ser validada é importante que várias linhas de evidências científicas que suportem a associação da variante patológica identificada com a doença estejam bem documentadas na literatura.

Cardiomiopatia Dilatada **223**

• Tratamento

O tratamento da CMD consiste na identificação das possíveis causas reversíveis de dilatação cardíaca e dos fatores desencadeantes de insuficiência cardíaca. No caso da CMD idiopática, por não ter uma causa estabelecida, o tratamento será direcionado no controle da insuficiência cardíaca, prevenção da progressão da doença e tentativa de evitar a ocorrência de fenômenos tromboembólicos e morte súbita.

O tratamento clínico da miocardiopatia dilatada é o mesmo da síndrome de insuficiência cardíaca manifesta (portanto, mais detalhado nos Capítulos 21 e 22).

Restrições hídrica e salina devem ser observadas. A ingestão de sal recomendada é de 3-4 g/dia e a restrição hídrica individualizada.

Tratamento farmacológico

Todos os agentes inotrópicos positivos, com exceção da digoxina, pioram o prognóstico de pacientes com MCD. Em contrapartida, a digoxina não tem impacto na sobrevida, não reduzindo nem aumentando mortalidade, mas é útil no controle dos sintomas, reduzindo o número de internações por recorrência de insuficiência cardíaca. Portanto, deve ser prescrita nos pacientes sintomáticos com comprometimento sistólico da função do VE.

As evidências atuais indicam que na presença de disfunção ventricular ou insuficiência cardíaca o melhor prognóstico/a maior sobrevida esta associada ao tratamento farmacológico inicial com os betabloqueadores (carvedilol; succinato de metoprolol; bisoprolol ou nebivolol) e com inibidores de enzima de conversão (IECA) ou bloqueadores dos receptores de angiotensina II (BRA); que também mostraram aumento na qualidade de vida, redução de sintomas e internações.

Assim, os beta-bloqueadores devem ser utilizados após otimização clínica com digitálico, diuréticos e inibidores da enzima conversora de angiotensina. Deve ser iniciado em doses baixas e aumentado de acordo com a tolerabilidade clínica do paciente.

Os inibidores da enzima conversora de angiotensina (IECA) devem ser utilizados inicialmente em doses baixas, principalmente naqueles pacientes internados, com creatinina sérica > 2,5mg/dL, hipotensão arterial, devendo ser titulada progressivamente até a dose máxima. São os medicamentos com comprovada eficácia no acompanhamento de pacientes com insuficiência cardíaca. Os BRA devem ser utilizados nos casos de intolerabilidade aos IECAs.

O bloqueio da aldosterona promovido pela espironolactona na dose de 25 mg em pacientes com FEVE < 35% e em classe funcional II, III, e IV está associado a redução de 30% de mortalidade e melhora da qualidade de vida destes pacientes. Não deve ser prescrita nos casos em que a creatinina está acima de 2,5mg/dL.

Os diuréticos(principalmente os de alça) estão indicados nos quadros de congestão pulmonar e edema periférico, para controle dos sintomas e devem ser usados com cautela pois podem exacerbar a ativação neuro hormonal e piorar a função renal.

O uso de nitrato, como a hidralazina, está indicado nos pacientes que apresentam alteração da função renal e hipercalemia, com o uso de IECA ou BRA. Também a sua associação com o esquema usual é possível em pacientes afrodescendentes que mantém sinais e sintomas de insuficiência cardíaca com a medicação otimizada.

A amiodarona é útil no controle de arritmias, mas não mostrou melhora da sobrevida destes pacientes.

Em insuficiência cardíaca descompensada forma congestiva o tratamento é focado no uso de diuréticos de alça concomitante com vasodilatadores (nitroglicerina e nitroprussiato de sódio). No grupo que apresenta hipotensão com hipoperfusão o uso de inotrópicos intravenosos deve ser indicado (dopamina, dobutamina e milrinone). O uso de levosimedana não demonstrou beneficio sobre a mortalidade quando comparado com dobutamina, mas apresentou redução no tempo de internação.

Tratamento não farmacológico

O tratamento não farmacológico será melhor explorado nos capítulos específicos. Aqui citaremos apenas algumas características de cada procedimento na Tabela 25.4.

Tabela 25.4 Tratamento não farmacológico nas MCD.	
Ressincronização cardíaca	Promove a melhora da sincronia mecânica, com isso aumentando o tempo de enchimento ventricular esquerdo, diminuindo a regurgitação mitral, levando a uma melhora na remodelação ventricular, com melhora funcional ventricular e aumento da sobrevida para estes pacientes.
Cardiodesfibriladores implantáveis	Para prevenção secundária em pacientes com miocardiopatia dilatada e com morte súbita ressuscitada, constatação de taquicardia ventricular sustentada redução de fração de ejeção é classe I A de indicação.
Assistência ventricular mecânica	Como ponte para transplante pode ser um procedimento adotado
Transplante cardíaco	Se mantém como o padrão ouro para o tratamento da insuficiência cardíaca avançada.

• Prognóstico

Os dados epidemiológicos das miocardiopatias e os de sua principal manifestação clínica, a insuficiência cardíaca, mostram que os marcadores de prognóstico são fundamentais e necessários para definir grupos de alto risco que necessitem de tratamento específico – procedimentos cirúrgicos como o transplante cardíaco, a miocardioplastia, a reconstrução do VE e troca valvar.

Vários são os fatores prognósticos em pacientes com cardiomiopatia dilatada, dessa forma não existe um único índice que possa ser definido como ideal, porém mediante a análise dos fatores clínicos, laboratoriais e hemodinâmicos pode-se estratificar melhor os pacientes (Tabela 25.5).

Tabela 25.5 Marcadores de mau prognóstico em miocardiopatia dilatada.	
Presença de terceira bulha	Índice cardiotorácico aumentado
Hipotensão arterial	Fração de ejeção reduzida
Classe Funcional III e IV (NYHA)	Presença de insuficiência diastólica associada
Marcadores bioquímicos aumentados (norepinefrina, endotelina, angiotensina, aldosterona, mediadores inflamatórios como as citocinas, fatores de crescimento, peptídeos natriuréticos e outros)	Presença de Insuficiência Mitral pelo menos moderada
Arritmias ventriculares complexas	Acentuada dilatação das cavidades
Atrasos acentuados na condução intraventricular	Baixa massa de VE
Redução do consumo máximo de oxigênio (menor do que 10 mL/kg/min.)	Idade avançada

A avaliação subjetiva da classe funcional pelos critérios da New York Heart Association é muito utilizada, tanto na prática clínica como em estudos clínicos, e está relacionada ao prognóstico das miocardiopatias de forma não independente. O teste de distância caminhada em 6 min é mais objetivo para avaliação clínica funcional, mas a medida do consumo de oxigênio durante o pico do exercício (VO_2máx) é uma medida objetiva, quantitativa e um fator independente no prognóstico dos pacientes com miocardiopatia dilatada e insuficiência cardíaca.

Entretanto, apesar de existirem vários fatores preditores de mortalidade em miocardiopatia dilatada, o valor preditivo de qualquer fator analisado isoladamente não é alto para prever eventos desfavoráveis.

• Referências

1. Maron BJ, Towbin JA, Thiene G, et al. Contemporary definitions and classification of the cardiomyopathies: an American Heart Association Scientific Statement from the Council on Clinical Cardiology, Heart Failure and Transplantation Committee; Quality of Care and Outcomes Research and Functional Genomics and Translational Biology Interdisciplinary Working Groups. Circulation 2006;113(14):1807-16
2. Manolio TA, Baughman KL, Rodeheffer R, et al. Prevalence and etiology of idiopathic dilated cardiomyopathy (summary of a national heart, lung, and blood institute workshop). Am J Cardiol 1992;69(17):1458-66.
3. Coughlin SS, Szklo M, Baughman K. The epidemiology of idiopathic dilated cardiomyopathy in a biracial community. Am J Epidemiol 1990;131(1):48-56.
4. Dec GW, Fuster V. Idiopathic dilated cardiomyopathy. N Engl J Med 1994;331 (23):1564-75.
5. Mobini R, Maschkeb H, Waagsteina F. New insights into the pathogenesis of dilated cardiomyopathy: possible underlying autoimmune mechanisms and therapy. Autoimmun Rev 2004;3(4):277-84.
6. Neuman DA. Autoimmunity and dilated cardiomyopathy. Mayo Clin Proc 1994;69(2):193-5
7. Soufen HN. Análise histológica e molecular da fibrose miocárdica em pacientes portadores de miocardiopatia dilatada de diferentes etiologias. São Paulo, 2001. 102p. Tese (Doutorado) – Faculdade de Medicina da Universidade de São Paulo.
8. Oakley C. Aetiology, diagnosis, investigation, and management of the cardiomyopathies. BMJ 1997;315(7121):1520-4. Review.
9. Guimarães JI, Coordenador. Revisão das II Diretrizes da Sociedade Brasileira de Cardiologia para o Diagnóstico e Tratamento da Insuficiência Cardíaca. Arq Bras Cardiol 2002; 79(Suppl IV): 1-30.
10. Komajda M, Jais JP, Reeves F, et al. Factors predicting mortality in idiopathic dilated cardiomyopathy. Eur Heart J 1990;11(9):824-31.

Cardiomiopatia Restritiva

Félix José Álvarez Ramires • Victor Sarli Issa • Jussara Regina Sousa Rodrigues

• Introdução

A cardiomiopatia restritiva é a menos comum dentre as doenças do miocárdio, e um grande desafio diagnóstico. A principal característica fisiopatológica, hemodinâmica e clínica é a presença de restrição diastólica. A identificação de pacientes com Síndrome de Restrição Diastólica (SRD) deve levantar a suspeita clínica para as doenças restritivas, cujo diagnóstico não é sustentado por critérios homogêneos. A diferenciação da pericardite constritiva é obrigatória devido à implicação terapêutica. Diferentes doenças podem ter como manifestação clínica a síndrome de restrição diastólica. A causa pode ser idiopática, secundária a doenças sistêmicas como amiloidose e sarcoidose ou efeito da exposição à radiação. A Endomiocardiofibrose (EMF) é importante causa de IC, com impacto na morbidade e mortalidade em países africanos (ver Tabela 26.1). O prognóstico é variável, dependendo da etiologia.

Tabela 26.1 Classificação das miocardiopatias restritivas de acordo com sua causa.

Miocárdica não infiltrativas	Cardiomiopatia idiopática Esclerodermia/Pseudoxantoma elástico/Cardiomiopatia diabética
Miocárdica infiltrativas	Amiloidose/Sarcoidose Doença de Gaucher/Doença de Hurler/Infiltração gordurosa/ Hemocromatose/Doença de Fabry/Glicogenoses
Endomiocárdica	Endomiocardiofibrose Síndrome hipereosinofílica Doença carcinoide cardíaca/Neoplasias metastáticas Radiação/Efeito tóxico de antraciclina Drogas que causam endocardite fibrosa (serotonina, metissergida, ergotamina, agentes mercuriais, bisulfan)

Fonte: Adaptada de Kushwaha, Fallon e Fuster, 1997.

228 Guia Prático de Cardiologia

• Fisiopatologia

A função diastólica normal pode ser definida como a capacidade de o ventrículo esquerdo (VE) acomodar um adequado volume para manter o débito cardíaco apropriado às necessidades do organismo, com pressão venocapilar pulmonar dentro da normalidade. O enchimento ventricular depende do gradiente de pressão entre as câmaras cardíacas e das propriedades ativas e passivas do miocárdio, relaxamento e complacência respectivamente, que são determinantes no início da diástole; enquanto a fase final depende principalmente da contração atrial, que é influenciada pela rigidez do VE, contenção pericárdica e sincronia entre o átrio e ventrículo esquerdo (intervalo PR). Portanto, diversos fatores podem influenciar a função diastólica, desde aspectos estruturais e funcionais inerentes ao coração, até sua relação com as condições de cargas e estruturas relacionadas. A função sistólica pode ser normal em estágios iniciais da doença restritiva.

• Síndrome de restrição diastólica

O padrão hemodinâmico de congestão venosa sistêmica e pulmonar decorrente da fisiologia restritiva determina os sinais e sintomas da SRD. A queixa mais comum é a intolerância ao esforço físico por incapacidade de aumentar o débito cardíaco com o aumento da frequência cardíaca, devido à restrição ao enchimento diastólico. Fraqueza, dispneia e edema são sintomas associados. Em etapas mais avançadas ocorre aumento da pressão venosa central e edema profundo, que inclui edema periférico, hepatomegalia, ascite e anasarca. Ao exame físico nota-se pressão venosa jugular elevada e sinal de Kussmaul, pulso apical palpável associado à ausculta de sons de galope B4 e ritmo irregular provavelmente secundário à Fibrilação Atrial (FA) por dilatação atrial.

• Exames complementares

O Pró-BNP pode ser utilizado como marcador sensível de disfunção diastólica em pacientes com SRD, conforme sugerido em pequenos estudos observacionais. Os resultados foram divergentes na diferenciação entre as doenças constritivas e restritivas, devido ao pequeno número de pacientes.

A radiografia de tórax pode identificar um padrão de congestão pulmonar associado à área cardíaca normal ou calcificação pericárdica na pericardite constritiva. A FA é um achado frequente no eletrocardiograma, além de alterações de repolarização ventricular, sobrecargas atriais e ventriculares, áreas inativas, bloqueios de ramo e bloqueio atrioventricular.

O Ecocardiograma Transtorácico (ETT) é um exame não invasivo, que fornece muitas informações, como a dilatação biatrial e aumento da espessura da parede associada à infiltração miocárdica, assim como alterações na aparência do miocárdio. O estudo com Doppler evidencia relaxamento miocárdico comprometido, com aumento da velocidade inicial de enchimento ventricular, redução da velocidade de enchimento atrial, e redução do tempo de relaxamento isovolumétrico. O padrão restritivo da velocidade de fluxo transmitral é um marcador de gravidade na IC e se correlaciona com níveis mais elevados de Pró-BNP em pacientes com IC diastólica.

A Tomografia Computadorizada (TC) e a Ressonância Magnética (RM) são ferramentas úteis no diagnóstico diferencial entre a miocardiopatia restritiva e a pericardite constritiva, assim como o cateterismo cardíaco e a Biópsia Endomiocárdica (BEM). A manometria pode mostrar o clássico sinal da raiz quadrada na curva de pressão atrial, caracterizada pelo rápido e profundo declínio da pressão ventricular no início da diástole, com um rápido aumento até atingir um platô na diástole precoce.

• Miocardiopatia restritiva idiopática

A forma idiopática é diagnosticada em 50% dos casos, pode acometer adultos entre os 50 e 70 anos de idade, e se caracteriza por SRD com padrão hemodinâmico restritivo, porém sem doença estrutural ou cardiopatia associada. Hipertrofia, fibrose e desarranjo de fibras miocárdicas são achados inespecíficos na BEM. Existe uma forma familiar de transmissão autonômica dominante, que se manifesta mais precocemente entre os 20 e 30 anos de idade. Pode estar associada à miopatia esquelética e a distúrbios do sistema de condução tipo bloqueio. A função sistólica geralmente está preservada em repouso. O tratamento é de suporte, com evolução para IC avançada e indicação de transplante cardíaco em casos selecionados.

• Amiloidose

É a causa específica mais comum de miocardiopatia restritiva, invariavelmente progressiva e de prognóstico reservado. A amiloidose é um grupo heterogêneo de doenças nas quais proteínas insolúveis se depositam na forma de fibrilas no tecido extracelular de diferentes órgãos, causando disfunção através da alteração da arquitetura ou da ativação celular local. Acomete preferencialmente os homens maiores de 40 anos de idade (ver Tabela 26.2). A apresentação clínica é variável, e quatro síndromes cardiovasculares se sobrepõem na amiloidose cardíaca: SRD, IC sistólica, hipotensão ortostática, e distúrbios do sistema de condução.

A cintilografia miocárdica com tecnécio 99m e outros agentes que se ligam ao cálcio pode detectar o amiloide, sendo positiva quando a amiloidose é extensa e se correlaciona com o grau de infiltração cardíaca (Tabela 26.2). A RM também pode identificar a infiltração amiloide com alta sensibilidade, além da extensão da deposição amiloide no miocárdio. Contudo, o diagnóstico é confirmado pela biópsia e a análise imuno-histoquímica é útil para identificar proteínas amiloides específicas.

Tabela 26.2 Classificação da amiloidose.

Tipo	Proteína amiloide	Acometimento sistêmico	Acometimento cardíaco	Tratamento específico
Primária (Adquirida)	Amiloide AL	10% -15% mieloma múltiplo associado. Acomete qualquer órgão, exceto SNC, preferência por coração e rim.	30% das formas primárias por discrasia de células plasmáticas apresentam amiloidose cardíaca clínica. Envolvimento do sistema nervoso autônomo.	Quimioterapia com agentes alquilantes em forma isolada ou em combinação com transplante de célula-tronco de medula óssea autóloga
Secundária (Sistêmica reativa)	Amiloide AA	Envolvimento cardíaco é mais raro.	Menor infiltração que a forma primária. Deposição mais localizada (perivascular) com menor probabilidade de evolução para IC.	Depende da causa: TB, AR, doenças inflamatórias intestinais, febre familiar mediterrânea e osteomielite.

(*Continua*)

(Continuação)

Tabela 26.2 Classificação da amiloidose.

Tipo	Proteína amiloide	Acometimento sistêmico	Acometimento cardíaco	Tratamento específico
Familiar (Hereditária)	Transtiretina	As manifestações sistêmicas variam conforme o tipo de mutação: rim, SNC e coração.	25% são sintomáticos, principalmente por alteração do sistema de condução. 50% de morte por causa cardíaca (IC e MS)	Transplante de fígado pode eliminar a fonte de proteína amiloide anormal
Sistêmica senil	ATTR	Preferência pelo coração, mas também se deposita no SNC, articulações e próstata entre outros	Padrão de infiltração desde depósitos localizados nos átrios ou veias pulmonares que pode se manifestar como FA, até infiltração ventricular extensa com IC grave.	Nenhuma terapia tem sido efetiva, porém a sobrevida é maior comparada à forma primária

O controle dos sintomas na amiloidose cardíaca deve considerar alguns aspectos. O diurético associado à restrição hídrica deve ser empregado com cuidado para não piorar a disfunção diastólica, ocasionando baixo débito por diminuição da pré-carga. Da mesma forma, apesar da melhora da perfusão renal e alívio dos sintomas proporcionado pelos vasodilatadores, essa classe de medicamentos deve ser usada com cautela pelo risco de hipotensão sistêmica. Os digitálicos são úteis para o controle efetivo da frequência cardíaca na FA, entretanto é recomendada a monitoração cuidadosa dos níveis séricos devido à maior sensibilidade ao digital. Os antagonistas dos canais de cálcio possuem efeito inotrópico negativo que pode piorar a IC. A anticoagulação oral e implante de dispositivos de estimulação cardíaca e CDI seguem as recomendações clássicas.

• Endomiocardiofibrose

A distribuição da EMF vem se estendendo desde as regiões tropicais e subtropicais da África até outros países dos trópicos como Índia, Brasil, Colômbia, Sri Lanka e a Arábia Saudita. A maior parte dos casos foi descrita em crianças e adultos jovens, principalmente do sexo masculino, sendo alguns casos em indivíduos na sexta década de vida. A etiologia é desconhecida. As infecções virais, bacterianas, parasitárias, alimentação rica em serotonina e desnutrição foram descritas como possíveis desencadeantes do processo fibroso.

A disfunção cardíaca é secundária a lesões fibrosas na via de entrada dos ventrículos. Afeta ambos os ventrículos em 50% dos casos, seguido pelo acometimento isolado de VE em 40%, e do Ventrículo Direito (VD) nos 10% restantes. A obliteração fibrótica do ápice dos ventrículos afetados é uma característica clássica. Também pode afetar as valvas atrioventriculares através dos músculos papilares e das cordas tendíneas, produzindo lesões regurgitantes. Frequentemente preserva o folheto mitral anterior e o trato de saída do VE. Pode ocorrer degeneração da camada média das coronárias por deposição de fibrina e fibrose, sendo rara a doença obstrutiva nesses casos. A análise histológica revela uma camada espessa de colágeno sobreposta a um tecido conjuntivo e traves fibrosas e granulares que se estendem para o tecido miocárdico subjacente. O tecido fibrótico predispõe à formação de trombos. Pode haver depósitos endocárdicos de cálcio em áreas difusas do ventrículo.

As principais manifestações clínicas dependem do ventrículo envolvido, com predomínio de congestão pulmonar resultante do acometimento do VE e/ou doença restritiva secundária a alteração do VD. O diagnóstico pode ser confirmado através de BEM dirigida.

A EMF é progressiva e irreversível, a mortalidade em dois anos pode chegar a 50%. A FA e a ascite são indicadores de mau prognóstico. A IC é de difícil controle. Em casos de fibrose endocárdica severa, o tratamento de escolha é a ressecção cirúrgica do endocárdio comprometido e a substituição ou plastia da valva afetada. O risco cirúrgico é alto, com mortalidade operatória elevada.

• Outras miocardiopatias restritivas

Doença de Gaucher

A deficiência hereditária de betaglicosidase ocasiona o acúmulo de cerebrosídeos e infiltração sistêmica em vários órgãos: baço, fígado, medula óssea, linfonodos, cérebro e coração. A infiltração miocárdica leva à rigidez por diminuição da complacência ventricular. Pode ocorrer IC esquerda, derrame pericárdico hemorrágico e valvopatias do lado esquerdo. O tratamento específico com reposição enzimática pode diminuir a infiltração tecidual com graus variados de melhora clínica.

Doença de Hurler

É a forma grave da mucopolissacaridose tipo I, doença de sobrecarga lipossomal rara, causada pela deficiência da enzima lisossomal alfa-L-iduronidase, manifestando-se por anomalias ósseas e atraso no desenvolvimento psicomotor na infância. A forma adulta, também chamada doença de Schele, não apresenta atraso mental e a estatura é normal. Os sintomas típicos incluem rigidez articular, opacidade da córnea, síndrome do túnel do carpo e alterações ósseas leves. Pode haver depósito de mucopolissacarídeos no miocárdio, endocárdio, valvas, coronárias e aorta. O tratamento específico inclui transplante de medula óssea e reposição enzimática recentemente introduzida.

Doença de Fabry

Ligada ao cromossomo X, causada pela deficiência da enzima lisossomal alfa-galactosidase A, que leva ao acúmulo de glicoesfingoglicolipídios, principalmente a globotriaosilceramida 3, em diferentes tecidos e órgãos. Doença progressiva, com baixa expectativa de vida, inicia-se na infância ou adolescência através de crises periódicas de acroparestesia, lesões cutâneas vasculares, hipo-hidrose e distúrbios gastrointestinais. Evoluem com disfunção renal progressiva e manifestações cardíacas secundárias ao espessamento da parede ventricular entre a 3ª e 5ª décadas de vida. Existe reposição enzimática disponível, com relatos de melhora da função cardíaca com o tratamento. A doença cardiovascular é a principal causa de óbito.

Sarcoidose

Doença inflamatória sistêmica caracterizada pela formação de granulomas não caseosos, preferencialmente em pulmões, sistema reticuloendotelial e pele. O acometimento cardíaco foi identificado em 20% a 30% das autópsias de pacientes afetados. Há relatos de sarcoidose cardíaca isolada. As principais manifestações da sarcoidose cardíaca como bloqueios, arritmias malignas, IC, síncope e MS são resultantes da infiltração do sistema de condução e do miocárdio. Pode ocorrer IC direita por miocardiopatia restritiva ou secundária a sarcoidose pulmonar. A formação de granulomas é focal, principalmente em septo e parede livre ventricular. O padrão de acometimento coronário é de alteração da microcirculação. É importante distinguir a sarcoidose cardíaca da miocardite de células gigantes na BEM, uma doença muito mais agressiva, que requer imunossupressão intensiva, suporte mecânico ou transplante cardíaco. O tratamento específico é a imunossupressão. Os distúrbios de condução, arritmias e IC apresentam boa resposta à corticoterapia. A sobrevida pode variar de meses a anos. Deve-se considerar o implante de CDI em casos selecionados com alto risco de MS. Pode haver recidiva da sarcoidose no coração transplantado.

Hemocromatose

Doença de depósito resultante da deposição excessiva de ferro em vários tecidos, principalmente no coração, fígado, gônadas e pâncreas. A forma hereditária é a mais frequente, com transmissão autossômica recessiva. Os principais sintomas estão relacionados à IC, cirrose, impotência, diabetes e artrite. A deposição de ferro no retículo sarcoplasmático dos miócitos ventriculares causa espessamento e dilatação, geralmente acompanhada de arritmias. O tratamento inclui flebotomias seriadas ou agentes quelantes do ferro como a deferoxamina. A principal causa de morte é a cirrose e carcinoma hepatocelular. A doença cardíaca é a causa de 30% dos óbitos, principalmente nos pacientes jovens do sexo masculino. O transplante cardíaco melhora a sobrevida.

Síndrome carcinoide cardíaca

Tumores carcinoides do intestino, principalmente do íleo, podem causar metástases no coração. A liberação de serotonina e de outras substâncias secretadas pelo tumor podem causar rubor cutâneo, diarreia, broncoconstrição e placas fibróticas endocárdicas. Aproximadamente 50% dos pacientes apresentam lesões estruturais no ETT com predomínio de envolvimento grave de VE em 25% dos casos. Geralmente a doença carcinoide cardíaca está associada a tumores carcinoides que infiltram o fígado. Em 5% a 10% dos casos um tumor bronquial pode causar metástase e acometer as valvas esquerdas. O tratamento específico contempla a utilização de análogos de somatostatina e quimioterapia. A valvoplastia por balão das valvas direitas tem melhorado os sintomas nos casos da estenose tricúspide ou pulmonar.

Radiação

A radiação causa inflamação de todas as camadas do coração com pericardite manifesta na fase mais precoce após a exposição. A evolução para fibrose endomiocárdica, em etapas mais tardias, pode levar a SRD com doença restritiva miocárdica.

Displasia arritmogênica do ventrículo direito

Forma genética de miocardiopatia com transmissão autossômica recessiva e dominante, caracterizada por infiltração fibrogordurosa do VD. Corresponde a 20% das causas de MS, com maior prevalência em atletas jovens. A manifestação inicial ocorre entre a adolescência e os 40 anos de idade. A história natural compreende quatro fases: fase assintomática; manifestação clínica de distúrbio de condução; progressão a IC direita sintomática; IC biventricular. A partir da IC biventricular instalada, os sintomas variam de palpitações a síncope e MS. A síncope geralmente antecede a MS, sendo considerado um evento prognóstico importante. O estudo genético tem identificado indivíduos com mutações em PKP2, que são mais suscetíveis a desenvolver arritmias malignas. A análise imuno-histoquímica com detecção de placoglobina na BEM também pode identificar esse grupo de pacientes. Os indivíduos com diagnóstico de displasia arritmogênica do VD devem ser submetidos a implante de CDI. O tratamento medicamentoso considera a terapia antiarrítmica, IECA, betabloqueador e a terapêutica recomendada na IC de qualquer etiologia. A IC é a principal causa de morte nos portadores de CDI.

O reconhecimento da SRD é o aspecto mais relevante na abordagem do paciente que se apresenta com sinais e sintomas de congestão venosa sistêmica e pulmonar, uma vez que orienta o clínico ao heterogêneo grupo das miocardiopatias restritivas, diagnóstico diferencial que deve ser considerado.

• Referências

1. Bonow RO, Mann DL, Zipes Dp, et al. Braunwald: tratado de doenças cardiovasculares. 9 ed. Rio de Janeiro: Elsevier; 2013. p.1607-18
2. Kushhwara S, Fallon JT, Fuster V. Restrictive cardiomyopathy. New Engl J Med 1997; 336(4)267-76.
3. Little WC, Downes TR. Clinical evaluation of left ventricular diastolic performance. Prog Cardiovasc Dis 1990;32(4):273-90. Review.
4. Zile MR. Diastolic dysfunction: detection, consequences, and treatment. Part 1: definition and determinants of diastolic function. Mod Concepts Cardiovasc Dis 1989;58(7):67.
5. Leya FS, Arab D, Joyal D, Shioura KM. The efficacy of brain natriuretic peptide levels in differentiating constrictive pericarditis from restrictive cardiomyopathy. J Am Coll Cardiol 2005;45(11):1900-2.
6. Mady C, Fernandes F, Ramires FJA, et al. N-terminal prohormone brain natriuretic peptide (NT-proBNP) as a noninvasive marker for restrictive syndromes. Braz J Med Biol Res 2008;41(8):664-7.

Cardiomiopatia Chagásica

Jussara Regina Sousa Rodrigues • Félix José Álvarez Ramires • Victor Sarli Issa

• Introdução

A Doença de Chagas (DC), infecção sistêmica causada pelo protozoário *Trypanosoma cruzi (T cruzi)*, transpôs as fronteiras dos países endêmicos para tornar-se um problema de saúde global, impondo a necessidade de vigilância permanente tanto no Brasil como nos países de destino dos imigrantes latino-americanos. Medidas de prevenção primária como o controle de vetores, rastreio nos bancos de sangue e pesquisa em doadores de órgãos impactaram positivamente na incidência e prevalência da DC, afetando atualmente cerca de 16 milhões de pessoas nas Américas. O Brasil está entre os países de maior prevalência, com aproximadamente 2 milhões de casos crônicos de infecções adquiridas no passado e predomínio de Cardiopatia Chagásica Crônica (CCC), manifestação clínica mais frequente e mais grave, desenvolvendo-se em 20% a 30% dos casos com elevada morbidade e mortalidade.

A transmissão vetorial do *T cruzi* através do contato da pele ou das mucosas do homem com fezes ou urina de insetos hematófagos do gênero *Triatominae* deixou de ser a principal forma de transmissão após o sucesso de ações sistematizadas de controle do vetor implantadas desde a década de 1970. O Brasil recebeu em 2006 a certificação internacional de interrupção da transmissão da doença pelo *Triatoma infestans,* concedida pela OPS e OMS. Por conseguinte, o perfil epidemiológico da infecção mudou no Brasil, sendo reportados 70% de casos transmitidos por via oral entre 2000 e 2011, seguido por 7% de transmissão vetorial extradomiciliar, e 22% de casos sem identificação do modo de transmissão. A transmissão oral ocorre pela ingestão de alimentos ou líquidos contaminados, como caldo de cana, suco de açaí e carne crua, geralmente como um surto epidêmico de casos agudos, mais graves e com maior mortalidade, como os registrados na Amazônia Legal nos últimos anos.

Os mecanismos transfusional e vertical são considerados as principais formas de infecção em zonas urbanas e em países não endêmicos. O risco de infecção através de uma unidade de sangue de um doador infectado é menor, a 10% a 20%, dependendo de vários fatores como a concentração de parasitos no sangue doador, o tipo de hemoderivado transfundido, e talvez a cepa de *T cruzi*. Esse risco é maior quando se transfundem plaquetas. A taxa de transmissão vertical varia entre 1% e 5% das gestações de mulheres com infecção crônica.

Existem casos documentados de transmissão através de doadores de órgãos sólidos e de medula óssea, e, com menor frequência, a transmissão acidental ao homem pela manipulação do *T cruzi* em laboratórios.

• Fisiopatologia da cardiopatia chagásica crônica

A patogênese da doença cardíaca na DC ainda não está totalmente elucidada, porém atualmente existe consenso a respeito da importância da persistência do *T cruzi* no homem após a fase aguda da infecção para o desenvolvimento da CCC. Técnicas de imuno-histoquímica e biologia molecular encontraram um número expressivo de pacientes com o antígeno circulante e identificaram a relação entre esse antígeno e focos inflamatórios na BEM. A miocardite leve e persistente ocasiona inflamação, necrose e fibrose do miocárdio contrátil, sistema de condução e sistema nervoso intramural, evoluindo para dilatação das quatro câmaras e hipocinesia difusa associada a arritmias e risco aumentado de embolias sistêmicas.

• Manifestações clínicas

Fase aguda

A fase aguda se caracteriza por intensa parasitemia e dura de seis a oito semanas, após uma a duas semanas de período de incubação. A DC aguda é assintomática na maioria dos casos, porém pode apresentar os sintomas clássicos no contexto de infecção primária na infância ou reativação de fase crônica em estados de imunossupressão, e deve ser suspeitada em todo indivíduo que apresente febre persistente, associada a uma ou mais das seguintes manifestações clínicas: artralgia, cefaleia, chagoma de inoculação, edema de face ou membros, epigastralgia, exantema, mialgia, sinal de Romaña, adenomegalia, cardiopatia aguda, esplenomegalia, hepatomegalia, icterícia ou manifestações hemorrágicas ou que tenha tido contato direto com triatomíneos; ou recebido hemoderivados ou transplante de órgãos contaminados; ou ingerido alimento suspeito contaminado; ou suspeita em recém-nascido proveniente de mãe infectada.

As infecções intrauterinas estão associadas a aborto e placentite. A DC congênita pode apresentar hipotonia, febre, hepatoesplenomegalia, anemia, icterícia, hemorragia cutânea e sinais neurológicos, especialmente em neonatos prematuros, que geralmente são pequenos para a idade gestacional e com baixo escore de Apgar.

A DC aguda é de notificação compulsória e o diagnóstico nessa fase ocorre em apenas 10% dos casos, principalmente em crianças e, quando não tratada, 10% dos pacientes evoluem para o óbito. A IC aguda secundária à miocardite e à meningoencefalite são as manifestações agudas de pior prognóstico.

Fase crônica

A parasitemia diminui progressivamente quando se inicia a fase crônica que durará por toda a vida do portador de infecção chagásica. Apenas 5% -10% dos pacientes podem apresentar progressão direta da fase aguda para uma forma sintomática da fase crônica. A maioria desenvolve uma forma crônica após um período de latência de dez a trinta anos, com evolução para as seguintes condições clínicas: a forma indeterminada (60% a 70%) e a forma determinada (30% a 40%), que pode ser cardíaca, com ou sem disfunção ventricular, digestiva ou mista.

Os pacientes que desenvolvem a forma indeterminada são assintomáticos e sem evidências de lesão estrutural cardíaca ou extracardíaca no exame físico, ECG, radiografia de tórax e estudo radiológico do cólon ou esôfago. Após trinta a quarenta anos, 30% a 40% evolui com alterações graduais no ECG e ETT que marcam o início da forma cardíaca crônica.

Cardiomiopatia Chagásica **237**

A forma cardíaca sem disfunção ventricular (ver Tabela 27.1) se caracteriza por arritmias e distúrbios de condução intraventricular e atrioventricular em ventrículos com função preservada. Os ventrículos sem disfunção também podem apresentar arritmia ventricular maligna e incompetência cronotrópica decorrente de degeneração do sistema de condução e disfunção autonômica, causando sintomas relacionados à intolerância ao exercício, além de palpitações, tonturas, lipotimia e síncope. A síncope pode ser decorrente de TV ou BAV. A principal causa de óbito é a MS, que pode ser o evento final de uma TV, FV ou assistolia.

A CCC em estágios avançados se manifesta como IC biventricular com FE reduzida associada a arritmias ventriculares malignas e fenômenos tromboembólicos sistêmicos ou pulmonares. A semiologia evidencia cardiomegalia, regurgitação mitral e tricúspide, terceira bulha e sinais de congestão ou baixo débito. O sintoma mais frequente é a fraqueza, provavelmente devido a níveis mais baixos de pressão arterial e pela disfunção de VD que pode estar associada ou ser a disfunção predominante. A angina frequentemente é atípica e sem DAC no estudo invasivo, sugerindo anormalidades da microcirculação secundárias ao processo inflamatório encontradas nos estudos de perfusão miocárdica. As alterações perfusionais nas zonas de fronteira também podem explicar os aneurismas de ponta que poupam o septo, importante fonte de trombos intramurais que fazem da IC de etiologia chagásica um importante fator de risco para o AVC.

Tabela 27.1 Classificação clínica da Doença de Chagas.

Fase aguda	Fase crônica				
	Forma indeterminada	Forma cardíaca sem disfunção ventricular	Forma cardíaca com disfunção ventricular		
	A	B1	B2	C	D
Quadro compatível com DC aguda	Risco de desenvolver IC. Sorologia positiva, sem cardiopatia estrutural ou sintomas de IC. Não apresentam alterações digestivas.	Cardiopatia estrutural evidenciada por alterações no ECG ou ETT, mas com função ventricular global normal e sem sinais e sintomas atuais ou prévios de IC.	Cardiopatia estrutural caracterizada por disfunção ventricular global, mas sem sinais e sintomas prévios ou atuais de IC.	Disfunção ventricular e com sintomas prévios ou atuais de IC. NYHA I, II, III ou IV.	Sintomas refratários de IC em repouso, apesar de tratamento clínico otimizado, necessitando intervenções especializadas.

Fonte. Adaptada de Arq Bras Cardiol 2011; 97 2 supl.3:1-48.

• Diagnóstico

A confirmação etiológica da DC deve ser realizada para todos os casos suspeitos, tanto na fase aguda como na fase crônica. São necessários dois métodos sorológicos de princípios diferentes na fase crônica (técnicas de Elisa, IFI ou HAI; classe I, nível C). A técnica PCR é a mais sensível, porém devido à menor acessibilidade e falta de estandarização, deve ser utilizada em casos de sorologia inconclusiva e no monitoramento do tratamento. A reação de Machado Guerreiro possui baixa sensibilidade, especificidade e dificuldade em sua execução, portanto não deve ser realizada (classe III, nível C).

A abordagem inicial do paciente com DC confirmada inclui anamnese, exame físico, radiografia de tórax e ECG de 12 derivações em repouso com D2 longo de 30 segundos. As alterações iniciais do ECG são caracterizadas por retardos transitórios ou fixos da condução atrioventricular, da condução no ramo direito, alterações da repolarização ventricular e ectopias ventriculares. BRD associado ao BDAS é a alteração mais frequente em mais de 50% dos casos. São descritos BAV de graus variáveis, disfunção do nó sinusal com episódios de bloqueio sinoatrial, bradicardia ou taquicardia atrial ectópica. Durante a evolução podem surgir distúrbios da contratilidade global ou regional, BRE, *Flutter* e FA associados à disfunção ventricular. Diante de sintomas ou alterações no ECG, recomenda-se a investigação complementar com Holter, ETT, TE e exames radiológicos contrastados do esôfago e cólon.

Tratamento etiológico

O tratamento etiológico da CCC é recomendado na fase aguda, em infecções acidentais e na reativação da doença em imunossuprimidos. A indicação de tratamento na fase crônica é consensual em crianças (ver Tabela 27.2). O tratamento da forma cardíaca não avançada e da forma indeterminada em adulto jovem é indicação não consensual, sem nível de evidência estabelecido. No entanto, o conhecimento da fisiopatologia da progressão da CCC através da persistência do *T cruzi* e o resultado de pequenos estudos permite que alguns autores considerem a indicação criteriosa do tratamento etiológico na fase crônica para pacientes entre 19 e 50 anos de idade que não apresentem doença cardíaca avançada. O estudo Benefit (*BENzonidazole Evaluation For Interrupting Trypanosomiasi*) randomizou 2.854 pacientes com miocardiopatia chagásica para o uso de benzonidazol ou placebo, e não demonstrou benefício clínico do tratamento nessa população. A despeito de que a análise de subgrupos comprovou o benefício do benzonidazol na redução de desfechos clínicos no Brasil, quando comparado aos demais países, essa evidência não modificou as recomendações atuais de tratamento em estágios precoces da infecção crônica. Desse modo, novas evidências são necessárias para a ampliação da recomendação para a prevenção secundária da CCC. O tratamento etiológico da CCC não está indicado na forma cardíaca avançada.

O benzonidazol é o único parasiticida disponível no Brasil, produzido em território nacional e distribuído pelo SUS. É a primeira escolha de tratamento por ser o mais investigado e mais bem tolerado. A opção é o nifurtimox, encontrado atualmente na América Central. Ambos são contraindicados em gestantes e em pacientes com insuficiência renal ou hepática. Existem relatos isolados do uso alternativo do alopurinol e itraconazol. O posaconazol, ravuconazol e TAK-187 ainda não foram testados clinicamente.

A dose do benzonidazol para adultos com peso acima de 60 quilos deve ser calculada, a dose total esperada, estendendo-se o tempo de tratamento para além dos 60 dias, até completar a dose total necessária. Acima de 80 quilos mantém-se a dose de 300 mg/dia e o período máximo de 80 dias de tratamento. Recomenda-se a coleta de hemograma e enzimas hepáticas no início e aos trinta dias do tratamento (Tabela 27.2).

Não existe consenso quanto ao critério de cura. Após o tratamento etiológico ocorre declínio progressivo da concentração de anticorpos até a negativação dos testes sorológicos. O início do declínio e o momento da negativação é uma curva de anos de duração, que varia amplamente de acordo com o momento em que o tratamento foi realizado. Atualmente se propõe considerar quedas significativas de concentração de anticorpos anti-*T cruzi* com o mesmo significado que sua ausência, porém esse conceito não é consenso. Dessa forma, sugere-se repetir exames sorológicos anualmente, até que se observe negativação persistente. O controle com exames parasitológicos após tratamento é dispensável, apenas poderá verificar fracasso terapêutico já que a ausência do *T cruzi* não significa cura.

Cardiomiopatia Chagásica **239**

Tabela 27.2 Terapia tripanossomicida.

Medicamento	Dose adulto VO	Dose criança VO	Duração	Farmacocinética	Efeitos colaterais
Benzonidazol Comprimidos 100 mg	5mg/kg/dia 2 a 3 doses diárias Dose máxima 300 mg/dia	5-10 mg/kg/dia	60 dias	Absorção gastrointestinal, excreção renal	Dermatite urticariforme, polineuropatia, anorexia, leucopenia e agranulocitose
Nifurtimox Comprimidos 120 mg	8-10 mg/kg/dia 3 doses diárias	15 mg/kg/dia	60-90 dias	Absorção gastrointestinal, metabolização hepática (P450), excreção renal	Anorexia, dor abdominal, náuseas, vômitos e perda de peso

• Tratamento farmacológico não etiológico

As medidas gerais e o tratamento medicamentoso seguem as recomendações da IC de outras etiologias, com destaque para alguns efeitos observados nos pacientes com DC crônica em pequenos estudos observacionais e experimentais (ver Tabela 27.3).

Tabela 27.3 Terapia medicamentosa não etiológica.

Medicamento	Efeitos na IC de etiologia chagásica
Diuréticos	Estados de hipervolemia. Associação com tiazídicos se não houver resposta e ultrafiltração nos casos refratários. Dieta normossódica e restrição hídrica de 1-1,5 L/dia podem diminuir as complicações do uso de altas doses de diuréticos na IC avançada.
Inibidores da aldosterona	Benefícios demonstrados com maior sobrevida, melhora do infiltrado inflamatório miocárdico e remodelamento cardíaco em modelos animais infectados pelo T cruzi. IC leve a moderada tiveram efeito favorável na associação com enalapril 40 mg/dia. Recomenda-se monitorização dos níveis seriados de potássio nos pacientes com DC.
Digitálicos	Administração aguda demonstrou melhora na atividade do SRAA e no padrão hemodinâmico. Níveis séricos acima de 1,0 ng/mL em 55% com uso crônico, dos quais 45% apresentaram níveis tóxicos assintomáticos. Portanto, são necessárias medidas séricas de digoxina, especialmente nesses pacientes.
IECA	Captopril 150 mg/dia: melhora da CF, níveis urinários de noradrenalina e densidade do arritmia ventricular. Enalapril 20 mg/dia: melhora da função diastólica do VE. Enalapril na IC leve a moderada: diminuiu a área cardíaca no RX, melhorou a FE, diminuiu o DSVE no ETT e os níveis séricos de BNP. Modula a resposta inflamatória na fase aguda da infecção em modelos animais (provável envolvimento da angiotensina II na resposta inflamatória induzida pelo T cruzi). IECA associada a espironolactona não apresentou efeitos adversos nesses pacientes.
BB	Diminuição da mortalidade. Carvedilol 50 mg/dia: melhora da FE quando menor de 45%. A partir de uma dose maior ou igual a 9,375 mg/dia, observou-se marcada diminuição da mortalidade em relação aos que não usavam carvedilol. Metoprolol 50 mg/dia na IC avançada: melhora da CF, níveis séricos de noradrenalina, FEVE e PA sistêmica.

(*Continua*)

240 Guia Prático de Cardiologia

(Continuação)

Tabela 27.3 Terapia medicamentosa não etiológica.

Medicamento	Efeitos na IC de etiologia chagásica
ACO	Indicações clássicas. Discutível ACO na CCC com aneurisma da ponta com ou sem trombose.
Antiarrítmicos	Amiodarona em ectopias ventriculares e TVNS sintomática com disfunção VE; TVS, independente da FE e sem CDI; e nos pacientes com CDI para redução de choques inapropriados. Propafenona ou sotalol para ectopias ventriculares e TVNS sintomática e sem disfunção VE. Não usar antiarrítmicos da classe I em pacientes chagásicos com qualquer forma de arritmia e com disfunção VE.

A decisão do momento de início da terapia medicamentosa não etiológica fica a critério do clínico, pois não está estabelecido se o tratamento deve iniciar na forma indeterminada, na forma cardíaca incipiente, ou qual grau de disfunção sistólica deve indicar o tratamento. Abaixo segue outras terapias indicadas para pacientes com estágio mais evolutivo na Cardiomiopatia Chagásica (Tabela 27.4)

Tabela 27.4 Outras terapias na prevenção terciária.

Tratamento	Principais indicações
Inotrópicos	Dobutamina no choque cardiogênico (classe I, nível C) Levosimendan em pacientes com PAS > 90 mmHg (classe IIb, nível C)
Suporte cardíaco mecânico	Ponte para transplante, ponte para ponte ou ponte para recuperação.
Ablação de TVS por catéter	TVS monomórfica incessante, afastado efeito pró-arrítmico de antiarrítmicos/TVS monomórfica recorrente, em pacientes com CDI recebendo múltiplos choques, apesar do uso de antiarrítmicos (classe I, nível B)
Ablação cirúrgica de TVS	TVS monomórfica recorrente, refratária ao tratamento farmacológico, CF I-II, recebendo múltiplos choques do CDI, com sítio de origem altamente provável em aneurisma apical do VE, associado a trombo mural antigo aderido, que não permite acesso da ablação endocárdica e sem sucesso pela ablação epicárdica (classe I, nível C)
CDI	Recuperados de MS, afastando-se outras causas para o evento Pacientes com TV sincopal documentada e FEVE < 35% (classe I, nível C)/ Recuperados de PCR com FEVE > 35% (classe IIa, nível C)
TRC	Indicações clássicas (classe I, nível C)
Marca-passo	Indicações clássicas (classe I, nível C)
TX	Indicações clássicas (classe I, nível C)
Cirurgia na IC por DC	Cardiomioplastia/Correção de insuficiência mitral/Ventriculectomia reducional: nenhum desses procedimentos se mostrou efetivo clinicamente a longo prazo e não devem ser indicados
Células-tronco	Estudos em andamento com provável benefício

• Prognóstico

O prognóstico depende do momento em que o paciente se encontra na história natural da DC. O prognóstico é inversamente proporcional à idade na fase aguda. O comprometimento cardíaco na fase aguda ocorre em 90% dos casos, sendo benigno em mais de 90% dos pacientes. As alterações discretas da função sistólica e diastólica do VE identificadas em estudos complementares na forma indeterminada não têm valor prognóstico estabelecido em qualquer estudo. Portanto, os pacientes na fase indeterminada têm prognóstico benigno e igual sobrevida quando comparada aos indivíduos sem DC.

O prognóstico está bem estabelecido na fase crônica sintomática. A disfunção do VE é considerada um fator prognóstico independente em vários estudos e associada à presença de TVNS ao Holter, identifica um grupo com risco em média 2,14 vezes maior de morte. A arritmia ventricular maligna é um importante marcador prognóstico e os seus portadores possuem maior risco de MS.

Antes da era da terapia medicamentosa da IC baseada na evidência, a etiologia isquêmica apresentava piores resultados e era um preditor independente para todas as causas de morte nos pacientes com IC. Atualmente a IC de etiologia chagásica, apesar do uso de BB, IECA/BRA, é reconhecida como preditor independente de mortalidade e menor sobrevida em comparação à IC isquêmica em estudos observacionais.

Alguns centros sugerem que o prognóstico dos receptores chagásicos é mais favorável, com melhor sobrevida no seguimento após o transplante em relação aos não chagásicos.

Vários escores de estratificação de risco foram descritos com o objetivo de determinar de forma simplificada o prognóstico dos pacientes através de parâmetros clínicos e métodos disponíveis na maioria dos serviços (Figura 27.1).

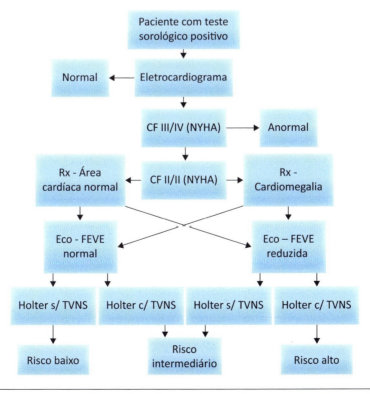

Figura 27.1 Algoritmo para estratificação do risco na cardiopatia chagásica crônica Fonte: Adaptada de Rassi, Rassi e Rassi, 2007.

• Referências

1. Sociedade Brasileira de Cardiologia. I Diretriz Latino-americana para o Diagnóstico e Tratamento da Cardiopatia Chagásica. Arq Bras Cardiol 2011; 97 (2 Suppl III):1-48.
2. Rassi Jr A, Rassi A, Marin-Neto JA. Chagas disease. Lancet 2010; 375(9723): 1388-402.
3. Coura JR, Dias JCP. Epidemiology, control and surveillance of Chagas disease: 100 years after its Discovery. Mem Inst Oswaldo Cruz 2009; 104 (Suppl I):31-40.
4. Rassi Jr A, Dias JCP, Marin-Neto JA. Challenges and opportunities for primary, secondary and tertiary prevention of Chagas'disease. Heart 2009;95(7):524-34.
5. Bern C, Montgomery SP, Herwaldt BL. Evaluation and treatment of Chagas disease in the United States: a systematic review. JAMA 2007;298(18):2171-81.
6. Bestetti RB, Otaviano AP, Cardinalli-Neto A, et al. Effects of B-blockers on outcome of patients with Chagas' cardiomyopathy with chronic heart failure. Int J Cardiol. 2011;151(2):205-8.
7. de Paula GC, Silva RR, Pedrosa MC, et al. Enalapril prevents cardiac immune-mediated damage and exerts anti-Trypanosoma cruzi activity during acute phase of experimental Chagas disease. Parasite Immunol 2010;32(3):202-8.
8. Martinelli M, Siqueira SF, Sternick EB, et al. Long-Term follow-up of implantable cardioverter-defibrillator for secondary prevention in Chagas heart disease. Am J Cardiol 2012;110(7):1040-5.
9. Vilas Boas LG, Bestetti RB, Otaviano AP, Cardinalli-Neto A, Nogueira PR. Outcome of Chagas cardiomyopathy in comparison to ischemic cardiomyopathy. Int J Cardiol 2013;167(2):486-90.
10. Morillo CA, Marin-Neto JA, Avezum A, et al. Randomized Trial of benznidazole for chronic Chagas' cardiomyopathy. N Engl J Med 2015;373(14):1295-306.

Miocardite

• Introdução

A miocardite é definida como uma inflamação do músculo cardíaco causada por qualquer forma de lesão ao coração, resultante de sua exposição tanto a antígenos externos quanto a desencadeadores internos. A apresentação clínica é diversificada, desde dispneia leve ou dor torácica até choque cardiogênico e Morte Súbita (MS). Em sua forma aguda, frequentemente se apresenta como miocardiopatia dilatada não isquêmica, com sintomas de Insuficiência Cardíaca (IC) de início recente que, ao longo do tempo, pode evoluir para miocardiopatia dilatada e IC crônica.

Relatos de dados de autópsia estimam incidência entre 0,2% e 12%, dependendo da população estudada. A miocardite tem sido apontada como uma das causas da miocardiopatia dilatada idiopática devido à alta prevalência de genomas virais em adultos com disfunção ventricular esquerda, além da confirmação de 9,6% de casos por Biópsia Endomiocárdica (BEM) em pacientes com IC de causa inexplicada submetidos ao estudo invasivo.

• Etiologia

A miocardite viral é a forma mais prevalente, com perfil variado conforme a população estudada. Em nosso meio observa-se maior prevalência de adenovírus, parvovírus e herpes, à semelhança do que se encontra entre os europeus e à diferença dos americanos, onde se observa os enterovírus na maioria dos casos (ver Tabela 28.1). Entre as outras causas de infecção não viral, vale destacar que em algumas regiões do Brasil a miocardite chagásica é causada pelo *Trypanosoma cruzi*.

Tabela 28.1 Etiologia das miocardites.

Infecciosas	Não infecciosas
Vírus Adenovírus, Enterovírus, Coxsackie, Parvovírus B19, Herpes 6, Epstein Barr, Citomegalovírus, Varicela-zoster, Vírus Respiratório Sincicial, Pólio, Hepatite C, HIV, Influenza, Dengue, Rubéola, Febre Amarela	**Doenças autoimunes** Dermatomiosite, Doença inflamatória intestinal, Artrite reumatoide, Síndrome de Sjögren, Lúpus eritematoso sistêmico, Granulomatose de Wegener, Miocardite de células gigantes
Bactérias Borrelia, Mycobacterium, Mycoplasma, Streptococcus, Treponema pallidum	**Doenças sistêmicas** Sarcoidose, Síndrome de Churg-Strauss, Doença de Kawasaki, Esclerodermia
Fungos Actinomyces, Aspergillus, Candida, Cryptococcus, Histoplasma, Nocardia	**Reações de hipersensibilidade** Azitromicina, Benzodiazepínicos, Clozapina, Cefalosporinas, Dapsone, Dobutamina, Lítio, Diuréticos, Tiazida, Metildopa, Estreptomicina, Sulfonamidas, anti-inflamatórios não esteroidais, Toxoide tetânico, Tetraciclina, Antidepressivo tricíclico
Protozoários Entamoeba histolytica, Leishmania, Plasmodium falciparum, Trypanosoma cruzi, Trypanosoma brucei, Toxoplasma gondii	**Fármacos** Aminofilina, Anfetaminas, Antracíclicos, Catecolaminas, Cloranfenicol, Ciclofosfamida, Doxorrubicina, Fenitoína, Mesilato, Metilsergide, Trastuzumab, Zidovudine

• Fisiopatologia

A miocardite viral segue o modelo fisiopatológico de resposta inflamatória, dividido em três fases bem definidas, que pode ter implicância no diagnóstico e estratégia terapêutica.

Fase aguda (1° ao 4° dia): viremia com perda de miócitos por ação viral direta e indireta através de mediadores inflamatórios. O próprio processo inflamatório local causa disfunção endotelial, estresse oxidativo com perda de cardiomiócitos por necrose e apoptose.

Fase subaguda (5° ao 14° dia): resposta imune celular através de infiltrado de linfócitos T e B. É a fase de maior dano miocárdico.

Fase crônica (15° ao 90° dia): resposta imune humoral com três possíveis desfechos. A permanência do RNA viral podendo perpetuar a inflamação ou causar reativações; a evolução com uma resposta reparadora através da deposição de colágeno e fibrose, que levam a dilatação, disfunção e insuficiência; e o desfecho mais favorável com a regressão total do processo inflamatório e recuperação da disfunção ventricular ou disfunção leve.

Diagnóstico

A biópsia endomiocárdica (BEM) continua sendo o método padrão-ouro para a confirmação diagnóstica da miocardite, pesquisa de persistência viral cardíaca e diagnóstico de outras cardiopatias não inflamatórias. No entanto, como método invasivo, a recomendação é restrita aos casos que tenham impacto na terapêutica e no prognóstico. Vale ressaltar que a BEM tem seu valor quando utilizada para investigação ampla do fragmento com histologia, imuno-histoquímica e biologia molecular para pesquisa viral.

A primeira abordagem dos casos suspeitos de miocardite parte da avaliação clínica e de métodos diagnósticos não invasivos.

Miocardite **245**

• Clínica

A síndrome de IC é a apresentação clínica mais frequente. As arritmias ventriculares e atriais, o choque cardiogênico e o óbito são outras formas de apresentação. As formas agudas podem simular uma Síndrome Coronária Aguda (SCA) com alteração eletrocardiográfica e elevação de marcadores de necrose miocárdica.

Os marcadores inflamatórios e o leucograma podem estar alterados na inflamação miocárdica ou pericárdica, doenças sistêmicas autoimunes ou em fenômenos de hipersensibilidade. A elevação da troponina I ou T se eleva mais frequentemente do que a CK-MB, se mantém em um platô por mais tempo, e os níveis elevados conferem pior prognóstico. Toda suspeita de miocardite requer investigação ampla de diagnósticos diferenciais; por essa razão, é conveniente pesquisar doenças sistêmicas inflamatórias autoimunes. A sorologia viral possui baixa sensibilidade e especificidade, não sendo recomendada a pesquisa em forma rotineira (ver Tabela 28.2).

Tabela 28.2 Manifestações clínicas associadas a miocardites específicas.

Viral	Infecção respiratória, gastrointestinal ou sistêmica prévia em 30% dos casos
Hipersensibilidade	Rash, febre, eosinofilia periférica
Células gigantes	Miocardiomiopatia dilatada associada com timoma, distúrbios autoimunes, taquicardia ventricular ou bloqueios avançados
Sarcoidose	Arritmias ventriculares e bloqueios avançados

• Eletrocardiograma

O Eletrocardiograma (ECG) possui baixa sensibilidade e as alterações dependem da fase do acometimento miocárdico (ver Tabela 28.3). As alterações eletrocardiográficas podem se apresentar como distúrbios de condução atrioventricular de grau variável, associadas ou não a bloqueios de ramo, eventualmente alterando o segmento ST. O padrão clássico de supradesnível do segmento ST difuso e infra do segmento PR é comum e se correlaciona com miopericardite.

A presença de onda Q, sinais de sobrecarga ventricular e bloqueio de ramo esquerdo indicam pior prognóstico.

Tabela 28.3 Padrões eletrocardiográficos evolutivos na miocardite.

Fase aguda	Alteração da repolarização, bloqueios atrioventriculares, infra ou supra de ST em parede específica ou difusamente, arritmias supraventriculares ou ventriculares
Fase subaguda ou crônica	Remodelamento de câmaras

• Ecocardiograma

O Ecocardiograma Transtorácico (ETT) mostra alterações inespecíficas e sua principal utilidade é a avaliação funcional e o diagnóstico diferencial com doenças valvares agudas, miocardiopatia de Takotsubo e infarto agudo do miocárdio. Esse método também serve como guia durante a realização da BEM.

• Ressonância nuclear magnética

A Ressonância Nuclear Magnética (RNM) deve ser realizada o mais precocemente possível a partir da suspeita clínica e está indicada na avaliação diagnóstica dos pacientes com suspeita de miocardite aguda ou crônica, e naqueles com disfunção ventricular de início recente e suspeita de miocardite prévia. Exames subsequentes são recomendados no acompanhamento de 4 a 12 semanas do episódio agudo. A presença de realce tardio positivo se correlaciona com pior prognóstico evolutivo a longo prazo em paciente com miocardite viral comprovada por BEM, com maior mortalidade total e cardíaca independente dos sintomas e função ventricular. A ausência de realce tardio se relaciona a um baixo risco de morte súbita, mesmo na presença de dilatação e disfunção ventricular. A RMC não deve ser realizada na miocardite fulminante com instabilidade hemodinâmica.

• Outros métodos de imagem

A tomografia de coração pode ser utilizada para a exclusão de doença arterial coronária obstrutiva grave nos quadros de apresentação como SCA.

A Cintilografia Miocárdica (CM) com 67-Gálio pode ser realizada na pesquisa de miocardite, no entanto, apresenta sensibilidade limitada principalmente em fases mais tardias do acometimento miocárdico.

• Biópsia endomiocárdica

As indicações precisas da BEM definidas pelas diretrizes brasileiras são apresentadas na Tabela 28.4.

Tabela 28.4 Indicações de biópsia endomiocárdica.		
Classe de recomendação	**Indicações**	**Nível de evidência**
Classe I	IC de início recente (< 2 semanas), sem causa definida, não responsiva ao tratamento usual e com deterioração hemodinâmica	B
Classe I	IC de início recente (2 semanas a 3 meses), sem causa definida e associada a arritmias ventriculares ou bloqueios atrioventriculares de segundo ou terceiro graus	B
Classe IIa	IC com início (> 3 meses e < 12 meses), sem causa definida e sem resposta à terapia-padrão otimizada	C
Classe IIa	IC decorrente de cardiomiopatia dilatada de qualquer duração, com suspeita de reação alérgica e/ou eosinofilia	C
Classe IIb	Arritmias ventriculares frequentes na presença ou não de sintomas, sem causa definida	C

Fonte: Adaptada de Montera *et al.*, 2013.

• Tratamento

Todos os pacientes com IC estágios B a D devem ser orientados quanto às medidas gerais no tratamento da IC de qualquer etiologia, como a restrição de sódio, restrição hídrica, vigilância do peso corpóreo, vacinação fora da atividade de doença, evitar o uso de anti-inflamatórios na fase aguda ou na permanência de disfunção ventricular, e cessar o tabagismo. Deve-se observar a recomendação específica de não realização de exercícios vigorosos por, no mínimo, seis meses após a fase aguda para a prevenção de MS, restrição que deve ser postergada de acordo com os sintomas ou comprometimento da função ventricular.

As medidas farmacológicas visam a atenuar a progressão da disfunção ventricular através da modulação do sistema renina-angiotensina-aldosterona e bloqueio da atividade simpática. Os IECA/BRA estão indicados em todos os pacientes com IC, independentemente dos sintomas, assim como os betabloqueadores em todos os casos com disfunção ventricular e IC manifesta, salvo contraindicações, e com doses progressivas até as máximas preconizadas. Recomenda-se a manutenção dos IECA/BRA indefinidamente e no caso dos betabloqueadores pelo período mínimo de um ano, nos casos de normalização da função ventricular. A recomendação de anticoagulação segue as indicações clássicas.

A terapêutica imunossupressora na miocardite está indicada nos casos com atividade inflamatória miocárdica comprovada por BEM, associada à pesquisa viral negativa. A principal indicação é a miocardite por células gigantes, doenças autoimunes, sarcoidose e miocardite eosinofílica. O esquema mais utilizado é a associação de prednisona e azatioprina pelo período de seis meses.

A imunossupressão nos casos indicados reduz a mortalidade, melhora os sintomas e a função ventricular. Na miocardite linfocítica, a imunossupressão pode ser considerada nos casos com pesquisa viral negativa e manutenção da inflamação avaliada na BEM, em pacientes sem recuperação da função em seis meses ou que evoluem com piora da função ventricular.

Os antivirais são uma opção nos casos de persistência viral, pois atuam eliminando os vírus ou reduzindo a carga viral e impedindo a sua replicação. A infusão subcutânea de interferon-β tem demonstrado melhora da capacidade funcional e da disfunção ventricular, sem recomendação específica. A imunoglobulina-IV (IG-IV) possui recomendação mais precisa na presença de miocardite positiva, comprovada por BEM e pesquisa positiva para adenovírus, CMV, enterovírus e parvovírus B19, com o objetivo de melhora clínica e da função ventricular.

A imunomodulação diminui a agressão inflamatória e autoimune através da eliminação dos mediadores da inflamação. Existem alguns casos de imunoadsorção, com plasmaférese seletiva associada a IG-IV em pacientes com cardiomiopatia inflamatória crônica, e níveis séricos elevados de β1 neurorreceptor miocárdico com bons resultados e melhora da sobrevida em cinco anos, porém o número reduzido de pacientes não permite a recomendação ampla dessa terapêutica na miocardite reativa.

• Situações especiais

Em relação ao tratamento de arritmias e prevenção de MS na miocardite, recomenda-se a terapêutica com betabloqueadores em doses otimizadas e o implante de marca-passo transvenoso provisório em pacientes com bradicardia sintomática e/ou BAV durante a fase aguda da miocardite. O implante de Cardiodesfibrilador Implantável (CDI) na prevenção primária de MS está recomendado nos casos de miocardiopatia dilatada na fase crônica, CF II-II, FE ≤ 35% e expectativa de vida de pelo menos um ano, além dos pacientes com CF III-IV e QRS ≥ 150 ms para os quais tenha sido indicado TRC também tem indicação de CDI. O CDI está contraindicado na miocardite aguda e subaguda. A terapia antiarrítmica com amiodarona pode ser usada na fase aguda em caso de TVNS sintomática ou TV sustentada. Nos casos de miocardite de células gigantes o CDI pode ser considerado pela elevada incidência de MS.

O suporte hemodinâmico com DVA, BIA e dispositivos de assistência ventricular seguem as recomendações do choque cardiogênico. O transplante cardíaco em situação de prioridade está indicado nos casos refratários ao tratamento instituído.

• Prognóstico

A identificação das formas específicas de miocardite (miocardite fulminante, células gigantes, ativa crônica, eosinofílica e a sarcoidose) é o fator de maior impacto na evolução e no desfecho desses pacientes. Dados clínicos, hemodinâmicos e achados clínico-patológicos podem ajudar a estabelecer o prognóstico. Entre os pacientes com miocardite viral que se apresentam com disfunção sistólica importante, mais da metade evolui com recuperação completa da função ventricular.

• Referências

1. Carniel E, Sinagra G, Bussani R, et al. Fatal myocarditis: morphologic and clinical features. Ital Heart J 2004;5(9):702-6.
2. Kytö V, Saraste A, Voipio-Pulkki LM, Saukko P. Incidence of fatal myocarditis: a population-based study in Finland. Am J Epidemiol 2007; 165(5):570-4.
3. Kühl U, Pauschinger M, Noutsias M, et al. High prevalence of viral genomes and multiple viral infections in the myocardium of adults with "idiopathic" left ventricular dysfunction. Circulation 2005;111(7):887-93.
4. Hahn EA, Hartz VL, Moon TE, et al. The myocarditis treatment trial: design, methods and patients enrollment. Eur Heart J 1995;16 (Suppl): 162-7.
5. Montera MW, Mesquita ET, Colafranceschi AS, et al. I Diretriz Brasileira de Miocardites e Pericardites. Arq Bras Cardiol 2013; 100(4 Suppl I): 1-36.
6. Bonow RO, Mann DL, Zipes DP, et al. Braunwald: tratado de doenças cardiovasculares. 9 ed. Rio de Janeiro: Elsevier; 2013. p.1633-48.
7. Cooper LT Jr. Myocarditis. N Engl J Med 2009;360(15):1526-38.
8. Frustaci A, Matteo A, Russo MA. Randomized study on the efficacy of immunosuppressive therapy in patients with virus-negative inflammatory cardiomyopathy: the TIMIC study. Eur Heart J 2009;30(16):1995-2002.
9. Mahrholdt H, Wagner A, Deluigi CC, et al. Presentation, patterns of myocardial damage, and clinical course of viral myocarditis. Circulation 2006;114(15):1581-90.
10. Liu PP, Mason JW. Advances in the understanding of myocarditis. Circulation 2001;104(9):1076-82.
11. Pollack A, Kontorovich AR, Fuster V. Viral myocarditis–diagnosis, treatment options, and current controversies. Nat Rev Cardiol 2015; 12(11): 670-80.

Pericardite Aguda

• Introdução

O pericárdio é um saco fibroelástico composto por duas camadas, visceral e parietal, separadas por um espaço virtual, o qual chamamos de cavidade pericárdica. Pericardite é um processo inflamatório dessa membrana, gerado por múltiplas causas. Geralmente benigna e autolimitada, a pericardite pode cursar com derrame ou constrição pericárdica.

• Classificação

As pericardites são classificadas de acordo com a evolução e forma de apresentação clínica:

▶ Pericardite aguda.
▶ Pericardite crônica.
▶ Pericardite constritiva.
▶ Pericardite recorrente.

• Etiologia/fisiopatologia

As causas de pericardite são divididas em infecciosas e não infecciosas. Entre as infecções pericárdicas, a pericardite viral é a mais comum, e seu processo inflamatório deve-se à ação direta do vírus e a uma resposta imune. Os mais comuns são: enterovírus, ecovírus, *Epstein-barr*, herpes simples, *Influenza* e Citomegalovírus (CMV). A pericardite bacteriana manifesta-se geralmente com derrame pericárdico, e sua origem pode estar associada a: pneumonia, empiema, disseminação hematogênica, pós-cirurgia cardíaca ou torácica. A pericardite tuberculosa tem diminuído com o controle efetivo da tuberculose pulmonar, mas ainda se mostra presente em nosso meio. Já o envolvimento autoimune do pericárdico acontece especialmente nos casos de lúpus eritematoso sistêmico, artrite reumatoide, esclerodermia, polimiosite e dermatomiosite. A pericardite pós-infarto pode ocorrer precocemente nos três primeiros dias do Infarto Agudo do Miocárdio (IAM). Nesses casos, está relacionada provavelmente à interação da necrose epicárdica com o pericárdio, sendo um sinal indireto de mau prognóstico. Na evolução desse quadro, ou após pericardiostomia, na pericardite de três semanas a seis meses, a atividade autoimune, com pleuropericardite, com febre baixa é denominada síndrome de Dressler. A insuficiência renal, também por ser causa de doença pericárdica, pode produzir derrame em 20% dos pacientes. Pode se manifestar como pericardite urêmica ou pericardite associada à diálise. Já as pericardites neoplásicas são secundárias, principalmente na disseminação hematogênica, sendo incomum a doença primária do pericárdio.

• Causas de pericardite

- ❯ Infecciosas
- ❯ Viral (*cocksackie*, herpes, enterovírus, cmv, hiv, ebv, varicela
- ❯ Bacteriana (pneumococo, meningoco, *haemophilus*, *chlamydia*, *mycoplasma*)
- ❯ Doença do sistema autoimune (lúpus, artrite reumatóide, febre reumática, esclodermia, poliarterite nodosa, púrpura trombocitopênica
- ❯ Miocardites, iam, dissecçao aórtica, infarto pulmonar, pneumonia, empiema, doenças do esôfago, síndrome paraneoplásica
- ❯ Doenças neoplásicas
- ❯ Trauma
- ❯ Idiopática

Critérios diagnósticos

A suspeita clínica ainda é a principal ferramenta no diagnóstico de pericardite. Devemos ficar atentos a todo paciente que se apresentar com, pelo menos, dois dos achados a seguir:

- ❯ Dor torácica central piorada por tosse e/ou inspiração ou posição deitado.
- ❯ Atrito pericárdico.
- ❯ Alterações sugestivas de pericardite no ECG (mais detalhes adiante).
- ❯ Derrame pericárdico.

• Manifestações clínicas

Os pacientes com o diagnóstico de Pericardite Aguda se apresentam inicialmente com dor torácica de duração e localização variável. A dor pode ser agravada com a inspiração profunda, tosse ou decúbito, e melhorada na posição ortostática, em posição de "prece maometana". Podem estar presentes sintomas virais também, tais como coriza, febre, tosse e rouquidão.

Existem alguns indícios de pacientes com má evolução clínica:

1. Presença de tamponamento.
2. Imunodeprimidos.
3. Trauma agudo.
4. Falência de resposta aos Aines.

• Exames complementares

Os marcadores de necrose miocárdica podem apresentar níveis elevados em pacientes com pericardite aguda associada à miocardite. A elevação da troponina I é mais frequente que a CKMB, esta última estando mais elevada em caso de miocardites. O pico da elevação da troponina I ocorre, em geral, no segundo dia após o início dos sintomas, e seus níveis permanecem elevados por mais tempo que a CKMB. Os marcadores de atividade inflamatória de fase aguda como VHS, leucocitose e Proteína-C reativa (PCR), encontram-se elevados em aproximadamente 75% dos pacientes, sendo que a ausência desses marcadores na avaliação inicial de pacientes não afasta o diagnóstico, principalmente nos que estão em uso de anti-inflamatórios não hormonais ou com comprometimento imunológico. Estes tendem a normalizar ao fim de duas semanas, sendo que valores persistentemente elevados indicam a necessidade de terapêutica anti-inflamatória prolongada e maior risco de recorrência da pericardite. A dosagem seriada de PCR é útil para o diagnóstico e avaliação de resposta ao tratamento da pericardite aguda. Os níveis de peptídio natriurético atrial do tipo B (BNP) e da fração N-terminal do BNP (NT-pró-BNP) podem estar elevados em doenças pericárdicas. Deve-se lembrar da pesquisa de marcadores etiológicos como os níveis de hormônios tireoidianos, provas reumatológicas, hemoculturas, adenosina deaminase (tuberculose), marcadores tumorais, painel viral na dependência de suspeita clínica. A Tabela 29.1, a seguir, resume as principais indicações para marcadores laboratoriais na pericardite.

Tabela 29.1 Exames laboratoriais na pericardite.

Classe de recomendação	Indicações	Nível de evidência
Classe I	Dosagem de PCR para diagnósticos e seguimento de pericardite aguda	B
Classe I	Dosagem de hormônios tireoidianos, autoanticorpos e avaliação de função renal na investigação etiológica de pericardite aguda	C
Classe II a	Dosagem de troponina para diagnóstico de pericardite aguda	C
Classe II b	Dosagem de CKMB para diagnóstico de pericardite aguda	C
Classe II b	Dosagem de BNP/NT pró- BNP para auxiliar no diagnóstico diferencial entre pericardite constritiva e cardiomiopatia restritiva	C
Classe III	Dosagem de BNP/NTpró- BNP para diagnóstico de pericardite aguda	C

Eletrocardiograma

Significativas alterações no ECG são extremamente comuns na pericardite aguda, e se apresentam em estágios:

1. As mudanças que acompanham a dor torácica: elevação de ST (concavidade para cima); ondas T apiculadas; infradesnivelamento de PR. Duração de horas/dias.
2. Normalização do ST; achatamento de T. Duração de dias.
3. Inversão de T. Duração de semanas.
4. Normalização de T. Duração de meses.

Ecocardiograma

É útil para evidenciar derrame pericárdico, porém sua ausência não exclui o diagnóstico de pericardite aguda.

Tomografia computadorizada do coração (TCC)

Na pericardite aguda, a TCC pode encontrar pericárdio uniformemente espessado, derrame pericárdico (ver Tabela 29.2) e algum realce precoce após contraste venoso. O derrame pericárdico pode ser loculado, com septações, e eventualmente a presença de gás é associada à presença de microrganismos. Os septos formados também captam contraste. A densidade do derrame deve ser observada, pois transudatos têm baixa densidade (0-10 UH), ao contrário de exsudatos, hemorragias e neoplasias. Na pericardite constritiva a TCC identifica espessamento pericárdico, calcificações pericárdicas, ou ambos. Derrame pleural e ascite também podem ser achados. Na pericardite neoplásica, além de derrame pericárdico e espessamento dos folhetos, pode identificar a presença de massas no pericárdio ou a infiltração de tecidos adjacentes, comprometimento das bordas ventriculares, septos espessados e captantes de contraste.

Tabela 29.2 Indicações de TCC na pericardite aguda.

Classe de recomendação	Indicações	Nível de Evidência
Classe IIa	Pericardite aguda (apresentação aguda tipo infarto ou associada a quadro viral agudo ou subagudo < 3 meses)	B
Classe IIa	Pericardite crônica > 3 meses	C
Classe IIa	Pericardite constritiva com suspeita de calcificação pericárdica associada	B
Classe IIb	Pericardite constritiva sem suspeita de calcificação pericárdica associada	C

• Ressonância magnética (RMC)

A RMC está indicada na avaliação diagnóstica das pericardites aguda e crônica (ver Tabela 29.3). Ela permite quantificar o grau de espessamento pericárdico e o volume do derrame pericárdico, e se distingue por permitir a identificação dos sinais sugestivos de injúria inflamatória miopericárdica através da técnica do realce tardio.

Tabela 29.3 Indicações de RMC na pericardite aguda.

Classe de recomendação	Indicações	Nível de evidência
Classe IIa	Pericardite aguda (apresentação aguda tipo infarto ou associada a quadro viral agudo ou subagudo < 3 meses)	B
Classe IIa	Pericardite crônica > 3 meses	C
Classe IIa	Pericardite constritiva sem suspeita de calcificação pericárdica associada	B
Classe IIb	Pericardite constritiva com suspeita de calcificação pericárdica associada	C

Pericardite Aguda **253**

• Tratamento

A hospitalização é o ideal para o tratamento inicial, para determinar a etiologia, e observar sinais e sintomas de tamponamento cardíaco (ver Tabela 29.4).

1. Primeira escolha com uso até alívio dos sintomas (3-4 semanas); o ibuprofeno 300-800 mg a cada 6- 8horas ou AAS 1 g a cada 6-8 horas.
2. Casos refratários ou recorrentes a Aine: colchicina 1 mg 12/12 horas, no primeiro dia, seguido por 0,5 mg 12/12h por 3 meses. Pode ser associada à Aine conforme gravidade do caso.
3. Glicocorticoides: pericardite secundária a doenças do colágeno, pericardite autorreativa (imunomediada) e pericardite urêmica. Prednisona 1 mg/kg/dia, por 2 a 4 semanas, com desmame conforme provas inflamatórias (PCR e VHS). Vale ressaltar que o uso de corticosteroides deve ser iniciado quando existe pericardite de causa desconhecida.

Tabela 29.4 Indicações para terapêutica anti-inflamatória, imunossupressora e antiviral na pericardite.

Classe de recomendação	Indicações	Nível de evidência
Anti-inflamatórios na pericardite aguda		
Classe I	Aspirina ou ibuprofeno por 14 dias no tratamento da pericardite aguda	A
Classe I	Colchicina por 3 meses no tratamento da pericardite aguda e 6 meses na pericardite recorrente	A
Imunossupressão na pericardite aguda		
Classe I	Prednisona na ausência de resposta aos AINH e a colchicina na ausência de infecção viral ou outro agente etiológico, comprovada por biópsia epimiocárdica e pericárdica	B
Classe I	Prednisona na ausência de infecção viral ou outro agente etiológico, comprovada por biópsia epimiocárdica e pericárdica nas seguintes situações clínicas: presença de pericardite autoimune, doença do tecido conectivo ou pericardite urêmica.	B
Classe IIa	Prednisona nos pacientes com pericardite recorrente na ausência de fator causal identificado ou infecção viral ou outro agente etiológico, comprovada por biópsia epimiocárdica e pericárdica.	C
Classe IIa	Azatioprina nos pacientes com pericardito rocorrente apecar do uso da prednisona	B
Classe IIb	Triancinolona intrapericárdica na pericardite autorreativa na ausência de infecção viral ou outro agente etiológico, comprovada por biópsia epimiocárdica e pericárdica.	B
Antivirais na pericardite aguda		
Classe IIb	Uso de imunoglobulina na pericardite viral	C

• Referências

1. Montera MW, Mesquita ET, Colafranceschi AS, et al. I Diretriz Brasileira de Miocardites e Pericardites. Arq Bras Cardiol 2013; 100(4 Suppl I): 1-36.
2. Spina GS. Titulo de Especialista em cardiologia: guia de estudo. São Paulo; Nversus; 2012. p. 686- 9.
3. Borghetti-Maio SA, Romano BW, Bocchi EA, et al. Quality of life after cardiomyoplasty. J Heart Lung Transplant 1994; 13(2):271-5.
4. Trouthton RW, Asher CR, Klein AL. Pericarditis. Lancet 2004; 363(9410):717-27.
5. Maisch B, Seferović PM, Ristić AD, et al. Task Force on the diagnosis and management of pericardial diseases of the European Society of Cardiology. Guidelines on the diagnosis and management of pericardial diseases executive summary: the Task force on the diagnosis and management of pericardial diseases of the European Society of Cardiology. Eur Heart J. 2004; 25(7):587-610.
6. Goyle KK, Walling AD. Diagnosing pericarditis. Am Fam Physician 2002; 66(9): 1695-702.
7. Libby P, Zipes D, Bonow R. Braunwald's heart disease: a textbook of cardiovascular disease. 8th ed. Philadelphia; Elsevier; 2007.
8. Mady C, Fernandes F, Arteaga E, et al. Serum NT pro-BNP: relation to systolic and diastolic function in cardiomyopathies and pericardiopathies. Arq Bras Cardiol 2008; 91(1):46-54.
9. Fernandes F, Almeida IJ, Ramires FJ, et al. NT pro-BNP levels in pericardial diseases and how they are used as complementary evaluation method of diastolic restriction. Initial experience: 25 cases. Arq Bras Cardiol. 2006;86(3):175-80.
10. Imazio M, Bobbio M, Cecchi E, et al. Colchicine in addition to conventional therapy for acute pericarditis (COPE) Trial. Circulation 2005; 112(13): 2012-6.
11. Imazio M, Bobbio M, Cecchi E, et al. Colchicine as first choice therapy for recurrent pericarditis: Results of the CORE Trial. Arch Intern Med 2005; 165(17):1987-91.

Derrame Pericárdico e Tamponamento Cardíaco

• Introdução

O saco pericárdico contém uma pequena quantidade de líquido (30 a 50 mL) que envolve o coração. O tamponamento cardíaco ocorre quando uma quantidade significativa de líquido se acumula e ultrapassa a capacidade de distensão do tecido fibroelástico pericárdico, ocasionando uma compressão progressiva de todas as câmaras cardíacas decorrente do aumento da pressão intrapericárdica, redução do volume de enchimento cardíaco, elevando a pressão ao redor do coração, comprometendo o enchimento ventricular e a compressão das câmaras cardíacas.

• Etiologia

As principais causas de tamponamento cardíaco são as mesmas de pericardite com derrame pericárdico: idiopática, infecciosas (TB, bactérias, vírus), síndrome de Dressler, uremia, neoplasia, radiação, trauma, insuficiência cardíaca, hipoalbuminemia, dissecção de aorta, pós-operatório de cirurgia cardíaca.

• Fisiopatologia

O desenvolvimento do tamponamento depende da velocidade de instalação e do fator causal: o tamponamento cardíaco agudo ocorre em minutos, devido ao trauma, à ruptura do coração ou aorta, ou como complicação de procedimentos diagnósticos e terapêuticos (biópsias cardíacas, estudo eletrofisiológico, oclusão de apêndice atrial) resultando num quadro de choque. Já o tamponamento cardíaco subagudo ocorre entre dias e semanas e pode estar associado com dispneia e fadiga. Tamponamento de baixa pressão ocorre em pacientes que estão hipovolêmicos, com consequente redução da pressão intracardíaca, favorecendo a compressão extrínseca do derrame pericárdico. Tamponamento cardíaco regional ocorre quando um derrame localizado ou um hematoma produz compressão regional em uma única câmara. Derrames pericárdicos ao se instalarem de forma mais lenta, conseguem acomodar volumes superiores a 1 litro sem grande aumento da pressão intrapericárdica, isso ocorre devido ao pericárdio exercer uma resposta diferente ao estiramento crônico e agudo.

• Manifestações clínicas

O diagnóstico é clínico, baseado na história e no exame físico: taquicardia, turgência jugular, hipotensão arterial, bulhas hipofonética e a presença de pulso arterial paradoxal. A taquicardia sinusal é a mais comum, sendo vista em vários casos, que podemos compreender como uma compensação ao débito cardíaco. A turgência jugular é outro parâmetro clínico do tamponamento cardíaco graças à elevação da pressão venosa. As bulhas cardíacas têm características de hipofonese, dependendo da quantidade do derrame pericárdico. O achado principal no tamponamento cardíaco é o pulso paradoxal: sempre que inspiramos profundamente ocorre uma redução da pressão intratorácica e consequente aumento do retorno venoso para cavidades direitas do coração, ou seja, chega mais sangue ao ventrículo direito (ver Figura 30.1). Esse fenômeno provoca um discreto abaulamento do septo interventricular em direção à cavidade do ventrículo esquerdo. Na presença de sangue envolvendo e comprimindo o ventrículo esquerdo, como no tamponamento cardíaco, esse abaulamento realmente diminui a cavidade ventricular esquerda transitoriamente, pois o ventrículo esquerdo não tem para onde se expandir e é comprimido de um lado pelo septo e de outro pelo sangue que o envolve. A diminuição da cavidade do ventrículo esquerdo leva à queda do débito sistólico, o que acarreta diminuição da pressão arterial sistólica de mais de 10 mmHg durante a inspiração. Quando exacerbado, o pulso paradoxal pode ser comprovado pela ausência do pulso radial durante a inspiração. O pulso paradoxal pode estar ausente nas seguintes situações: comunicação interatrial ou hipertrofia ventricular esquerda, choque importante, insuficiência aórtica. Lembrando que o pulso paradoxal não é patognomônico de tamponamento, e pode estar relacionado com asma, doença pulmonar obstrutiva crônica e choque hipovolêmico.

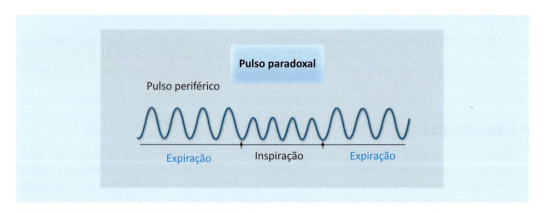

Figura 30.1 Esquematização do pulso paradoxal.

• Exames complementares

Eletrocardiograma

O ECG é uma ferramenta útil, e pode ser representado por taquicardia sinusal associado a complexos QRS de baixa voltagem e em alguns casos pode ter alternância elétrica do eixo desses QRS, com boa especificidade para o diagnóstico de tamponamento.

Radiografia de tórax

Já foi o principal método diagnóstico de derrame pericárdico. O aumento da área cardíaca, com modificações da silhueta, que adquire o aspecto de moringa, permanecendo normais os campos pleuropulmonares, é o elemento diagnóstico mais sugestivo de derrame pericárdico (ver Figura 30.2).

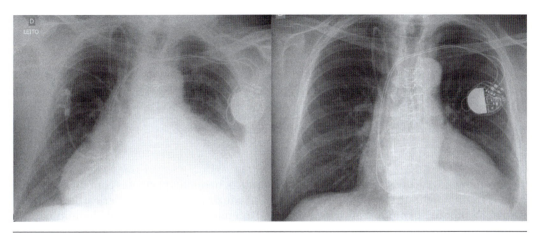

Figura 30.2 Derrame pericárdico de 1.700 mL e ao lado pós-punção.

Fonte: Gentilmente cedido pelo Departamento de Emergência do HCor.

Ecocardiograma

A sensibilidade diagnóstica do ecocardiograma é bastante elevada e quantidades tão pequenas como 20 mL de líquido pericárdico podem ser detectadas. Embora a quantificação do derrame pericárdico à ecocardiografia não seja exata, uma avaliação semiquantitativa (leve, moderada e grande) geralmente é possível e útil para a abordagem terapêutica. Em geral, quando o tamanho do derrame ao modo M é < 10 mm e é visualizado apenas na parte posterior ao ventrículo esquerdo, trata-se de um derrame pequeno. Quando mede entre 10 e 20 mm e circunda todo o coração, é moderado. Finalmente, espaços livres de eco > 20 mm caracterizam derrame importante (ver Figura 30.3 e 30.4). A localização do derrame é outro ponto importante, até mesmo para orientar o local de penetração da agulha ao se fazer pericardiocentese. As características ecocardiográficas que acompanham o derrame pericárdico (presença ou ausência de traves de fibrina e aderências), e os folhetos pericárdicos (infiltrados, espessados, calcificados, com ou sem deslizamento adequado entre eles) podem ser importantes dos pontos de vista etiológico e terapêutico. Os achados ecocardiográficos usuais na presença de síndrome clínica de tamponamento são: dilatação das cavas com pouca variação respiratória, colapso diastólico da parede livre do ventrículo direito, do átrio direito, do átrio esquerdo e raramente do ventrículo esquerdo.

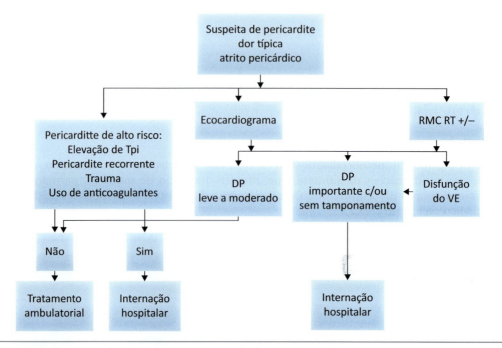

Figura 30.3 Fluxograma da pericardite com suspeita de derrame pericárdico.

Tratamento

O tratamento é a drenagem do líquido pericárdico, naqueles pacientes com sinais clínicos ou nos exames de imagem alterados, de forma a reduzir a pressão intrapericárdica e, dessa forma, melhorar a hemodinâmica do paciente. Para manter estabilização da hemodinâmica do paciente, anterior à drenagem pericárdica, pode-se fazer a infusão rápida de cristaloide com o objetivo de melhorar a perfusão, e na presença de bradicardia indica-se a utilização de aminas ou atropina. Nos pacientes com tamponamento cardíaco e parada cardiorrespiratória não se deve tentar elevar a pressão arterial e, sim, proceder com a pericardiocentese o mais rápido possível. Nos derrames pericárdicos importantes assintomáticos (mais de 20 mm ao ecocardiograma na diástole), a pericardiocentese está indicada para avaliação diagnóstica e pela possibilidade de evolução para tamponamento pericárdico de forma súbita. A drenagem pericárdica pode ser realizada com a inserção de uma punção percutânea e colocação de um cateter de drenagem ou por meio de drenagem cirúrgica aberta com ou sem pericardioctomia (janela pericárdica) ou, ainda, por videopericardioscopia. A pericardiocentese por cateter deve ser guiada pela ecocardiografia, que permite a identificação do melhor local e ângulo de pressão, reduzindo as complicações e aumentando as taxas de sucesso. A drenagem cirúrgica com a videopericardioscopia tem a vantagem de permitir a realização de biópsia pericárdica dirigida, sendo sempre a forma mais recomendada.

Derrame Pericárdico e Tamponamento Cardíaco

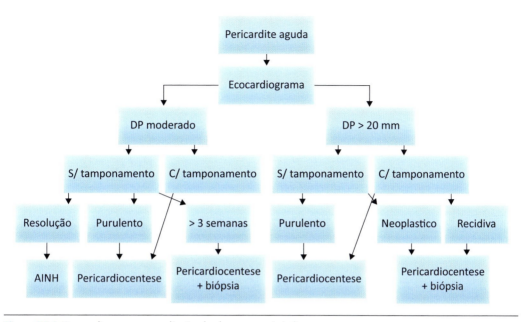

Figura 30.4 Ecocardiograma na avaliação do derrame pericárdico.

• Referências

1. Maisch B, Seferović PM, Ristić AD, et al. Task Force on the Diagnosis and Management of Pericardial Diseases of the European Society of Cardiology. Guidelines on the diagnosis and management of pericardial diseases executive summary: the Task force on the diagnosis and management of pericardial diseases of the European Society of Cardiology. Eur Heart J 2004; 25(7):587-610.
2. Ling LH, Oh JK, Breen JF, et al. Calcific constrictive pericarditis: is it still with us? Ann Intern Med 2000;132(6): 444-50.
3. Little WC, Freeman GL. Pericardial disease. Circulation 2006;113(12):1622-32.
4. Spodick DH. Pericardial diseases. In: Braunwald E, Zippes DP, Libby P. (editors). Heart disease. 6th ed. Philadelphia: W.B. Saunders; 2001. p. 1823-76.
5. Maisch B, Ristic AD, Seferovic PM. New directions in diagnosis and treatment of pericardial disease: a project of the Taskforce on Pericardial Disease of the World Heart Federation. Herz 2000;25(8):769-80.
6. Uramoto H, Hanagiri T. Video-assisted thoracoscopic pericardiectomy for malignant pericardial effusion. Anticancer Res 2010;30(11):4691-4.
7. Spodick DH. Acute cardiac tamponade. N Engl J Med 2003; 349(7):684-90.
8. Montera MW, Mesquita ET, Colafranceschi AS, et al. I Diretriz Brasileira de Miocardites e Pericardites. Arq Bras Cardiol 2013; 100(4 Suppl I): 1-36.

Pericardite Constritiva

Leonardo Cézar Barros Campos • Félix José Álvarez Ramires • Victor Sarli Issa

• Introdução

A Pericardite Constritiva (PC) pode ocorrer após a injúria inflamatória aguda do pericárdio, levando ao espessamento da membrana, fibrose, e frequentemente calcificação. O pericárdio encarcera o músculo cardíaco, impedindo o enchimento diastólico e gerando quadro de insuficiência cardíaca predominantemente direita.

• Etiologia

Doenças infecciosas (virais ou bacterianas), toxicidade química ou por irradiação, doenças reumatológicas podem ser a causa da PC. Em países subdesenvolvidos, a tuberculose ainda tem lugar de destaque. Pós-operatório cardíaco, idiopática, neoplásicas, trauma, uremia.

• Fisiopatologia

O mecanismo fisiopatológico resulta da baixa complacência pericárdica, levando ao enclausuramento do coração. Essa inflexibilidade desencadeia três efeitos.

1. Dissociação das pressões intratorácica e intracardíaca com a respiração
   Em uma situação fisiológica, a inspiração diminui a pressão intratorácica e esta é transmitida às câmaras cardíacas e às veias pulmonares. Na constrição, entretanto, o aprisionamento pericárdico efetivamente isola as câmaras cardíacas das mudanças na pressão intratorácica. O gradiente de pressão entre as veias pulmonares e o ventrículo esquerdo, durante a inspiração, resulta na redução da velocidade de fluxo diastólico nas veias pulmonares e redução do enchimento do lado esquerdo do coração.
2. Interdependência entre ventrículo direito e esquerdo
   A redução do fluxo ao ventrículo esquerdo, durante a inspiração, está associada ao aumento do fluxo diastólico no ventrículo direito, com consequente movimento septal para a esquerda. Oposto a esse processo, durante a expiração, o fluxo pelo ventrículo

262 Guia Prático de Cardiologia

esquerdo aumenta e o septo interventricular sofre desvio para a direita, resultando na redução expiratória do fluxo em veia cava, aumento do fluxo reverso diastólico da veia hepática, e diminuição da velocidade do fluxo transtricuspídeo.

3. Alterações do relaxamento e frequência cardíaca

O encarceramento fibrótico do coração limita o enchimento diastólico de todas as câmaras cardíacas, resultando em elevação das pressões diastólicas finais. O aumento da frequência cardíaca na tentativa de elevar o débito, porém, progressivamente, diminui ainda mais o enchimento 2.

Na análise histológica, a PC é resultado da cicatrização de uma agressão prévia. Caracteriza-se por espessamento fibroso acentuado e aderências entre os folhetos visceral e parietal. Às vezes, coexiste calcificação extensa ou em placas, e outras variáveis de diferentes etiologias podem ser observadas.

• Manifestações clínicas

A pericardite constritiva frequentemente está associada a diversos sinais e sintomas de IC predominantemente direita. A dispneia de esforço e/ou a presença de ascite desproporcional ao edema de membros inferiores são sintomas e sinais frequentes. No pulso venoso jugular observamos colapso "Y" proeminente, e o duplo fenômeno de Küssmaul. O pulso arterial paradoxal, que se caracteriza como diminuição da pressão arterial acima de 10 mmHg, pode ser encontrado, além do enchimento venoso paradoxal. Sinal frequentemente encontrado é a elevação do pulso venoso jugular, seguido pelo pulso hepático e ascite.

• Exames complementares

Eletrocardiograma

Observam-se predominantemente ondas T invertidas e baixa amplitude do QRS194.

Radiografia de tórax

A área cardíaca pode ser pequena, normal ou aumentada. A presença de calcificação pericárdica é útil, principalmente o anel ao redor do coração, sendo este muito sugestivo de PC, isso quando associado aos sinais de IC direita.

Ecocardiograma

Em geral, 80% dos casos podem registrar espessamento pericárdico.Os achados usuais na presença de constrição pericárdica são:

- Movimentação anormal do septo interventricular.
- Aumento biatrial.
- Padrão constritivo na avaliação da função diastólica.
- Variação respiratória maior que 25% na velocidade do fluxo mitral.
- Presença de velocidade normal da onda e' ao Doppler tecidual (> 8 cm/seg), o que não ocorre nas cardiopatias restritivas.

É importante destacar que na presença de doenças do pericárdio deve ser usada a onda e' septal, e não a lateral, devido à possível influência do espessamento/ derrame pericárdico na parede livre do VE. Além disso, a calcificação do anel mitral pode levar à diminuição da onda e' septal199. A relação linear que existe entre o índice E/E' e a pressão atrial esquerda, que é útil para se avaliar as pressões de enchimento nas cardiomiopatias, é invertida (paradoxo anular) na pericardite constritiva.

Pericardite Constritiva **263**

Ressonância magnética

A importância da ressonância magnética cardíaca na PC está na diferenciação com síndromes restritivas, que podem apresentar alterações hemodinâmicas semelhantes e nem sempre prontamente distinguíveis ao exame clínico e à ecocardiografia.

A RMC tem grande acurácia em determinar espessamento pericárdico, o qual pode ser definido por uma espessura > 4 mm.

A presença de movimentação paradoxal do septo durante a diástole também é um sinal bastante comum, podendo estar presente em até 85% dos pacientes. Outros sinais de constrição pericárdica incluem: dilatação atrial, distensão de veia cava inferior, derrame pleural e ascite.

Aplicando-se a técnica denominada *tagging*, associada às sequências dinâmicas em cine RM, pode-se analisar de maneira segmentar as áreas com maior aderência do pericárdio a estruturas vizinhas (gordura epicárdica).

• Diagnóstico diferencial

O diagnóstico diferencial principal da PC é com as miocardiopatias restritivas. A associação de exames complementares tais como: Ecocardiografia, TC, Ressonância Magnética Cardíaca (RMC), cateterismo cardíaco e biópsia é a melhor forma, na maior parte dos casos, de distinção dentre as causas. As duas situações clinicas estão associadas ao enchimento diastólico diminuído, entretanto a fase diastólica alterada é diferente nas duas condições. Na PC o enchimento diastólico é interrompido de forma abrupta e precoce na diástole; já a miocardiopatia restritiva determina alteração do enchimento durante toda a diástole. A presença de congestão pulmonar, terceira bulha, hipertensão pulmonar, peptídio natriurético atrial (BNP e NT-pró-BNP) aumentado (> 600) e pericárdio com espessura normal favorecem o diagnóstico de cardiomiopatia restritiva. Esse diagnóstico deve ser incansavelmente procurado, pois a PC é tratável. Uma última etapa diagnóstica poderia ser a toracoscopia.

• Tratamento

Podemos tentar em alguns pacientes o tratamento medicamentoso, com anti-inflamatórios e colchicina, com bons índices de reversão em casos de pericardites com constrição recente, controlando os sintomas de forma temporária, já que a doença progride na maioria dos casos (ver Tabela 31.1). Lembrando que, em casos que adquiriram cronicidade, o tratamento definitivo é pericardiectomia, com ressecção dos pericárdios visceral e parietal. Em alguns casos, a fibrose pode ser extensa e a calcificação se estender por outras camadas, tornando a ressecção impossível. A grande maioria dos pacientes evolui com melhora importante e contínua dos sintomas, porém a recuperação da função do miocárdio pode demorar meses.

Tabela 31.1 Tratamento cirúrgico nas afecções do pericárdio.

Classe de recomendação	Indicações	Nível de evidência
Classe I	Pericardiocentese ou drenagem pericárdica aberta terapêutica em pacientes com tamponamento cardíaco	C
Classe II	Pericardiectomia nos pacientes com pericardite constritiva sintomáticos refratários ao tratamento clínico	C
Classe II a	Janela pericárdica em derrames pericárdicos recorrentes	C

Fonte: Montera M.W., Mesquita E.T., Colafranceschi A.S., Oliveira Junior A.M., Rabischoffsky A., Ianni B.M., *et al*. Sociedade Brasileira de Cardiologia. I Diretriz Brasileira de Miocardites e Pericardites. Arq Bras Cardiol 2013; 100(4 supl. 1): 1-36.

264 Guia Prático de Cardiologia

• Referências

1. Myers RBH, Spodick DH. Constrictive pericarditis: clinical and pathophysiologic characteristics. Am Heart J 1999;138(2 Pt 1):219-32.
2. Bilchick KC, Wise RA. Paradoxical physical findings described by Küssmaul: pulsus paradoxal and Küssmaul's sign. Lancet 2002;359(9321):1940-2.
3. Fernandes F, Almeida IJA, Ramires FJS, et al. NT-proBNP levels in pericardial disease and how they are used as complementary evaluation method of diastolic restriction. Initial experience: 25 cases. Arq Bras Cardiol 2006; 86(3): 175-80.
4. Dalton JC, Pearson RJ Jr, White PD. Constrictive pericarditis: a review and long-term follow-up of 78 cases. Ann Intern Med 1956;45(3):445-58.
5. Nagueh SF, Appleton CP, Gillebert TC, et al. Recommendations for the evaluation of left ventricular diastolic function by echocardiography. J Am Soc Echocardiogr 2009;22(2):107-33.
6. Kuroda H, Sakaguchi M, Takano T, et al. Intraoperative monitoring of pressure-volume loops of the left ventricle in pericardiectomy for constrictive pericarditis. J Thorac Cardiovasc Surg 1996;112(1):198-9.
7. McCaughan BC, Schaff HV, Piehler JM, et al. Early and late results of pericardiectomy for constrictive pericarditis. J Thorac Cardiovasc Surg 1985; 89 (3):340-50.

Outras Miocardiopatias

• Miocárdio não compactado

Introdução

Miocárdio não compactado isolado é uma miocardiopatia rara, descrita pela primeira vez em 1984, causada por uma falha na compactação miocárdica durante a embriogênese e, por definição, ocorre na ausência de outras anormalidades estruturais cardíacas. No desenvolvimento normal, o coração, gradualmente, compacta-se, no sentido da base para o ápice e do epicárdio para endocárdio. A circulação coronariana desenvolve-se concomitantemente a esse processo, e os recessos intratrabeculares são convertidos em capilares. Geralmente a não compactação predomina no ápice, mas pode ocorrer também em região anterior, lateral e inferior. Essa não compactação ocorre geralmente em conjunto com outras cardiopatias congênitas, como atresia pulmonar, obstrução da via de saída do ventrículo esquerdo ou direito, origem anômala da artéria coronária esquerda, defeitos atriais e/ou septais. Por outro lado, a não compactação isolada é mais rara e ocorre na ausência de outros defeitos cardíacos congênitos. No miocárdio não compactado isolado, os recessos intratrabeculares comunicam-se com a cavidade do ventrículo, mas não com a circulação coronária, diferindo do miocárdio compactado associado com outra cardiopatia congênita, na qual os recessos intratrabeculares comunicam-se com o ventrículo e também com a circulação coronária.

O ventrículo esquerdo é sempre afetado e a não compactação biventricular ocorre em menos da metade dos casos. Entretanto, a não compactação do ventrículo direito é difícil de caracterizar, devido à dificuldade de se diferenciar as trabeculações patológicas de variantes normais.

Segundo a classificação da World Health Organization, de 1995, o miocárdio não compactado isolado é caracterizado no grupo das miocardiopatias não classificadas, junto com um grupo heterogêneo de afecções. Isso se deve ao fato de a etiologia do miocárdio não compactado isolado não estar completamente elucidada. Em nova classificação proposta pela American Heart Association, em 2006, o miocárdio não compactado é classificado no grupo das miocardiopatias primárias de origem genética.

Assim, ela caracteriza-se pelos seguintes aspectos:

▶ Alteração na parede miocárdica devido à proeminência de suas trabeculações com recessos intertrabeculares profundos que podem ser secundários à parada intrauterina da compactação miocárdica, que ocorre nos primórdios do desenvolvimento fetal; o resultado são duas lâminas apresentadas pelo miocárdio, em que uma é compactada, e a outra, não compactada.

▶ Continuidade entre a cavidade ventricular e os recessos intertrabeculares, que são preenchidos com sangue do ventrículo e que não possuem comunicação com o sistema coronariano epicárdico.

▶ Diminuição da reserva do fluxo coronariano avaliado pelo PET-CT, observado na maioria dos segmentos que apresentam anormalidades de movimento da parede ventricular.

Epidemiologia

A prevalência é de 1.4%. Em um estudo recente em crianças australianas, o miocárdio não compactado isolado correspondeu a 9,2% dos casos de miocardiopatias. A população masculina é a mais afetada, correspondendo de 56% a 82% dos casos, de acordo com as maiores séries de casos já relatados.

A recorrência familiar chega até 50% na população pediátrica, enquanto na população adulta gira em torno de 18%.

A presença de insuficiência cardíaca é menor em pacientes pediátricos. Entretanto, em 89% desses pacientes, ocorreu a diminuição da função do ventrículo esquerdo em período maior de 10 anos de acompanhamento. Em uma população pediátrica mais velha, insuficiência cardíaca é tão comum quanto na população adulta. Isso sugere que o miocárdio não compactado isolado é uma doença progressiva, resultando em insuficiência cardíaca em longo prazo.

Fisiopatologia

É uma entidade clínica com características genéticas heterogêneas, havendo formas esporádicas e familiares. Já foram descritas mutações no gene G4.5, na região cromossômica Xq28, as quais são responsáveis por algumas das formas familiares (sd. de Barth). Outros defeitos genéticos de miopatias, como distrofia muscular de Emery-Dreifuss e miopatia miotubular, também são encontrados nessa região cromossômica. Nesse contexto, há relatos de associação de miocárdio não compactado isolado com doenças neuromusculares e, em caso de suspeita, uma avaliação específica é indicada. Não foram encontrados genes responsáveis pelas formas esporádicas, mas sugere-se que haja uma transmissão autossômica dominante, baseando-se na observação de que metade dos descendentes adquiriu a condição.

Quadro clínico

Os pacientes podem ser assintomáticos, todavia o início dos sintomas pode ocorrer em qualquer idade. As manifestações clínicas não são específicas e, mais comumente, são secundárias à disfunção do ventrículo esquerdo, eventos cardioembólicos e arritmias. As arritmias podem ser variáveis, podendo ser observadas desde fibrilação atrial até taquicardia ventricular sustentada.

Os pacientes podem apresentar disfunção sistólica e diastólica do ventrículo esquerdo. A disfunção sistólica parece estar relacionada com a hipoperfusão endocárdica e com a disfunção microcirculatória. A disfunção diastólica observada está relacionada com o relaxamento anormal e restrição de enchimento causado pelas numerosas trabéculas. Na maior parte dos casos, pacientes sintomáticos ou com disfunção sistólica ventricular esquerda possuem segmentos não compactados hipocinéticos vistos na ecocardiografia.

Exames complementares

1. Ecocardiografia bidimensional com Doppler de fluxo colorido: é a primeira escolha para diagnóstico. Os critérios diagnósticos de Jenni e colaboradores são definidos como:
   ◗ Ausência de anormalidades cardíacas coexistentes;
   ◗ Visibilização de trabéculas e recessos intratrabeculares profundos, com razão entre a camada não compactada e a compactada no final da sístole > 2:1;
   ◗ Predominância em regiões apicais, lateral média e inferior média do ventrículo esquerdo;
   ◗ Recessos intratrabeculares perfundidos diretamente pelo ventrículo.
2. Ressonância magnética cardíaca: particularmente útil em casos nos quais a imagem ecocardiográfica é de baixa qualidade; possui sensibilidade de 86% e especificidade de 99%, quando o índice de camada não compactada pela camada compactada for > 2,3 em diástole.
3. Ventriculografia
4. Tomografia cardíaca

Diagnósticos diferenciais

◗ Cardiomiopatia hipertrófica;
◗ Cardiomiopatia dilatada;
◗ Displasia arritmogênica do VD;
◗ Fibrose endomiocárdica;
◗ Metástases cardíacas;
◗ Trombo em ventrículo esquerdo;
◗ Falsos tendões e bandas aberrantes.

Tratamento

O tratamento é similar ao de outras miocardiopatias, consistindo no manejo da insuficiência cardíaca, das arritmias e anticoagulação oral para prevenção de eventos embólicos sistêmicos. Segundo a diretriz brasileira, recomenda-se anticoagulação aos pacientes que apresentam função sistólica diminuída com fração de ejeção inferior a 40%, história de tromboembolismo ou fibrilação atrial.

Se o tratamento conservador para insuficiência cardíaca não foi eficaz, deve-se considerar o implante de ressincronizador e o encaminhamento para o transplante cardíaco acaba sendo a única medida terapêutica possível.

Prognóstico

Parecem ser fatores de pior prognóstico: maior diâmetro ventricular no fim da diástole, classe funcional III/IV (NYHA), fibrilação atrial crônica e bloqueio de ramo. Por isso, na presença desses, o encaminhamento precoce para transplante cardíaco deve ser pensado.

• Miocardiopatia alcoólica

Introdução

O consumo crônico e excessivo de álcool tem sido referido como possível causa de miocardiopatia, arritmias ou morte súbita. Não há critérios rígidos para definir consumo leve, moderado ou excessivo de bebidas alcoólicas, encontrando-se na literatura valores de referência diferentes.

No entanto, a designação "miocardiopatia alcoólica" tem sido amplamente usada desde o início dos anos 2000 para designar a doença cardíaca presente em doentes com história prolongada (> 10 anos) de consumo excessivo de álcool (> 80 gramas por dia).

Vários estudos recentes sugerem que o baixo consumo de álcool parece ser inócuo ou mesmo benéfico, podendo diminuir o risco de doença coronária, reduzindo o risco de mortalidade e do infarto agudo do miocárdio (IAM) fatal em doentes com disfunção sistólica ventricular esquerda.

O consumo etanólico, moderado ou excessivo, em indivíduos com suscetibilidade aumentada, no entanto, constitui um fator de risco importante de miocardiopatia.

Fabrízio e Regan referem que os hábitos tabágicos, o sexo masculino e a idade são variáveis potencialmente promotoras de cardiomiopatia dilatada alcoólica em indivíduos suscetíveis com etilismo crônico.

Epidemiologia

A miocardiopatia alcoólica é mais frequente no sexo masculino em idades entre os 35 e os 60 anos. Entretanto, os dados indicam que a mulher é mais sensível que os homens aos efeitos tóxicos do álcool sobre o músculo estriado.

Fisiopatologia

São frequentes as alterações difusas do miocárdio, com fibrose intensa, sem evidência de outra possível etiologia além do consumo moderado a elevado de álcool. Podendo haver reversão ou melhora da disfunção cardíaca após a cessação da ingestão alcoólica.

Os mecanismos sugeridos na lesão miocárdica são: carências nutricionais (tais como tiamina), ingestão de aditivos tóxicos como o cobalto, inibição da síntese proteica no cardiomiócito, inibição da fosforilação oxidativa, o acúmulo de ésteres de ácidos graxos , a lesão miocárdica por espécies reativas de oxigênio, fatores imunológicos e inflamatórios, receptores de membrana anômalos ou lesão da estrutura da membrana celular e vasoespasmo coronário, entre outros.

Quadro clínico

Tipicamente, os doentes apresentam sintomas de insuficiência cardíaca congestiva (ICC), evoluindo com, especificamente, dispneia para pequenos esforços, ortopneia, dispneia paroxística noturna, fadiga, edemas dos membros inferiores e mal-estar geral. Geralmente, evolui com dilatação ventricular, podendo ocorrer também fenômenos como arritmias cardíacas (fibrilação atrial, *flutter* atrial, taquicardia paroxística supraventricular ou extrassístoles supraventriculares), com palpitações ou síncopes, além de hipertensão arterial sistêmica induzida pelo álcool.

Exames complementares

Para o diagnóstico, é necessária a exclusão de outras causas de cardiomiopatias dilatadas associada aos seguintes achados de exames:

- Elevação das transaminases (TGO e TGP), assim como da gama-GT e do volume globular médio.
- Radiografia de tórax: com aumento do índice cardiotorácico, podendo ter congestão pulmonar e derrames pleurais.
- Ecocardiografia: com dilatação ventricular e queda da fração de ejeção ou mesmo disfunção biventricular.
- Testes de estresse, cintilografia de perfusão, angiotomografia coronária e cinecoronariografia: úteis para excluir causas coronarianas de disfunção ventricular.

Tratamento

A doença cardíaca alcoólica é parcialmente reversível (podendo ser completamente reversível em alguns casos que ainda não evoluíram com fibrose), sendo necessária abstinência completa para a melhora da função miocárdica.

A suplementação com vitamina B12 e folatos pode ser útil nos casos de doença alcoólica, não sendo, contudo, uma terapêutica específica para a miocardiopatia dilatada desta etiologia.

Quanto ao tratamento específico da ICC (Insuficiência Cardíaca Congestiva) alcoólica, segue-se o tratamento já descrito para outras formas de insuficiência cardíaca (ver capítulos específicos).

• Miocardiopatia de Takotsubo

Introdução

A miocardiopatia de Takotsubo, também conhecida como cardiomiopatia estresse-induzida, síndrome do coração partido (broken heart syndrome), síndrome do balonamento apical ou atordoamento miocárdico neurogênico, foi descrita inicialmente no Japão, mas tem sido cada vez mais reconhecida nos países ocidentais. Seu nome é originário do vaso japonês chamado "takotsubo", utilizado pelos pescadores japoneses para pescar polvo, e que se assemelha à morfologia ventricular acometida. Sendo caracterizada pela disfunção sistólica transitória da contração apical e/ou segmentos médio do ventrículo esquerdo, simulando uma SCA (IAM), porém na ausência de doença coronária obstrutiva no território correspondente.

Epidemiologia

Essa síndrome corresponde à cerca de 2% dos casos suspeitos de síndromes coronarianas agudas, ocorrendo com maior frequência acimas dos 50 anos de idade. Cerca de 70% a 80% dos casos ocorrem em mulheres na pós-menopausa submetidas a estresse emocional prolongado, extra-habitual e extremo ou após estresse físico intenso.

Fisiopatologia

A patogênese ainda não é completamente conhecida e os mecanismos aventados são:

- Excesso de catecolaminas: geralmente em níveis superiores ao que ocorre no IAM e muitas vezes superior aos valores basais de uma pessoa normal. A epinefrina, quando em excesso, apresenta uma afinidade maior pelos receptores alfa 2 adrenérgicos e resulta em efeito inotrópico negativo, sendo esse efeito mais pronunciado no ápice, onde a densidade de receptores adrenérgicos é maior;
- Espasmo coronariano, e;
- Disfunção microvascular.

Quadro clínico

A apresentação clínica simula um quadro de síndrome coronariana aguda, com quadro de dor torácica, geralmente após estresse físico ou emocional intenso, podendo-se associar à dispneia, síncope e até mesmo clínica de choque cardiogênico.

Diagnóstico

Os critérios diagnósticos incluem:

- Disfunção segmentar transitória sem correlação com território de irrigação coronariana;
- Ausência de lesão coronariana angiograficamente significativa ou sinais de ruptura aguda de placas;
- Presença de novas alterações eletrocardiográficas ou discreta elevação de troponina;
- Ausência de feocromocitoma ou miocardite.

Ou seja, o diagnóstico só pode ser estabelecido quando descartadas as seguintes situações:

- Síndrome Coronariana Aguda (SCA);
- Doença coronária obstrutiva (lesão de tronco de coronária esquerda ou artéria descendente anterior);
- Miocardite ou pericardite;
- Feocromocitoma;
- Dissecção de Aorta.

Nos exames complementares, encontram-se:

- ECG: A elevação do segmento ST (Supra de ST) é a alteração eletrocardiográfica mais comum (principalmente nas derivações precordiais); no entanto, pode se manifestar com infra-ST, ondas T negativas profundas, prolongamento do intervalo QT, ondas Q anormais e raramente com ECG normal;
- Marcadores de necrose miocárdica: geralmente positivos (principalmente a troponina), porém desproporcionalmente baixos quando comparados ao comprometimento hemodinâmico.
- Cinecoronariografia + Ventriculografia: aspecto de balão do VE (com hipocinesia ou acinesia do ápice) e artérias coronárias sem lesões obstrutivas.

Tratamento

O tratamento é baseado em medidas de suporte direcionadas à disfunção miocárdica sistólica, estando o AAS indicado apenas na presença de coronariopatia associada.

Nos pacientes estáveis, prioriza-se:

- Uso de betabloqueador;
- IECA ou BRA associado (naqueles sem evidências de obstrução da via de saída de VE);
- Diuréticos (naqueles com sintomas de IC);
- Anticoagulação oral por pelo menos três meses (naqueles com presença de trombos intracavitários; devendo também ser considerada em casos de disfunção ventricular importante até a resolução da disfunção).

Já nos pacientes instáveis, deve-se:

- Avaliar a presença de obstrução da via de saída de VE com ECO:
  - Se sem obstrução e com pulmões limpos, tentar prova volêmica;
  - Se ausência de obstrução e com congestão pulmonar, considerar inotrópicos;
  - Se hipotensão com obstrução moderada a importante da VSVE, evitar o uso de inotrópicos, pois podem piorar o comportamento hemodinâmico, e considerar o início de betabloqueador cautelosamente com o objetivo de reduzir a obstrução;
  - Se hipotensão severa e intolerância ao uso de betabloqueador isoladamente, adicionar alfa-agonista com monitorização cautelosa e hemodinâmica ampla;
  - Nos pacientes com ou sem obstrução da VSVE que não respondem às medidas citadas, considerar o uso de BIA (balão intra-aórtico).

Outras Miocardiopatias **271**

• Miocardiopatia por quimioterápicos e radioterapia

Abrangeremos aqui apenas uma visão geral sobre o tema

Introdução

As alterações cardiovasculares causadas pela radioterapia abrangem desde acometimento miocárdico isolado ou em associação com outras estruturas, como: pericárdio, coronárias, válvulas e feixes de condução. Suas complicações são atribuídas à inflamação e fibrose das estruturas citadas. A incidência e a gravidade são diretamente proporcionais à dose, ao volume irradiado e ao tempo de irradiação, mas inversamente proporcionais à idade.

A miocardiopatia por quimioterápicos está relacionada à cardiotoxicidade dos quimioterápicos (ver Quadro 32.1). A cardiotoxicidade é definida pela situação na qual agentes externos (químicos ou físicos) interferem negativamente no coração, determinando alterações estruturais, elétricas e funcionais no miocárdio. É considerada como o efeito colateral mais grave decorrente do tratamento com quimioterápicos, principalmente relacionada à doxorrubicina (ver Quadro 32.2).

Assim, pode-se dizer que a cardiotoxicidade secundária ao tratamento do câncer manifesta-se como achado de sinais e sintomas clínicos de insuficiência cardíaca não atribuída a outras causas conhecidas como sepse, insuficiência renal ou disfunção cardíaca prévia ao tratamento, documentada por exames complementares.

Como manifestações de cardiotoxicidade, podemos encontrar discretas variações da pressão arterial, alterações eletrocardiográficas sutis até arritmias, pericardite, miocardite, levando à cardiomiopatia com falência funcional do ventrículo esquerdo e insuficiência cardíaca congestiva. Eventos tromboembólicos e até mesmo isquemia miocárdica e infarto agudo do miocárdio podem ser observados. Podem ocorrer no início ou durante o tratamento, dias a semanas após o tratamento ou não ser aparente por meses ou até anos.

Quadro 32.1 Manifestações clínicas de cardiotoxicidade.
Insuficiência cardíaca
Disfunção ventricular esquerda assintomática
Arritmias ventriculares e supraventriculares
Isquemia miocárdica
Hipertensão arterial sistêmica
Doenças do pericárdio
Eventos tromboembólicos

Fonte: Kalil Filho R, Hajjar LA, Bacal F, et al. I Diretriz Brasileira de Cardio-Oncologia da Sociedade Brasileira de Cardiologia. 2011; 96(2 Arq Bras Cardiol supl.1): 1 52.

Quadro 32.2 Agentes quimioterápicos e a incidência de cardiotoxicidade (redução da fração de ejeção e/ou insuficiência cardíaca.

Agentes quimioterápicos	Incidência (%) de disfunção ventricular ou insuficiência cardíaca
Antraciclinas (doxorrubicina, epirrubicina, idarrubicina)	5%-35% dos casos (dose acima de 400 mg/m^2)
Agentes alquilantes (ciclofosfamida, isofosfamida)	5%-25% dos casos
Agentes antimicrotúbulos (docetaxel, paclitaxel)	2%-10% dos casos

(*Continua*)

(continuação)

Quadro 32.2 Agentes quimioterápicos e a incidência de cardiotoxicidade (redução da fração de ejeção e/ou insuficiência cardíaca.

Agentes quimioterápicos	Incidência (%) de disfunção ventricular ou insuficiência cardíaca
Anticorpos monoclonais e inibidores da tirosina-quinase	
Trastuzumabe	2%-28% dos casos
Bevacizumabe	2%-10% dos casos
Sunitinibe	3%-10% dos casos

Fonte: Kalil Filho R, Hajjar LA, Bacal F, et al. I Diretriz Brasileira de Cardio-Oncologia da Sociedade Brasileira de Cardiologia. 2011; 96(2 Arq Bras Cardiol supl.1): 1-52.

Existem fatores de risco, bem documentados, que predispõem à cardiotoxicidade e são considerados indicadores independentes para disfunção ventricular. Estes incluem dose cumulativa (antraciclinas, mitomicina), dose total administrada em um dia ou ciclo (ciclofosfamida, isofosfamida, carmustina, fluorouracil, cytarabina), esquema de administração em bólus ou lentamente (antraciclina), radiação mediastinal, idade, gênero feminino, administração concomitante de outros agentes cardiotóxicos, doença cardíaca preexistente, distúrbios eletrolíticos (principalmente hipocalemia e hipomagnesemia).

De acordo com as alterações ecocardiográficas, a cardiotoxicidade pode ser identificada da seguinte forma:

- Fração de encurtamento do ventrículo esquerdo < 28%, ou uma diminuição em valor absoluto, maior a 10 unidades em relação ao valor basal pré-quimioterapia.
- Fração de ejeção ventricular esquerda:
  - Grau I: redução assintomática da FEVE em 10% a 20% do exame basal;
  - Grau II: redução da FEVE mais que 20% do exame basal ou redução abaixo dos limites normais;
  - Grau III: insuficiência cardíaca clinicamente sintomática.
- Fração de ejeção menor que 50% contraindica, relativamente, o uso do antracíclico.

A cardiotoxicidade pode ser detectada por meio de monitorização dos sinais e sintomas durante e após a quimioterapia, análise criteriosa dos fatores de risco e contínua avaliação por exames complementares, proporcionando identificação precoce e intervenção clínica em tempo hábil.

Classificação

- Aguda: rara; ocorre imediatamente após uma única dose de quimioterápico, ou no curso da terapia, com manifestações clínicas dentro da primeira semana de tratamento;
- Subaguda: semanas ou meses após o início do tratamento; geralmente de forma insidiosa.
- Crônica (dividida em 2 tipos):
  - crônica precoce (dentro do primeiro ano pós-tratamento);
  - crônica tardia (depois do primeiro ano e até vários anos após o término da terapia).

As duas formas podem se apresentar como alterações transitórias ao eletrocardiograma (ECG), síndrome miopericárdica ou falência aguda do ventrículo esquerdo.

Já a crônica apresenta-se como disfunção ventricular sistólica ou diastólica.

Outras Miocardiopatias **273**

Vale ressaltar que, enquanto a miocardiopatia dilatada pode ocorrer tanto na fase aguda, após altas doses de quimioterápicos, ou no decorrer de meses a anos após o tratamento, a miocardiopatia restritiva ocorre sempre de forma crônica e mais associada à radioterapia.

Fisiopatologia

A ação adversa de drogas pode ser desencadeada por toxicidade direta, estresse oxidativo, hipersensibilidade, interação medicamentosa, entre outras. O efeito cardiotóxico, diferente da reação de hipersensibilidade, é, em geral, dose dependente e cumulativo, podendo levar, em longo prazo, à doença cardiovascular; é importante causa de morte no seguimento tardio de pacientes com câncer.

A cardiotoxicidade pode ser classificada como tipo I, potencialmente irreversível (antraciclinas, agentes alquilantes), ou tipo II, com potencial reversibilidade (trastuzumabe, sunitinibe, lapatinibe) (ver Quadro 32.3). As manifestações e a fisiopatologia da cardiotoxicidade dependem do tipo do agente (ver Quadro 32.4).

Quadro 32.3 Classificação proposta para miocardiopatia relacionada a quimioterápicos.

Cardiotoxicidade	Protótipo	Relação com dose cumulativa	Achados na biópsia endomiocárdica	Reversibilidade
Tipo I	Doxorrubicina Ciclofosfamida	Sim	Vacúolos, destruição de sarcômeros, necrose	Não
Tipo II	Trastuzumabe Sunitinibe Sorafenibe	Não	Aparência benigna ultraestrutural	Sim (na maioria dos casos)

Fonte: Kalil Filho R, Hajjar LA, Bacal F, *et al.* I Diretriz Brasileira de Cardio-Oncologia da Sociedade Brasileira de Cardiologia. 2011; 96(2 Arq Bras Cardiol supl.1): 1-52.

Quadro 32.4 Agentes quimioterápicos e radioterápicos e respectivas alterações cardiovasculares.

Agentes	Dano cardiovascular	Agentes	Dano cardiovascular
Antraciclinas (adriamicina ou doxorrubicina; daumorrubicina)	Pericardite, miocardite, derrame e fibrose pericárdicos, alterações degenerativas de miócitos, necrose miocítica, hipertrofia miocárdica e miocardiopatia dilatada (geralmente).	Radiação	Pericardite, fibrose pericárdica e miocárdica, tamponamento cardíaco, miocardiopatia predominantemente restritiva, doença arterial coronária, valvar e fibrose mediastinal
Agentes alquilantes (ciclofosfamlda, cisplatina, busulfan)	Dano à microcirculação, edema e hemorragia intersticial, isquemia, miocardite/ pericardite, fibrose endomiocárdica, tamponamento cardíaco, hipertrofia.	Antimicrotúbulos (paclitaxel, docetaxel)	Alterações isquêmicas e infarto do miocárdio
Antimetabólicos (5-fluorouracil)	Alterações vaso-oclusivas, isquemia miocárdica.	Alcaloides da Vinca (vimblastina, vincristina)	Vasoespasmo coronário e alterações isquêmicas do miocárdio

(*Continua*)

274 Guia Prático de Cardiologia

(*Continuação*)

Quadro 32.4 Agentes quimioterápicos e radioterápicos e respectivas alterações cardiovasculares.

Agentes	Dano cardiovascular	Agentes	Dano cardiovascular
Anticorpos monoclonais (trastuzumabe)	Miocardiopatia dilatada.	Miscelânea (bleomicina, talidomida)	Alterações isquêmicas
Agentes biológicos (desatinibe, imatinibe, entre outros)	Miocardite infecciosa e eosinofílica, alterações degenerativas de miócitos, necrose miocítica, isquemia miocárdica, edema e hemorragia intersticial.		

Fonte: Retirada da I Diretriz de Oncocardiologia, pág. 6.

Diagnóstico

A avaliação inicial dos pacientes oncológicos submetidos a quimioterapia cardiotóxica tem como objetivos: excluir pacientes com evidências clínica, laboratorial e radiológica de insuficiência cardíaca congestiva (IC) antes do início do tratamento quimioterápico e identificar pacientes com redução da fração de ejeção, associada a sintomas ou não, durante a quimioterapia. É fundamental diagnosticar IC para evitar piora na qualidade de vida e aumento da mortalidade dos pacientes.

Para o diagnóstico da miocardiopatia associada à quimioterapia, é importante definir a classe e o quimioterápico utilizado, sua dose cumulativa, o uso prévio de outros quimioterápicos cardiotóxicos e a presença de outros fatores de risco cardiovasculares. São fatores de risco para cardiotoxicidade de quimioterápicos: hipertensão, idade maior que 60 anos, disfunção do ventrículo esquerdo prévia, irradiação torácica prévia.

Exames complementares

- ▶ ECG: alterações inespecíficas da repolarização, diminuição da voltagem dos complexos QRS, prolongamento do intervalo QT. A taquicardia sinusal é o ritmo mais frequente. Alterações ao ECG são encontradas em cerca de 20% a 30% dos pacientes. Arritmias incluem taquicardias supraventriculares, ventriculares e juncionais (0,5%–3%). Arritmias mais graves como *flutter* ou fibrilação atrial são raras.
- ▶ Biomarcadores: útil na identificação precoce de lesão cardíaca por quimioterápicos e seguimento dos pacientes oncológicos.
  - ▶ BNP: capaz de predizer o desenvolvimento de disfunção ventricular;
  - ▶ Troponina: preditor da gravidade da lesão miocárdica; aumenta mesmo sem sinais e sintomas de insuficiência cardíaca. Tem alta sensibilidade em predizer cardiotoxicidade.
- ▶ Métodos de imagem: ecocardiograma ou ventriculografia radioisotópica (superior ao eco em pacientes obesos ou submetidos a cirurgias ou à irradiação torácica prévia) método escolhido deve ser mantido por todo o seguimento (Observação: quando encontrados valores da FE < 50%, não se recomenda iniciar drogas com alto potencial de cardiotoxicidade).
- ▶ Biópsia endomiocárdica: seu uso tem sido desencorajado, não só por seu caráter invasivo e pelos riscos associados, mas também pela alta acurácia obtida pelos métodos de imagem na avaliação da função cardiovascular.

Monitoramento da cardiotoxicidade

Pode ser feito por meio de exame clínico, ECG, ECO e por biomarcadores (ver Quadro 32.5).

Quadro 32.5 Monitoramento por meio de biomarcadores.

Classe	Indicação	Nível de evidência
IIa	Dosagem precoce de troponinas (0h, 24h, 72h após cada ciclo) e BNP (ou NT-PróBNP) para pacientes de alto risco para cardiotoxicidade.	B
IIa	Dosagem tardia de troponinas e BNP (ou NT-PróBNP) um mês após o ciclo.	C
IIb	Dosagens de peptídeos natriuréticos para seguimento ambulatorial de cardiotoxicidade.	C

Fonte: Retirada da I Diretriz de Oncocardiologia.

Prevenção da cardiotoxicidade

A prevenção da miocardiopatia por antraciclinas passa pelo reconhecimento dos seus fatores de risco. Dentre eles estão: cardiopatia isquêmica, disfunção ventricular, doença valvular, hipertensão não controlada e arritmias, dose cumulativa de antraciclina superior a 550 mg/m², extremos de idade, radioterapia concomitante do mediastino, diabetes, obesidade e combinação com outras drogas, como o trastuzumabe.

O reconhecimento de indivíduos em risco e a prevenção da disfunção ventricular esquerda assintomática e insuficiência cardíaca clínica são, portanto, importantes objetivos no manejo desses pacientes (ver Quadro 32.6).

Quadro 32.6 Recomendações para o uso de agentes cardioprotetores para a prevenção da miocardiopatia associada a antraciclinas.

Classe	Indicação	Nível de evidência
I	Uso de IECA em pacientes com evidências de lesão miocárdica (elevação de troponina I, ou BNP ou alterações ecocardiográficas) logo após quimioterápicos.	B
IIa	Uso de carvedilol em pacientes com evidências de lesão miocárdica (elevação de troponina I, ou BNP ou alterações ecocardiográficas) logo após quimioterápicos.	C
IIa	Uso de dexrazoxane pré-quimioterapia para prevenção de IC em pacientes de alto risco de cardiotoxicidade.	A
III	Uso de agentes cardioprotetores com N-acetilcisteína, coenzima Q10, combinações de vitamina E e C e N-acetilcisteína ou L-carnitina.	C

Fonte: Retirada da I Diretriz de Oncocardiologia.

Tratamento

Baseia-se na interação direta do cardiologista com o oncologista quanto à opção terapêutica antineoplásica e até sua suspensão. A utilização de betabloqueador e IECA/BRA é recomendada em pacientes com disfunção de VE com ou sem sintomas de IC e deve ser pensada naqueles sem disfunção de VE.

• Miocardiopatia periparto

Introdução

Descrita inicialmente em 1849, a miocardiopatia periparto (MP) é um distúrbio inflamatório de etiologia ainda desconhecida, que afeta mulheres no final da gestação e puerpério, com consequências muitas vezes devastadoras.

Por definição, são quatro os critérios para MP:

1. Insuficiência cardíaca (IC) no último mês de gestação ou até o 5º mês de puerpério.
2. Ausência de causas identificáveis para IC.
3. Ausência de cardiopatia prévia.
4. Disfunção sistólica de VE.

Algumas pacientes podem iniciar quadros compatíveis com IC em fase precoce da gestação, mas não apresentam diferença de prognóstico.

• Etiologia

A causa é desconhecida e muitos fatores estão implicados na sua patogênese, como o aumento das citocinas TNF alfa e IL-6. Alguns autores têm sugerido que a miocardite é uma possível causa, e outros acreditam em uma resposta imune anormal materna contra células fetais, que eventualmente poderiam desencadear reação autoimune cardíaca.

Fatores de risco

- Idade acima de 30 anos;
- Multiparidade;
- Ascendência africana;
- Gestação múltipla;
- Uso de cocaína;
- Uso de beta-agonistas por mais de quatro semanas;
- História de pré-eclâmpsia, eclâmpsia e hipertensão;
- Deficiência de selênio (controverso).

Quadro clínico

As manifestações clínicas raramente ocorrem antes da 36ª semana de gestação; quando a síndrome clínica aparece precocemente na gravidez, deve-se pensar em doenças cardíacas prévias (p. ex., isquêmicas e valvares). Essas comorbidades tendem a descompensar na época da gestação devido à maior sobrecarga hídrica.

As pacientes apresentam dispneia, tosse, hemoptise, dor abdominal e outros sintomas de insuficiência cardíaca. Vale lembrar que, pelo estado de hipercoagulabilidade, estão mais predispostas à embolia pulmonar.

Exames complementares

- Radiografia de tórax: cardiomegalia e congestão pulmonar.
- ECG: taquicardia sinusal, anormalidades do segmento ST-T, podendo apresentar critérios para HVE, Q anterior e PR e QRS prolongados.
- Ecocardiograma: disfunção sistólica de VE (geralmente revela uma redução global da contratilidade e aumento dos diâmetros cavitários sem hipertrofia).

Outras Miocardiopatias **277**

> Outros possíveis achados incluem: aumento atrial esquerdo, derrame pericárdico pequeno, regurgitação mitral e tricúspide.
> Ressonância: uso ainda limitado, com presença variável de realce tardio pelo gadolínio.
> Cateterismo não é necessário, exceto nas pacientes com fatores de risco para doença coronariana.
> Biópsia endomiocárdica: não existem achados patognomônicos na biópsia e não há nível de evidência para sua indicação. Alguns pacientes podem demonstrar achados compatíveis com miocardite.

Tratamento

O manejo das pacientes gestantes é similar ao das pacientes não gestantes com insuficiência cardíaca, entretanto existem peculiaridades:

> Devem ser evitados os IECA e BRA, pois estão associados a insuficiência renal e morte fetal. O risco é maior quando dado no último trimestre, entretanto, no 1° trimestre, está associado com malformações cardíacas e do sistema nervoso central.
> Diuréticos podem ser usados para alívio dos sintomas; os diuréticos de alça são preferidos em relação aos tiazídicos, que estiveram associados a casos de hiponatremia e sangramentos em neonatos de mães que usaram esses diuréticos.
> Digoxina pode ser usada com os mesmos riscos para pessoas sem gravidez, entretanto pode passar para os recém-nascidos, pelo leite materno, e para o feto, de forma transplacentária.
> Hidralazina é o vasodilatador de eleição; caso seja necessário outro vasodilatador, a preferência é a nitroglicerina venosa.
> Betabloqueadores são seguros durante gravidez. Os beta-1 seletivos são preferidos por não interferirem com o relaxamento uterino mediado pelos receptores beta-2. Existe uma recomendação para que recém-nascidos de mãe usuárias dessas medicações sejam observados por um período de 72 a 96 horas pós-parto, pelo risco de apneia, hipotensão, bradicardia e hipoglicemia. É secretado no leite materno.
> Antagonistas da aldosterona não devem ser usados durante a gravidez, pois não há evidência de eficácia e segurança nesses pacientes.
> Inotrópicos em casos refratários e vasoconstritores devem ser evitados ao máximo.
> Anticoagulação deve ser considerada particularmente em pacientes com disfunção ventricular grave devido ao estado de hipercoagulabilidade durante a gravidez, com alto risco para formação de trombos e eventos embólicos.
> Bromocriptina: estudo piloto randomizado pequeno e vários relatos de casos têm sugerido uma resposta benéfica; contudo, os dados disponíveis são insuficientes para recomendar o seu uso.
> O transplante cardíaco pode ser considerado naqueles casos em que o tratamento conservador não foi bem-sucedido.
> Dispositivos de assistencia ventricular: devem ser usados como ponte para o transplante, quando o tratamento clínico não é suficiente.
> É desaconselhável nova gravidez pela paciente, principalmente se ela evoluiu com disfunção ventricular importante.

Prognóstico

Materno: alguns estudos avaliaram a sobrevida dessas pacientes com resultados similares; a mortalidade pode chegar a 10% em 5 anos e com necessidade de transplante de aproximadamente 4% a 6%. Esses estudos identificaram os seguintes fatores diretamente relacionados com mortalidade:

- ◗ Classe funcional ruim;
- ◗ Raça negra;
- ◗ Paciente multípara.

Em relação à fração de ejeção ventricular, aproximadamente 50% evoluem com algum grau de disfunção ventricular e outros 50% voltam a apresentar FE > 50%. O prognóstico é muito parecido ao dos pacientes com miocardite viral.

• REFERÊNCIAS

1. Weiford BC, Subbarao VD, Mulhern KM. Noncompaction of the ventricular myocardium. Circulation 2004; 109(24): 2965-71
2. Rosa LV, Sameli VMC, Alexandre LM, Mady C. Miocardiopatia não compactada, uma visão atual: atualização clínica. Arq Bras Cardiol 2011; 97(1):e13-e19.
3. Rochitte CE, Pinto IMF, Fernandes JL, et al. I Diretriz de ressonância e tomografia cardiovascular. Arq Bras Cardiol. 2006 Sep;87(3):e48-59.
4. Albanesi Filho MF, Mourilhe Rocha R. Cardiomiopatia alcoólica. Rev SOCERJ 1998; 21(3): 222-30.
5. Silva VLLG. Broken heart syndrome (síndrome de Takotsubo, cardiomiopatia do estresse): relato de caso. Arq Med Hosp Fac Cienc Med Santa Casa São Paulo 2008; 53(3):125-9.
6. Kalil Filho R, Hajjar LA, Bacal F, et al. I Diretriz Brasileira de Cardio-Oncologia da Sociedade Brasileira de Cardiologia. 2011; 96(2 Arq Bras Cardiol supl.1): 1-52.
7. Avila WS, Coordenadora. Consenso Brasileiro sobre Cardiopatia e Gravidez. Diretrizes da Sociedade Brasileira de Cardiologia para Gravidez e Planejamento Familiar a Mulher Portadora de Cardiopatia. 1999. http://publicacoes.cardiol.br/consenso/1999/7203/7203.pdf
8. Elkayam U. Gestação e doença cardiovascular. In: Zipes DP, Libby P, Bonow RO, Braunwald E, editores. Tratado de doenças cardiovasculares. 7 ed. Philadelphia: Elsevier; 2005.

Doenças da Aorta

Aneurismas de Aorta

• Anatomia

Principal vaso, maior e mais resistente artéria do corpo humano, com diâmetro médio entre 2,0 e 2,5 cm, e extensão que vai da valva aórtica até a porção média do abdome, quando se bifurca em artérias ilíacas. É composta por três camadas: a camada interna fina, ou íntima; uma camada média espessa, ou média; e uma camada externa muito fina, a adventícia.

A Aorta divide-se, pelo diafragma, em porção torácica e abdominal.

Porção torácica:

▶ **Aorta ascendente:** com cerca de 5 cm de comprimento e 3 cm de diâmetro, inicia-se ao nível de sua raiz (de onde os seios de Valsalva dão origem às artérias coronárias direita e esquerda), estende-se até a junção sinotubular (porção proximal) e, de lá, até o arco aórtico, na altura do ângulo esternal.

▶ **Arco aórtico:** porção curva que dá origem ao tronco braquiocefálico, artéria carótida comum esquerda e artéria subclávia esquerda.

▶ **Aorta Descendente:** com cerca de 2,5 cm de diâmetro, inicia-se no istmo aórtico (ponto de união do arco com a parte descendente, local especialmente vulnerável ao trauma e onde pode ocorrer a coarctação da aorta) e termina ao nível da 12ª vértebra, onde atravessa o hiato aórtico do diafragma e passa a se chamar aorta abdominal. Dá origem as artérias intercostais.

Porção abdominal

Com comprimento médio de 13,0 cm, vai de T12 até L4, bifurcando-se, no fim, em artérias ilíacas comuns. No seu trajeto, dá origem a ramos parietais (artérias frênicas inferiores, lombares, ilíacas comuns e sacral mediana) e viscerais (artérias suprarrenais, renais, gonadais e tronco celíaco, artérias mesentéricas superior e inferior). Tem 2,0 cm de diâmetro na porção abdominal infrarrenal.

• Fisiologia

Tem como função permitir a perfusão distal do organismo, transmitindo a pressão pulsátil com velocidade de até 5 m/s por toda a árvore arterial (efeito Windkessel), possível devido às propriedades biomecânicas de suas camadas. Além de sua condutância e função de bombeamento, a aorta também exerce um papel no controle da resistência vascular sistêmica e da frequência cardíaca, através dos seus barorreceptores localizados na aorta ascendente e arco aórtico.

• Aneurisma

A dilatação é considerada aneurismática quando o diâmetro supera 50% (ou seja, pelo menos uma vez e meia) do previsto naquele segmento analisado. Pode ser classificado de acordo com:

- ▶ Acometimento das camadas da parede arterial:
  - ▶ Verdadeiro: dilatação de toda a parede arterial.
  - ▶ Falso ou Pseudoaneurisma: coleções de sangue e tecido conectivo fora da parede do vaso.
- ▶ Formato:
  - ▶ Sacular: envolve apenas uma porção da circunferência.
  - ▶ Fusiforme: mais comum, acomete toda a circunferência.
- ▶ Local acometido:
  - ▶ Torácico.
  - ▶ Abdominal: mais comum.
  - ▶ Tóraco-abdominal.

Sua formação associa-se à inflamação crônica da parede do vaso, aumento da expressão local de proteinases e à degradação das proteínas do tecido conjuntivo.

• AAA (Aneurismas da Aorta Abdominal)

Epidemiologia

Mais comuns, são encontrados incidentalmente com frequência na população idosa, principalmente na aorta infrarrenal. 3% dos indivíduos aos 60 anos e cerca de 5% das pessoas com idade > 70 anos são acometidos. Sendo 5 a 10 vezes mais comum no homem do que na mulher. Porém, na mulher, apresenta 3× mais risco de ruptura.

Podem ser encontrados em cerca de 5% dos pacientes com aterosclerose coronariana, em 9% nos casos de arteriopatia periférica, e em 30% a 50% dos pacientes com aneurismas poplíteos ou femorais.

Fatores de Risco

- ▶ Idade.
- ▶ Sexo masculino.
- ▶ Tabagismo: principal fator e acarreta um risco 5× maior (para fumantes e ex-fumantes) quando comparado aos não fumantes. Associado, também, a uma maior rapidez no crescimento, na chance de ruptura e no risco com o reparo.
- ▶ Enfisema.
- ▶ Hipertensão.
- ▶ Hiperlipidemia: fraco fator de risco.

> • História familiar de AAA: quanto mais irmãos acometidos, maior o risco.
> • Aterosclerose: afeta mais a porção infrarrenal.
> • Procedimentos endovasculares prévios.

Quadro clínico

Na imensa maioria das vezes evoluem assintomáticos e são detectados em exames de imagem ocasionais (p. ex.: ultrassonografia para avaliação da próstata), principalmente quando não embolisam distalmente (2% a 5%) ou rompem-se. Mesmo durante a fase de dilatação, por anos, o aneurisma cresce praticamente livre de sintomas.

A sintomatologia depende do tamanho e localização do aneurisma, mas tem a dor abdominal como sintoma mais frequente. A dor se localiza no epigástrio, de moderada intensidade, contínua e com duração de horas ou dias. Pode ocorrer também dor lombar por irradiação ou até mesmo o estiramento de estruturas vizinhas devido a seu rápido crescimento ou sua ruptura.

A ruptura representa o principal risco dos aneurismas de aorta abdominal. Nesse caso, geralmente, são aneurismas grandes, de crescimento rápido ou com início recente de sintomas. A tríade patognomônica de dor abdominal ou dorsal abrupta, massa abdominal pulsátil e hipotensão é observada em até um terço dos pacientes. Na maior parte das vezes rompem-se para dentro do retroperitônio esquerdo (80%), quando, então, pode ocorrer a contenção da ruptura. Caso rompam-se para a cavidade peritoneal, podem causar uma hemorragia descontrolada e choque circulatório.

No exame abdominal, procede-se à inspeção em busca de pulsação visível, ou até mesmo assimetria abdominal que sugira massa. A palpação tende a ser bem característica nos casos com maior sintomatologia e observa-se massa palpável, bem delimitada com pulsação sincrônica aos batimentos. Quando localizados abaixo da saída das artérias renais, maioria dos casos, consegue-se posicionar a mão entre o aneurisma e o arcabouço costal (Manobra de DeBakey).

Ainda no abdome, deve-se proceder à ausculta da aorta abdominal em busca de sopros que denotem alteração do fluxo sanguíneo vascular. Além disso, devem-se avaliar os pulsos distais ao local suspeito (p. ex., artéria femoral e poplítea). Durante exame físico, pode-se palpar diretamente aneurismas a partir de 5 cm em menos de 50% dos pacientes.

Diagnóstico

A Ultrassonografia, que tem sensibilidade e especificidade próximas a 100%, tornou-se a modalidade de escolha para triagem diagnóstica e seguimento; neste último caso, principalmente em AAA de até 4,5 cm. Apresenta limitação na observação da porção da aorta suprarrenal e pela variabilidade interobservador. Dessa forma, segundo a última diretriz da ESC, o rastreamento de AAA se dá com essa ferramenta e deve ocorrer em homens com idade maior ou igual de 65 anos ou mulheres com idade maior ou igual 65 anos e com história de tabagismo atual ou pregresso.

A Tomografia Computadorizada é mais acurada que a ultrassonografia. Os aparelhos mais modernos (TC Helicoidal) são capazes de gerar reconstruções tridimensionais e proporcionam uma melhor mensuração dos diâmetros dos AAA e de sua relação com as estruturas vizinhas. Toda a informação anatômica necessária para o planejamento operatório é obtida, substituindo a aortografia e tornando-se a principal modalidade de imagem pré--operatória. Contudo, é mais cara e apresenta necessidade do uso de contraste, o que pode ser prejudicial ao doente com função renal alterada.

A Angiorressonância Magnética é uma alternativa para a avaliação pré-operatória. Apresenta ótima resolução e ausência de risco para pacientes com insuficiência renal, pois não utiliza contraste iodado, mas um agente paramagnético, o gadolínio. Contraindicada apenas

Guia Prático de Cardiologia

para portadores de próteses metálicas e marca-passo (aparelhos mais modernos são cada vez mais seguros para realizar o exame mesmo nesses casos).

Tratamento

O reparo está indicado (cirúrgico ou endovascular) quando os AAA atingem 5 cm (principalmente em mulheres) ou 5,5 cm. Contudo, a presença de sintomas é indicação absoluta, independente do diâmetro. Atentar, também, para aneurismas com crescimento > 0,5 cm/ano, independentemente do tamanho, devido ao risco maior de ruptura.

Em AAA pequenos (3 a 4 cm de diâmetro), o risco anual de ruptura é de 0,3% e recomendam-se imagens anuais. Nos AAA de 4 ou mais cm de diâmetro o acompanhamento deve ser semestral (dá-se preferência a TC) devido ao risco de ruptura estimado em 1,5%. Entre aqueles de 5 a 5,9 cm, o risco de ruptura é de 6,5%, e de 10% nos com 6 cm.

Tratamento clínico

Parar de fumar, controle de comorbidades (HAS, DM, hiperlipidemia e sedentarismo) e de outras patologias cardíacas são recomendações inerentes ao diagnóstico. No campo da farmacoterapia, o uso de estatina (Sinvastatina e Rosuvastatina de 10 a 40 mg/dia ou Atorvastatina 10 a 80 mg/dia) é recomendado em todos os casos, e o uso de BBqs (Propranolol 10 a 80 mg 3×/dia), com objetivo de suprimir o crescimento, é recomendado para pacientes com aneurismas > 4 cm. AAS 75 a 100 mg/dia, nos casos de confirmada origem aterosclerótica.

Observação: Alguns estudos de pequeno porte apontaram que Inibidores da Enzima Conversora da Angiotensina ou os Bloqueadores dos Receptores da Angiotensina II parecem ser benéficos.

Tratamento cirúrgico

Poucas patologias na medicina se beneficiam tanto da decisão de reparo eletivo. Neste cenário as taxas de mortalidade com o reparo aberto são de 1% a 4% e, com reparo endovascular, de 0,5% a 3%. Eleva-se para 19% no reparo aórtico de urgência e chega a 50% para os reparos de aneurisma roto.

Critérios de intervenção nos Aneurismas Aórticos infrarrenais, segundo as Diretrizes para o tratamento cirúrgico e endovascular das doenças da aorta da Sociedade Brasileira de Cirurgia Cardiovascular – Atualização 2009:

Observação: Em mulheres, existe uma tendência em indicar o reparo eletivo quando o diâmetro aórtico atinge 4,5 a 5 cm.

Observação: As contraindicações relativas ao uso das endopróteses na correção dos AAA são: distância inferior a 1,5 cm entre as artérias renais e o aneurisma; tortuosidade do colo proximal ou das ilíacas que dificulta a progressão da prótese; calcificação extensa do colo proximal; colo proximal cônico ou com trombo mural; estenose ou pequeno calibre das artérias ilíacas; distância menor de 1,5 cm entre o aneurisma e a bifurcação das artérias ilíacas; comprometimento extenso das artérias ilíacas pela doença aneurismática.

Durante a correção do aneurisma, metade de todas as mortes perioperatórias resulta de infarto do miocárdio. Assim, uma vez diagnosticado e optado por tratamento invasivo deve-se proceder aos exames pré-operatórios visando detecção de doença isquêmica e sua abordagem.

Aneurismas de Aorta **285**

É papel do bom cardiologista ponderar os riscos e benefícios de cada opção de tratamento, juntamente com o paciente e seus familiares, tendo em mente três variáveis: expectativa de vida, risco de ruptura e risco do reparo.

• AAT (Aneurismas da Aorta Torácica)

Epidemiologia

Menos comuns que os AAA, apresentam incidência em torno de 5,9/100.000 pessoas--ano. Mais comuns em homens, com idade média de apresentação de 65, e de 77 em mulheres. 60% afetam a aorta ascendente, 35% a aorta descendente, e 10% o arco aórtico e a transição tóraco-abdominal. Em 13% dos casos está relacionada a aneurismas em outros sítios arteriais. A associação com o aneurisma da aorta abdominal é descrita em 10% a 20% dos pacientes com aneurismas ateroscleróticos da aorta ascendente.

Etiologia

Ainda que varie em função da localização do aneurisma, globalmente as causas mais frequentes de AAT são a degeneração cística da camada média e a aterosclerose.

Vários são os fatores predisponentes para os aneurismas da aorta, tais como: trauma, hipertensão, aterosclerose (causa principal de AAT descendente), desordens genéticas (síndrome de Marfan, Ehlers-Danlos e síndrome de Turner), infecções (sífilis e aneurisma micótico), congênita (valva aórtica bicúspide) e doença autoimune (arterite de Takayasu e de células gigante, artrite reumatoide, psoriática e reativa; espondilite anquilosante e granulomatose de Wegener).

Quadro clínico

Assim como nos portadores de AAA, a maioria dos pacientes é assintomática e tem o diagnóstico feito durante exames de imagem casuais (RX de tórax e ecocardiograma, por exemplo). Os sintomas podem ocorrer devido a efeito de massa local, insuficiência aórtica com insuficiência cardíaca, embolização sistêmica, ruptura ou dissecção.

Efeito compressivo sobre:

- Veia Cava Superior ou veia inominada: Síndrome da veia cava superior.
- Coronária: IAM.
- Esôfago: Disfagia.
- Nervo Laríngeo: rouquidão.
- Traqueia: dispneia, tosse, sibilância, estridor, hemoptise ou pneumonite recorrente.
- Ósseo: dor persistente no tórax ou nas costas (25% dos casos).

Na aorta ascendente, a dilatação progressiva pode levar à insuficiência valvar aórtica (mesmo em válvulas anatomicamente normais), à dissecção aguda ou à ruptura espontânea. São eventos que alteram dramaticamente a história natural e a curva de sobrevida. A ruptura dos aneurismas localizados no arco e na descendente pode ocorrer para dentro do espaço intrapleural esquerdo, para dentro do brônquio ou traqueia, causando hemoptise; para dentro do esôfago, levando à hematêmese (raro); e contido no pericárdio o que leva a tamponamento.

No exame físico, além de encontrar sinais de insuficiência cardíaca, pode-se perceber sinais de fenômenos embólicos manifestados, como acidente vascular cerebral, infarto do miocárdio, dos vasos abdominais ou isquemia de membros.

Diagnóstico

Radiografia de tórax: achados como mediastino alargado, botão aórtico proeminente ou deslocamento da traqueia têm baixa sensibilidade.

Ecocardiograma: O ETT é, na maioria das vezes, a grande peça utilizada para o diagnóstico, principalmente em casos de aneurisma na raiz, aorta ascendente proximal, arco e descendente proximal. O ETE é capaz de gerar uma boa imagem de quase toda a aorta torácica, contudo por ser mais dificultoso, tem indicação reservada para casos de dissecção ou duvidosos.

Tomografia Computadorizada: Sensibilidade e especificidade próximas a 100%. Possui grande vantagem sobre os outros métodos quando se trata de definição de imagem e planejamento operatório (principalmente com imagens tridimensionais).

RNM: alternativa à TC com sensibilidade e especificidade semelhantes. Preferível à TC, para avaliar aneurismas que envolvam a raiz aórtica.

Aortografia: em desuso.

• História natural

Os diâmetros da aorta aumentam com a idade e variam de acordo com o sexo. Segundo a Lei de Laplace, a tensão superficial aumenta proporcionalmente ao aumento do diâmetro do aneurisma, assim pressupõe-se que, quanto maior o aneurisma, maior o risco de ruptura e, extrapolando, maior também a sua velocidade de expansão anual. Contudo, outros fatores também aceleram o crescimento e chance de ruptura, como: idade avançada, sexo feminino, DPOC, tabagismo, história familiar e sintomas.

Diâmetro	Chance de ruptura e dissecção/ano
< 5 cm	2%
5 – 5,9 cm	3%
> 6 cm	7% (Aorta descendente pode chegar a 15,6%)

Observação 1: Pacientes com Valva Aórtica Bicúspide (VAB) ou doenças do tecido conjuntivo apresentam taxas maiores de dissecção e ruptura para os mesmos diâmetros.

Tratamento

Assim como nos AAA, o grande desafio é determinar o momento ideal para a indicação do reparo cirúrgico (aberto ou endovascular).

Tratamento clínico

As orientações são: vigilância quanto a sinais e sintomas e acompanhamento através de exames de imagem (de preferência TC ou RNM) da progressão do aneurisma. Realizar o primeiro exame com seis meses da data do diagnóstico. Se nesse exame o aneurisma tiver mantido seu tamanho, novo exame em um ano. Caso tenha crescido, repete-se a cada três ou seis meses a depender do tamanho e da velocidade de expansão.

Outras orientações secundárias também devem ser passadas ao paciente, como: cessar o tabagismo e evitar realizar exercícios extenuantes, isométricos e levantamento de peso (ocasionam aumento da pressão intratorácica e da pressão arterial). Exercícios aeróbicos geralmente são seguros. Nas portadoras de SMF, a gravidez pode ser um adjuvante na chance de dissecção e ruptura.

Aneurismas de Aorta **287**

Quanto às medicações: betabloqueadores em todos (salvo contraindicações), para controle da PA e da FC, principalmente nos portadores de SMF (BB + Losartan) e VAB. IECA e Estatina também devem ser aventados.

Tratamento cirúrgico

Indicações:

1. Sintomático, qualquer tamanho.
2. Diâmetro aórtico no final da diástole de 50 a 60 mm (55 mm ACC/AHA).
3. Índice aórtico* de 2,75 cm/m².
4. Crescimento acelerado: > 10 mm/ano em aneurismas com menos de 50 mm de diâmetro ou ≥ 5 mm/ano nos casos com menos de 55 mm.
5. Evidência de dissecção.
6. Aneurisma > 45 mm no momento da troca da valva aórtica.
7. IAo de qualquer gravidade e doença primária da raiz da aorta ou aorta ascendente (p. ex., SMF).

Observação 1: Em síndrome de Marfan, cirurgia profilática, se diâmetro > 5,5 cm ou > 5,0 cm (valor considerado pela ESC) em casos com história familiar de dissecção ou morte súbita, ou crescimento superior a 3 ou 5 mm por ano. Em mulheres planejando a gravidez, > 4,5 cm.

Observação 2: Em pacientes pequenos, principalmente mulheres, indica-se reparo para aneurismas maiores que 2x o tamanho da aorta não aneurismática ou com taxa de crescimento acima de 5 mm em 6 meses.

Observação 3: No arco transverso, a indicação de reparo se dá quando: diâmetro absoluto > 6 ou 7 cm (5,5 cm pelas diretrizes da ESC e ACC/AHA), ou superior ao dobro do diâmetro esperado para aquele indivíduo; crescimento no diâmetro superior a 7 ou 10 mm por ano; dor ou sintomas compressivos e aneurismas saculares.

Uma abordagem alternativa ao tratamento cirúrgico aberto, que vem apresentando resultados promissores, é o uso de enxertos endovasculares, com a vantagem de menores taxas de mortalidade (1,4% *versus* 5%), menores taxas de paraplegia e paraparesia. Suas complicações são raras e se dão, principalmente, devido à migração da prótese e *endoleaks*. Assim, atualmente, ficam restritos a pacientes com alto risco cirúrgico, aneurismas da aorta descendente > 6 cm e anatomia favorável (IIA B). Vale ressaltar que, em pacientes com SMF ou doença do tecido conectivo, a indicação do tratamento endovascular é restrita a situações de emergência ou quando se pensa em novos procedimentos complementares.

Critérios de intervenção nos Aneurismas Crônicos da Aorta Torácica e Tóraco-abdominal, segundo as Diretrizes para o tratamento cirúrgico das doenças da aorta da Sociedade Brasileira de Cirurgia Cardiovascular – Atualização 2009.

Percebe-se que as mais recentes diretrizes da ESC e ACC/AHA consideram diâmetros mais precoces para orientar a intervenção tanto no caso de AAA quanto AAT.

---

* Diâmetro aórtico em cm dividido pela área de superfície corpórea em m².

• Referências

1. Souza JM, Rojas SO, Berlinck, MF, et al. Aortic aneurysms. Rev Bras Cir Cardiovasc 1992; 7(3):201-7.
2. Buffolo E, Fonseca JH, Souza JA, Alves CM. Revolutionary treatment of aneurysms and dissections of descending aorta: the endovascular approach. Ann Thorac Surg 2002;74(5):S1815-7.
3. Nienaber CA, Rousseau H, Eggebrecht H, et al. Randomized comparison of strategies for type b aortic dissection: the investigation of stent grafts in aortic dissection (INSTEAD) Trial. Circulation 2009;120(25):2519-28.

Síndromes Aórticas Agudas

• Introdução

Síndrome aórtica aguda (SAA) consiste em um conjunto de doenças agudas e emergenciais da aorta, com características clínicas semelhantes. São elas: dissecção aórtica, hematoma intramural (HIM) e úlcera aterosclerótica penetrante (UAP). Trauma da aorta com laceração da íntima também pode ser considerado um SAA.

Nessas síndromes ocorre lesão da íntima (90% dos casos), com exposição e ruptura da camada média da aorta, com sangramento ao longo de sua parede, resultando na separação das camadas internas da aorta (dissecção), ou hemorragia transmural nos casos de UAP ou trauma. Na maioria dos pacientes, ocorre represamento de sangue em um plano de dissecção dentro da camada média.

• Dissecção da aorta

É um acontecimento súbito, em que se produz a separação brusca, longitudinal e circunferencial da parede média da aorta, tendo como consequência a saída do sangue do lúmen verdadeiro da aorta, para um falso lúmen, através de um ponto de rotura da íntima, geralmente discreto. O sangue passa a percorrer um espaço até então virtual entre a íntima e a adventícia da aorta.

Epidemiologia

É a SAA mais comum. Evento com alta taxa de letalidade; estima-se no Brasil uma incidência em torno de 2.700 casos por ano com taxa de mortalidade de 1% a 2% por hora (nas primeiras 48 horas). É duas vezes mais comum nos homens e mais frequente a partir da 6ª década de vida. Estudos epidemiológicos populacionais indicam que cerca de 20% dos pacientes com dissecção aórtica morrem antes da admissão hospitalar.

A ruptura da camada íntima ocorre principalmente nos pontos de fixação do vaso onde a tensão superficial é maior, isto é, na junção sinotubular e no istmo da aorta (imediatamente após a origem da artéria subclávia esquerda). Assim, 65% das dissecções se originam na aorta ascendente, 30% na descendente, 10% no arco e 1% na aorta abdominal.

• Classificação

A dissecção pode ser anterógrada, 90% dos casos, com propagação em direção à aorta distal; ou retrógrada, 5% a 10%, em direção a aorta proximal. Quando o início do evento é menor que duas semanas, define-se como dissecção aguda; processos mais tardios, como dissecção crônica.

As duas principais classificações são baseadas na localização da dissecção: classificação de Stanford e DeBakey. E uma terceira baseia-se na fisiopatologia: classificação de Svensson.

Stanford

- ❯ Tipo A: Dissecção envolve a aorta ascendente, independente do sítio de origem. Pode ou não se estender ao arco e aorta descendente. (Cirurgia indicada).
- ❯ Tipo B: Dissecção que não envolve a aorta ascendente. Pode ou não envolver o arco aórtico. (Tratamento clínico).

DeBakey

- ❯ Tipo I: Dissecção origina-se na aorta ascendente e se estende pelo menos até o arco aórtico e, muitas vezes, até a aorta descendente e além. (Cirurgia indicada).
- ❯ Tipo II: Dissecção está confinada na aorta ascendente (Cirurgia indicada).
- ❯ Tipo III: Dissecção origina-se na aorta descendente e se propaga distalmente, raramente evolui retrogradamente atingindo o arco e a aorta ascendente. (Tratamento clínico indicado).
  - ❯ IIIa: limitado à aorta descendente.
  - ❯ IIIb: se estende abaixo do diafragma.

Stevensson

- ❯ Classe I: Dissecção clássica com verdadeira e falsa luz.
- ❯ Classe II: Hematoma ou hemorragias intramurais.
- ❯ Classe III: Dissecção sutil e discreta sem hematoma, saliência excêntrica no local de ruptura.
- ❯ Classe IV: Ruptura de placa, levando a uma ulceração aórtica, úlcera aterosclerótica aórtica penetrante com hematoma ao redor, geralmente na subadventícia.
- ❯ Classe V: Dissecção traumática ou iatrogênica.

Em termos cirúrgicos, faz mais sentido utilizar a classificação de Stanford, porque os cirurgiões limitam-se, essencialmente, a substituir a aorta ascendente, quer no tipo I quer no tipo II de DeBakey. As dissecções crônicas, sejam proximais ou distais, apresentam comportamento semelhante aos dos aneurismas de aorta.

• Etiologia

Fatores de risco:

- ❯ Hipertensão (75% dos pacientes).
- ❯ Anomalias congênitas e do tecido conjuntivo (Síndrome de Marfan, Síndrome de Ehlers-Danlos, Válvula aórtica bicúspide, Coarctação aórtica, Síndrome de Turner, Tetralogia de Fallot, entre outros).

Síndromes Aórticas Agudas **291**

- Gravidez (maior incidência no terceiro trimestre).
- Aterosclerose.
- Doenças inflamatórias ou infecciosas (Sífilis, Aortite, Doença de Behçet, Arterite de Células Gigantes e de Takayasu).
- Desordens neuroendócrinas ou autoimunes (lúpus eritematoso, espondilite anquilosante e feocromocitoma).
- Origem traumática acidental (acidente com veículo motorizado) ou cirúrgica (Cateter ou *Stent*, secundária à Clampagem Aórtica, Canulação ou cirurgia de substituição valvular aórtica e à utilização do balão intra-aórtico).
- Uso de cocaína.

• Quadro clínico

O sintoma mais comum é a dor e está presente em até 96% dos casos. Tipicamente intensa, de início súbito e de caráter migratória, muitas vezes descrita como uma sensação em rasgando ou pontada.

Suas características e sintomas associados refletem a localização da ruptura inicial e mudam conforme a porção da aorta atingida pela delaminação. Quando proximais, a dor inicia-se no precórdio e pode irradiar-se para o pescoço, mandíbula e braços antes de migrar para territórios inferiores. Nas dissecções distais, é principalmente referida como dor nas costas, irradiada para abdome ou membros inferiores. Difere da isquemia miocárdica pela infrequente associação com náusea e vômitos, pela intensidade crescente e pelo caráter migratório (17%).

Entretanto, alguns pacientes apresentam-se sem história de dor, principalmente aqueles portadores da Síndrome de Marfan ou distúrbios neurológicos. Outras características clínicas podem ser síncope (9%), acidente vascular cerebral (7%) e agitação psicomotora (sintomas associados ao acometimento dos vasos do arco aórtico). Déficit motor em membros inferiores secundários à isquemia medular (1% a 2,5%) e angina abdominal por isquemia mesentérica (1,5%). E por último, porém não menos importante, sintomas de ICC, como dispneia, secundários à insuficiência aórtica ou tamponamento cardíaco.

• Exame físico

A hipertensão está presente em 70% dos pacientes com dissecção aórtica aguda, principalmente no tipo B de Stanford. Hipotensão pode ser encontrada no tipo A de Stanford como um sinal de tamponamento cardíaco, ruptura aórtica ou insuficiência aórtica grave.

Déficits de pulso, ausculta de insuficiência aórtica e manifestações neurológicas são achados típicos, essencialmente nas dissecções da aorta ascendente. O sopro diastólico da regurgitação aórtica significa comprometimento da valva aórtica (44% das dissecções de tipo A e 12% de tipo B) e pode levar a um caso de IC descompensada aguda.

As manifestações neurológicas (17% a 40%, em especial no tipo A) incluem AVCi, isquemia da medula espinhal, neuropatia isquêmica e encefalopatia hipóxia. E, menos comumente: convulsões, distúrbios de consciência, paraparesia ou paraplegia, dentre outros. A diferença ou a ausência de pulsos periféricos pode ocorrer conforme a localização da dissecção, sendo detectada em 50% das dissecções proximais.

A coronária mais acometida é a direita, levando a infarto agudo inferior (1% a 2%). O envolvimento da artéria renal (5% a 8%) pode levar à insuficiência renal e hipertensão refratária. Outros sinais relacionados são: febre, derrame pleural, isquemia mesentérica, pericardite, síndrome da veia cava superior, hematêmese, hemoptise e outros.

Diagnóstico

Como vimos, os sintomas e sinais envolvidos na dissecção aórtica aguda mimetizam uma infinidade de patologias que podem se apresentar ao clínico ou cardiologista. Dessa forma, uma boa suspeição clínica é vital para o médico e para o paciente.

O arsenal diagnóstico é vasto e já com uma simples radiografia de tórax é possível notar alargamento da silhueta aórtica, sinal de cálcio ou duplo contorno na aorta (separação entre a calcificação da íntima e a margem de tecido mole aórtico em mais de 0,5 a 1 cm) e derrame pleural à esquerda. Vale salientar que se deve comparar a radiografia atual com a anterior e que, em 12% a 15% dos casos, o RX de tórax pode ser normal.

O eletrocardiograma (ECG) encontra-se normal em um terço dos casos. Pode apresentar alterações, como sinais de hipertrofia do ventrículo esquerdo secundários à HAS ou complexos QRS de baixa voltagem relacionados ao hemopericárdio. Deve-se fazer o diagnóstico diferencial com isquemia miocárdica, para que não seja administrado inadequadamente um agente trombolítico ao paciente.

Biomarcadores como o D-dímero podem se elevar (D-dímero < 500 ng/mL nas primeiras 24 horas tem forte valor preditivo negativo). Variantes como hematoma intramural aórtico e úlcera aórtica penetrante podem não apresentar níveis elevados desse marcador.

No ecocardiograma podem-se achar alterações patognomônicas, como presença de *flap* ondulante da íntima dentro do lúmen aórtico. O ETT tem sensibilidade de 78% a 100% para dissecção aórtica tipo A e 31% a 55% na do tipo B, por isso não deve ser a primeira modalidade escolhida para dar o diagnóstico. Já o ETE tem sensibilidade de 94% a 97% e fornece dados essenciais, como presença de regurgitação aórtica, função ventricular esquerda, derrame pericárdio e visualização dos óstios coronarianos, determinando se eles surgem do lúmen falso ou verdadeiro.

Tomografia computadorizada com contraste é altamente acurada, com sensibilidade e especificidade 95% a 98%. É incapaz de avaliar as artérias coronárias e a valva aórtica de maneira confiável.

Ressonância magnética é altamente sensível e específica. Devido ao alto custo e pouca disponibilidade nas salas de emergência, tem sua maior indicação na obtenção de imagens para seguimento ambulatorial da dissecção.

A Arteriografia é raramente usada para o diagnóstico devido à sua invasibilidade e seu alto custo, além de ter sensibilidade e especificidade inferiores ao ECO TE, TC e RNM.

Em suma, a TC com contraste é o método de escolha para ser realizada inicialmente para o diagnóstico de dissecção aórtica. O ETE se destaca em caso de demora para realização da TC ou em situação de emergência à beira-leito. Em situações mais estáveis, pode-se optar tanto pelo ecodopplercardiograma TE, quanto angiotomografia ou angiorressonância de aorta.

Tratamento

A dissecção aórtica é extremamente letal, com taxas de mortalidade de 25% nas primeiras 24 horas, 50% na primeira semana e 75% no primeiro mês. Assim, o tratamento precoce e correto aumenta sobremaneira a sobrevida dos pacientes.

A experiência demonstrou que os resultados cirúrgicos são geralmente melhores que os da terapia clínica na dissecção proximal, isto é, de tipo A (I ou II), enquanto a terapia clínica parece ter uma vantagem relativa sobre a cirurgia na maior parte dos casos na dissecção distal tipo B (III) não complicada.

Os objetivos do tratamento clínico são: controle da dor e diminuir a pressão arterial e a frequência cardíaca (isso diminui o estresse na parede aórtica, mantendo a perfusão de órgãos satisfatória). E do tratamento cirúrgico é tratar ou prevenir as complicações comuns. Nesse contexto, o cardiologista ou clínico que se vê diante de um caso de dissecção aórtica aguda deverá com rapidez e precisão proceder ao diagnóstico, iniciar o tratamento clínico

Síndromes Aórticas Agudas **293**

e acionar o cirurgião cardiovascular. Se impossibilitado de realizar essas tarefas, coordenar a transferência do paciente para um centro terciário.

Analgesia:

- ◗ Sulfato de Morfina endovenosa (2 mg a cada 10 min).
- ◗ Controle da pressão arterial e frequência:
- ◗ Redução da PAS a níveis de 100 a 120 mmHg (PAM entre 60 a 75 mmHg). O Nitroprussiato de Sódio EV (0,3 a 10 mcg/kg/min) deve ser usado conjuntamente ao betabloqueador. Opção: Inibidores da Eca e Nitroglicerina.
- ◗ Betabloqueadores para FC ≤ 60 bpm. Mais usados são Esmolol, Labetalol (alfa e beta-bloqueio), Propranolol e Metoprolol (5 mg EV a cada 5 min). Deve-se ter cautela nos casos de regurgitação aórtica grave. Nos casos contraindicados, usar Verapamil ou Diltiazem.

Observação: Administrar os betabloqueadores antes dos vasodilatadores para evitar taquicardia reflexa.

Tamponamento cardíaco:

- ◗ Não se deve realizar pericardiocentese, pois aumenta a pressão intratorácica e pode induzir a piora da dissecção. Deve-se levar o paciente ao centro cirúrgico e proceder ao reparo aberto.

Recomendações da atual Diretriz Brasileira (Tabelas 34.1 e 34.2)

Tabela 34.1 Tratamento das dissecções agudas tipo A.

Recomendação	Grau de recomendação
1. Cirurgia imediata para evitar ruptura/tamponamento/morte	A
2. Enxerto reto na aorta ascendente se raiz da aorta e válvula aórtica normais	B
3. Enxerto reto na aorta ascendente e ressuspenção valvar aórtica se raiz da aorta normal e válvula insuficiente por perda de sustentação	B
4. Tubo valvado, se aorta ascendente dilatada ou ectasia âmulo/aórtica e válvula aórtica insuficiente	B
5. Auto ou homoenxerto se (situação nº 4) associada à endocardite	C
6. Ressuspensão v. aórtica e remodelamento da raiz da aorta em síndrome de Marfan	C
7. Reparo parcial do arco aórtico ("Reparo do Hemiarco") se dissecção compromete o arco, mas não há destruição ou lesão íntima	D
8. Reconstrução total do arco se há destruição ou lesão da íntima dentro do mesmo	D
9. Quando o arco for intervido, realizar reconstrução aberta com método de proteção cerebral (PCC hipotérmica – retroperfusão cerebral – cerebroplegia-perfusão axilar)	A
10. Enxerto(s) de veia(s) safena(s) se óstios coronários comprometidos pela delaminação e não passíveis de reimplante	D

Fonte: Albuquerque LC, Braile DM, Palma JH, *et al.* Diretrizes para o tratamento cirúrgico das doenças da aorta da Sociedade Brasileira de Cirurgia Cardiovascular: atualização 2009. Braz J Cardiovasc Surg. 2009;24(2 Suppl I):7-33.

294 Guia Prático de Cardiologia

Tabela 34.2 Tratamento das Dissecções Agudas tipo B.	
Recomendações	**Grau de recomendação**
1. Manejo clínico com analgesia e controle agressivo da PA	A
2. Tratamento cirúrgico se dor persistente/recorrente, sinais de expansão, ruptura ou má perfusão de extremidades	A
3. Implante de endoprótese recoberta se dor persistente/recorrente, sinais de expansão, ruptura ou má perfusão de extremidades e anatomia favorável	A
4. Stent para desobstruir origem de ramo visceral, ou para manter fenestração aberta	C
5. Fenestração por balão e implante de stent se compressão grave da luz verdadeira, com ou sem reentrada distal	C
6. Implante de endoprótese recoberta na luz verdadeira para evitar dilatação aneurismática crônica da aorta	C
7. Implante de endoprótese recoberta na luz verdadeira para ocluir a lesão intimal e promover a trombose da falsa luz	C

Fonte: Albuquerque LC, Braile DM, Palma JH, *et al.* Diretrizes para o tratamento cirúrgico das doenças da aorta da Sociedade Brasileira de Cirurgia Cardiovascular: atualização 2009. Braz J Cardiovasc Surg. 2009;24(2 Suppl I):7-33.

Vale salientar um importante estudo chamado Instead, publicado na Circulation em 2009, que investigou os resultados e sobrevida no tratamento endovascular da aorta torácica na dissecção aórtica tipo B, comparou a inserção de stentgraft eletivo mais tratamento clínico otimizado *versus* somente o tratamento clínico otimizado. Concluiu que a inserção de stentgraft eletivo em pacientes sobreviventes de dissecção de aorta do tipo B não complicada não melhorou a sobrevida nem as taxas de eventos adversos em dois anos, apesar do remodelamento aórtico favorável.

Em suma, casos de dissecção aórtica não complicada, dissecção isolada do arco aórtico estável e dissecção crônica estável devem ser tratados clinicamente. Por outro lado, casos de dissecção proximal aguda e dissecção distal aguda complicado, com progressão, com comprometimento de órgãos vitais, ruptura ou ruptura iminente, extensão retrógrada para dentro da aorta ascendente e dissecção na Síndrome de Marfan deverão ser abordados cirurgicamente.

• Úlcera aterosclerótica penetrante

A ulceração de uma placa aterosclerótica, erodindo a camada íntima do vaso e alcançando a camada média. Entidade rara, acomete indivíduos entre a 6ª e 8ª décadas de vida, sem predileção por sexo, com os seguintes fatores de risco: HAS, enfisema pulmonar, dislipidemia, insuficiência renal crônica e DM. Envolve a aorta em sua parte descendente, causando dor torácica com irradiação para as costas. Tem prognóstico desfavorável, podendo evoluir para ruptura transmural e morte.

• Hematoma intramural

Origina-se da ruptura da *vasa vasorum* da camada média e pode causar micro ruptura da íntima. Mais frequente em pessoas idosas e hipertensas, a dor torácica anterior ou posterior é o sintoma mais comum. A classificação de Stanford pode ser usada para estabelecer o sítio de origem e a conduta terapêutica.

Síndromes Aórticas Agudas **295**

Observação: Nessas situações, a correção cirúrgica clássica (tubo de *Dacron*) ou o tratamento endovascular são viáveis. Contudo, mais recentemente, a colocação de *stents*, com bons resultados a longo prazo, tem ganhado destaque.

• Referências

1. Albuquerque LC, Braile DM, Palma JH, et al. Diretrizes para o tratamento cirúrgico das doenças da aorta da Sociedade Brasileira de Cirurgia Cardiovascular: atualização 2009. Braz J Cardiovasc Surg. 2009;24(2 Suppl I):7-33.
2. Serrano Jr. CV, Timerman A, Stefanini E. Tratado de cardiologia SOCESP. 2 ed. Barueri(SP): Manole; 2009.
3. Bonow RO, Mann DL, Zipes DP, et al. Braunwald: tratado de doenças cardiovasculares. 9 ed. Rio de Janeiro: Elsevier; 2013.
4. Santos ECL, Figuinha FCR, Lima AGSL, Henares BB, Mastrocola F. Manual de cardiologia cardiopapers. São Paulo: Atheneu; 2013.

Valvopatias

Valvopatias Aórticas

Luís Cláudio Mendes Avelino • Enio Buffolo • Bernardo Noya Alves de Abreu

• Estenose Aórtica

É a causa mais comum de obstrução da via de saída do ventrículo esquerdo (VE), porém pode ocorrer sobre a valva (estenose supravalvar) ou abaixo dela (estenose subvalvar), ou ainda ser causada por miocardiopatia hipertrófica (ver Quadro 35.1).

Quadro 35.1 Etiologia da estenose aórtica.

Etiologia	Considerações
Valva aórtica bicúspide	Pode associar-se à dilatação da aorta, coarctação aórtica ou dissecção aórtica.
Estenose aórtica congênita	Pode apresentar-se como valva aórtica unicúspide, bicúspide ou tricúspide. A valva unicúspide é a causa mais comum de EAo fatal em crianças menores de 1 ano.
Estenose aórtica degenerativa ou senil	É a causa mais comum de EAo em adultos e compartilha com a aterosclerose os mesmos fatores de risco para seu desenvolvimento.
Febre reumática	Está invariavelmente associada à valvopatia mitral, sendo causa comum de EAo em pacientes mais jovens. Pouco frequente em países desenvolvidos.

Fonte: Tarasoutchi F, Montera MW, Grinberg M, Barbosa MR, Piñeiro DJ, Sánchez CRM, Barbosa MM, Barbosa GV et al. Diretriz Brasileira de Valvopatias – SBC 2011 / I Diretriz Interamericana de Valvopatias – SIAC 2011. Arq Bras Cardio 2011; 97(5 supl. 1): 1-67.

A EAo é a valvopatia aórtica adquirida mais frequente, estando presente em cerca de 4,5% da população acima de 75 anos.

Em adultos com EAo, a obstrução da via de saída do VE ocorre de forma lenta e gradual, com sintomas aparecendo geralmente a partir da 6ª década de vida. Na EAo congênita, os sintomas podem surgir já na infância ou na adolescência. O débito cardíaco é mantido à custa de hipertrofia ventricular esquerda (HVE) para vencer o alto gradiente de pressão através da valva aórtica estenosada. Uma vez sintomáticos, os pacientes apresentam piora significativa do prognóstico, com sobrevida média de 2 a 3 anos e aumento significativo do risco de morte súbita, (ver Figura 35.1).

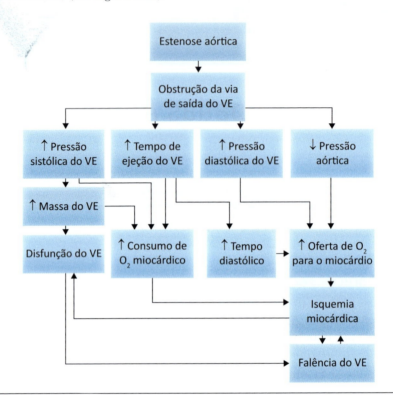

Figura 35.1
Fonte: Adaptada de Bonow e colaboradores.

Classificação

Os estágios da estenose aórtica baseiam-se em critérios ecocardiográficos (ver Tabela 35.1), que levam em consideração a anatomia valvar, a hemodinâmica valvar e as consequências da obstrução valvar sobre o VE, além dos sintomas do paciente. Através do ecocardiograma transtorácico, pode-se medir a área valvar, a velocidade do jato ou o gradiente médio de pressão, estimando, assim, o grau da EAo em discreto, moderado ou importante.

Tabela 35.1 Quantificação da estenose valvar aórtica

	Discreta	Moderada	Importante
Velocidade do jato (m/s)	< 3,0	3,0 a 4,0	4,0
Gradiente médio (mmHg)	< 25	25 a 40	40
Área valvar (cm^2)	1,5	0,8 a 1,5	< 0,8 (< 0,6 cm^2/m^2)

Fonte: Tarasoutchi F, Montera MW, Grinberg M, Barbosa MR, Piñeiro DJ, Sánchez CRM, Barbosa MM, Barbosa GV et al. Diretriz Brasileira de Valvopatias – SBC 2011 / I Diretriz Interamericana de Valvopatias – SIAC 2011. Arq Bras Cardio 2011; 97(5 supl. 1): 1-67.

Diagnóstico

Os sintomas cardinais da EAo são dispneia ao esforço, angina, síncope e, por fim, insuficiência cardíaca. Muitos pacientes são diagnosticados antes mesmo da instalação dos sintomas por meio da ausculta de sopro cardíaco investigado com ecocardiografia.

Sintomas	Considerações
Dispneia	Queda gradual da tolerância ao exercício, fadiga, dispneia ao esforço, devido, principalmente, à disfunção diastólica e congestão pulmonar.
Angina	Ocorre em 2/3 dos pacientes com EAo grave. Associada à doença arterial coronariana (DAC) em 50% dos casos.
Síncope	Relacionada aos esforços; baixo fluxo cerebral associado à vasodilatação com débito cardíaco fixo.
Outros achados (tardios)	Fibrilação atrial, hipertensão pulmonar e congestão sistêmica.

Fonte: Tarasoutchi F, Montera MW, Grinberg M, Barbosa MR, Piñeiro DJ, Sánchez CRM, Barbosa MM, Barbosa GV *et al.* Diretriz Brasileira de Valvopatias – SBC 2011 / I Diretriz Interamericana de Valvopatias – SIAC 2011. Arq Bras Cardio 2011; 97(5 supl. 1): 1-67.

Exame físico/ complementares	Considerações
Ausculta cardíaca	Sopro sistólico ejetivo, rude, pico mesossistólico, mais audível na base do coração. Geralmente classificado em grau 3 ou maior. B2 única ou com desdobramento paradoxal por prolongamento da sístole do VE.
Pulsos	Ascenção lenta e pico tardio (*pulsus parvus et tardus*)
ECG	Sinais de sobrecarga ventricular, BAV ou bloqueios de ramo.
Exame físico/ complementares	Considerações
Radiografia de tórax	Dilatação pós-estenótica da aorta. Aumento da área cardíaca não é comum até que a EAo se torne importante.
Teste ergométrico	Útil para descartar a real ausência de sintomas e definir conduta. Não deve ser feito em pacientes sintomáticos com EAo importante.

Fonte: Robert O. Bonow, MD, Douglas L. Mann, MD, FACC, Douglas P. Zipes, MD and Peter Libby, MD Braunwald's Heart Disease: A Textbook of Cardiovascular Medicine, Single Volume, 9th Edition.

Ecodopplercardiografia

Estenose aórtica com baixo gradiente e função ventricular reduzida

Um uso mais bem estabelecido da ecocardiografia sob estresse com dobutamina é em pacientes com estenose aórtica, baixos gradientes e função ventricular reduzida. Baixa dose de dobutamina deve ser utilizada (até 20 mcg/kg/min) e, se houver um aumento no volume de ejeção e no gradiente médio, enquanto a área da valva aórtica permanece inalterada, a estenose aórtica é significativa. Se o gradiente continua baixo, apesar de um volume de ejeção maior e a área valvar aórtica aumenta, a estenose aórtica é considerada discreta.

302 Guia Prático de Cardiologia

Estenose aórtica "importante" na presença de baixo gradiente e fração de ejeção normal

Esta entidade descreve pacientes com EAo importante e baixo gradiente na presença de fração de ejeção normal. Alguns trabalhos sugerem que esses pacientes possam representar um subgrupo de EAo importante em estágio avançado, com volume de ejeção reduzido em razão da função ventricular comprometida, apesar da FE preservada.

Indicações de ecocardiografia na estenose aórtica:

Classe de recomendação	Indicação	Nível de evidência
Classe I	Diagnóstico e avaliação da gravidade da EAo e suas repercussões ventriculares	B
Classe I	Reavaliação de pacientes com mudança de sintomas e sinais	B
Classe I	Reavaliação de pacientes assintomáticos a cada 6 meses na EAo importante, a cada um ano na EAo moderada e a cada 2 a 3 anos na EAo discreta	B
Classe I	Após intervenção percutânea ou cirúrgica da valva aórtica, como nova avaliação de base	C
Classe I	Na avaliação das alterações hemodinâmicas e adaptação ventricular durante a gravidez	C
Classe I	ETE quando as imagens à ETT foram inadequadas para se excluir obstrução subaórtica fixa ou dinâmica	B
Classe IIa	Ecocardiografia sob estresse para avaliação da EAo na presença de disfunção do VE e gradiente médio baixo em repouso para se definir a gravidade da EAo e a presença de reserva contrátil	B
Classe IIb	Ecocardiografia de esforço para avaliação do comportamento dos gradientes e de sintomas induzidos pelo exercício ou respostas anormais de pressão arterial em pacientes com EAo assintomáticos	C
Classe III	Ecocardiografia de esforço em pacientes com EAo sintomáticos	B

EAo – Estenose aórtica; ETE – Ecocardiografia transesofágica; ETT – Ecocardiografia transtorácica; VE – Ventrículo esquerdo

Fonte: Tarasoutchi F, Montera MW, Grinberg M, Barbosa MR, Piñeiro DJ, Sánchez CRM, Barbosa MM, Barbosa GV et al. Diretriz Brasileira de Valvopatias - SBC 2011 / I Diretriz Interamericana de Valvopatias - SIAC 2011. Arq Bras Cardio 2011; 97(5 supl. 1): 1-67.

Cateterismo cardíaco

Recomendação	Indicação	Nível de evidência
Classe I	Realização de medidas hemodinâmicas em pacientes com EAo sintomáticos quando os testes não invasivos forem inconclusivos.	C
Classe I	Antes do tratamento cirúrgico em pacientes com fatores de risco para DAC.	B
Classe I	Antes da intervenção transcateter da valva aórtica em pacientes com fatores de risco para DAC.	C

Valvopatias Aórticas **303**

(continuação)

Recomendação	Indicação	Nível de evidência
Classe IIa	Em pacientes em que um autoenxerto pulmonar é planejado e se a origem das artérias coronárias não foi identificada por técnica não invasiva.	C
Classe IIa	Cateterismo com infusão de dobutamina para avaliação hemodinâmica da EAo na presença de disfunção do VE e gradiente baixo.	C
Classe III	Cateterismo cardíaco para avaliação da gravidade da EAo quando os testes não invasivos são adequados.	C

Fonte: Tarasoutchi F, Montera MW, Grinberg M, Barbosa MR, Piñeiro DJ, Sánchez CRM, Barbosa MM, Barbosa GV *et al.* Diretriz Brasileira de Valvopatias – SBC 2011 / I Diretriz Interamericana de Valvopatias – SIAC 2011. Arq Bras Cardio 2011; 97(5 supl. 1): 1-67.

Ressonância magnética cardiovascular

Recomendação	Indicação	Nível de evidência
Classe IIa	Avaliação da fração de ejeção ou volumes ventriculares limítrofes ou duvidosos pela ecocardiografia.	B
Classe IIa	Planimetria da área valvar quando há incerteza na gravidade da EAo.	B
Classe IIa	Avaliação das dimensões da raiz da aorta e aorta ascendente.	B

Fonte: Tarasoutchi F, Montera MW, Grinberg M, Barbosa MR, Piñeiro DJ, Sánchez CRM, Barbosa MM, Barbosa GV *et al.* Diretriz Brasileira de Valvopatias – SBC 2011 / I Diretriz Interamericana de Valvopatias - SIAC 2011. Arq Bras Cardio 2011; 97(5 supl. 1): 1-67.

Tratamento farmacológico

O tratamento farmacológico é indicado para pacientes sintomáticos com contraindicação à cirurgia ou como ponte para o tratamento cirúrgico. A profilaxia para endocardite infecciosa ou FR deve ser realizada quando indicada.

A furosemida pode ser utilizada em pacientes sintomáticos com congestão pulmonar. Vasodilatadores em pacientes agudamente descompensados, em CF IV NYHA, podem ser considerados desde que o paciente esteja bem monitorizado. Não há evidências de que haja medicações que retardem a evolução da EAo, entretanto condições associadas, como, por exemplo, hipertensão e dislipidemia devem ser tratadas conforme a terapêutica padrão.

Tratamento cirúrgico

É o único tratamento efetivo para a EAo importante, promovendo melhora dos sintomas c da sobrevida.

Recomendação	Indicação
Classe I	Pacientes com EAo importante sintomáticos. EAo importante com programação de realizar revascularização do miocárdio (RM), ou cirurgia da aorta torácica ou outra cirurgia valvar concomitante. EAo importante com FE < 50%

(continuação)

Recomendação	Indicação
Classe IIa	EAo moderada, que serão submetidos a RM, ou cirurgia da aorta ou outra cirurgia valvar concomitante. EAo importante, assintomáticos, que apresentem resposta anormal no teste de esforço. EAo importante, assintomáticos + indicadores de pior prognóstico (área valvar < 0,7 cm², gradiente médio > 60 mmHg e velocidade de jato transvalvar aórtico > 5 m/s), desde que tenham baixo risco cirúrgico.
Classe IIb	EAo grave, assintomáticos, com alta probabilidade de progressão rápida (idade, calcificação) ou se houver possibilidade de atraso na cirurgia uma vez que se iniciem os sintomas. Se EAo grave com arritmias ventriculares complexas aos esforços ou HVE > 15 mm.
Classe III	Pacientes assintomáticos com EAo que não se encaixem nas indicações acima.

Fonte: Tarasoutchi F, Montera MW, Grinberg M, Barbosa MR, Piñeiro DJ, Sánchez CRM, Barbosa MM, Barbosa GV *et al*. Diretriz Brasileira de Valvopatias – SBC 2011 / I Diretriz Interamericana de Valvopatias – SIAC 2011. Arq Bras Cardio 2011; 97(5 supl. 1): 1-67.

Tratamento percutâneo da Estenose Aórtica

Valvuloplastia por cateter balão:

- Apesar de melhorar imediatamente a hemodinâmica por meio da redução do gradiente transvalvar, não traz resultados duradouros devido à alta taxa de reestenose dentro de 6 meses.
- Baixa sobrevida em pacientes tratados isoladamente com cateter balão: 50% em 1 ano, 35% em 2 anos e 20% em 3 anos.
- Seu uso restringe-se a pacientes hemodinamicamente instáveis, como ponte para tratamento cirúrgico ou para troca valvar transcateter (classe IIa).

Implante de bioprótese valvar aórtica por cateter:
- Atualmente indicado para pacientes com contraindicação à cirurgia ou de alto risco cirúrgico. Os escores de risco mais utilizados são o STS e o EuroScore. Outros fatores, como fragilidade e condições anatômicas do paciente que dificultam a execução do procedimento, são levados em consideração.
- No futuro, essa tecnologia poderá ser utilizada em pacientes com menor risco cirúrgico.

Recomendações de implante de bioprótese valvar aórtica por cateter

Recomendação	Indicação	Nível de evidência
Classe I	Pacientes com EAo importante com indicação cirúrgica, porém com contraindicações à cirurgia convencional.	B
Classe IIa	Como alternativa ao tratamento cirúrgico em pacientes com EAo importante de alto risco cirúrgico.	B
Classe III	Como alternativa à cirurgia em pacientes com EAo importante sem contraindicação à cirurgia ou sem risco cirúrgico elevado.	C

Fonte: Tarasoutchi F, Montera MW, Grinberg M, Barbosa MR, Piñeiro DJ, Sánchez CRM, Barbosa MM, Barbosa GV *et al*. Diretriz Brasileira de Valvopatias – SBC 2011 / I Diretriz Interamericana de Valvopatias – SIAC 2011. Arq Bras Cardio 2011; 97(5 supl. 1): 1-67.

Dispositivos disponíveis

Dispositivo	Características
Core Valve	Três folhetos de pericárdio suíno montados em *stent* de nitinol. Autoexpansível. Implante por acesso retrógrado (femoral, subclávia ou transaórtico). BAV com necessidade de marca-passo definitivo pós implante: 20%-40%.
Edward-Sapien	*Stent* de aço inoxidável com três folhetos de pericárdio bovino. Expansível por balão. Implante por acesso anterógrado (toracotomia) ou retrógrado. BAV com necessidade de marca-passo definitivo pós-implante: 5%.
Inovare	Prótese de fabricação nacional. Estrutura metálica em cromo cobalto. Três folhetos constituídos de pericárdio bovino. Via de acesso transapical.

Fonte: Tarasoutchi F, Montera MW, Grinberg M, Barbosa MR, Piñeiro DJ, Sánchez CRM, Barbosa MM, Barbosa GV *et al*. Diretriz Brasileira de Valvopatias – SBC 2011 / I Diretriz Interamericana de Valvopatias – SIAC 2011. Arq Bras Cardio 2011; 97(5 supl. 1): 1-67.

O preparo para o implante consiste em aspirina 100 mg e clopidogrel (ataque 300 mg seguido de 75 mg/dia), com início na véspera do implante e manutenção por pelo menos 3 a 6 meses. Recomenda-se antibioticoprofilaxia.

Insuficiência aórtica

Pode ser causada por uma doença primária da valva aórtica e/ou do arco aórtico. Esta última condição corresponde atualmente à maioria dos casos de insuficiência aórtica (IAo), com mais de 50% dos casos em algumas séries.

Etiologia da Insuficiência Aórtica

Etiologia	Considerações
Doenças do arco aórtico	Causa mais comum de IAo. Exemplos: dilatação aórtica (relacionada à idade), necrose média cística da aorta, dilatação aórtica relacionada à valva bicúspide, dissecção aórtica, osteogênese imperfeita, aortite sifilítica, espondilite anquilosante, síndrome de Behçet, artrite psoriática, artrite associada à colite ulcerativa, policondrite recidivante, artrite reativa, arterite de células gigantes, hipertensão e exposição a drogas supressoras do apetite.
Calcificação da valva	Pacientes mais idosos e geralmente com graus leves de insuficiência.
Endocardite infecciosa	A infecção pode causar destruição ou perfuração da valva. Em alguns casos, uma vegetação impede a coaptação dos folhetos.
Trauma	Lesão da aorta ascendente com perda de sustentação e consequente prolapso das cúspides.
Valva aórtica bicúspide	Mais comumente associada à EAo, porém em alguns casos pode haver insuficiência isolada ou dupla disfunção aórtica.
Doença reumática	Causa comum de IAo, que leva à retração fibrosa da valva impedindo seu fechamento durante a diástole.
Outras causas valvares	Defeito do septo interventricular, estenose subaórtica, valvotomia aórtica percutânea com balão, degeneração mixomatosa, valvopatia congênita, lúpus, artrite reumatoide, espondilite anquilosante, artropatia de Jaccoud, doença de Takayasu, doença de Whipple, doença de Crohn.

Fonte: Tarasoutchi F, Montera MW, Grinberg M, Barbosa MR, Piñeiro DJ, Sánchez CRM, Barbosa MM, Barbosa GV *et al*. Diretriz Brasileira de Valvopatias – SBC 2011 / I Diretriz Interamericana de Valvopatias – SIAC 2011. Arq Bras Cardio 2011; 97(5 supl. 1): 1-67.

Fisiopatologia

Há aumento no volume diastólico final com hipertrofia ventricular excêntrica para manter o volume sistólico adequado. Conforme a doença progride, o espessamento da parede ventricular não comporta mais a sobrecarga hemodinâmica e aumentos na pós-carga levam à disfunção ventricular.

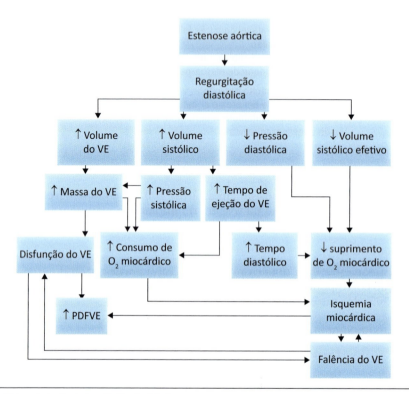

Figura 35.2 Fisiopatologia da Insuficiência Aórtica.

Fonte: Robert O. Bonow, MD, Douglas L. Mann, MD, FACC, Douglas P. Zipes, MD and Peter Libby, MD Braunwald's Heart Disease: A Textbook of Cardiovascular Medicine, Single Volume, 9th Edition.

Diagnóstico

As principais queixas relacionadas à IAo crônica grave são dispneia ao esforço, ortopneia e dispneia paroxística noturna de evolução gradual. Angina noturna pode ocorrer tardiamente devido à queda na frequência cardíaca e na pressão arterial a valores extremamente baixos. Os pacientes podem também referir sensação do batimento cardíaco, especialmente ao deitar-se, e desconforto torácico devido ao batimento do coração contra a caixa torácica.

Exame físico/complementares	Considerações
Sinal de Musset	Balançar da cabeça a cada batimento cardíaco.
Pulso em martelo d'água ou pulso de Corrigan	Pulso com distensão abrupta e rápido desaparecimento.
Sinal de Muller	Pulsação da úvula.

Valvopatias Aórticas **307**

(continuação)

Exame físico/complementares	Considerações
Sinal de Quincke	Pulsação capilar observada no leito ungueal.
Aumento da pressão de pulso	Pressão sistólica elevada com pressão diastólica muito baixa. Os sons de Korotkoff persistem até zero mesmo com pressão arterial raramente abaixo de 30 mmHg.
Palpação	O ápice pode ser difuso, hiperdinâmico e desviado lateralmente e inferiormente.
Ausculta	Sopro regurgitante, alta frequência, imediatamente após A2; Melhor audível com paciente sentado e inclinado para frente; A gravidade do sopro correlaciona-se mais com a duração do que a intensidade. B3 – disfunção ventricular. Sopro de Austin Flint: sopro diastólico semelhante ao da estenose mitral gerado pelo impacto do volume regurgitante da IAo contra o folheto anterior da valva mitral.
ECG	Sinais de sobrecarga atrial esquerda ou de VE. Distúrbio da condução intraventricular.
Radiografia de tórax	Cardiomegalia por hipertrofia e dilatação do VE. Na IAo aguda há apenas congestão pulmonar sem cardiomegalia.

Fonte: Robert O. Bonow, MD, Douglas L. Mann, MD, FACC, Douglas P. Zipes, MD and Peter Libby, MD Braunwald's Heart Disease: A Textbook of Cardiovascular Medicine, Single Volume, 9th Edition.

Ecodopplercardiografia

◗ Determina a etiologia e gravidade da lesão valvar.
◗ Fornece informações importantes tais como: anatomia valvar, dilatação da raiz da aorta e resposta do VE à sobrecarga de volume.
◗ O fluxo regurgitante pelo Doppler tem três componentes: a região de convergência de fluxo na aorta ou PISA, a *vena contracta* através do orifício regurgitante, e a direção e largura do jato no trato de saída do VE.
◗ Critérios para IAo importante: proporção da largura do jato ≥ 65% e ≥ 60% para área do jato; volume regurgitante ≥ 60 mL; área do orifício de refluxo – AOR ≥ 0,3 cm²; *vena contracta* > 0,6 cm.

Recomendações de ecodopplercardiografia na insuficiência aórtica

Recomendação	Indicação	Nível de evidência
Classe I	Diagnóstico e avaliação da etiologia e gravidade da IAo aguda ou crônica e suas repercussões ventriculares.	C
Classe I	Avaliação de dilatação da raiz da aorta.	C
Classe I	Reavaliação periódica anual do tamanho e função do VE em pacientes com IAo importante assintomáticos.	C
Classe I	Reavaliação de pacientes com mudança de sinais e sintomas.	C
Classe I	Após intervenção cirúrgica da valva aórtica, como nova avaliação de base.	C

Fonte: Tarasoutchi F, Montera MW, Grinberg M, Barbosa MR, Piñeiro DJ, Sánchez CRM, Barbosa MM, Barbosa GV *et al.* Diretriz Brasileira de Valvopatias – SBC 2011 / I Diretriz Interamericana de Valvopatias – SIAC 2011. Arq Bras Cardio 2011; 97(5 supl. 1): 1-67.

Recomendações para o cateterismo cardíaco na Insuficiência Aórtica

Recomendação	Indicação	Nível de evidência
Classe I	Quando os resultados de exames não invasivos forem inconclusivos.	B
Classe I	Antes da cirurgia de valva aórtica em pacientes com fatores de risco para DAC.	C
Classe III	Para avaliar a gravidade da IAo quando exames não invasivos são satisfatórios e não há necessidade de cineangiocoronariografia pré-operatória.	C

Fonte: Tarasoutchi F, Montera MW, Grinberg M, Barbosa MR, Piñeiro DJ, Sánchez CRM, Barbosa MM, Barbosa GV *et al.* Diretriz Brasileira de Valvopatias – SBC 2011 / I Diretriz Interamericana de Valvopatias - SIAC 2011. Arq Bras Cardio 2011; 97(5 supl. 1): 1-67.

A angiotomografia de coronárias pode substituir a cineangiocoronariografia pré-operatória em pacientes de baixa e média probabilidade pré-teste para DAC.

Recomendações para ressonância magnética cardiovascular na Insuficiência Aórtica

Recomendação	Indicação	Nível de evidência
Classe IIa	Avaliação da FE ou volumes ventriculares limítrofes ou duvidosos pela ecocardiografia.	B
Classe IIa	Quando há incerteza na gravidade da IAo ou quando outras modalidades de imagem tiveram resultados conflitantes.	B
Classe IIa	Avaliação das dimensões da raiz da aorta e aorta ascendente.	B

Fonte: Tarasoutchi F, Montera MW, Grinberg M, Barbosa MR, Piñeiro DJ, Sánchez CRM, Barbosa MM, Barbosa GV *et al.* Diretriz Brasileira de Valvopatias – SBC 2011 / I Diretriz Interamericana de Valvopatias – SIAC 2011. Arq Bras Cardio 2011; 97(5 supl. 1): 1-67.

Tratamento

Em relação ao tratamento farmacológico, os vasodilatadores podem ser utilizados para aliviar sintomas nos pacientes em que há contraindicação ao tratamento cirúrgico ou como ponte em pacientes sintomáticos candidatos a este tratamento (Classe I).

O tratamento cirúrgico é o tratamento de escolha em pacientes com IAo importante sintomáticos, promovendo melhora da FE, da hipertrofia miocárdica, dos diâmetros ventriculares esquerdos e normalização da relação massa/volume.

Recomendações para tratamento cirúrgico na insuficiência aórtica

Recomendação	Indicação	Nível de evidência
Classe I	Pacientes com IAo importante sintomáticos.	B
Classe I	Pacientes com IAo importante, assintomáticos, com FE < 50% em repouso.	B

(continuação)

Recomendação	Indicação	Nível de evidência
Classe I	Pacientes com IAo importante que serão submetidos a cirurgia da aorta ou revascularização do miocárdio ou cirurgia de outras valvas.	C
Classe I	IAo aguda ou agudizada de qualquer causa levando à insuficiência cardíaca aguda.	B
Classe IIa	Pacientes com IAo não reumática, importante, assintomáticos, com FE ≥ 50%, mas com DdVE > 75 mm ou DdVE > 55 mm.	B

Fonte: Tarasoutchi F, Montera MW, Grinberg M, Barbosa MR, Piñeiro DJ, Sánchez CRM, Barbosa MM, Barbosa GV *et al.* Diretriz Brasileira de Valvopatias – SBC 2011 / I Diretriz Interamericana de Valvopatias – SIAC 2011. Arq Bras Cardio 2011; 97(5 supl. 1): 1-67.

Insuficiência aórtica aguda

Frequentemente apresenta-se como uma emergência médica na qual o tratamento cirúrgico precoce tem impacto prognóstico.

As causas mais comuns são: endocardite infecciosa, dissecção de aorta e trauma e, com menor frequência, destacam-se ruptura espontânea ou prolapso das cúspides secundária à doença degenerativa, deiscência súbita parcial ou total do anel da prótese valvar aórtica, doenças do tecido conjuntivo, além de dilatação da valva aórtica por balão ou troca de valva aórtica percutânea.

A morte súbita ocorre por aumento abrupto da pressão de enchimento de um ventrículo não adaptado e redução do débito cardíaco.

Exames complementares	Considerações
Ecodopplercardiografia	• Fundamental para o diagnóstico. • Fechamento prematuro e abertura tardia da valva mitral. • VE de tamanho normal. • Rápido equilíbrio entre a pressão diastólica da aorta e do VE.
RX de tórax	• Congestão pulmonar. • Área cardíaca geralmente normal. • Pode haver dilatação do arco aórtico dependendo da causa.
Eletrocardiograma	• Alterações inespecíficas de segmento ST e onda T. • Sinais de sobrecarga de VE.

Fonte: Robert O. Bonow, MD, Douglas L. Mann, MD, FACC, Douglas P. Zipes, MD and Peter Libby, MD Braunwald's Heart Disease: A Textbook of Cardiovascular Medicine, Single Volume, 9th Edition.

Tratamento clínico

- ▶ Deve ser considerado apenas como suporte até que a cirurgia seja realizada.
- ▶ Vasodilatadores: diminuem a pós-carga e melhoram o fluxo anterógrado.
- ▶ Inotrópicos podem melhorar o débito cardíaco.
- ▶ Betabloqueadores: podem ser utilizados com cautela na dissecção aórtica aguda visando adequado controle de frequência cardíaca.
- ▶ O balão intra-aórtico é contraindicado na insuficiência aórtica aguda.

Tratamento cirúrgico

Caracteriza-se basicamente pela troca valvar aórtica, estando a plastia valvar reservada para situações especiais em mãos experientes.

Etiologia	Tratamento cirúrgico
Endocardite infecciosa	Homoenxerto, excisão de folheto comprometido pela endocardite e colocação de prótese aórtica. Em alguns centros, o procedimento de Ross pode ser utilizado (crianças).
Dissecção aórtica	Procedimento modificado de Bentall – De Bono.

Fonte: Adaptado de Nishimura RA, Otto CM, Bonow RO, Carabello BA, Erwin JP, Guyton RA, Patrick T. O'Gara, PT, *et al.* 2014 AHA/ACC Guideline for the Management of Patients With Valvular Heart Disease. J Am Coll Cardiol. 2014;63(22):e57-e185. doi:10.1016/j.jacc.2014.02.536.

• Referências

1. Bonow RO, Mann DL, Zipes DP, Libby P. Braunwald's Heart Disease: a textbook of cardiovascular medicine. 9th ed. Phyladelphia: Sounders; 2012.
2. Tarasoutchi F, Montera MW, Grinberg M, et al. Diretriz Brasileira de Valvopatias - SBC 2011 / I Diretriz Interamericana de Valvopatias - SIAC 2011. Arq Bras Cardiol 2011; 97(5 Suppl 1): 1-67.
3. Nishimura RA, Otto CM, Bonow RO, et al. 2014 AHA/ACC Guideline for the Management of Patients With Valvular Heart Disease. J Am Coll Cardiol 2014; 63(22):e57-e185.
4. Holmes DR, Mack MJ, Kaul S, et al. 2012 ACCF/AATS/SCAI/STS Expert Consensus Document on Transcatheter Aortic Valve Replacement. J Am Coll Cardiol. 2012;59(13):1200-54.

Valvopatias Mitrais

• Estenose mitral

A causa predominante de estenose mitral (EM) é a febre reumática (FR), correspondendo a cerca de 99% dos casos. Cerca de 25% dos pacientes com doença cardíaca reumática têm EM isolada e 40% têm a combinação de EM e insuficiência mitral (IM). Dois terços dos pacientes com EM reumática são do sexo feminino, e o intervalo entre o primeiro surto de febre reumática e o início dos sintomas de obstrução da valva mitral é variável, desde poucos anos a mais de duas décadas.

Os principais achados anatomopatológicos na EM são espessamento dos folhetos valvares, áreas de calcificação, fusão comissural e encurtamento de cordoalhas. O aumento na pressão atrial esquerda leva à hipertensão venocapilar pulmonar e dispneia aos esforços. Tardiamente ocorre hipertensão arterial pulmonar com insuficiência ventricular direita e congestão sistêmica. A função ventricular esquerda geralmente é preservada. A dilatação do átrio esquerdo com fibrose de suas paredes e desorganização de suas fibras musculares predispõe ao desenvolvimento de fibrilação atrial (FA).

Sintomas	Considerações
Dispneia	• Sintoma mais comum. • Pode ser precipitada por esforço físico, arritmias, estresse emocional, gravidez etc.
Hemoptise	• Quando há hipertensão pulmonar muito grave ou por aumento abrupto da pressão do átrio esquerdo.
Dor torácica	• Sintoma pouco comum, acomete cerca de 15% dos pacientes. • Provavelmente causada por sobrecarga de VD pela hipertensão pulmonar.

Fonte: Adaptado de . Robert O. Bonow, MD, Douglas L. Mann, MD, FACC, Douglas P. Zipes, MD and Peter Libby, MD Braunwald's Heart Disease: A Textbook of Cardiovascular Medicine, Single Volume, 9th Edition.

Exame físico/complementares	Considerações
Ausculta cardíaca	• Sopro diastólico com reforço pré-sistólico. • Hiperfonese de B1. • Encurtamento do desdobramento de P2 podendo haver B2 única. • Sopro de Graham Steell: insuficiência pulmonar. • B4 de origem direita.
Pulso venoso	• Onda a proeminente em pacientes com ritmo sinusal. • Colapso $\times$ ausente com apenas onda c ou c-v proeminentes em pacientes em FA.
Facies mitralis	• Rubor malar violáceo.
ECG	• Sinais de sobrecarga atrial esquerda. • Desvio do eixo elétrico para a direita e sinais de aumento das câmaras direitas.
Radiografia de tórax	• Aumento do átrio esquerdo. • Aumento das câmaras direitas. • Graus variáveis de congestão pulmonar com linhas B de Kerley visíveis na EM importante de longa evolução.
Teste ergométrico	• Útil na avaliação de pacientes que apresentam poucos sintomas.

Fonte: Adaptado de . Robert O. Bonow, MD, Douglas L. Mann, MD, FACC, Douglas P. Zipes, MD and Peter Libby, MD Braunwald's Heart Disease: A Textbook of Cardiovascular Medicine, Single Volume, 9th Edition.

• Ecodopplercardiografia

Constitui exame importante para diagnóstico, acompanhamento e decisão terapêutica. Os dados mais relevantes na avaliação ecocardiográfica são a área de abertura da valva mitral, aferida pela planimetria, pelo *pressure half-time* (PHT), o gradiente diastólico transvalvar, o escore de Wilkins, a PSAP, trombos atriais esquerdos e presença de insuficiência tricúspide.

Graduação de estenose mitral

Lesão (grau)	Área (cm²)	Gradiente*
Discreta	> 1,5	< 5
Moderada	1,0 a 1,5	5 a 10
Importante	< 1,0	> 10

*Gradiente médio em repouso (mmHG)

Fonte: Tarasoutchi F, Montera MW, Grinberg M, Barbosa MR, Piñeiro DJ, Sánchez CRM, Barbosa MM, Barbosa GV *et al*. Diretriz Brasileira de Valvopatias – SBC 2011 / I Diretriz Interamericana de Valvopatias – SIAC 2011. Arq Bras Cardio 2011; 97(5 supl. 1): 1-67.

O escore de Wilkins avalia a valva mitral nos seus aspectos estruturais. São avaliados quatro parâmetros: mobilidade dos folhetos, espessamento valvar, grau de calcificação e acometimento do aparato subvalvar. Uma graduação de um a quatro pontos é dada a cada item, resultando num escore que pode variar de 4 a 16 pontos. Pacientes com escore até 8 são candidatos a valvuloplastia mitral percutânea na ausência de contraindicações.

Recomendações de ecocardiografia na estenose mitral

Recomendação	Indicação	Nível de evidência
Classe I	ETT no diagnóstico e avaliação da morfologia e gravidade da estenose mitral, possíveis alterações estruturais e possíveis lesões associadas.	B
Classe I	ETT na reavaliação de pacientes com mudança dos sinais e sintomas.	B
Classe I	ETT para realização de escore ecocardiográfico em pacientes com EM moderada ou importante para determinar a possibilidade de tratamento percutâneo.	B
Classe I	ETT após intervenção percutânea ou cirúrgica da valva mitral, como nova avaliação de base.	C
Classe I	ETT para avaliação das alterações hemodinâmicas e adaptação ventricular durante a gravidez.	C
Classe I	Ecocardiografia sob estresse para avaliação do gradiente médio e pressão arterial pulmonar quando há discrepância entre os sintomas e a gravidade da estenose mitral em repouso.	C
Classe I	ETE na identificação de trombo atrial e avaliação do grau de insuficiência mitral associada em pacientes candidatos a valvuloplastia percutânea com suspeita de trombo atrial.	B
Classe I	ETE na avaliação morfológica e hemodinâmica em pacientes com ETT inadequado.	C
Classe I	ETE na avaliação transoperatória para análise da correção realizada na valva mitral.	B
Classe IIa	ETT na avaliação de pacientes clinicamente estáveis com EM importante a cada ano, EM moderada a cada dois anos e EM discreta a cada 3 anos.	C
Classe IIa	ETE durante procedimento intervencionista para valvuloplastia percutânea.	C
Classe III	ETE na avaliação morfológica e hemodinâmica quando os dados obtidos pelo ETT são satisfatórios.	C

Fonte: Tarasoutchi F, Montera MW, Grinberg M, Barbosa MR, Piñeiro DJ, Sánchez CRM, Barbosa MM, Barbosa GV *et al*. Diretriz Brasileira de Valvopatias – SBC 2011 / I Diretriz Interamericana de Valvopatias – SIAC 2011. Arq Bras Cardio 2011; 97(5 supl. 1): 1-67.

Recomendações para cateterismo cardíaco na estenose mitral

Recomendação	Indicação	Nível de evidência
Classe I	Para avaliação da EM quando os testes não invasivos são inconclusivos.	C
Classe I	Cineangiocoronariografia antes do tratamento cirúrgico da valva mitral em pacientes com fatores de risco para DAC.	C
Classe IIa	Para avaliação da resposta hemodinâmica da artéria pulmonar e pressões do átrio esquerdo ao teste de sobrecarga, quando os sintomas e o estudo hemodinâmico em repouso são discordantes.	C
Classe III	Para estudo da EM quando os dados do ecocardiograma forem concordantes com os achados clínicos.	C

Fonte: Tarasoutchi F, Montera MW, Grinberg M, Barbosa MR, Piñeiro DJ, Sánchez CRM, Barbosa MM, Barbosa GV *et al*. Diretriz Brasileira de Valvopatias – SBC 2011 / I Diretriz Interamericana de Valvopatias – SIAC 2011. Arq Bras Cardio 2011; 97(5 supl. 1): 1-67.

314 Guia Prático de Cardiologia

• Tratamento farmacológico

Visa aliviar os sintomas ou complicações (p. ex., FA) da estenose mitral enquanto o paciente aguarda procedimento intervencionista.

Os diuréticos associados à restrição hidrossalina podem ser utilizados para pacientes com sinais de congestão pulmonar ou sistêmica. O controle da frequência cardíaca é fundamental já que taquicardias são mal toleradas devido à redução do tempo diastólico.

Recomendações para tratamento farmacológico na estenose mitral

Recomendação	Indicação	Nível de evidência
Classe I	Betabloqueador na EM moderada a importante, sintomática, na ausência de contraindicações.	C
Classe I	Betabloqueador na EM moderada a importante, assintomática, na presença de FA e na ausência de contraindicações.	C
Classe I	Diuréticos na EM moderada a importante sintomática	C
Classe I	Anticoagulação oral plena na EM associada a evento embólico prévio, trombo atrial esquerdo ou fibrilação atrial.	B
Classe IIa	Digitálicos como terapia adjuvante no controle de frequência ventricular na EM moderada a importante na presença de fibrilação atrial.	C
Classe IIa	Bloqueadores dos canais de cálcio não diidropiridínicos na EM moderada a importante com necessidade de controle de frequência ventricular, na presença de contraindicação ao uso de betabloqueadores.	C
Classe IIa	Anticoagulação oral plena na EM com AE > 55 mm e evidência de contraste atrial espontâneo.	C
Classe IIa	Associação de aspirina em baixas doses (50-100 mg) à anticoagulação oral plena após ocorrência de evento embólico ou trombo atrial esquerdo em pacientes adequadamente anticoagulados.	C
Classe III	Tratamento farmacológico da EM em pacientes assintomáticos e em ritmo sinusal.	C

Fonte: Tarasoutchi F, Montera MW, Grinberg M, Barbosa MR, Piñeiro DJ, Sánchez CRM, Barbosa MM, Barbosa GV *et al.* Diretriz Brasileira de Valvopatias – SBC 2011 / I Diretriz Interamericana de Valvopatias – SIAC 2011. Arq Bras Cardio 2011; 97(5 supl. 1): 1-67.

• Tratamento intervencionista

Existem duas modalidades de terapia intervencionista: Valvuloplastia Mitral Percutânea por Cateter Balão (VMCB) e a cirurgia (comissurotomia ou troca valvar).

- ▶ Valvuloplastia Mitral Percutânea por Cateter Balão (VMCB)
- ▶ Taxa de sucesso alta, entre 80% e 95%.
- ▶ Depende de equipe de hemodinâmica experiente para atingir tal resultado.
- ▶ Parâmetros de sucesso: redução de 50% a 60% no gradiente transmitral, área valvar mitral final acima de 1,5 cm² e decréscimo da pressão arterial pulmonar para níveis abaixo de 18 mmHg.

Valvopatias Mitrais

> ◗ Principais complicações: acidente vascular encefálico (0,5% a 1%), tamponamento cardíaco (0,7% a 1%), insuficiência mitral importante (0,9% a 2%). Mortalidade usualmente inferior a 0,5%.
>
> ◗ Critério de elegibilidade: paciente ideal – Escore de Wilkins ≤ 8

Recomendações para valvuloplastia por cateter balão na estenose mitral

Recomendação	Indicação	Nível de evidência
Classe I	Pacientes com EM moderada a importante, sintomáticos, com anatomia valvar favorável, na ausência de trombo atrial esquerdo ou IM moderada a importante.	A
Classe I	EM moderada a importante com anatomia favorável, assintomáticos com HP (PSAP > 50 mmHg em repouso ou > 60 mmHg com atividade física), na ausência de trombo atrial esquerdo ou IM moderada a importante.	C
Classe IIa	EM moderada a importante, sintomáticos, com anatomia não favorável a VMCB e alto risco ou contraindicação cirúrgica.	C
Classe IIb	EM moderada a importante, assintomáticos, com anatomia favorável a VMCB e FA de início recente, na ausência de trombo atrial esquerdo ou IM moderada a importante.	C
Classe III	Pacientes com EM discreta.	C
Classe III	EM moderada a importante na presença de trombo atrial esquerdo ou IM moderada a importante.	C

Fonte: Tarasoutchi F, Montera MW, Grinberg M, Barbosa MR, Piñeiro DJ, Sánchez CRM, Barbosa MM, Barbosa GV *et al.* Diretriz Brasileira de Valvopatias – SBC 2011 / I Diretriz Interamericana de Valvopatias – SIAC 2011. Arq Bras Cardio 2011; 97(5 supl. 1): 1-67.

• Tratamento cirúrgico

O tratamento cirúrgico consiste em plástica valvar e implante de prótese valvar (biológica ou mecânica) (ver Figura 36.1). A comissurotomia é sempre desejável, porém nem sempre exequível. A mortalidade da troca valvar oscila entre 3% e 10%, sendo influenciada por idade, classe funcional, HP e presença de doença arterial coronariana concomitante.

Recomendações para tratamento cirúrgico na estenose mitral

Recomendação	Indicação	Nível de evidência
Classe I	Pacientes com EM moderada a importante, sintomáticos, com contraindicações a VMCB.	B
Classe I	Pacientes com EM moderada a importante, sintomáticos, em centros sem equipe treinada para VMCB	B
Classe IIa	Pacientes com EM moderada a importante associada a eventos embólicos recorrentes, apesar da adequada anticoagulação.	C
Classe IIa	Tratamento cirúrgico combinado da FA em pacientes com EM moderada a importante, sintomática, quando indicado tratamento cirúrgico da EM.	C
Classe IIa	Pacientes com EM importante, assintomáticos, com HP grave (PSAP > 80 mmHg), não candidatos a VMCB.	C
Classe III	Pacientes com EM discreta.	C

Fonte: Tarasoutchi F, Montera MW, Grinberg M, Barbosa MR, Piñeiro DJ, Sánchez CRM, Barbosa MM, Barbosa GV *et al.* Diretriz Brasileira de Valvopatias – SBC 2011 / I Diretriz Interamericana de Valvopatias – SIAC 2011. Arq Bras Cardio 2011; 97(5 supl. 1): 1-67.

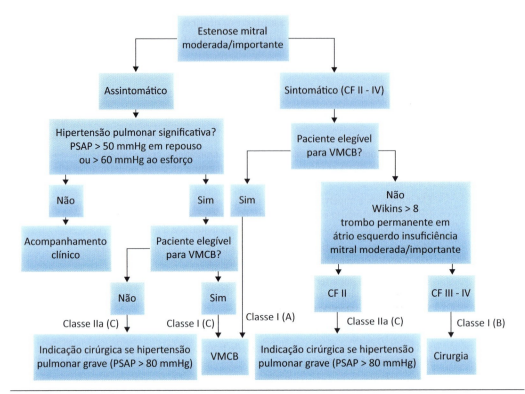

Figura 36.1 Fluxograma das estratégias de tratamento intervencionista na estenose mitral moderada e importante.

Fonte: Adaptada de Tarasoutchi F, Montera MW, Grinberg M, Barbosa MR, Piñeiro DJ, Sánchez CRM, Barbosa MM, Barbosa GV et al. Diretriz Brasileira de Valvopatias – SBC 2011 / I Diretriz Interamericana de Valvopatias – SIAC 2011. Arq Bras Cardio 2011; 97(5 supl. 1): 1-67.

- ## Insuficiência Mitral

A insuficiência mitral (IM) pode ser causada por diferentes anormalidades do aparelho valvar, tais como a dos folhetos, ânulo, cordas tendíneas e músculos papilares. Pode ser classificada em primária, quando resulta de deformidade valvar, ou secundária, quando relacionada a outra doença cardíaca. As principais causas de IM são: prolapso de valva mitral (PVM), febre reumática, endocardite infecciosa, miocardiopatias e doença coronariana. O PVM acomete cerca de 1% a 2,5% da população em geral, podendo ser de forma familiar ou não, geralmente com prognóstico bastante favorável.

Diagnóstico

A natureza e a intensidade dos sintomas variam de acordo com fatores inter-relacionados, tais como a severidade da IM, tempo de progressão da doença, níveis de pressão atrial esquerda e de veia e artéria pulmonar, presença de taquiarritmias atriais e concomitância de doença valvar, miocárdica ou coronariana. Na IM crônica, os sintomas relacionados à congestão pulmonar e/ou baixo débito cardíaco costumam surgir quando há séria e, às vezes, irreversível disfunção ventricular. Sinais de insuficiência cardíaca direita podem surgir nos casos de IM aguda, resistência vascular pulmonar aumentada ou hipertensão pulmonar.

O sopro de IM pode ser holossistólico, protossistólico ou telessistólico. É mais evidente no ápice com irradiação para região axilar esquerda. Quando se apresenta com sopro telessistólico, a IM geralmente não é grave e pode ser secundária a PVM ou disfunção de músculo papilar. Um *click* mesossistólico, precedendo um sopro mesotelessistólico e a resposta desse sopro a manobras, ajuda a definir o diagnóstico de PVM. Sopro protossistólico é típico de IM aguda.

• Ecodopplercardiografia

A avaliação ecocardiográfica da IM pode ser realizada através das seguintes aferições: 1. Área do jato regurgitante com Doppler colorido; 2. Largura da *vena contracta*; 3. Volume regurgitante; 4. Fração regurgitante; 5. Área do orifício regurgitante, além das medidas das câmaras cardíacas.

Para o diagnóstico de PVM, deve-se levar em consideração o deslocamento ≥ 2 mm acima do ânulo mitral das cúspides da valva para dentro do átrio esquerdo no plano paraesternal de câmaras esquerdas e em outros planos. A ecocardiografia permite o diagnóstico morfológico da valva, mecanismo de regurgitação e a avaliação quantitativa (gravidade da regurgitação), além de auxiliar a definir o momento da intervenção cirúrgica.

Insuficiência valvar mitral: quantificação ecocardiográfica

		Insuficiência valvar mitral	
Quantificação ecocardiográfica discreta		**Moderada**	**Importante**
Área do jato regurgitante com Doppler colorido (cm²)	Área pequena, jato central (< 4 cm² ou < 20% da área do átrio esquerdo)	20% a 40% da área do átrio esquerdo	> 40% da área do átrio esquerdo
Vena contracta (cm)	< 0,3	0,3-0,69	≥ 0,7
Volume regurgitante (mL/ batimento)	< 30	30-59	≥ 60
Fração regurgitante (%)	< 30	30-49	≥ 50
Área do orifício regurgitante (cm²)	< 0,2	0,2-0,39	≥ 0,4
Parâmetros adicionais			
Dimensão do átrio esquerdo	–	–	Aumentada
Dimensão do ventrículo esquerdo	–	–	Aumentada

Fonte: Tarasoutchi F, Montera MW, Grinberg M, Barbosa MR, Piñeiro DJ, Sánchez CRM, Barbosa MM, Barbosa GV *et al.* Diretriz Brasileira de Valvopatias – SBC 2011 / I Diretriz Interamericana de Valvopatias – SIAC 2011. Arq Bras Cardio 2011; 97(5 supl 1): 1-67

Recomendações para ecocardiografia na IM

Recomendação	Indicação	Nível de evidência
Classe I	Diagnóstico e avaliação da morfologia e gravidade da IM.	B
Classe I	Avaliação periódica anual ou semestral em pacientes com IM moderada ou grave, assintomáticos.	C
Classe I	Reavaliação de pacientes com mudanças de sinais e sintomas.	C

Guia Prático de Cardiologia

(continuação)

Recomendação	Indicação	Nível de evidência
Classe I	Após intervenção cirúrgica como nova avaliação de base.	C
Classe I	Avaliação da adaptação ventricular e hemodinâmica durante a gravidez.	C
Classe I	ETE perioperatório ou intraoperatório em pacientes com indicação cirúrgica da IM.	B
Classe I	ETE na IM quando o ETT for inconclusivo.	B
Classe I	Ecocardiografia sob estresse em pacientes com IM importante, assintomáticos, para avaliação da tolerância ao esforço e efeitos na pressão pulmonar.	C
Classe IIa	ETE em pacientes com IM importante, assintomáticos, sob análise para cirurgia conservadora.	C
Classe III	Avaliação periódica na IM discreta, assintomáticos, com dimensões e função do VE normais.	C
Classe III	ETE na avaliação de rotina ou investigação de IM de valva nativa, assintomáticos.	C

Fonte: Tarasoutchi F, Montera MW, Grinberg M, Barbosa MR, Piñeiro DJ, Sánchez CRM, Barbosa MM, Barbosa GV *et al*. Diretriz Brasileira de Valvopatias – SBC 2011 / I Diretriz Interamericana de Valvopatias – SIAC 2011. Arq Bras Cardio 2011; 97(5 supl. 1): 1-67.

• Cateterismo cardíaco

Utilizado quando há discordância entre os achados clínicos e os testes não invasivos e para avaliação de DAC em pacientes candidatos à intervenção cirúrgica da IM.

Recomendações para cateterismo cardíaco na IM

Recomendação	Indicação	Nível de evidência
Classe I	Ventriculografia esquerda e medidas hemodinâmicas quando os testes não invasivos são inconclusivos.	C
Classe I	Cineangiocoronariografia antes do tratamento cirúrgico da valva mitral em pacientes com fatores de risco para DAC.	C
Classe IIa	Para avaliação da resposta hemodinâmica da artéria pulmonar e pressões do átrio esquerdo ao teste de sobrecarga, quando os sintomas e o estudo hemodinâmico em repouso são discordantes.	C
Classe III	Ventriculografia esquerda e medidas hemodinâmicas quando a cirurgia na IM não é contemplada.	C

Fonte: Tarasoutchi F, Montera MW, Grinberg M, Barbosa MR, Piñeiro DJ, Sánchez CRM, Barbosa MM, Barbosa GV *et al*. Diretriz Brasileira de Valvopatias – SBC 2011 / I Diretriz Interamericana de Valvopatias – SIAC 2011. Arq Bras Cardio 2011; 97(5 supl. 1): 1-67.

• Tratamento farmacológico

Insuficiência mitral aguda com repercussão clínica e hemodinâmica:

Valvopatias Mitrais **319**

- Vasodilatadores endovenosos com destaque ao nitroprussiato pela sua capacidade de reduzir a pós-carga e o volume regurgitante.
- Diurético endovenoso.
- Agentes inotrópicos em casos de baixo débito cardíaco e hipotensão arterial.

Na IM crônica não há benefício do tratamento farmacológico, exceto nos casos de IM secundária à miocardiopatia dilatada, na qual o uso de IECA e betabloqueadores podem melhorar tanto a fração regurgitante quanto a classe funcional.

Recomendações para tratamento farmacológico na IM

Recomendação	Indicação	Nível de evidência
Classe I	Vasodilatadores EV na IM aguda sintomática e importante enquanto aguarda definição cirúrgica.	B
Classe I	Diuréticos na IM crônica importante e sintomática enquanto aguarda definição cirúrgica.	C
Classe I	Vasodilatadores orais na IM crônica importante e sintomática enquanto aguarda definição cirúrgica.	B
Classe IIa	Digitálicos no controle de frequência ventricular na FA de alta resposta nos pacientes com IM importante.	C
Classe III	Vasodilatadores na IM crônica assintomática com função ventricular normal e ausência de hipertensão arterial sistêmica.	C

Fonte: Tarasoutchi F, Montera MW, Grinberg M, Barbosa MR, Piñeiro DJ, Sánchez CRM, Barbosa MM, Barbosa GV *et al*. Diretriz Brasileira de Valvopatias – SBC 2011 / I Diretriz Interamericana de Valvopatias – SIAC 2011. Arq Bras Cardio 2011; 97(5 supl. 1): 1-67.

• Tratamento cirúrgico

Existem três modalidades de tratamento cirúrgico:

- Reconstrução por plástica.
- Substituição da valva por prótese com preservação parcial ou total do aparelho subvalvar.
- Substituição por prótese com remoção do aparelho valvar.

A plástica mitral deve ser sempre preferível em relação à troca valvar pois está associada a menor mortalidade operatória e maiores índices de sobrevida. No entanto, o sucesso dessa técnica depende de anatomia favorável à sua realização e da experiência do cirurgião.

Recomendações de tratamento cirúrgico na IM primária

Recomendação	Indicação	Nível de evidência
Classe I	IM crônica importante, sintomática, com FE > 30% e DsVE < 55 mm.	B
Classe I	IM crônica importante, assintomática, com FE entre 30%-60% e DsVE ≥ 40 mm.	B
Classe I	Plástica mitral é preferível à troca valvar nos pacientes com IM que necessitam de cirurgia, devendo ser realizada em centros experientes.	C

(continuação)

Recomendação	Indicação	Nível de evidência
Classe IIa	Plástica mitral em IM crônica importante por prolapso, assintomática, com FE ≥ 60% e DsVE < 40 mm, desde que realizada em centros experientes.	B
Classe IIa	IM crônica importante, assintomática, FE preservada e FA de início recente.	C
Classe IIa	IM crônica importante, assintomática, FE preservada com HP (PSAP > 55 mmHg em repouso ou > 60 mmHg com exercício).	C
Classe IIa	Tratamento cirúrgico combinado da FA em pacientes com IM moderada a importante, sintomática (CF III a IV), quando indicado tratamento cirúrgico da IM.	C
Classe III	IM crônica importante, assintomática, FE ≥ 60% e DsVE < 40 mm, na ausência de HP ou FA de início recente, quando há dúvida sobre a possibilidade de realização de plástica mitral.	C

Fonte: Tarasoutchi F, Montera MW, Grinberg M, Barbosa MR, Piñeiro DJ, Sánchez CRM, Barbosa MM, Barbosa GV *et al.* Diretriz Brasileira de Valvopatias – SBC 2011 / I Diretriz Interamericana de Valvopatias – SIAC 2011. Arq Bras Cardio 2011; 97(5 supl. 1): 1-67.

• Tratamento percutâneo

O tratamento percutâneo visa à correção da IM de maneira menos invasiva, especialmente para pacientes não candidatos à cirurgia de reparo ou troca valvar. A anuloplastia e o clipe mitral têm sido estudados para este fim, porém no Brasil, até o presente momento, não há classe de indicação para esse procedimento. Nos EUA, sua indicação é IIb para pacientes com IM crônica importante, primária, sintomática (CF III e IV), apesar de terapia otimizada para insuficiência cardíaca, com anatomia favorável ao procedimento, razoável expectativa de sobrevida e risco cirúrgico proibitivo.

• Insuficiência mitral aguda

Habitualmente se apresenta como emergência médica, evoluindo rapidamente para edema agudo de pulmão e/ou choque cardiogênico. As causas mais comuns são IAM (45%), doença valvar degenerativa (26%) e a endocardite infecciosa (28%). A intervenção cirúrgica é frequentemente necessária e o balão intra-aórtico pode ser um efetivo mecanismo de suporte até a cirurgia.

O ETT é fundamental para o diagnóstico, porém o ETE é o método de escolha, documentando o grau da IM, as características do jato regurgitante, as anormalidades de contração da parede ventricular e o estado dos músculos papilares.

A mortalidade hospitalar da cirurgia é variável, sendo influenciada por idade avançada, presença de choque cardiogênico, comorbidades, massa miocárdica necrosada nos casos de IAM e demora para realização da cirurgia.

• Referências

1. Bonow RO, Mann DL, Zipes DP, Libby P. Braunwald's Heart Disease: a textbook of cardiovascular medicine. 9th ed. Phyladelphia: Sounders; 2012.
2. Tarasoutchi F, Montera MW, Grinberg M, et al. Diretriz Brasileira de Valvopatias – SBC 2011 / I Diretriz Interamericana de Valvopatias – SIAC 2011. Arq Bras Cardio 2011; 97(5 Suppl I): 1-67.
3. Nishimura RA, Otto CM, Bonow RO, et al. 2014 AHA/ACC Guideline for the Management of Patients With Valvular Heart Disease. J Am Coll Cardiol 2014; 63(22):e57-e185.

Valvopatias Tricúspides e Pulmonares

Luiza Helena Miranda • Natalia Pessa Anequini • Bernardo Noya Alves de Abreu

• Introdução

A valva tricúspide, como o próprio nome diz, é formada por três cúspides: septal, anterior e posterior. Já a valva pulmonar é raramente acometida por doenças adquiridas, sendo sua disfunção causada por anomalias ou malformações congênitas. Neste capítulo, falaremos das patologias que acometem essas valvas.

• Estenose tricúspide

A Estenose Tricúspide (ET) é uma valvopatia rara, incomum em adultos, que tem como principal etiologia a doença reumática . A maioria dos pacientes com estenose tricúspide reumática tem insuficiência tricúspide associada com graus variados de insuficiência. ET isolada é rara, geralmente acompanha valvopatia mitral.

Outras possíveis causas são: síndrome carcinoide, atresia e estenose congênita da valva, tumores no átrio direito e endocardite infecciosa.

Geralmente pacientes com estenose tricúspide grave têm sinais de congestão, como ascite, hepatomegalia e anasarca. A gravidade dos sintomas é desproporcional ao grau de dispneia, mesmo com a coexistência de estenose mitral; geralmente não há dispneia grave, já que a ET previne o aumento de fluxo pela circulação pulmonar e pela válvula mitral estenosada.

No exame físico, os pulmões estão limpos na presença de turgência jugular e anasarca. Pode ser palpado frêmito diastólico na borda esternal esquerda baixa, principalmente se for mais proeminente durante a inspiração. O sopro e o estalido aumentam com manobras que aumentam o fluxo pela válvula, como inspiração, exercício isotônico, manobra de Muller (inspiração forçada com a glote fechada) e reduz com expiração e manobra de Valsalva.

No ecocardiograma bidimensional podem ser visibilizados espessamento, encurtamento das cúspides, aumento do átrio direito. Quando de etiologia reumática, também podemos encontrar fusão das cúspides e arqueamento diastólico.

Não há um sistema bem estabelecido para gradação de gravidade da ET. Geralmente, a ET é diagnosticada quando gradiente de 2 mmHg . É considerada importante quando a área valvar é menor que 1,0 cm^2 e o gradiente pressórico médio é maior que 5 mmHg.

No ECG pode ser visto aumento de átrio direito, com alta amplitude da onda p e diminuição da amplitude do QRS em V1. E, na radiografia, aumento de átrio sem congestão pulmonar.

O tratamento farmacológico visa ao controle da frequência cardíaca e aumento do enchimento ventricular com o uso de   betabloqueadores. Na contraindicação aos betabloqueadores ou necessidade de associar outra medicação, pode-se usar bloqueadores de canais de cálcio ou digoxina.

Para diminuir a congestão sistêmica, devem ser usados diuréticos e restrição alimentar de água e sal.

As indicações para intervenção são as seguintes: valvoplastia por balão ou tratamento cirúrgico da valva tricúspide em pacientes com ET importante e sintomática, refratária ao tratamento clínico.

A estenose deve ser corrigida também em casos de abordagem da válvula mitral, quando o gradiente através da válvula tricúspide excede 5 mmHg e o orifício é menor do que 2 cm^2.

Pode ser realizada também valvoplastia por balão. É segura e eficaz, com baixas taxas de complicações. A principal contraindicação é a presença de trombo ou vegetação em AD. Insuficiência tricúspide até moderada não contraindicam o procedimento.

• Insuficiência tricúspide

É uma valvopatia que ocorre geralmente secundária a outras cardiopatias, principalmente à valvopatia mitral.

A incidência de insuficiência tricúspide (IT) moderada a importante no estudo Framingham foi de 0,8%, com maior prevalência em mulheres.

Suas etiologias são agrupadas em primárias ou secundárias (funcionais). A maioria dos casos de IT são secundários à dilatação de VD e do anel tricúspide, causando IT. Pode ser uma complicação da insuficiência ventricular direita (IVD) de qualquer causa, ou sobrecarga ventricular direita decorrente de hipertensão pulmonar, e principalmente da doença valvar mitral.

Vale lembrar que portadores de marca-passo ou desfibriladores com eletrodos posicionados no ventrículo direito também podem apresentar IT secundária, mas em sua maioria sem repercussão. Outras causas de IT secundária seriam infarto de VD, doenças cardíacas congênitas (estenose pulmonar, hipertensão arterial pulmonar por síndrome de Eisenmenger), hipertensão arterial pulmonar (HAP) primária.

A IT secundária pode diminuir ou desaparecer com o tratamento da insuficiência cardíaca (IC) ou doença de base.

A IT primária é menos comum e ocorre por lesão estrutural direta da válvula, pode ser de etiologia reumática com acometimento concomitante de outras valvas ou na forma de dupla lesão tricúspide. Também pode ser de origem congênita, como na anomalia de Ebstein, aneurismas do septo ventricular ou em transposição de grandes vasos.

Outras causas de IT primária são: síndrome carcinoide, endomiocardiofibrose (com encurtamento dos folhetos e das cordoalhas tendinosas), prolapso de tricúspide, traumas (penetrante ou não), endocardite infecciosa, tumores cardíacos.

Quando há HAP, há diminuição do débito cardíaco e as manifestações de IT se intensificam. Os principais sintomas apresentados são de congestão sistêmica: ascite, hepatomegalia, turgência de jugular e edema.

Nos pacientes com doença valvar mitral associada, predominam a sintomatologia de valvopatia mitral com congestão pulmonar. Porém, se IT associada, os sintomas de congestão pulmonar diminuem, sendo substituídos por fadiga e manifestações de baixo débito cardíaco.

Na ausculta cardíaca, podemos ter o componente de P2 acentuada quando há HAP associada. O sopro geralmente aumenta com a inspiração.

O ecocardiograma é o exame fundamental na avaliação da IT. A avaliação do grau é realizada, habitualmente, pela área do jato regurgitante no interior do átrio direito ao mapeamento do fluxo em cores. Considera-se discreta se menor que 5 cm^2, e importante se maior que 10 cm^2. Também é possível medir a *vena contracta* do jato de refluxo de IT, pela qual valores maiores que 0,7 cm indicam insuficiência importante. As dimensões das cavidades direitas estão aumentadas nas IT significativas (Figura 37.1).

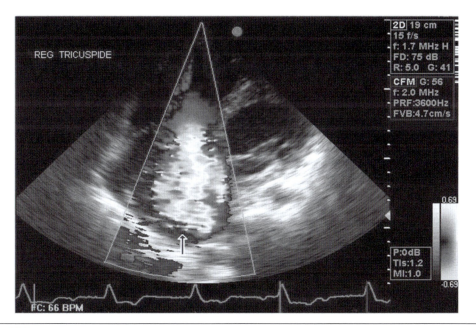

Figura 37.1 Insuficiência Tricúspide Importante.
Fonte: Gentilmente cedido pelo Setor de Ecocardiografia do HCor.

São recomendados o uso de diuréticos, na presença de ascite e congestão sistêmica, e restrição hídrica e salina, nos pacientes com IT importante e sinais de congestão que não respondem à terapia com diuréticos.

Se IT secundária à disfunção ventricular esquerda, podemos usar IECA e betabloqueadores. Já nos pacientes com HAP primária é necessário o uso de medicações específicas, como inibidores da fosfodiestease-5 e antagonistas de endotelina.

O tratamento cirúrgico na IT é influenciado pela existência de outras valvopatias concomitantes, especialmente as lesões mitrais. Os procedimentos disponíveis são a troca valvar e a plástica, e esta última deve ser o tratamento de escolha, quando possível.

A pressão arterial pulmonar diminui após a correção da valvopatia mitral, com desaparecimento da IT. Porém, mesmo a IT leve deve ser corrigida na presença de dilatação do anel, já que tende a progredir se não tratada.

A diretriz da SBC recomenda que, em pacientes com antecedente de cirurgia mitral, prescreva-se o tratamento isolado da IT importante e sintomática na ausência das seguintes condições: disfunção grave de VD, HAP grave (PSAP > 60 mmHg) e lesão mitral residual significativa, já que há alta mortalidade operatória nesses pacientes.

Para pacientes com IT isolada, a cirurgia é indicada nos casos de regurgitação importante associada à repercussão clínica evidente. Os pacientes com lesões moderadas recebem indicação cirúrgica em caso de dilatação ou disfunção ventricular direita progressiva associada ao aparecimento de sintomas.

Porém, mesmo a IT leve deve ser corrigida na presença de dilatação do anel, já que tende a progredir se não tratada. Pacientes com IT grave, com ou sem dilatação do anel, requerem valvotomia e anuloplastia. Se o resultado cirúrgico não é bom, deve se realizada troca valvar com prótese.

• Estenose pulmonar

O procedimento de escolha para o tratamento da Estenose Pulmonar (EP) é a Valvuloplastia Pulmonar por Cateter Balão (VPCB) em razão dos excelentes resultados em curto e longo prazos. Uma análise retrospectiva de 784 casos submetidos à VPCB registrou taxa de sucesso clínico de 98%, com queda do gradiente sistólico na via de saída pulmonar de 71 mmHg para 28 mmHg (valores médios da população estudada). A mortalidade relacionada ao procedimento foi inferior a 0,5%. As taxas de reestenose também são baixas (menores que 5%) e geralmente relacionadas a valvas displásicas.

Basicamente, indica-se VPCB para pacientes com EP sintomática, considerada significativa quando o gradiente de pico sistólico entre o ventrículo direito e a artéria pulmonar for maior que 30 mmHg. Para os assintomáticos, há indicação quando o gradiente de pico for maior que 40 mmHg. No entanto, centros de referência com bons resultados e baixa incidência de complicações podem recrutar pacientes assintomáticos com gradientes entre 30 e 40 mmHg para VPCB. O implante de bioprótese em posição pulmonar é recomendado quando houver indicação de intervenção e impossibilidade técnica de realização da VPCB.

• Insuficiência pulmonar

A principal etiologia de Insuficiência Pulmonar (IP) em adultos é a HP, que pode ser primária ou secundária. A IP também pode resultar de dilatação do anel valvar, como na síndrome de Marfan e na dilatação idiopática do troncopulmonar 11,242 . Outras causas descritas são endocardite infecciosa, sequela reumática, síndrome carcinoide, pós-operatório de tetralogia de Fallot e após Valvuloplastia Pulmonar por Cateter Balão (VPCB).

Geralmente, há indicação de tratamento cirúrgico com substituição valvar nos pacientes com IP importante e sintomática (CF II a IV). A intervenção nos casos de IP importante assintomática ainda é motivo de controvérsias, com necessidade de maior sedimentação científica para sua recomendação.

• Referências

1. Tarasoutchi F, Montera MW, Grinberg M, et al. Diretriz Brasileira de Valvopatias – SBC 2011 / I Diretriz Interamericana de Valvopatias – SIAC 2011. Arq Bras Cardiol 2011; 97(5 Suppl I): 1-67.
2. Otto, Catherine M. Fundamentos da ecocardiografia clinica, 4 ed. Rio de Janeiro: Elsevier; 2010.
3. Serrano Jr. C, Timerman A, Stefanini E. Tratado de cardiologia SOCESP. 2 ed. Barueri(SP): Manole; 2009.
4. Bruce CJ, Connolly HM. Rigth-sided valve disease a little more respect. Circulation 2009; 119(20):2726-34.

Emergências em Doenças Valvares

Natalia Pessa Anequini • Luiza Helena Miranda • Bernardo Noya Alves de Abreu

• Introdução

As emergências cardíacas valvares são graves e potencialmente letais. Por isso seu diagnóstico e tratamento adequados ajudam a reduzir a mortalidade e a morbidade.

As causas podem ser inflamatórias, infecciosas, isquêmicas, traumáticas, degenerativas, obstrutivas e iatrogênicas. Também podem ser classificadas em orgânica (causa primária), funcional (secundária) e isquêmica.

Na insuficiência valvar aguda ocorre sobrecarga aguda de volume regurgitante em um ventrículo e átrio não adaptados, tratando-se de uma emergência cirúrgica. Achados no exame clínico podem sugerir, mas a apresentação clínica pode ser inespecífica.

O papel do ecocardiograma é de fundamental importância para quantificar e diagnosticar a causa da disfunção aguda valvar.

O tratamento baseia-se na reparação cirúrgica com troca valvar ou reconstrução e plastia em alguns casos. Nos casos secundários também se deve tratar a causa de base que levou à disfunção aguda valvar.

A seguir, discutiremos as particularidades em cada disfunção valvar.

• Insuficiência mitral aguda

A insuficiência mitral aguda é uma causa comum de doença valvar nativa relacionada à cirurgia de emergência nos países subdesenvolvidos devido à alta prevalência de cardite reumática. Clinicamente se manifesta por edema agudo de pulmão, dispneia aguda e pode apresentar dor torácica nas causas isquêmicas.

Principais causas são citadas no Quadro 38.1.

Na ausculta evidencia-se sopro sistólico, mas a ausência de sopro não significa ausência de insuficiência, assim como a intensidade do murmúrio não se correlaciona com a gravidade da insuficiência mitral. Dependendo do folheto mitral acometido, o jato regurgitante pode dirigir-se para a região posterior do tórax e ser auscultado sopro na região dorsal interescapular.

Quadro 38.1 Causas de insuficiência mitral.	
Ruptura de corda tendínea	**Isquemia miocárdica**
Músculo papilar	▪ Trauma cardíaco ▪ Degeneração ▪ Valvulite
Disfunção músculo-papilar	▪ Isquemia miocárdica
Doenças infecciosas	▪ Endocardite
Doenças inflamatórias	▪ Lúpus eritematoso sistêmico ▪ Febre reumática
Induzidas por fármacos	▪ Ergotamina
Doenças neoplásicas	▪ Mixoma atrial

Fonte: Flato UAP, Guimarães HP, Lopes ED, *et al*. Emergências em doenças das valvas cardíacas. Rev Bras Clin Med 2009; 7:15-20.

• Estenose mitral aguda

A principal causa é a reumática que, na forma aguda de apresentação clínica, costuma estar associada a fatores precipitantes, como anemia, gravidez, infecção e/ou arritmia. Frequentemente os pacientes apresentam-se com edema agudo de pulmão, fibrilação atrial e choque cardiogênico.

O tratamento inclui reparo cirúrgico (comissurotomia ou troca valvar) ou valvotomia com cateter balão (procedimento percutâneo). O ecocardiograma, nesse caso, não só quantifica a gravidade e define a causa, como também avalia a possibilidade do tratamento percutâneo através do escore ecocardiográfico de Wilkins (Quadro 38.2).

Quadro 38.2 Escore ecocardiográfico de Wilkins				
Graduação	**Mobilidade**	**Espessamento subvalvar**	**Espessamento dos folhetos**	**Calcificação**
1	Ampla	Espessamento mínimo	Folhetos com 4-5 mm	Área única de calcificação
2	Diminuída nos folhetos distais	Espessamento cordas tendíneas terço proximal	Folhetos margens com 5-8 mm	Calcificação limitada à margem dos folhetos
3	Movimento na diástole	Espessamento cordas tendíneas proximal-médio	Espessamento em toda extensão do folheto (5-8 mm)	Calcificação até terço médio dos folhetos
4	Movimento mínimo na diástole	Espessamento e encurtamento extenso em cordas tendíneas	Espessamento considerável em todo folheto > 8-10 mm	Calcificação extensa em folhetos

Fonte: Serrano Jr C, Timerman A, Stefanini E. Tratado de cardiologia SOCESP. 2 ed. Barueri(SP): Manole; 2009.

Situações que contraindicam a valvotomia percutânea: trombo no átrio esquerdo, insuficiência mitral moderada a grave e extensa calcificação do aparato valvar. Define-se como graduação favorável ao procedimento o escore de Wilkins menor que 8, discutível entre 8 e 11.

A sobrevida na valvotomia percutânea é alta, em torno de 75%. Entretanto as principais complicações são insuficiência mitral grave, defeito do septo interatrial e derrame pericárdico.

Nas situações de necessidade de cirurgia de emergência, a mortalidade perioperatória é em torno de 50%.

• Insuficiência aórtica aguda

Na insuficiência aórtica há má coaptação dos folhetos valvares associada ou não a anormalidades das estruturas que sustentam os folhetos (anel e raiz aórtica). As causas mais frequentes de insuficiência aórtica aguda são: endocardite, dissecção da aorta, síndrome de Marfan, trauma torácico, valvoplastia aórtica (procedimento percutâneo de correção de coarctação de aorta).

Clinicamente, o paciente apresenta congestão pulmonar e sopro diastólico em borda esternal esquerda.

O ecocardiograma é importante não só para identificar a lesão valvar aórtica aguda como também para identificar se há dissecção aguda de aorta ascendente, com necessidade de intervenção cirúrgica de emergência. Como tratamento adjuvante, devem ser utilizados vasodilatadores e inotrópicos.

• Estenose aórtica aguda

A doença valvar aórtica estenótica é normalmente lenta e gradual, de causa degenerativa, mas, nos casos graves, pode haver descompensação aguda com possibilidade de choque cardiogênico e síncope, situações com potencial risco de morte. Assim, deve ser feito o diagnóstico o mais rápido possível para o tratamento mais adequado.

Quando o tratamento cirúrgico é de alto risco ou contraindicado, há o tratamento percutâneo com valvotomia ou implante de endoprótese. Sendo este último cada vez mais utilizado na atualidade.

• Complicações agudas em próteses valvares

As complicações em próteses valvares são relacionadas com o tipo de prótese.

As principais causas de disfunção de prótese aguda são: endocardite infecciosa, trombose e degeneração.

A trombose de prótese pode ser secundária à formação de trombo organizado, *pannus* e/ou vegetação. A diferenciação é importante para a conduta terapêutica, pois a utilização de fibrinolíticos não fragmenta a formação de *pannus*, sendo o tratamento adequado nesse caso a cirurgia com troca valvar. A trombose pode ocorrer tanto em próteses mecânicas quanto em biológicas, sendo com maior frequência na posição mitral (pelo baixo fluxo sanguíneo).

Além do ecocardiograma, que é o método padrão ouro para o diagnóstico, também há a fluoroscopia que pode ser utilizada.

O tratamento inclui fibrinolíticos, cirurgia de troca de valva e/ou anticoagulação plena. O procedimento cirúrgico tem elevado risco e sua decisão deve ser discutida. As diretrizes americanas e europeias recomendam analisar a gravidade do paciente, sintomatologia, tamanho e posição do trombo, qual é a câmara cardíaca relacionada e a infraestrutura do serviço de saúde.

330 Guia Prático de Cardiologia

O tratamento com fibrinolíticos pode ser feito com alteplase, streptoquinase ou uroquinase, em dose única ou infusões prolongadas, e necessita de acompanhamento ecocardiográfico.

• Referências

1. Tarasoutchi F, Montera MW, Grinberg M, et al. Diretriz Brasileira de Valvopatias - SBC 2011 / I Diretriz Interamericana de Valvopatias - SIAC 2011. Arq Bras Cardio 2011; 97(5 Suppl I): 1-67.
2. Serrano Jr C, Timerman A, Stefanini E. Tratado de cardiologia SOCESP. 2 ed. Barueri(SP): Manole; 2009.
3. Flato UAP, Guimarães HP, Lopes ED, et al. Emergências em doenças das valvas cardíacas. Rev Bras Clin Med 2009; 7:15-20.
4. Stout KK, Verrier ED. Acute valvular regurgitation. Circulation 2009;119(25):3232-41.
5. Neskovic AN, Hagendorff A, Lancellotti P, et al. Emergency echocardiography: the European Association of Cardiovascular Imaging recommendations. Eur Heart J Cardiovasc Imaging. 2013;14(1):1-11.

Endocardite Infecciosa

Roberto Franzini Jr. • Guilherme Furtado • Bernardo Noya Alves de Abreu

• Introdução

A endocardite infecciosa (EI) é uma infecção microbiana do endotélio cardíaco. Dessa forma, pode acometer as válvulas cardíacas, endocárdio mural ou endocárdio que abrange material implantado, como próteses, marca-passo, desfibriladores e cateteres. A lesão característica, a vegetação, é uma massa amorfa de tamanho variável, composta de plaquetas e fibrina, na qual uma grande quantidade de micro-organismos e células inflamatórias estão entremeadas. Geralmente é causada por bactérias ou fungos.

• Epidemiologia

Patologia mais comum em homens, com 1,6 a 2,5 mais casos do que em mulheres; em usuários de drogas injetáveis; em pacientes com doenças cardíacas estruturais, como a doença cardíaca reumática; cardiopatias congênitas; prolapso da valva mitral; cardiomiopatia hipertrófica; entre outras. É associada com altas taxas de mortalidade, que variam de 19% a 38%. Alguns fatores afetam o desfecho da doença, como virulência do patógeno causador, características dos pacientes, doença subjacente, indicação cirúrgica, retardo no diagnóstico e tratamento.

Nas últimas décadas, com o maior número de intervenções, tais como marca-passos, desfibriladores, aumento da população geriátrica, aumento das doenças valvares degenerativas, o número de pessoas suscetíveis à EI tem aumentado.

• Fisiopatologia

Existem dois fatores inerentes ao hospedeiro que conferem forte predisposição ao desenvolvimento de endocardite infecciosa: (1) uma superfície endocárdica danificada ou anormal; e (2) um fluxo sanguíneo de alta velocidade e turbulento atravessando uma valva defeituosa ou um defeito congênito. Estes dois fatores favorecem a deposição de plaquetas.

332 Guia Prático de Cardiologia

Quando o sangue segue de uma área de alta pressão para dentro de um escoadouro de baixa pressão, a dinâmica dos gradientes de pressão e o fluxo turbulento favorecem a deposição de plaquetas no endotélio adjacente, especialmente se este endotélio já apresentar anormalidades decorrentes de uma doença prévia, como febre reumática, anomalias congênitas, condições degenerativas ou endocardite infecciosa. Subsequentemente, ocorre a formação de um agregado de plaquetas-fibrina estéril, em uma condição conhecida como endocardite trombótica não bacteriana.

Durante as bacteremias transitórias, os micro-organismos que passam podem aderir a esse foco, que lhes fornece nutrição e proteção contra as defesas do hospedeiro, especialmente os leucócitos. O número de micro-organismos frequentemente se torna amplo, formando colônias densas junto ao agregado de plaquetas e fibrina. Dessa forma, uma lesão trombótica infectada recém-formada se desenvolve e forma uma vegetação macroscópica. Essas vegetações constituem o protótipo de lesão patológica da endocardite infecciosa.

As defesas locais do hospedeiro que poderiam inibir ou destruir as bactérias da vegetação incluem os leucócitos, anticorpos e complemento, além das proteínas derivadas de plaquetas (trombocidinas). Essas defesas antimicrobianas do hospedeiro podem ser bem-sucedidas na cura de alguns casos de infecção endocárdica em estágio inicial, mas aparentemente são raríssimos os casos em que conseguem erradicar os organismos de uma vegetação totalmente estabelecida.

S. aureus é o agente mais comum em endocardites de válvulas nativas, e o *Staphylococcus* coagulase-negativo, o mais comum em próteses valvares (ver Tabela 39.1). Contudo, Wang e colaboradores, em um estudo multicêntrico com mais de 1.000 pacientes com diagnóstico definitivo de EI em mais de 20 países, demonstrou que *S. aureus* foi o patógeno mais comum também em próteses valvares.

Tabela 39.1 Causas de endocardite de valva nativa

Micro-organismo	Percentual representativo de casos		
	Adquirida na comunidade	Nosocomial	Usuários de drogas IV
Staphylococcus aureus	25	55	55
Estafilococos coagulase-negativos	3	5	2
Estreptococos	35	5	10
Enterococos	10	20	15
Bacilos gram-negativos	3	5	8
HACEK	3	Rara	Rara
Pneumococos	1	Rara	Rara
Leveduras e fungos	1	5	4
Polimicrobiana e de etiologia diversa	5	3	4
Cultura negativa	15	2	2

Os percentuais de casos relatados variam amplamente entre as numerosas séries publicadas.

HACEK = *Haemophilus parainfluenzae, Aggregatibacter actinomycetemcomitans* e *Aggregatibacter aphrophilus, Cardiobacterium hominis, Eikenella corrodens* e espécies de *Kingella*; IV = intravenoso.

Fonte: Adaptada de Murdoch DR, Corey GR, Hoen B, et al. International Collaboration on Endocarditis-Prospective Cohort Study (ICE-PCS) Investigators. Clinical presentation, etiology, and outcome of infective endocarditis in the 21st century: the International Collaboration on EndocarditisProspective Cohort Study. Arch Intern Med 2009;169: 463–73.

Endocardite Infecciosa 333

Tabela 39.2 Etiologia da endocardite de válvula protética.

Organismo	Momento da manifestação após o implante da valva e percentual de casos		
	= 2 meses	2 a 12 meses	> 12 meses
Estafilococos coagulase-negativos	54	56	15
Staphylococcus aureus	8	9	13
Bacilos gram-negativos	12	3	1
Estreptococos	Rara	3	34
Enterococos	Rara	6	11
Corynebacteria	8	Rara	1
HACEK	Rara	3	14
Fungos	6	6	3
Diversos	6	6	1
Cultura negativa	5	9	5

HACEK = espécies de *Haemophilus*, espécies de *Agreggatibacter*, *Cardiobacterium hominis*, *Eikenella corrodens* e espécies de *Kingella*.

Fonte: Adaptada de Murdoch DR, Corey GR, Hoen B, et al. International Collaboration on Endocarditis-Prospective Cohort Study (ICE-PCS) Investigators. Clinical presentation, etiology, and outcome of infective endocarditis in the 21st century: the International Collaboration on EndocarditisProspective Cohort Study. Arch Intern Med 2009;169: 463–73.

Diagnóstico

O diagnóstico da EI se apoia na suspeita clínica derivada da associação de sinais e sintomas apropriados e, mais importante, na demonstração da bacteremia contínua. Os critérios de Duke são utilizados para o diagnóstico de EI, sendo modificados em 2002, incluindo evidências ecocardiográficas de EI (ver Tabela 39.3). Portanto, o diagnóstico definitivo de EI engloba critérios clínicos e ecocardiográficos.

Tabela 39.3 Critérios modificados de Duke no diagnóstico da endocardite infecciosa.

1. **Critérios maiores**
   a) **Microbiológicos:** isolamento de micro-organismos típicos de duas amostras isoladas de hemocultura; ou isolamento de micro-organismos de hemoculturas persistentemente positivas; ou simples hemocultura positiva para *Coxiella burnetti* (ou títulos de IgG > 1:800).
   b) **Evidência de envolvimento endocárdico:** piora ou novo sopro de regurgitação, ecocardiograma positivo (massa intracardíaca, abscesso perianular ou nova deiscência de valva protética).

2. **Critérios menores**
   a) **Predisposição para EI:** EI prévia; uso de drogas injetáveis; valva protética; prolapso de valva mitral; cardiopatia congênita cianogênica; outras lesões cardíacas que geram fluxo turbulento dentro das câmaras.
   b) **Febre:** temperatura > 38 °C
   c) **Fenômeno vascular:** evento embólico arterial maior, infarto pulmonar séptico, aneurisma micótico, hemorragia intracraniana, hemorragia subconjuntival e lesões de Janeway.
   d) **Fenômeno imunológico:** presença de marcadores sorológicos, glomerulonefrite, nódulos de Osler, manchas de Roth.
   e) Achados microbiológicos que não se enquadram nos critérios maiores.

Fonte: Adaptada de Murdoch DR, Corey GR, Hoen B, et al. International Collaboration on Endocarditis-Prospective Cohort Study (ICE-PCS) Investigators. Clinical presentation, etiology, and outcome of infective endocarditis in the 21st century: the International Collaboration on EndocarditisProspective Cohort Study. Arch Intern Med 2009;169: 463–73.

334 Guia Prático de Cardiologia

O diagnóstico definitivo de EI requer dois critérios maiores ou um critério maior e três menores ou cinco menores. O diagnóstico presuntivo de EI requer um critério maior ou três menores.

A ecocardiografia é um método adequado para detectar envolvimento endocárdico na EI (ver Tabela 39.4). O ecocardiograma transtorácico é a técnica inicial de escolha para investigação. O ecocardiograma transtorácico (ETT) tem uma sensibilidade de 44% a 63% em válvula nativa e de 36% a 69% em próteses valvares. Já o ecocardiograma transesofágico (ETE) apresenta sensibilidade de 87% a 100% em válvula nativa e de 86% a 94% em próteses valvares.

O ETE deve ser realizado se há uma forte suspeita de EI, com ETT negativo e, se for negativo inicialmente, deve ser repetido em três a cinco dias para se confirmar esse achado.

Tabela 39.4 Critérios ecocardiográficos de endocardite infecciosa.	
Lesão	**Descrição**
Vegetação	Formato irregular, massa com discreta ecogenicidade aderente à superfície cardíaca. Pode haver oscilação da massa (não mandatório).
Abscesso	Área espessa, ou massa na região anular do miocárdio. Aparência não homogênea com ecogenicidade e ecoluscência.
Aneurisma	Espaço de ecoluscência limitado por tecido fino.
Fístula	Trajeto entre dois distintos espaços cardíacos por um canal não anatômico.
Perfuração de cúspide	Defeito no corpo da cúspide da valva miocárdica com evidência de fluxo pelo defeito.
Deiscência valvar	Movimento da valva protética com extrusão > 15° em pelo menos uma direção.

Fonte: Adaptado de Sachdev e colaboradores.

As anormalidades laboratoriais são achados frequentes, porém não são específicos. A anemia é encontrada em até 90% dos casos, especialmente quando a sintomatologia é prolongada, tendo o padrão hematológico da anemia de doenças crônicas. Nos casos agudos, quase sempre há leucocitose, sendo a leucopenia rara e associada à esplenomegalia ou à toxicidade por drogas. As provas de atividade inflamatória são positivas em praticamente todos os casos, tendo o VHS (velocidade de hemossedimentação) e a PCR (proteína C reativa) valores bastante aumentados, colocando em dúvida o diagnóstico de EI nos casos em que o VHS e a PCR se encontram normais. Alguns outros achados são a hipergamaglobulinemia (23% a 30% dos casos), a hipocomplementemia (5% a 10% dos casos), a positividade do fator reumatoide (até 50% dos casos).

O exame da urina pode mostrar hematúria microscópica, proteinúria, cilindros hemáticos, piúria, cilindros leucocitários e bacteriúria.

No entanto, a hemocultura é o exame definitivo que detecta a presença de micro-organismos na corrente sanguínea. Atualmente, as hemoculturas são realizadas por sistemas automatizados em que há a detecção contínua de crescimento microbiano pela análise da liberação de CO_2, com sensores fluorescentes ou sensores colorimétricos. Assim que é detectado o crescimento do micro-organismo, é realizada a coloração de Gram e semeadura em meios seletivos para o isolamento e posterior identificação do patógeno.

Contudo, a hemocultura pode ser negativa em 2,5% a 31% dos casos. Geralmente esses casos estão relacionados à terapia antimicrobiana prévia ou presença de micro-organismos de difícil cultivo ou fungos. Atualmente também têm sido empregadas técnicas modernas para o diagnóstico etiológico de EI, entre as quais, a reação em cadeia de polimerase (do inglês polymerase chain reaction, PCR) e, mais recentemente, métodos proteômicos, como o MALDI-TOF (Matrix-Assisted Laser Desorption/Ionization Time Of Flight).

Endocardite Infecciosa **335**

Diagnóstico diferencial

A possibilidade de endocardite infecciosa deve ser considerada para qualquer paciente que apresente sopro cardíaco e febre. O médico deve estar particularmente alerta para os casos atípicos, cujos achados clínicos refletem as complicações da endocardite que afetam outros órgãos além do coração.

A endocardite infecciosa pode causar febre de origem indeterminada (FOI), por isso o diagnóstico diferencial deve incluir as numerosas infecções em que pode haver FOI. Entre estas, estão a tuberculose, a salmonelose e diversas infecções abdominais e gênito-urinárias.

Várias doenças não infecciosas podem mimetizar a endocardite infecciosa, incluindo as doenças imunomediadas e algumas condições reumatológicas (p. ex., artrite reumatoide juvenil e polimialgia reumática). A febre reumática aguda pode causar febre, sopros cardíacos e insuficiência cardíaca. A endocardite marântica, que pode acarretar múltiplos episódios embólicos e febre, geralmente está associada à existência de uma neoplasia subjacente ou doença do tecido conjuntivo.

Tratamento

Antes da era antimicrobiana, a EI era quase sempre fatal. Após o surgimento da penicilina, houve uma mudança substancial na evolução dos quadros de endocardite (ver Tabela 39.5). Algumas décadas depois houve o acréscimo dos aminoglicosídeos, glicopeptídeos, rifampicina para a terapia combinada em episódios de endocardite, principalmente na EI de prótese valvar (ver Tabela 39.6).

Em 1955, a American Heart Association (AHA) estabeleceu as primeiras diretrizes para o tratamento de endocardite e, desde então, essas diretrizes vêm sendo atualizadas, principalmente com o surgimento de novos antimicrobianos e o avanço nas técnicas diagnósticas e cirúrgicas.

Quando há suspeita de EI, a terapia antimicrobiana deve ser rapidamente introduzida após a coleta das hemoculturas.

Tabela 39.5 Terapia antimicrobiana para endocardite de válvula nativa em adultos.

Agente infeccioso	Fármaco	Dosagem e via de administração	Duração da terapia* (semanas)
Estreptococos viridans suscetível à penicilina e outros *estreptococos gallolyticus* (bovis) (CIM < 0,2 mcg/mL)	Penicilina G	12 a 18 milhões de unidades/dia, IV (em doses divididas, a cada 4 horas ou 6h)	4
	Penicilina G ou	12 a 18 milhões de unidades/dia, IV (em doses divididas, a cada 4h)	2
	Ceftriaxona +	2 g/dia, IV (1×/dia)	
	Gentamicina	3 mg/kg/dia, IM ou IV (em dose 1×/dia)	2
	Ceftriaxona	2 g/dia, IV (como dose única)	4
	Regime alternativo: Vancomicina	30 mg/kg/dia, IV (em doses divididas, a cada 12h)	4

336 Guia Prático de Cardiologia

(continuação)

Tabela 39.5 Terapia antimicrobiana para endocardite de válvula nativa em adultos.

Agente infeccioso	Fármaco	Dosagem e via de administração	Duração da terapia* (semanas)
Estreptococos viridans e *gallolyticus* (bovis) relativamente resistentes à penicilina	Regime preferido: Penicilina G +	24 milhões de unidades/dia, IV (em doses divididas, a cada 4 horas ou 6h)	4
	Gentamicina	3 mg/kg/dia, IM ou IV (1×/dia)	2
	Penicilina G + gentamicina	A mesma dosagem do regime anterior	4
	Regime alternativo: Vancomicina	30 mg/kg/dia, IV (em doses divididas, a cada 12h)	4
Enterococos	Penicilina G +	18 a 30 milhões de unidades/dia, IV (continuamente ou em doses divididas, a cada 4h)	4 a 6
	Gentamicina ou	3 mg/kg/dia, IV (em doses divididas, a cada 8 ou 12h)	4 a 6
	Estreptomicina	15 mg/kg/dia IV/IM (12/12h)	4 a 6
	Ampicilina +	12 g/dia, IV (em doses divididas, a cada 4 horas)	4 a 6
	Gentamicina ou	3 mg/kg/dia, IV (em doses divididas, a cada 8 ou 12h)	4 a 6
	Estreptomicina	15 mg/kg IV/IM (12/12h)	4 a 6
	Ampicilina +	12 g/dia, IV (em doses divididas, a cada 4 horas)	6
	Ceftriaxona	2 g IV 12/12h	6
	Vancomicina +	30 mg/kg/dia (12/12h)	6
	Gentamicina	3 mg/kg/dia IV/IM (8/8h)	6
	Linezolida ou	600 mg, IV/VO (12/12h) 10-12 mg/kg/dia, IV	>6
	Daptomicina		>6

Endocardite Infecciosa **337**

(continuação)

Tabela 39.5 Terapia antimicrobiana para endocardite de válvula nativa em adultos.

Agente infeccioso	Fármaco	Dosagem e via de administração	Duração da terapia* (semanas)
Estafilococos (suscetíveis à meticilina)	Oxacilina	12 g/dia, IV (em doses divididas, a cada 4 ou 6h)	6
	Se alergia: Cefazolina	6 g/dia, IV (em doses divididas, a cada 8h)	6
Estafilococos (resistentes à meticilina)	Vancomicina	30 mg/kg/dia, IV, (a cada 12h)	6
	Daptomicina	> 8 mg/kg/dose	6
Organismos HACEK	Ceftriaxona ou	2 g/dia, IV ou IM (como dose única)	4
	Ampicilina	2 g, IV (4/4h)	4
	Ciprofloxacina	1 g/24h, VO, ou 800 mg/24h, IV (12/12h)	4

Tabela 39.6 Terapia antimicrobiana para endocardite de válvula protética em adultos

Agente infeccioso	Fármaco	Dosagem e via de administração	Duração da terapia* (semanas)
Estreptococos viridans suscetível à penicilina e outros *estreptococos gallolyticus* (bovis) (CIM < 0,12 mcg/mL)	Penicilina G	12 a 18 milhões de unidades/dia, IV (em doses divididas, a cada 4h ou 6h)	6
	Penicilina G ou	12 a 18 milhões de unidades/dia, IV (em doses divididas, a cada 4 horas) 2 g/dia, IV (1×/dia)	6
	Ceftriaxona +		
	Gentamicina	3 mg/kg/dia, IM ou IV (em dose 1×/dia	2
	Ceftriaxona	2 g/dia, IV (como dose única)	6
	Vancomicina	30 mg/kg/dia, IV (em doses divididas, a cada 12h)	6
Estreptococos viridans **e** *gallolyticus* (bovis) relativamente resistentes à penicilina CIM > 0,12 mcg/mL	Ceftriaxona +	2 g/dia, IV (como dose única)	6
	Gentamicina	3 mg/kg/dia, IM ou IV (1×/dia)	2
	Penicilina G + Gentamicina	A mesma dosagem do regime anterior	6
	Vancomicina	30 mg/kg/dia, IV (em doses divididas, a cada 12h)	6

(continuação)

Tabela 39.6 Terapia antimicrobiana para endocardite de válvula protética em adultos

Agente infeccioso	Fármaco	Dosagem e via de administração	Duração da terapia* (semanas)
Enterococos	Vide tabela anterior		
Estafilococos (suscetíveis à meticilina)			
	Oxacilina +	12 g/dia, IV (em doses divididas, a cada 4h)	
	Gentamicina +	3 mg/kg/dia, IM ou IV (em doses divididas, a cada 8h) 900 mg/24h em 3 doses	2
	Rifampicina		≥6
Estafilococos (resistentes à meticilina)	Vancomicina +	30 mg/kg/dia, IV, em doses divididas, a cada 12h)	≥6
	Rifampicina +	900 mg/24h, VO (a cada 8h)	≥6
	Gentamicina	3 mg/kg/dia, IM ou IV (em doses divididas, a cada 8h ou 12h)	2

* CIM = concentração inibitória mínima; EVP = endocardite valvar protética; HACEK = espécies de *Haemophilus, Actinobacillus actinomycetemcomitans, Cardiobacterium hominis,* espécies de *Eikenella* e espécies de *Kingella;* IM = intramuscular; IV = intravenoso; VO = via oral.

Fonte: Adaptada de Santos ECL, Figuinha FCR,Lima AGSL,Henares BB, Mastrocola F. Manual de Cardiologia Cardiopapers, Atheneu 2013.

Intervenção cirúrgica

A intervenção operatória para debridamento de tecido perivalvar infeccionado ou substituição/reconstrução de valva com defeito funcional é um procedimento importante para o tratamento da endocardite infecciosa complicada com envolvimento de valva nativa ou protética. De forma geral, a cirurgia é indicada para 25% a 40% dos pacientes com endocardite infecciosa e até 45% dos pacientes são submetidos à cirurgia durante a fase aguda da doença. Várias observações têm levado à realização de uma intervenção cirúrgica mais precoce e frequente em casos de endocardite ativa. As indicações atualmente aceitas são: insuficiência cardíaca valvar grave; vegetações volumosas; invasão perivascular e formação de abscesso, bem como infecções descontroladas por uma a três semanas com antibioticoterapia otimizada; infecção fúngica e eventos trombo embólicos, principalmente cerebral. As principais indicações de cirurgia em pacientes com EI são:

- ▶ **Vegetação:** vegetação persistente após embolização sistêmica; vegetação no folheto mitral anterior particularmente maior que 10 mm; mais que um evento embólico durante as primeiras duas semanas de terapia antimicrobiana; aumento na vegetação, apesar de terapia antimicrobiana apropriada.
- ▶ **Disfunção valvar:** insuficiência mitral ou aórtica aguda com sinais de falência ventricular; falência cardíaca não responsiva à terapia clínica.

Endocardite Infecciosa **339**

> **Ruptura ou perfuração valvar:** extensão perivalvular, deiscência valvular, ruptura ou fístula, novo bloqueio cardíaco, grande abscesso ou extensão do abscesso apesar da terapia antimicrobiana adequada.

Profilaxia

As indicações de profilaxia antimicrobiana de endocardite (ver Tabela 39.7) é recomendada para pacientes com as seguintes condições cardíacas:

> Válvula cardíaca protética ou material protético utilizado para reparo valvar;
> Endocardite prévia;
> Doença cardíaca congênita (cianótica não reparada, incluindo *shunts* paliativos, doença cardíaca congênita completamente reparada com material protético ou dispositivo dentro dos primeiros seis meses pós-procedimento, doença cardíaca congênita reparada com defeitos residuais no sítio ou adjacente ao sítio de um *patch* protético ou dispositivo protético;
> Recipientes de transplante cardíaco que desenvolvem valvopatia.

A profilaxia é recomendada para os seguintes procedimentos dentários:

> Qualquer manipulação do tecido gengival, região periapical ou perfuração da mucosa.

Tabela 39.7 Profilaxia antibiótica para procedimentos conforme indicação acima.

Circunstância	Antibiótico	Administração (dose única, 30 a 60 min antes do procedimento)	
		Pediátrica	Adulto
Oral	Amoxicilina	50 mg/kg	2 g
Impossibilidade de tomar medicação oral	Ampicilina	50 mg/kg IM ou IV	2 g IM ou IV
	ou Cefazolina ou Ceftriaxona	50 mg/kg IM ou IV	1 g IM ou IV
Alergia às penicilinas (oral)	Cefalexina* ou	50 mg/kg	2 g
	Clindamicina ou	20 mg/kg	600 mg
	Azitromicina ou Claritromicina	15 mg/kg	500 mg
Alergia às penicilinas e impossibilidade de tomar medicações orais	Cefazolina ou Ceftriaxona* ou	50 mg/kg IM ou IV	1 g IM ou IV

*Não fornecer cefalosporinas para indivíduos com história de anafilaxia, angioedema ou urticária associados ao uso de penicilinas.

Pode-se usar cefalosporinas de 1ª ou 2ª geração como alternativas à cefazolina.

As doses orais devem ser feitas 1 hora antes do procedimento, e as doses IV/IM devem ser feitas 30 minutos antes do procedimento.

IM = intramuscular; IV = intravenosa.

Fonte: Adaptada de Santos ECL, Figuinha FCR,Lima AGSL,Henares BB, Mastrocola F. Manual de Cardiologia Cardiopapers, Atheneu 2013.

Complicações na EI

A insuficiência cardíaca constitui a complicação cardíaca mais frequente da endocardite infecciosa e pode resultar de uma variedade de fatores. A doença valvar preexistente pode ser agravada pelos efeitos da endocardite infecciosa, que incluem rupturas, perfurações e obstrução de valvas, bem como ruptura das cordas tendíneas. Essas complicações também podem afetar as valvas previamente normais. O dano à valva aórtica decorrente de infecção pode acarretar um comprometimento hemodinâmico severo e de progressão rápida, ainda mais grave do que um dano comparável à valva mitral. A embolia arterial coronariana pode causar insuficiência mitral evidente ou silenciosa, que, por sua vez, pode contribuir para o desenvolvimento de insuficiência cardíaca. Um aneurisma micótico de um seio de Valsalva ou um abscesso de ânulo aórtico podem se romper através do septo membranoso para dentro do átrio ou ventrículo direito.

• Referências

1. Tarasoutchi F, Montera MW, Grinberg M, et al. Diretriz Brasileira de Valvopatias - SBC 2011 / I Diretriz Interamericana de Valvopatias - SIAC 2011. Arq Bras Cardio 2011; 97(5 Suppl I): 1-67.
2. Profilaxia de endocardite: quando e como? Parte I. http://cardiopapers. com.br/2011. [Acesso em 28/03/2017]
3. Hoen B, Alla F, Beguinot I, et al. Changing profile of infective endocarditis: results of a one-year survey in France in 1999. JAMA 2002;288(1):75-81.
4. Murdoch DR, Corey GR, Hoen B, et al. International Collaboration on Endocarditis-Prospective Cohort Study (ICE-PCS) Investigators. Clinical presentation, etiology, and outcome of infective endocarditis in the 21st century: the International Collaboration on Endocarditis Prospective Cohort Study. Arch Intern Med 2009;169(5):463-73.
5. Sandre RM, Shafran SD. Infective endocarditis: review of 135 cases over 9 years. Clin Infect Dis 1996;22(2):276-86.
6. Herrera P, Kwon YM, Ricke SC. Ecology and pathogenicity of gastrointestinal Streptococcus bovis. Anaerobe. 2009;15(1-2):44-54.
7. Shapiro DS, Kenney SC, Johnson M, et al. Brief report: Chlamydia psittaci endocarditis diagnosed by blood culture. N Engl J Med 1992;326(18):1192-5.
8. Hoen B, Selton-Suty C, Lacassin F, et al. Infective endocarditis in patients with negative blood cultures: analysis of 88 cases from a one-year nationwide survey in France. Clin Infect Dis 1995;20(3):501-6.
9. Raoult Minnick MF, Battisti JM. Pestilence, persistence and pathogenicity: infection strategies of Bartonella. Future Microbiol 2009;4(6):743-58.
10. Drancourt M, Mainardi JL, Brouqui P, et al. Bartonella (Rochalimaea) quintana endocarditis in three homeless men. N Engl J Med 1995;332(7):419-23.

Febre Reumática

• Introdução

A febre reumática (FR) e a cardiopatia reumática crônica (CRC) são complicações não supurativas da faringoamigdalite causadas pelo estreptococo beta-hemolítico do grupo A (EBGA) e decorrem de resposta imune tardia a essa infecção em populações geneticamente predispostas.

A FR afeta especialmente crianças e adultos jovens de baixo nível sócio econômico. A mais temível manifestação é a cardite, que responde pelas sequelas crônicas, muitas vezes incapacitantes, em fases precoces da vida.

Em países desenvolvidos ou em desenvolvimento, a faringoamigdalite e o impetigo são as infecções mais frequentemente causadas pelo EBGA. No entanto, somente a faringoamigdalite está associada ao surgimento da FR. O EBGA é o responsável por 15% a 20% das faringoamigdalites e pela quase totalidade daquelas de origem bacteriana. As viroses são responsáveis por aproximadamente 80% dos casos.

A FR possui uma distribuição universal, mas com marcada diferença nas taxas de incidência e prevalência entre os diversos países, constituindo a principal causa de cardiopatia adquirida em crianças e adultos jovens nos países em desenvolvimento.

• Etiopatogenia

O desenvolvimento da FR está associado à infecção de orofaringe pelo EBGA, principalmente em crianças e adolescentes. Fatores ambientais e socioeconômicos contribuem para o aparecimento da doença e fatores genéticos de suscetibilidade estão diretamente relacionados ao seu desenvolvimento.

Guia Prático de Cardiologia

A existência de processo autoimune na FR foi postulada após a observação de que as lesões no coração estavam associadas a anticorpos que reconheciam tecido cardíaco por mimetismo molecular. A resposta mediada por linfócitos T parece ser especialmente importante em pacientes que desenvolvem cardite grave.

Na cardite reumática, anticorpos reativos ao tecido cardíaco, por reação cruzada com antígenos do estreptococo, se fixam à parede do endotélio valvar e aumentam a expressão da molécula de adesão VCAM I, que atrai determinadas quimiocinas e favorecem a infiltração celular por neutrófilos, macrófagos e, principalmente, linfócitos T, gerando inflamação local, destruição tecidual e necrose.

Diagnóstico

O diagnóstico é clínico. Critérios de Jones é o padrão ouro e exames laboratoriais apenas sustentam o diagnóstico (Tabela 40.1).

Tabela 40.1 Critérios de Jones modificados para o diagnóstico de febre reumática (1992)

Critérios maiores	Critérios menores
Cardite	Febre
Artrite	Artralgia
Coreia de Sydenham	Elevação dos reagentes de fase aguda (VHS, PCR)
Eritema marginado	Intervalo PR prolongado no ECG
Nódulos subcutâneos	

Evidências de infecção pelo estreptococo do grupo A por meio de cultura de orofaringe, teste rápido para EBGA e elevação dos títulos de anticorpos (ASLO)

Fonte: Adaptado de Dajanicolaboradores, 1992.

A probabilidade de FR é alta quando há evidência de infecção estreptocócica anterior, determinada pela elevação dos títulos da antiestreptolisina O (ASLO), além da presença de pelo menos dois critérios maiores ou um critério maior e dois menores. Com as sucessivas modificações, os critérios melhoraram em especificidade e perderam em sensibilidade devido à obrigatoriedade de comprovação da infecção estreptocócica.

Outros sinais e sintomas, como epistaxe, dor abdominal, anorexia, fadiga, perda de peso e palidez podem estar presentes, mas não estão incluídos entre as manifestações menores dos critérios de Jones.

Os critérios de Jones, modificados pela American Heart Association (AHA) em 1992, devem ser utilizados para o diagnóstico do primeiro surto da doença, enquanto os critérios de Jones revistos pela OMS e publicados em 2004 destinam-se também ao diagnóstico das recorrências da FR (Tabela 40.2).

Febre Reumática 343

Tabela 40.2 Critérios da Organização Mundial da Saúde (2004) para o diagnóstico do primeiro surto, recorrência e cardiopatia reumática crônica (baseados nos critérios de Jones modificados).

Categorias diagnósticas	Critérios
Primeiro episódio de febre reumática*	Dois critérios maiores ou um maior e dois menores mais a evidência de infecção estreptocócica anterior
Recorrência de febre reumática em paciente sem doença cardíaca reumática estabelecida[†]	Dois critérios maiores ou um maior e dois menores mais a evidência de infecção estreptocócica anterior
Recorrência de febre reumática em paciente com doença cardíaca reumática estabelecida	Dois critérios menores mais a evidência de infecção estreptocócica anterior[‡]
Coreia de Sydenham Cardite reumática de início insidioso[†]	Não é exigida a presença de outra manifestação maior ou evidência de infecção estreptocócica anterior
Lesões valvares crônicas da CRC: diagnóstico inicial de estenose mitral pura ou dupla lesão de mitral e/ou doença na valva aórtica, com características de envolvimento reumático[§]	Não há necessidade de critérios adicionais para o diagnóstico de CRC

*Pacientes podem apresentar apenas poliartrite ou monoartrite + três ou mais sinais menores + evidência de infecção estreptocócica prévia. Esses casos devem ser considerados como "febre reumática provável" e orientados a realizar profilaxia secundária, sendo submetidos a avaliações cardiológicas periódicas; †Endocardite infecciosa deve ser excluída; ‡Alguns pacientes com recidivas não preenchem esses critérios; § Cardiopatia congênita deve ser excluída.

Fonte: OMS, 2004.

Uma vez que outros diagnósticos sejam excluídos, a coreia, a cardite indolente e as recorrências são três exceções em que os critérios de Jones não têm de ser rigorosamente respeitados (ver Tabela 40.3).

Tabela 40.3 Diagnóstico diferencial das principais manifestações da febre reumática.

Artrite	Cardite	Coreia	Nódulos subcutâneos	Eritema marginado
Infecciosas Virais: ■ rubéola, caxumba, hepatite	Incecciosas virais: ■ periocardites e perimiocardites	Infecciosas: ■ encefalites virais	Doenças reumáticas: ■ artrite ideiopática juvenil, lúpus eritematoso sistêmico	Infecciosas: ■ septicemias

(continuação)

Tabela 40.3 Diagnóstico diferencial das principais manifestações da febre reumática.

Artrite	Cardite	Coreia	Nódulos subcutâneos	Eritema marginado
Bacterianas: ■ gonococos, miningococos, endocardite bacteriana	Doenças reumáticas: ■ artrite idiopática juvenil, lúpus eritematoso sistêmico	Doenças reumáticas: ■ lúpus eritematoso sistêmico	Outros: ■ nódulos subcutâneos benignos	Reações a drogas
Reativas: ■ pós-entéricas ou pós-infecções urinárias	Outros: ■ sopro inocente, sopro anêmico, aorta bicúspide, prolapso de valva mitral	Outros: ■ síndrome antifosfolípide, coreia familial benigna		Doenças reumáticas
Doenças hematológicas: ■ anemia falciforme. Neoplasias: ■ leucemia linfoblástica aguda				Idiopático
Doenças reumáticas: ■ lúpus eritematoso sistêmico ■ artrite idiopática juvenil; vasculites				

Fonte: Adaptada de Ayoub EM, Alsaeid K. Acute rheumatic fever and post-streptococcal arthritis. In: Cassidy JT, *et al.* Textbook of pediatric rheumatology. 5. ed. Philadelphia: Elsevier Saunders, 2005. p.614-29.

• Tratamento

O objetivo do tratamento da FR aguda é suprimir o processo inflamatório, minimizando as repercussões clínicas sobre o coração, articulações e sistema nervoso central, além de erradicar o EBGA da orofaringe e promover o alívio dos principais sintomas.

Artrite – O ácido acetilsalicílico (AAS), na dose de 6–8 g/dia por 4 semanas, se mantém como a primeira opção para o tratamento do comprometimento articular há mais de 50 anos. Outra opção é o Naproxeno, na dose de 10–20 mg/kg/dia, ou Indometacina (artrites reativas).

Cardite

O tratamento da cardite é baseado no controle do processo inflamatório, dos sinais de insuficiência cardíaca e das arritmias. Utiliza-se Prednisona na dose de 1–2 mg/kg por 2 a 3 semanas e, dependendo do controle clínico e laboratorial (PCR e VHS), a dose pode ser reduzida gradativamente a cada semana, até totalizar 12 semanas (cardite moderada e grave).

A pulsoterapia com Metilprednisolona pode ser usada em casos de IC refratários ou que necessitem tratamento cirúrgico emergencial.

Cirurgia cardíaca na FR aguda: em algumas situações de cardite refratária pode ser necessária a realização de tratamento cirúrgico na fase aguda. Isso ocorre principalmente nas lesões de valva mitral com ruptura de cordas tendíneas ou perfuração das cúspides valvares.

Coreia

É uma manifestação tardia da FR, de evolução benigna e autolimitada na maior parte dos casos. Se necessário, podem ser utilizados benzodiazepínicos e fenobarbital. O tratamento específico está indicado apenas nas formas graves e pode ser feito com Haloperidol (1 mg/dia em duas tomadas, aumentando 0,5 mg a cada três dias, até atingir a dose máxima de 5 mg ao dia), Ácido Valproico (10 mg/kg/dia, aumentando 10 mg/kg a cada semana até a dose máxima de 30 mg/kg/dia) ou Carbamazepina (7 a 20 mg/kg/dia). O uso de corticosteroides também pode ser considerado.

Resposta terapêutica

Para avaliar a resposta terapêutica é fundamental observar se houve o desaparecimento da febre e das principais manifestações clínicas. Deve-se estar atento ainda à normalização das provas inflamatórias (PCR ou VHS), que devem ser monitorizadas a cada 15 dias. Nos pacientes com comprometimento cardíaco, recomenda-se a realização de radiografia de tórax, ECG e ecocardiograma após quatro semanas do início do quadro.

Estratégia para medidas preventivas

A FR é uma doença passível de prevenção, a qual requer vigilância constante por parte da população e dos serviços de saúde.

Profilaxia primária (Tabela 40.4)

Visa prevenir o primeiro surto de FR por meio da redução do contato com o estreptococo e tratamento das faringoamigdalites.

Tabela 40.4 Recomendações para a profilaxia primária da febre reumática

Medicamento/Opção	Esquema	Duração
Peniclina G benzatina	Peso < 20 kg 600.000 UI IM Peso ≥ 20 kg 1.200.000 UI IM	Dose única
Penicilina V	25-50.000 U/Kg/dia VO 8/8h ou 12/12h Adulto – 500.000 U 8/8 h	10 dias
Amoxicilina	30-50 mg/Kg/dia VO 8/8h ou 12/12h Adulto – 500 mg 8/8h	10 dias
Ampicilina	100 mg/kg/dia VO 8/8h	10 dias
Em caso de alergia à penicilina:		
Estearato de eritromicina	40 mg/kg/dia VO 8/8h ou 12/12h Dose máxima – 1 g/dia	10 dias
Clindamicina	15-25 mg/Kg/dia de 8/8h Dose máxima – 1.800 mg/dia	10 dias
Azitromicina	20 mg/Kg/dia VO 1x/dia (80) Dose máxima – 500 mg/dia	3 dias

Fonte: Adaptado de Spina Guilherme, Febre Reumatica, TEC – Título de Especialista em Cardiologia – n Versos, p. 189-208.

Pofilaxia secundária (Tabelas 40.5 e 40.6)

A profilaxia secundária consiste na administração contínua de antibiótico específico ao paciente portador de FR prévia ou cardiopatia reumática comprovada, com o objetivo de prevenir colonização ou infecção de via aérea superior pelo EBGA, com consequente desenvolvimento de novos episódios da doença.

Tabela 40.5 Recomendações para a profilaxia secundária

Medicamento/Opção	Dose/Via de administração	Intervalo
Penicilina G benzatina	Peso < 20 kg 600.000 UI IM Peso ≥ 20 kg 1.200.000 UI IM	21/21 dias
Penicilina V	250 mg VO	12/12h
Em caso de alergia à penicilina:		
Sulfadiazina	Peso < 30 Kh – 500 mg VO Peso ≥ 30 Kg – 1 g VO	1x ao dia
Em caso de alergia à penicilina e à sulfa:		
Eritromicina	250 mg VO	12/12h

Fonte: Spina Guilherme, Febre Reumatica, TEC – Título de Especialista em Cardiologia – n Versos, p. 189-208.

Tabela 40.6 Recomendações para a duração da profilaxia secundária

Categoria	Duração	Nível de evidência
FR sem cardite prévia	Até 21 anos ou 5 anos após o último surto, valendo o que cobrir maior período[82]	I-C
FR com cardite prévia; insuficiência mitral leve residual ou resolução da lesão valvar	Até 25 anos ou 10 anos após o último surto, valendo o que cobrir maior período[2]	I-C
Lesão valvar residual moderada a severa	Até os 40 anos ou por toda a vida [2,82]	I-C
Após cirurgia valvar	Por toda a vida[2]	I-C

Fonte: Spina Guilherme, Febre Reumatica, TEC – Título de Especialista em Cardiologia – n Versos, p. 189-208.

Perspectivas futuras

Atualmente existem 12 modelos de vacinas contra EBGA, a maioria em fase pré-clínica.

• Referências

1. Sociedade Brasileira de Cardiologia. Diretrizes Brasileiras para o Diagnóstico, Tratamento e Prevenção da Febre Reumática. Arq Bras Cardiol. 2009;93(3 Suppl IV):3-18.
2. Spina GS. Febre reumática. TEC – Título de Especialista em Cardiologia: guia de estudo. São Paulo: nVersos; 2011. p. 189-208.

Febre Reumática **347**

3. Alsaeid K, Cassidy JT. Acute rheumatic fever and post-streptococcal arthritis. In: Cassidy JT, Lindsley L. Textbook of pediatric rheumatology. 5. ed. Philadelphia: Elsevier/Saunders; 2005. p.614-29.
4. Kiss MHB, Schainberg CG. Febre reumática. In: Bonfa EO. Reumatologia para o clínico. São Paulo: Roca; 2011. p.93-103.
5. Tarasoutchi F, Montera MW, Grinberg M, et al. Diretriz Brasileira de Valvopatias – SBC 2011 / I Diretriz Interamericana de Valvopatias – SIAC 2011. Arq Bras Cardiol 2011; 97(5 Suppl I): 1-67.
6. OMS. Rheumatic fever and rheumatic heart disease. WHO Technical Report Series 923. Geneva, 29 October–1 November 2001.

Arritmias

Taquiarritmias Supraventriculares

• Introdução

Arritmia supraventricular é toda aquela cujo surgimento ou manutenção depende de estruturas acima do feixe de His.

A seguir serão apresentados os tipos de arritmias separadamente, com exceção da Fibrilação e Flutter atriais, que serão discutidos isoladamente.

• Taquicardia por reentrada nodal

O circuito dessa arritmia é composto habitualmente por duas vias, a via Alfa, de condução lenta e período refratário curto, e a via Beta, de condução rápida e período refratário longo. O início da arritmia normalmente ocorre após uma extrassístole supraventricular, conforme esquematizado nas Figuras 41.1 e 41.2.

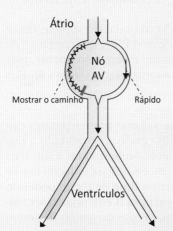

Figura 41.1 Estímulo descendo pelas vias Beta, de condução rápida e período refratário longo, e Alfa, de condução lenta e período refratário curto, em batimento sinusal. Como a via Beta é mais rápida, o estímulo que desce pela mesma comanda os ventrículos e inibe o final da via Alfa.

Fonte: Adaptada de Lopes AC, Pachón JC, Pachón EI, et al. Arritmias cardíacas. Série Clínica Médica Ciência e Arte. São Paulo: Atheneu; 2004.

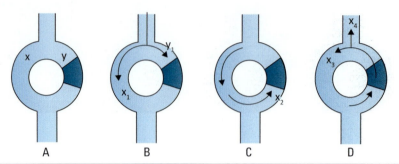

Figura 41.2 Esquematização do circuito de reentrada. Em **A**, vemos uma esquematização do nodo atrioventricular, com a via Alfa (identificada pelo x) já completamente repolarizada após um batimento sinusal, pois esta tem período refratário curto, enquanto a via Beta (identificada pelo y) está ainda em fase de repolarização após este batimento sinusal, devido ao seu período refratário mais longo. Na figura **B**, assim que um batimento extrassistólico atrial "encontra" a via Beta ainda em período refratário (que é mais longo que o da via alfa), é bloqueado nela, mas segue normalmente pela via Alfa, já repolarizada. Em **C**, ao chegar ao final do circuito, o estímulo desce aos ventrículos, mas sobe pela via Beta, que só agora se encontra repolarizada. Em **D** vemos o estímulo elétrico subir aos átrios e seguir novamente pela via Alfa, que, nesse momento, já deve estar repolarizada, reiniciando o circuito da arritmia.
Fonte: Adaptado de Lopes AC, Pachón JC, Pachón EI, et al. Arritmias cardíacas. Série Clínica Médica Ciência e Arte. São Paulo: Atheneu; 2004.

- **Manifestações clínicas**

A ocorrência desse tipo de arritmia é mais comum em mulheres jovens, sem doença estrutural, embora a fibrose de uma via de condução nodal atrioventricular possa alterar as propriedades eletrofisiológicas desse feixe e predispor à arritmia em um momento mais tardio da vida.

As crises ocorrem em paroxismos, tipicamente imprevisíveis, nas quais o paciente sente palpitações no peito e/ou região cervical. O diagnóstico depende do registro eletrocardiográfico da crise, seja por ECG convencional na hora dos sintomas ou na monitorização pelo Holter (mais difícil). A cardioestimulação transesofágica pode ser útil no diagnóstico e na reversão, bem como o Estudo Eletrofisiológico.

O ECG pode não apresentar onda P, devido à ativação atrial ser quase simultânea à ventricular, ou apresentar onda P retrógrada muito próxima ao QRS, habitualmente menos de 70 ms de intervalo RP'. O QRS geralmente é estreito e regular.

Exceção à regra é a Reentrada Nodal atípica (Figura 41.3), na qual o estímulo desce pela via rápida e sobe pela lenta, gerando intervalo RP' maior que o P'R e eixo negativo de P em derivações inferiores. Felizmente esta forma de apresentação é bem infrequente, pois facilmente pode ser confundida com outras taquicardias supraventriculares (Figura 41.4).

Tratamento

A crise normalmente é hemodinamicamente bem tolerada, salvo se houver doença cardíaca estrutural ou condições patológicas associadas. O paciente pode ser orientado a realizar manobras vagais para abortar a crise mesmo fora do ambiente hospitalar. Caso haja instabilidade, a conduta é Cardioversão Elétrica Sincronizada. Se estável, na falha da manobra vagal, pode ser administrada adenosina endovenosa rápida na dose de 6 mg, podendo ser administradas mais duas doses de 12 mg. Outras drogas dos grupos II e IV podem ser usadas, inclusive em longo prazo, para profilaxia de crises, porém, drogas do grupo Ib devem ser evitadas. A ablação por radiofrequência tem potencial curativo e é alternativa terapêutica de escolha para crises repetidas, especialmente em pacientes muito sintomáticos.

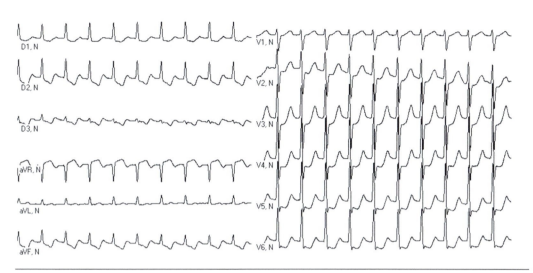

Figura 41.3 ECG de TRN atípica. Notar RP'>P'R e onda P característica, fortemente negativa em D2, D3 e aVF.
Fonte: Adaptado de Lopes AC, Pachón JC, Pachón EI, et al. Arritmias cardíacas. Série Clínica Médica Ciência e Arte. São Paulo: Atheneu; 2004.

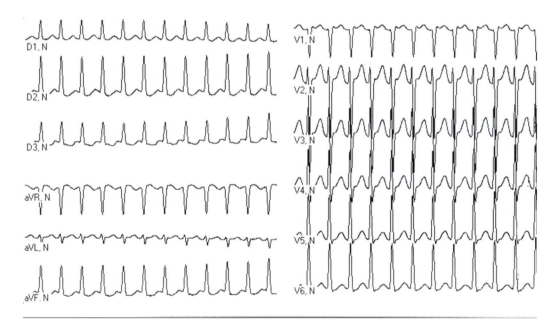

Figura 41.4 ECG de Taquicardia por reentrada nodal. Notar P retrógrada, melhor visualizada em V1, formando um "pseudo R", com intervalo RP'<70 ms e QRS estreito e regular.
Fonte: Adaptada de Lopes AC, Pachón JC, Pachón EI, et al. Arritmias cardíacas. Série Clínica Médica Ciência e Arte. São Paulo: Atheneu; 2004.

- **Taquicardia por reentrada atrioventricular de condução apenas retrógrada**

Trata-se do segundo tipo mais comum de taquicardia paroxística supraventricular, responsável por 30% dos casos (ver Figura 41.5). O substrato de reentrada é um feixe acessório atrioventricular, que não conduz anterogradamente, ou seja, a taquicardia é necessariamente ortodrômica – o estímulo desce pelas vias normais e sobe pela via anômala.

Manifestações clínicas

O ECG de base em ritmo sinusal não apresenta alterações. Na crise, o registro pelo ECG é de taquicardia de QRS estreito, onda P com eixo superior e geralmente com intervalo RP' menor que o intervalo P'R, mas superior a 70 ms, que a diferencia da reentrada nodal. Nesses casos, é comum o quadro clínico de taquicardia paroxística.

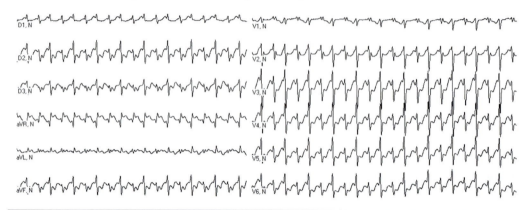

Figura 41.5 Taquicardia ortodrômica por reentrada atrioventricular. O impulso segue anterogradamente pelo feixe de His e retrogradamente pelo feixe anômalo, gerando onda P negativa e o intervalo RP' menor que o intervalo P'R, mas superior a 70 ms, ao contrário da reentrada nodal típica. Note como a onda P está mais afastada do QRS do que no traçado da Reentrada Nodal Típica.

Fonte: Adaptada de Lopes AC, Pachón JC, Pachón EI, *et al*. Arritmias cardíacas. Série Clínica Médica Ciência e Arte. São Paulo: Atheneu; 2004.

Quando esse mesmo feixe tem condução lenta, pode gerar taquicardia com intervalo RP' maior que o intervalo P'R. Nessa situação, o retardo sofrido pela despolarização no feixe permite a repolarização completa dos átrios, nó AV e feixe de His, o que facilita sua perpetuação. Esta é a chamada Taquicardia de Coumel (ver Figura 41.6), que normalmente se inicia na infância, não apresenta frequência cardíaca muito elevada, porém, por ser incessante, pode levar a quadro de taquicardiomiopatia.

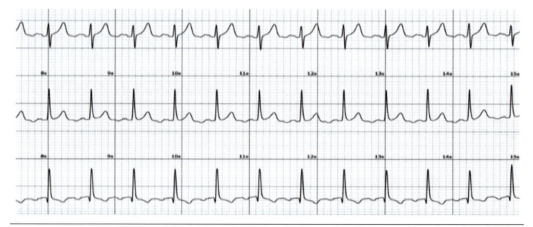

Figura 41.6 Registro de Taquicardia de Coumel pelo Web-Looper. Notar a Frequência Cardíaca não muito elevada (pouco maior que 100 bpm), a onda P com eixo superior e o intervalo RP' maior que o intervalo P'R, evidenciando a condução lenta.

Fonte: Adaptada de Lopes AC, Pachón JC, Pachón EI, *et al*. Arritmias cardíacas. Série Clínica Médica Ciência e Arte. São Paulo: Atheneu; 2004.

Tratamento

Para a crise aguda, pode-se tentar a manobra vagal inicialmente. Na falha desta, o uso de adenosina, diltiazem, verapamil ou betabloqueadores podem ser tentados, porém devem-se levar em conta os riscos de bradicardia após a reversão e estar preparado para corrigi-la imediatamente. A cardioversão elétrica sincronizada é utilizada na instabilidade hemodinâmica ou na falha das demais medidas. Para o controle definitivo, a ablação por radiofrequência é padrão ouro. Caso haja contraindicação à ablação ou recusa pelo paciente, podem ser utilizados os betabloqueadores, os bloqueadores de cálcio ou mesmo a propafenona.

• Pré-excitação ventricular

Alguns feixes atrioventriculares anômalos apresentam condução anterógrada, ao contrário das taquicardias apresentadas na seção anterior. Os chamados feixes de Kent conectam as câmaras atrial e ventricular e apresentam essa característica de condução (ver Figura 41.7). A manifestação eletrocardiográfica clássica desse fenômeno é a presença da onda delta, que demonstra a despolarização ventricular ocorrendo pela via anômala.

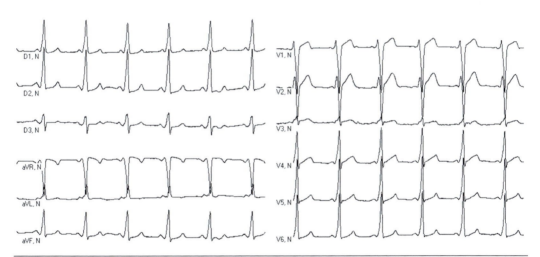

Figura 41.7 O empastamento inicial do QRS neste ECG é a onda Delta, que é a evidência objetiva de pré-excitação ventricular anterógrada através de um feixe anômalo. Notar também o espaço PR curto, que ocorre devido à passagem do impulso elétrico dos átrios para os ventrículos sem o retardo do nó átrio ventricular.

Fonte: Adaptada de Lopes AC, Pachón JC, Pachón El, et al. Arritmias cardíacas. Série Clínica Médica Ciência e Arte. São Paulo: Atheneu; 2004.

Manifestações clínicas

A pré-excitação ventricular pode acontecer sem nenhuma manifestação clínica e/ou taquicardia registrada. Nesses casos, a única evidência é a onda delta e o espaço PR curto. Quando existe pré-excitação com taquicardia e/ou palpitação, caracteriza-se a Síndrome de Wolff-Parkinson-White (WPW). Além de palpitações, esta síndrome pode ser acompanhada de síncopes ou mesmo morte súbita, a depender das características de condução do feixe.

As arritmias no WPW podem ser mediadas pelo feixe (reentrada ortodrômica ou antidrômica clássica) ou conduzidas pelo mesmo (por exemplo, Fibrilação Atrial conduzindo para os ventrículos pelo feixe anômalo). As arritmias conduzidas são especialmente perigosas ao se perder a proteção que o nó AV normalmente confere aos ventrículos "filtrando" a atividade elétrica atrial rápida.

Os feixes de Kent diferem entre si quanto a seus períodos refratários e velocidade de condução, de modo que existem feixes que representam risco significativo de morte súbita e outros de baixo risco. Dessa forma, alguma estratificação de risco se impõe obrigatoriamente em todo paciente com pré-excitação ventricular ao ECG, mesmo quando assintomático.

Estratificação de risco

Segundo as diretrizes da American Heart Association, a estratificação dos pacientes assintomáticos incluiu exames não invasivos, tais como o Teste Ergométrico, no qual se pode, algumas vezes, determinar o ponto de bloqueio de condução pelo feixe (um indicador de risco) (ver Figura 41.8).

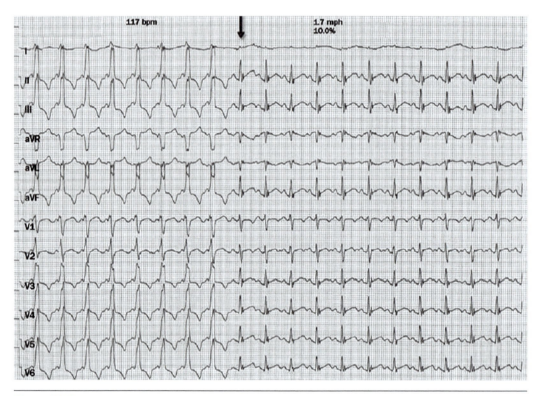

Figura 41.8 Teste ergométrico de paciente com Wolff Parkinson White, demonstrando a perda súbita e completa da pré-excitação, que é o único tipo de normalização do QRS fidedigno para estratificar o ponto de bloqueio de condução do feixe. Normalizações progressivas podem representar fusão, devido à facilitação da condução AV pelo tônus adrenérgico.

Fonte: Adaptada de Lopes AC, Pachón JC, Pachón EI, et al. Arritmias cardíacas. Série Clínica Médica Ciência e Arte. São Paulo: Atheneu; 2004.

O uso do Estudo Eletrofisiológico para estratificação é considerado razoável pela diretriz (Classe IIa) em pacientes assintomáticos e é indicado (Classe I) especialmente nos casos sintomáticos. A habilidade de produzir taquicardias sustentadas, o intervalo R-R curto durante FA induzida no estudo, o período refratário da via anômala < 240 ms e a presença de mais de um feixe são todos marcadores de risco. Para pacientes que exercem profissões de alto risco pessoal ou de cuja segurança dependam várias pessoas (p. ex.: piloto de avião), bem como esportistas profissionais, opta-se mais frequentemente pela abordagem invasiva, pelo risco adicional que a presença do feixe representa.

Pacientes adultos assintomáticos com pré-excitação ao ECG e estratificação não invasiva de baixo risco podem, alternativamente, ser observados clinicamente, de acordo com a diretriz, devido ao baixo risco de morte súbita nesta população.

Tratamento

Na crise aguda de taquicardia, se esta for ortodrômica (desce por vias normais, QRS a princípio estreito), manobras vagais podem ser inicialmente empregadas e, na falha destas, adenosina. Há uma pequena chance de indução de Fibrilação Atrial com essa medicação e, nos pacientes com feixe anterógrado, de ocorrer uma situação de maior risco nestes casos (ver Figura 41.9). Caso não se consiga a reversão, há evidência limitada de sucesso com uso EV de betabloqueadores e bloqueadores dos canais de cálcio. Se em qualquer momento houver instabilidade clínica ou se houver falha no tratamento acima descrito, recomenda-se cardioversão elétrica sincronizada.

No caso de FA pré-excitada, o uso de bloqueadores dos canais de cálcio, amiodarona e betabloqueadores podem produzir hipotensão e elevar secundariamente a resposta ventricular, bem como dificultar a inibição competitiva pelas vias normais, por desacelerar a condução pelo nó AV. A digoxina reduz diretamente a refratariedade do nó AV, sendo especialmente perigosa nesta situação. O uso de Ibutilide ou procainamida intravenosas são as medicações de escolha, pois, além de seguras, podem não apenas melhorar a condução AV, como reverter diretamente a fibrilação atrial, porém, essas drogas não estão disponíveis no Brasil. Outra opção é a cardioversão elétrica sincronizada, especialmente no paciente instável.

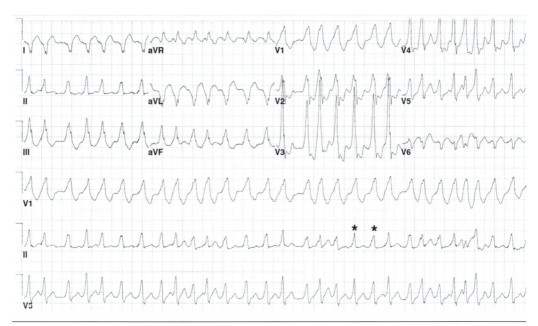

Figura 41.9 Exemplo de fibrilação atrial pré-excitada. Há onda delta nos complexos QRS e irregularidade R-R. Situação de alto risco, especialmente se o período refratário do feixe for reduzido.

Fonte: Adaptada de Lopes AC, Pachón JC, Pachón EI, et al. Arritmias cardíacas. Série Clínica Médica Ciência e Arte. São Paulo: Atheneu; 2004.

Em relação ao tratamento de longo prazo, o padrão ouro para controle das arritmias nessa população é a eliminação do feixe anômalo através da ablação por radiofrequência. Esta pode ser realizada na mesma oportunidade do Estudo Eletrofisiológico para estratificação de risco, principalmente se a posição do feixe for longe do sistema de condução. Optando-se por essa abordagem, é possível não apenas eliminar os riscos associados à presença da via anômala, como resolver eventuais problemas em exames admissionais.

Para pacientes que preferirem o tratamento clínico ou mesmo aqueles de muito baixo risco pela estratificação, podem ser utilizadas medicações, tais como a propafenona, os beta-bloqueadores, o sotalol, a amiodarona e o diltiazem.

• Taquicardia atrial

São assim definidas as taquicardias não sinusais originadas nos átrios. Podem ser classificadas como Focais ou Multifocais, de acordo com a quantidade de sítios de origem. O mecanismo da arritmia pode ser por reentrada, automatismo ou atividade deflagrada, embora seja difícil discriminar isto apenas com o ECG de superfície. É comumente associada com doença estrutural atrial por consequência de hipertensão, valvopatia (especialmente mitral), cirurgias cardíacas prévias, Doença Pulmonar Obstrutiva Crônica, miocardite, entre outras condições. Flutter e fibrilação atriais são arritmias atriais, mas serão discutidas em capítulo próprio deste livro.

Taquicardias atriais focais

Manifestam uma morfologia única de onda P, diferente da sinusal, cujo achado eletrocardiográfico sugere foco único da arritmia (ver Figura 41.10). Pode ocorrer em forma não sustentada e assintomática, bem como pode gerar insuficiência cardíaca por taquicardiomiopatia na sua forma incessante, até mesmo em crianças.

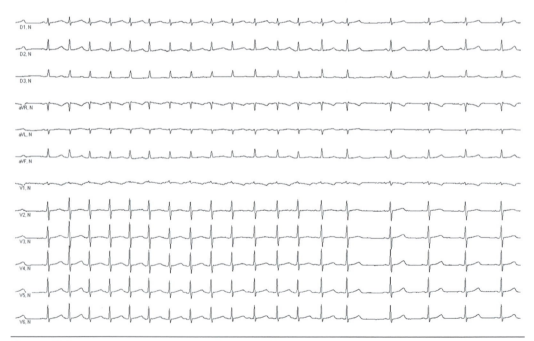

Figura 41.10 Exemplo de Taquicardia Atrial Focal. No início do traçado, há taquicardia com apenas uma morfologia de onda P. Os últimos quatro batimentos são sinusais (houve reversão espontânea da arritmia). Note a diferença de amplitude e eixo da onda P durante a taquicardia e o ritmo sinusal.

Fonte: Adaptada de Lopes AC, Pachón JC, Pachón EI, et al. Arritmias cardíacas. Série Clínica Médica Ciência e Arte. São Paulo: Atheneu; 2004.

Tratamento das taquicardias atriais focais

Como sempre, se houver instabilidade hemodinâmica atribuível à arritmia, o tratamento é a Cardioversão Elétrica, que, no caso das TAs, deve ser sincronizada. Para a crise aguda em paciente estável, podem ser usados os betabloqueadores, que têm potencial de reverter a arritmia, especialmente se for automática, ou ao menos ajuda a controlar a frequência cardíaca. A amiodarona é outra opção, mais desejável no caso de disfunção ventricular que o betabloqueador intravenoso. A adenosina pode eventualmente reverter alguns tipos de arritmia atrial e é utilizada em algumas situações em que o diagnóstico não é claro, para facilitar a visualização das ondas "P" no ECG de superfície.

No tratamento crônico desta condição, a ablação por radiofrequência é alternativa bastante útil, especialmente nos casos em que a arritmia é frequente, e ainda mais nos casos extremos em que se desenvolve a taquicardiomiopatia por taquicardia atrial incessante. Caso se opte pelo tratamento medicamentoso, podem ser utilizados os betabloqueadores, a propafenona, o diltiazem ou mesmo o sotalol e a amiodarona. Em algumas situações, a combinação de mais de um antiarrítmico pode ser necessária.

Taquicardia atrial multifocal

É definida eletrocardiograficamente como um ritmo atrial não sinusal com três ou mais morfologias distintas na mesma derivação (ver Figura 41.11). Existe diferença no intervalo entre as ondas P, e o intervalo PR também varia entre os batimentos. Essa arritmia está intimamente ligada às causas secundárias listadas no início desta seção, mais do que a taquicardia atrial focal ou a fibrilação atrial.

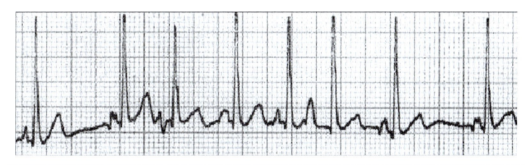

Figura 41.11 Exemplo de Taquicardia Atrial Multifocal. Na mesma derivação há pelo menos três morfologias distintas de onda P, com variação do PR, sugerindo não haver um foco atrial único dominante.

Fonte: Adaptada de Lopes AC, Pachón JC, Pachón EI, et al. Arritmias cardíacas. Série Clínica Médica Ciência e Arte. São Paulo: Atheneu; 2004.

Tratamento das taquicardias atriais focais

Essa arritmia não responde bem à cardioversão elétrica. A medida mais eficiente é tentar corrigir as causas secundárias quando possível. Em relação a medicações, muitas vezes estas são ineficazes para o controle do ritmo e acabam sendo usadas para controle da frequência cardíaca. Dentre as drogas utilizadas estão o verapamil, o diltiazem, os betabloqueadores e a amiodarona.

• TAQUICARDIA SINUSAL INAPROPRIADA

Trata-se de uma taquicardia de origem sinusal, ou seja, sem anormalidades no eixo da onda P ao eletrocardiograma, que é desproporcional às demandas fisiológicas do organismo naquele momento e que não é causada por uma condição clínica subjacente identificável.

360 Guia Prático de Cardiologia

Para validar esse diagnóstico é necessária a presença de sintomas, tais como fadiga, palpitação e cansaço. A causa dessa arritmia não é bem esclarecida, teorizam-se mecanismos de disautonomia, falha na regulação neuro-hormonal e aumento do automatismo intrínseco do nó sinusal.

O diagnóstico diferencial dessa arritmia é extenso e inclui taquicardia secundária a hipertireoidismo, febre, anemia, dor, infecções, ansiedade, taquicardias atriais de origem próxima ao nó sinusal e outras causas. Este é um diagnóstico essencialmente de exclusão, portanto a investigação clínica deve ser minuciosa.

Tratamento

A redução da frequência cardíaca com medicações não necessariamente traz melhora dos sintomas para o paciente. O uso de betabloqueadores e bloqueadores de cálcio nem sempre traz benefício e pode ser mal tolerado. A ivabradina é uma medicação com ação seletiva no nó sinusal, através da sua ação nos canais "If", e foi estudada como medida adicional para o tratamento de insuficiência cardíaca. Está em estudo para o tratamento da Taquicardia Sinusal Inapropriada, mas ainda sem dados concretos publicados.

Há relatos de ablação do nó sinusal, através da identificação do ponto de ativação mais precoce do mesmo e ablação daquela porção, o que, naturalmente, acarreta um alto risco de bloqueio sinusal e da necessidade de marca-passo. Além disso, muitos dos pacientes submetidos a esse procedimento se encontram novamente sintomáticos após alguns meses.

• Referências

1. Libby P, Bonow RO, Mann DL, Zipes DP, et al. Braunwuald: tratado de doenças cardiovasculares. 8 ed. Rio de Janeiro: Elsevier; 2010.
2. Lopes AC, Pachón JC, Pachón EI, et al. Arritmias cardíacas. Série Clínica Médica Ciência e Arte. São Paulo: Atheneu; 2004.
3. Page RL, Joglar JA, Caldwell MA, et al. 2015 ACC/AHA/HRS Guideline for the Management of Adult Patients With Supraventricular Tachycardia. Circulation 2016;133(14):e506-74.
4. Zipes DP, Jalife J. Cardiac electrophysiology: from cell to bedside. 6th ed. Philadelphia: Elsevier; 2014.
5. Washington Heart Hhytthm Associates. http://www.washingtonhra.com/ arrhythmias/ av-nodal-reentrant-tachycardia-avnrt.php. [Acessado em 27/04/2016]
6. The mechanisms of reentry. http://ecgguru.com/ecg/supraventricular-tachycardia. [Acessado em 27/04/2016].

Fibrilação e Flutter

• Introdução

Fibrilação e Flutter Atriais são taquiarritmias supraventriculares de origem nos átrios com características especiais. Embora, na maioria dos casos, não haja risco imediato de morte com o aparecimento dessas arritmias, a morbidade associada às mesmas é bastante grande, em particular o risco de formação de trombos intra-atriais e fenômenos embólicos subsequentes. Devido às peculiaridades na condução de pacientes portadores dessas arritmias, dedica-se capítulo separado das demais arritmias supraventriculares.

• Fibrilação atrial

Nesta arritmia, há desorganização elétrica dos átrios, não havendo uma contração efetiva dos mesmos. Essa grande quantidade de impulsos elétricos viajando pelos átrios eventualmente atinge o nó AV, de cuja filtragem depende a resposta ventricular que, portanto, é bem variável em termos de Frequência Cardíaca, mas sempre é irregular, com exceção dos casos em que há Bloqueio Atrioventricular Total associado.

O eletrocardiograma na Fibrilação Atrial apresenta, portanto, irregularidade do intervalo R-R e "tremor" da linha de base, representando a falta de uma atividade organizada e sincrônica dos átrios.

Epidemiologia

Pelo menos 1% da população dos Estados Unidos é portadora de Fibrilação Atrial. Esta arritmia é a que mais causa hospitalizações; cerca de 33% das internações relacionadas a arritmias são por Fibrilação Atrial. A incidência dessa arritmia em homens é pouco maior que em mulheres e aumenta substancialmente com a idade, sendo que, acima dos 80 anos, o risco de desenvolvê-la é de 1,5% ao ano em mulheres e 2% ao ano em homens.

A mortalidade dobra nos pacientes com essa arritmia. Como será explicado adiante, a Fibrilação Atrial está associada ao Acidente Vascular Cerebral. O risco se eleva em cinco vezes em relação à população em geral.

Fatores de risco

Diversos fatores de risco podem levar, isoladamente ou em conjunto, à Fibrilação Atrial. Muitos desses fatores são modificáveis e tratáveis, de modo que seu reconhecimento apresenta interesse clínico direto. Uma causa completamente reversível e relativamente comum é o hipertireoidismo. Doenças valvares mitrais, especialmente a Estenose Mitral, têm a Fibrilação Atrial como parte da sua história natural, tanto que o surgimento dessa arritmia pode inclusive servir de critério a favor de intervenção cirúrgica em casos moderados a graves. A Hipertensão Arterial Sistêmica é outra doença que, embora de modo menos direto que a estenose mitral, leva à sobrecarga atrial esquerda, o que gera também Fibrilação Atrial. Na verdade, disfunções diastólicas de qualquer origem, inclusive secundária à hipertensão, podem servir de substrato indireto para a Fibrilação Atrial, por dificultar a ejeção de volume para a cavidade ventricular. Um modelo dessa fisiopatologia é a Miocardiopatia Hipertrófica, na qual a Fibrilação Atrial é particularmente deletéria, tendo em vista especial importância hemodinâmica do débito atrial para o enchimento ventricular nesses pacientes. A Insuficiência Cardíaca de qualquer causa pode ser o substrato, bem como a doença isquêmica do coração. A obesidade é outro fator de risco, inclusive havendo correlação entre o Índice de Massa Corporal e o volume atrial esquerdo. Condições inflamatórias do coração, tais como pós-operatório, pericardite ou inflamação por doenças reumáticas podem causar episódios agudos de Fibrilação Atrial, que podem ser resolvidos com a remoção do insulto inflamatório. Outros fatores modificáveis incluem Apneia do Sono, consumo de álcool, tabagismo, Doença do Refluxo Gastro-esofágico e *Diabetes Mellitus*.

Há fatores de risco não modificáveis também. Uma das associações mais relevantes é o aumento da idade com o aumento da prevalência dessa arritmia. Outro fator é a genética, sendo identificáveis formas de Fibrilação Atrial familiar em adultos jovens sem outros fatores de risco. A presença de cicatrizes de cirurgias cardíacas prévias pode servir de substrato para essa arritmia também.

Manifestações clínicas

A presença de Fibrilação Atrial tem consequências hemodinâmicas consideráveis, a começar pela perda da contribuição atrial para o débito cardíaco, habitualmente em torno de 20% a 30%. Isto é especialmente deletério na disfunção diastólica de qualquer natureza, por exemplo nas cardiomiopatias hipertrófica e hipertensiva, nas quais o enchimento ventricular é mais dependente da contração atrial do que na população em geral.

A clínica do paciente vai depender, também, da resposta ventricular. O nó AV serve como "filtro" dos impulsos elétricos gerados no átrio, não permitindo que todos eles alcancem os ventrículos, protegendo o paciente, deste modo, da morte súbita. Respostas ventriculares muito rápidas ou muito lentas podem gerar manifestações clínicas de descompensação de insuficiência cardíaca, palpitação, baixo débito, dispneia ou, mais raramente, síncope, por exemplo. Em pacientes com pouca ou nenhuma disfunção ventricular e resposta ventricular próxima de uma faixa de frequência cardíaca normal, o início da Fibrilação Atrial pode nem sequer ser percebido pelo paciente, situação na qual o diagnóstico frequentemente é feito em exames clínicos ou ECG de rotina.

Seguindo ainda o raciocínio da resposta ventricular a essa arritmia, constata-se que os pacientes portadores de feixes anômalos de condução anterógrada (Wolff-Parkinson-White) estão especialmente sujeitos a consequências deletérias. Estes pacientes não possuem a proteção do nó AV contra a Fibrilação Atrial e, portanto, estão sujeitos a frequências ventriculares muito altas e até Fibrilação Ventricular, dependendo da refratariedade do feixe anômalo.

Além das consequências hemodinâmicas, uma das consequências mais temidas da Fibrilação Atrial são os fenômenos cardioembólicos. A estase sanguínea nos átrios durante a arritmia, particularmente na auriculeta esquerda, pode levar à formação de trombos intracavitários, responsáveis por tais fenômenos. Uma quantidade significativa de pacientes é diagnosticada com Fibrilação Atrial apenas quando é submetido a investigação de Acidente Vascular Cerebral Isquêmico de origem indeterminada. Tamanha é a importância desses fenômenos, que um dos fundamentos do tratamento dessa arritmia é a prevenção dos mesmos através do uso de anticoagulação nos pacientes elegíveis para tal terapia, conforme será visto adiante.

Diagnóstico

Embora as manifestações clínicas acima descritas sugiram o diagnóstico de arritmia, a confirmação de que se trata de Fibrilação Atrial vem do eletrocardiograma (ver Figura 42.1). Nele, não se veem ondas P, mas sim uma irregularidade da linha de base, com variabilidade do intervalo R-R, exceto no caso de associação com bloqueio atrioventricular total, quando o escape ventricular é regular e lento. O QRS, via de regra, é estreito, exceto se houver outros problemas associados. Em pacientes com Fibrilação Atrial paroxística, o eletrocardiograma entre as crises pode ser normal, podendo ser necessário buscar o registro da arritmia com Holter.

A resposta ventricular varia de acordo com a condução átrio-ventricular do paciente, podendo se apresentar como taqui ou bradiarritmia, ou mesmo ter frequência cardíaca dentro da faixa normal, situação mais comum em pacientes já medicados ou em arritmias de longa duração.

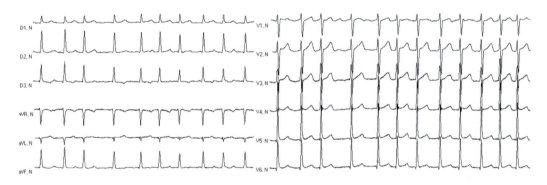

Figura 42.1 Eletrocardiograma de fibrilação atrial. Notar a ausência da onda P e a irregularidade do intervalo R-R. Neste exemplo, há momentos de frequência cardíaca acima de 100 bpm.

Fonte: Adaptada de Lopes AC, Pachón JC, Pachón EI, et al. Arritmias cardíacas. Série Clínica Médica Ciência e Arte. São Paulo: Atheneu; 2004.

Classificação e terminologia em Fibrilação Atrial

As diretrizes aceitam de modo mais ou menos uniforme a seguinte classificação para a Fibrilação Atrial (Tabela 42.1).

Tabela 42.1 Classificação da FA conforme a duração

Paroxística	Episódios de FA com duração menor do que 7 dias
Persistente	Duração da arritmia por mais de 7 dias
Persistente de longa duração	FA se sustenta por mais de 1 ano
Permanente	Quando o clínico e o paciente tomaram uma decisão conjunta de não mais tentar estratégia alguma para retornar ao ritmo sinusal.

Siglas utilizadas: FA = Fibrilação Atrial.

Fonte: Zimerman LI, Fenelon G, Martinelli Filho M, Grupi C, Atié J, Lorga Filho A, e cols. Sociedade Brasileira de Cardiologia. Diretrizes Brasileiras de Fibrilação Atrial. Arq Bras Cardiol 2009;92(6 supl.1):1-39.

364 Guia Prático de Cardiologia

Essa classificação com base na duração ainda deve ser complementada de acordo com o início do episódio atual ter ocorrido há mais ou menos do que 48 horas ou ainda de início indeterminado, dados que têm profundo impacto na decisão sobre a cardioversão química ou elétrica.

Além disso, a Fibrilação Atrial pode ser classificada como Valvular e Não Valvular, de acordo com a presença ou não de doença valvar mitral ativa significante e/ou prótese ou plastia valvar mitral.

Classificar o paciente em relação ao seu risco de tromboembolismo é obrigatório, tendo em vista a carga de morbidade que pode ser reduzida com a prevenção desse fenômeno. A classificação mais atual é a chamada CHA2DS2VASc, que é um acrônimo em inglês com os fatores de risco para tromboembolismo, cada qual somando um ponto na categoria de risco, exceto aqueles que são seguidos pelo número 2 (idade ≥ 75 anos e fenômeno tromboembólico prévio, que contam 2 pontos cada), como vemos na Tabela 42.2.

Tabela 42.2 Escore de Risco CHA2DS2VASc.

Fator de risco	Pontuação
Congestive Heart Failure (Insuficiência Cardíaca Congestiva)	1
Hipertensão	1
Age ≥ 75 years (Idade ≥ 75 anos)	2
Diabetes Mellitus	1
Stroke AVC Isquêmico/AIT/Tromboembolismo	2
Vascular disease Vasculopatia (IAM prévio, DAOP, Placa Aórtica)	1
Age 65-74 years Idade 65-74 anos	1
Sexo Feminino	1

Este escore auxilia na decisão de anticoagular ou não. Uma pontuação maior ou igual a dois favorece o uso de anticoagulantes, ao passo que, se o escore é zero, o uso de anticoagulantes pode trazer mais risco que benefício. Com escore de um, pode se optar por dar aspirina ou mesmo omitir anticoagulação.

Siglas Utilizadas: AVC = Acidente Vascular Cerebral; AIT = Ataque Isquêmico Transitório; IAM = Infarto Agudo do Miocárdio; DAOP = Doença Arterial Obstrutiva Periférica.

Fonte: Zimerman LI, Fenelon G, Martinelli Filho M, Grupi C, Atié J, Lorga Filho A, e cols. Sociedade Brasileira de Cardiologia. Diretrizes Brasileiras de Fibrilação Atrial. Arq Bras Cardiol 2009;92(6 supl.1):1-39.

Tratamento imediato

O tratamento imediato dessa arritmia, relevante especialmente quando em contexto de atendimento em setor de Emergência de um hospital, leva em consideração inicialmente se há instabilidade hemodinâmica atribuível à arritmia. Seguem-se os passos iniciais e os critérios recomendados pelo ACLS para qualquer arritmia. Havendo instabilidade hemodinâmica, o tratamento é de cardioversão elétrica sincronizada imediata. Exceção a esta regra é se a instabilidade for causada por baixa resposta ventricular, contexto no qual pode ser necessário o uso de marca-passo provisório.

Fora desse contexto, para a reversão da arritmia, sempre é necessária a consideração do risco tromboembólico do paciente. Arritmias com menos de 48 horas normalmente não acarretam risco maior de tromboembolismo e podem ser imediatamente revertidas. Nesse contexto, se o paciente tiver um escore CHA2DS2VASc elevado, deve-se administrar heparina não fracionada, heparina de baixo peso molecular ou inibidor do fator Xa antes ou logo depois da cardioversão, seguida de anticoagulação a longo prazo. Já para pacientes com CHA2DS2VASc baixo, pode-se considerar apenas o uso de anticoagulante na hora da cardioversão, sem seguir com anticoagulação a longo prazo.

Para pacientes com arritmia já há mais de 48 horas ou de início indeterminado, é necessário descartar o risco de tromboembolismo. Isto pode ser feito de duas maneiras: a primeira delas é a anticoagulação com varfarina ou algum dos novos anticoagulantes orais por três semanas antes e quatro semanas depois da cardioversão, a outra é o uso de ecocardiograma transesofágico para descartar a presença de trombo em átrio esquerdo e permitir, caso realmente se constate a ausência de trombos, a cardioversão imediata. Mesmo que o ecocardiograma transesofágico permita a cardioversão imediata, o paciente ainda assim deve ser anticoagulado por mais quatro semanas após a mesma. A anticoagulação além das quatro semanas para esse grupo é baseada no CHA2DS2VASc do paciente.

É claro que as recomendações acima expostas partem do pressuposto de que a cardioversão é uma boa opção para o paciente, o que em alguns casos pode não ser verdade. O paciente pode ser portador de Fibrilação Atrial considerada permanente, seja por múltiplas tentativas no passado de controle com ritmo sinusal e/ou por doença estrutural (valvopatia mitral grave atual ou passada, átrios muito grandes etc.). Para esses pacientes, habitualmente uma estratégia de controle de frequência cardíaca para controle de sintomas é a opção utilizada em setores de Emergência, se necessário.

Uma vez indicada a cardioversão e escolhido o momento apropriado para a sua realização, de acordo com a estabilidade hemodinâmica e o risco tromboembólico, o método da reversão deve ser escolhido. A cardioversão elétrica sincronizada pode ser realizada com segurança, desde que o paciente seja orientado a respeito e que se realize sedação e monitorização adequadas para o procedimento. Alguns estudos sugerem que a posição anteroposterior das pás pode contribuir para uma taxa maior de sucesso e obtenção de uma menor energia efetiva de cardioversão, embora a literatura a este respeito não seja unânime. A quantidade de energia necessária depende da impedância torácica, do grau de desorganização da arritmia, entre outros fatores. Normalmente são tentadas cargas entre 150 a 200 Joules no modo bifásico. Pode ser tentada mais de uma cardioversão se houver insucesso da tentativa inicial, porém, se o paciente sair da Fibrilação Atrial e não sustentar por muito tempo o ritmo sinusal após a cardioversão, pode ser benéfico o uso de antiarrítmicos antes de nova tentativa, para estabilizar a condução e aumentar a chance de sucesso da cardioversão elétrica ou eventualmente reverter apenas com o uso das drogas.

A outra opção é a cardioversão química. Dentre as drogas mais eficientes, temos a Flecainida, Ibutilide, Dofetilide (não disponíveis no Brasil), Propafenona e Amiodarona. Estas duas drogas, disponíveis em nosso meio, são eficientes tanto para a reversão quanto para a manutenção do ritmo sinusal. No caso da propafenona, caso a reversão tenha sucesso em um ambiente monitorizado de hospital, pode-se ensinar o paciente a tomar esta medicação para a reversão em ambiente extra-hospitalar. Essa estratégia se chama "pill in the pocket" e normalmente se associa um betabloqueador ou bloqueador do canal de cálcio à propafenona, visto que a mesma pode acelerar a condução AV e, por conseguinte, a resposta ventricular, eventualmente piorando os sintomas da arritmia se ela não reverter. Lembrar que a propafenona é contraindicada em pacientes com disfunção ventricular. A título de conhecimento, a flecainida é outra droga que pode ser usada como "pill in the pocket", embora, como dito antes, não esteja disponível no nosso país. A amiodarona pode ser usada para a reversão tanto na forma oral quanto endovenosa, sendo a opção preferida para pacientes com disfunção ventricular.

Tratamento a longo prazo

Para pacientes sem uma apresentação aguda da arritmia, por exemplo aqueles que já têm a arritmia conhecida de longa data ou que foram diagnosticados assintomáticos em exames de rotina ou pós-cardioversão, é necessário definir uma estratégia de tratamento e, novamente, uma avaliação do risco de tromboembolismo e tratamento anticoagulante se indicado.

Um escore CHA2DS2VASc maior ou igual a dois indica anticoagulação. O anticoagulante pode ser varfarina ou inibidores diretos de trombina ou do fator Xa (p. ex.: dabigatran, rivaroxaban, apixaban), porém, se valvopatia significativa, especialmente se prótese metálica, ou nefropatia com Clearance de Creatinina abaixo de 30, a escolha deve ser a varfarina.

As filosofias básicas de tratamento da Fibrilação Atrial são o controle de ritmo e o controle de frequência cardíaca. Estudos mais antigos consideravam essas estratégias como comparáveis em termos de desfecho clínico, porém é natural que, com a evolução do tratamento, o controle do ritmo ganhe preferência, visto que a redução do risco tromboembólico e a contribuição hemodinâmica da contração atrial no ritmo sinusal são absolutamente desejáveis em qualquer paciente.

Para o controle de ritmo, a primeira consideração a ser feita é se há fatores de risco modificáveis para a fibrilação atrial. O controle destes fatores é fundamental para a obtenção de um ritmo sinusal pelo maior período possível. O uso de antiarrítmicos para o controle de ritmo é bastante útil, podendo ser utilizados sotalol, amiodarona e propafenona, além de associar betabloqueadores a essas drogas. Outras opções, como a flecainida, não estão disponíveis no Brasil.

A ablação por cateter é uma ferramenta importante no controle de ritmo. Esta técnica é especialmente benéfica em pacientes com fibrilação atrial paroxística recorrente, sintomática e sem alteração estrutural muito avançada, podendo ser considerada como terapia de primeira linha para esse grupo de pacientes, de acordo com as diretrizes americanas. Para pacientes com fibrilação atrial paroxística, mas que sejam pouco sintomáticos, ou mesmo em pacientes com fibrilação atrial persistente, essas diretrizes recomendam a tentativa de pelo menos uma droga antiarrítmica classe I ou III antes da ablação.

As regiões abordadas nos átrios durante a ablação por cateter podem ter variações de acordo com a técnica, mas o que é minimamente realizado é o isolamento elétrico das veias pulmonares, utilizando-se um cateter circular para registrar os potenciais da transição veno-atrial e a sua eliminação no decorrer da ablação. Para isto, é necessário o acesso ao átrio esquerdo para manipulação dos cateteres, conseguida com uma ou duas punções trans-septais, dependendo da técnica. Abordagens mais extensas da fibrilação atrial podem incluir linhas de ablação no espaço septal dos dois lados, na veia cava superior, *crista terminalis* e istmo cavo-tricuspídeo (este último especialmente se houver flutter atrial registrado clinicamente) (Figuras 42.2 e 42.3).

O controle de frequência é conseguido através de medicações, tais como amiodarona, sotalol, betabloqueadores, bloqueadores dos canais de cálcio e digoxina (esta última mais útil para controle em repouso apenas). Nos raros casos em que o controle de frequência cardíaca não é conseguido através das medicações, após tentar várias classes e suas combinações, pode ser realizada a ablação do nó atrioventricular, com implante de marca-passo no mesmo procedimento ou antes. Claro que esse é um procedimento de exceção, quando a frequência cardíaca realmente é deletéria ao paciente e se esgotaram as outras terapias, pois, a partir desse momento, o paciente se torna totalmente dependente do marca-passo.

Fibrilação e Flutter   367

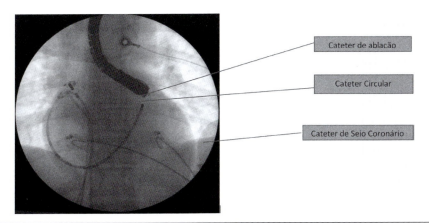

Figura 42.2 Radioscopia durante ablação de fibrilação atrial. Foto de radioscopia durante ablação de Fibrilação Atrial. O Cateter de seio coronário utilizado tem 20 polos e faz o mapeamento da parede lateral alta do átrio direito até a porção distal do seio coronário (mais próxima ao átrio esquerdo), permitindo um mapeamento da ativação atrial durante o procedimento. O Cateter Circular é colocado no antro das veias pulmonares, no caso, a Superior Direita, mapeando os potenciais da veia, que devem ser eliminados para se conseguir o seu isolamento elétrico. Para a sua eliminação, utiliza-se energia de radiofrequência, administrada através do Cateter de Ablação, no caso, um cateter irrigado. Acima, na figura, uma sonda de ecocardiograma transesofágico, que foi utilizada para guiar a punção transeptal. A sonda está desviada para o lado oposto da aplicação, afastando o esôfago e buscando minimizar os riscos de fístula átrio-esofágica.

Fonte: Imagem Gentilmente cedida pelo Serviço de Arritmias do HCor.

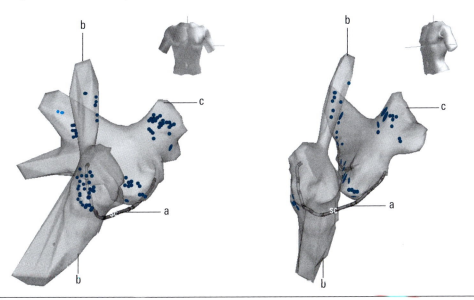

Figura 42.3 Mapeamento eletroanatômico durante a fibrilação atrial. Foto de mapeamento eletroanatômico realizado com o sistema NAVX™ da empresa St Jude Medical. O cateter utilizado como referência foi o de Seio Coronário (SC, (a)). Em (b), o Átrio Direito e, em (c), o Átrio Esquerdo. Os desenhos são obtidos através da movimentação de um dos cateteres pelos átrios, sendo os limites definidos ao tocarem na parede atrial. Em azul estão os pontos onde já foram realizadas aplicações de radiofrequência. Notar o isolamento ao redor das veias pulmonares, parede septal dos dois lados e na *Crista Terminalis*.

Fonte: Adaptada de Pachón M JC, Pachón M El, Santillana P, TG, *et al*. Simplified Method for Esophagus Protection During Radiofrequency Catheter Ablation of Atrial Fibrillation – Prospective Study of 704 Cases. Rev Bras Cir Cardiovasc. 2015 Mar-Apr; 30(2): 139–147.

• Flutter atrial

O motivo de se colocar o Flutter Atrial em conjunto com a Fibrilação Atrial no mesmo capítulo é que estas arritmias têm semelhanças no seu tratamento e no risco acarretado ao paciente, especialmente no tocante a tromboembolismo.

Essa arritmia é uma macrorreentrada de localização atrial, cuja localização do circuito pode dar origem às formas clínicas típica e atípica, conforme visto adiante. Obstáculos anatômicos naturais e cicatrizes podem formar o circuito dessas arritmias.

Existe uma relação entre cardiopatia estrutural e o Flutter Atrial. Qualquer condição que leve à dilatação das câmaras atriais pode levar a essa arritmia, muitas delas estão citadas na seção anterior. Intervenções cirúrgicas e lesões de outra natureza que produzam cicatrizes atriais podem também levar a esse quadro clínico.

Diagnóstico – Os sintomas que sugerem o flutter são altamente dependentes da resposta ventricular e função ventricular prévia e doenças associadas, tais como coronariopatias. Palpitações podem ocorrer, bem como dispneia, dor torácica e síncope.

O diagnóstico, assim como na Fibrilação Atrial, deve ser sempre comprovado com um eletrocardiograma (ver Figura 42.4). Os achados que sugerem o Flutter Atrial são ondas "F" denotando atividade atrial rápida, normalmente próxima de 300 batimentos por minuto, sem linha isoelétrica entre elas e regularidade do ritmo. A resposta ventricular pode apresentar uma relação fixa ou variável, sendo comuns respostas 2:1, ou seja, dois batimentos atriais para um ventricular.

O Flutter típico é aquele cujo circuito é dependente do istmo cavo-tricuspídeo e responde pela maioria dos casos desta arritmia. Conforme o sentido de propagação do impulso elétrico, a polaridade da onda F varia, gerando as formas comum e incomum do Flutter típico. Flutter Típico Comum apresenta ondas F negativas nas derivações inferiores e positivas em V1, representando um ciclo anti-horário da arritmia nos átrios. Ao contrário, no Flutter Típico Incomum, as ondas F serão positivas nas derivações inferiores e negativas em V1, ou seja, em ciclo horário no circuito da arritmia.

Flutter atípico é aquele em que o circuito se encontra fora do istmo cavo-tricuspídeo, por exemplo, em cicatrizes pós-cirúrgicas ou ao redor do anel mitral.

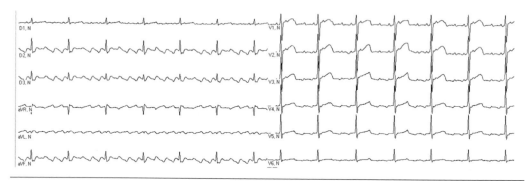

Figura 42.4 Eletrocardiograma de Flutter Atrial. Flutter atrial com condução AV fixa em 4:1 variável. Notar que a relação entre o número de ondas F entre cada complexo QRS nem sempre é o mesmo. Ondas F negativas nas derivações anteriores e positivas em V1 sugerem Flutter Atrial Típico Comum. O aspecto em "serrote" da linha de base, com ausência de linha isoelétrica entre as ondas F são diagnósticos de Flutter Atrial.

Fonte: Adaptada de Lopes AC, Pachón JC, Pachón EI, et al. Arritmias Cardíacas. Série Clínica Médica Ciência e Arte. São Paulo: Atheneu, 2004

Tratamento

O tratamento desta arritmia normalmente segue os mesmos cuidados com anticoagulação e risco de tromboembolismo da Fibrilação Atrial, tanto para o seguimento de longo prazo quanto para o tratamento nos episódios agudos. Do mesmo modo que todas as taquiarritmias supraventriculares, se houver instabilidade imediata atribuível à arritmia, o tratamento é cardioversão elétrica sincronizada. Para pacientes em que se deseja a reversão da arritmia, normalmente a cardioversão funciona melhor do que as opções farmacológicas, sendo necessária normalmente carga baixa, podendo se obter reversão com energias de 50 J muitas vezes se a impedância torácica for adequada, sendo possível se utilizar cargas maiores se houver insucesso. As medicações para reversão, embora não tão eficientes, podem ser tentadas, tais como a amiodarona. A propafenona é uma opção descrita, porém, como ela facilita a condução pelo nó AV, pode eventualmente transformar um flutter 3:1 ou 2:1 em 1:1, levando à instabilidade e necessidade de cardioversão, de modo que deve ser utilizada com muito critério. Para o controle de frequência cardíaca, as drogas que diminuem o automatismo cardíaco e/ou reduzem a condução do nó atrioventricular podem ser utilizadas, tais como betabloqueadores, bloqueadores dos canais de cálcio, digitálicos e a própria amiodarona.

Para a manutenção do ritmo sinusal, o controle dos fatores de risco para essa arritmia, quando factível, é de essencial importância. As medicações supracitadas podem ser utilizadas para este fim também. Existe a possibilidade de cura dessa arritmia com a ablação por radiofrequência. Um Flutter típico pode ser tratado com uma abordagem apenas do átrio esquerdo, através da realização de uma "linha de bloqueio" no istmo cavo-tricuspídeo, da face ventricular em direção à veia cava inferior, de modo a impossibilitar a propagação do estímulo elétrico pelo circuito da arritmia. Flutter atípico exige um mapeamento mais minucioso e, como o circuito pode estar à esquerda, uma abordagem mais complexa, com punção trans-septal para o átrio esquerdo.

Frequentemente Flutter e Fibrilação Atrial coexistem no mesmo paciente, de modo que é possível a ablação das duas arritmias no mesmo procedimento, se necessário for (ver Figura 42.5).

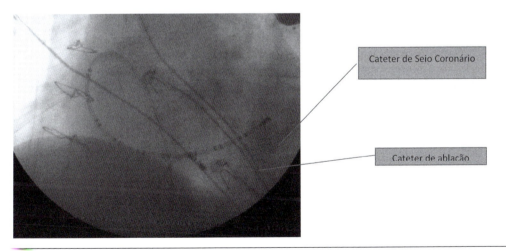

Figura 42.5 Radioscopia durante ablação de flutter atrial. Foto de radioscopia em posição oblíqua esquerda de ablação de Flutter Atrial. Cateter duodecapolar está mapeando a parede lateral do Átrio Direito e o Seio Coronário. Cateter de ablação está subindo pela veia cava inferior e se encontra posicionado no istmo cavo--tricuspídeo, mais voltado para a face ventricular. São feitas aplicações em direção à veia cava inferior de modo a produzir bloqueio de condução do circuito do flutter. Notar a esternorrafia do paciente.

Fonte: Gentilmente cedido pelo Serviço de Arritmia do HCor

• Referências

1. Libby P, Bonow RO, Mann DL, Zipes DP. Braunwuald: tratado de doenças cardiovasculares. 8 ed. Rio de Janeiro: Elsevier; 2010.
2. Lopes AC, Pachón JC, Pachón EI, et al. Arritmias cardíacas. Série Clínica Médica Ciência e Arte. São Paulo: Atheneu; 2004.
3. Zipes DP, Jalife J. Cardiac electrophysiology from cell to bedside. 6th ed. Philadelphia: Elsevier; 2014.
4. Myerburg RJ, Castellanos A. Electrode positioning for cardioversion of atrial fibrillation. Lancet 2002; 360 (9342): 1263-4.
5. Falk RH. Is rate control preferable to rhythm control in the majority of patients with atrial fibrillation. Circulation 2005; 111(23): 3141-50.
6. Zimerman LI, Fenelon G, Martinelli Filho M, et al. Diretrizes Brasileiras de Fibrilação Atrial. Arq Bras Cardiol 2009;92(6 Suppl I):1-39.
7. January CT, Wann LS, Alpert JS. 2014 AHA/ACC/HRS Guideline for the Management of Patients With Atrial Fibrillation. J Am Coll Cardiol 2014;64(21): 2246-80.
8. Pachón M JC, Pachón M EI, Santillana P, TG, et al. Simplified Method for Esophagus Protection During Radiofrequency Catheter Ablation of Atrial Fibrillation – Prospective Study of 704 Cases. Rev Bras Cir Cardiovasc. 2015 Mar-Apr; 30(2): 139–147.
9. Pachón M JC, Pachón M EI, Pachon M JC, et al. A New Treatment for Atrial Fibrillation Based on a Spectral Analysis to Guide the Catheter RF-Ablation. Europace. 2005 Jan;7(1):92-3.

Taquiarritmias Ventriculares

• Introdução

Arritmias ventriculares podem surgir através de diversos mecanismos eletrofisiológicos e podem estar presentes em vários perfis de paciente, desde aqueles com grandes alterações estruturais cardíacas até os que tem coração aparentemente normal.

Uma análise do contexto clínico na qual estas arritmias surgem é importante para determinar o tratamento e, em especial, para determinar o risco de morte súbita.

• Características eletrocardiográficas comuns

Batimentos de origem ventricular têm algumas características em comum ao Eletrocardiograma. Na maioria das vezes o complexo QRS tem morfologia anormal e superior a 120ms. O grau de deformidade de qualquer batimento ventricular depende, dentre outras coisas, da precocidade com a qual o sistema de condução é capturado pelo batimento ectópico. Um foco próximo a um fascículo ou originado nele ou no feixe de His pode gerar um QRS menos alargado. A onda T comumente é grande e oposta ao eixo do QRS. Complexos QRS gerados nos ventrículos não seguem a atividade atrial, de modo que não têm relação direta com a onda P. Se houver uma onda P antes do complexo QRS ventricular, esta pode ser totalmente bloqueada na junção AV ou mesmo conduzir para os ventrículos e gerar uma fusão, ou seja, um complexo QRS que é resultado de uma junção do batimento atrial conduzido com a atividade elétrica gerada nos próprios ventrículos. Podem existir graus variados de fusão com o ritmo sinusal e ocorrer estreitamento do complexo QRS em comparação com outros complexos QRS de origem ventricular, mesmo que sejam do mesmo foco.

• Mecanismos

1. **Automatismo anormal:** origina-se de células parcialmente despolarizadas, entre -60 e -50 mV, resultado de isquemia ou da associação entre catecolaminas e au-

mento do potássio extracelular, aumentando a taxa de despolarização espontânea da fase 4 das fibras de Purkinge, podendo gerar arritmias ventriculares (lembramos que, em situações de normalidade, as despolarizações espontâneas na fase 4 do potencial de ação não ocorrem). A despolarização dessas células depende, basicamente, da corrente de entrada de cálcio, o que não ativa a bomba de sódio/potássio, impedindo assim a completa despolarização celular e consequente perda do automatismo normal.

2. **Atividade deflagrada:** oscilações no potencial de ação de membrana que originam novos potenciais de ação e consequentemente eventos arrítmicos. Essas oscilações são chamadas de pós-potenciais precoces (PPP) e pós-potenciais tardios (PPT). Os PPPs ocorrem na fase 2 ou 3 da repolarização e podem ser o resultado de uma diminuição do efluxo iônico na célula ou mesmo aumento de influxo de íons positivos, gerando novos potenciais. Os PPTs ocorrem após o término da repolarização gerada por uma corrente transitória de influxo não canal de cátion específica ativada por um acúmulo de cálcio intracelular.

Os PPPs podem ser induzidos por drogas como quinidina, N-acetilprocainamida e amilorida, como também por hipóxia, hipercapnia e altos níveis de catecolaminas, todos presentes durante isquemia ou infarto do miocárdio. Quanto menor a frequência cardíaca, maior será a amplitude dos PPPs e maior a possibilidade de desencadear uma arritmia.

Os PPTs são responsáveis pelas arritmias de reperfusão e na fase precoce do infarto (nas primeiras 24 a 72 horas pós-oclusão de coronária), na intoxicação digitálica, na hipercalcemia, sob efeito de catecolaminas ou qualquer situação que aumente o sódio intracelular e reduza o potássio extracelular, ou seja, que resulte em sobrecarga de cálcio dentro da célula. Quanto menor a frequência cardíaca, maior será a amplitude dos PPTs e maior a chance de desencadear uma arritmia.

3. **Reentrada:** algumas condições básicas são necessárias para que esse fenômeno ocorra. Esses fatores envolvem a presença de um circuito com duas vias e um obstáculo anatômico e/ou funcional. Também envolve a presença de um bloqueio unidirecional nas vias do circuito, a presença de diferentes velocidades de condução, assim como diferentes períodos refratários. Toda vez que o comprimento de onda exceder o tamanho anatômico do circuito, a arritmia se extingue. Da mesma forma, se o comprimento de onda é menor que o circuito arrítmico, a arritmia se tornará sustentada.

Extrassístoles ventriculares (EV)

Também chamadas de Complexos Ventriculares Prematuros, caracterizam-se pela ocorrência precoce de um complexo QRS que é anormal em formato e tem duração maior que o complexo QRS dominante (geralmente > 120 ms). A onda T comumente é grande e oposta ao eixo do QRS. O intervalo entre a extrassístole ventricular e o próximo batimento sinusal é chamado de *pausa pós-extrassistólica* e pode se apresentar de quatro formas diferentes:

1. **Pausa compensatória:** o intervalo RR que contém a EV é igual a dois ciclos sinusais. Ocorre porque a EV ocupa o sistema de condução e bloqueia uma onda P (não interfere no ritmo sinusal) (Figura 43.1).

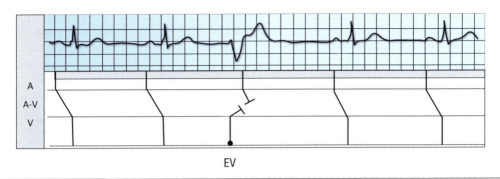

Figura 43.1 Mecanismo de pausa compensatória.
Fonte: Adaptada de 1. Lopes AC, Pachón JC, Pachón EI, *et al.* Arritmias Cardíacas. Série Clínica Médica Ciência e Arte. São Paulo: Atheneu, 2004. P: 109-157.

2. **Pausa menor que compensatória:** o intervalo RR que contém a EV é menor que dois ciclos sinusais (ver Figura 43.2). A extrassístole consegue conduzir até os átrios e capturar o nó sinusal, que reinicia um novo ciclo precocemente (interfere adiantando o ciclo sinusal).

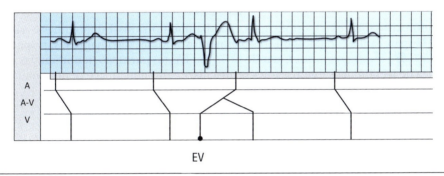

Figura 43.2 Pausa menor que a compensatória.
Fonte: Adaptada de Lopes AC, Pachón JC, Pachón EI, *et al.* Arritmias Cardíacas. Série Clínica Médica Ciência e Arte. São Paulo: Atheneu, 2004. P: 109-157.

3. **Pausa maior que compensatória:** o intervalo RR que contém a ESV é maior que dois ciclos sinusais (ver Figura 43.3). A extrassístole conduz até os átrios, captura o nó sinusal e provoca uma pausa por supressão do seu automatismo (interfere atrasando o ciclo sinusal). Pode ocorrer em casos de doença do nó sinusal.

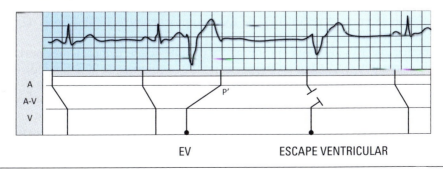

Figura 43.3 Escape ventricular.
Fonte: Lopes AC, Pachón JC, Pachón EI, *et al.* Arritmias Cardíacas. Série Clínica Médica Ciência e Arte. São Paulo: Atheneu, 2004. P: 109-157.

4. **Ausência de pausa compensatória:** a EV é precoce o suficiente para permitir que nenhuma onda P seja bloqueada (Figura 43.4), ou seja, consegue "interpolar" entre duas ondas P consecutivas.

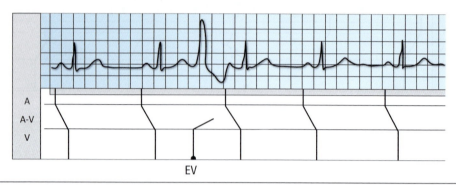

Figura 43.4 Ausência de pausa compensatória.

Fonte: Adaptada de Lopes AC, Pachón JC, Pachón EI, et al. Arritmias Cardíacas. Série Clínica Médica Ciência e Arte. São Paulo: Atheneu, 2004. P: 109-157.

Quando existe uma extrassístole após cada batimento sinusal denomina-se *bigeminismo*. Caso as EV apareçam a cada dois ou três batimentos sinusais, são chamados, respectivamente, *trigeminismo* e *quadrigeminismo*. Quando ocorrem EV aos pares são denominadas *acopladas*. A presença de três ou mais extrassístoles ventriculares em sequência é denominada *taquicardia ventricular*.

• **Características clínicas**

O aumento da força contrátil após cada EV pode causar sensação de palpitação ou desconforto torácico. Extra-sístoles interpoladas frequentes podem resultar na duplicação da frequência cardíaca e comprometer o status hemodinâmico. As EVs podem aumentar com o exercício e tendem a diminuir com o sono. Podem ser produzidas por estimulação mecânica, elétrica e química direta sobre o miocárdio. São notadas em pacientes com infecção, no miocárdio isquêmico ou inflamado, durante hipóxia; podem ser provocadas por estados de tensão, pelo estiramento miocárdico e pelo uso excessivo de álcool, tabaco e cafeína.

• **Epidemiologia e Significado prognóstico**

Estas arritmias podem ser encontradas em 40-75% dos indivíduos saudáveis submetidos a Holter de 24 ou 48 horas. A prevalência de EVs complexas ou frequentes (mais de 60 EV/h) é de 1-4% nesta população.

A incidência das EVs aumenta em número e complexidade nos pacientes portadores de cardiopatia estrutural, sendo demonstrável sua presença em mais de 90% dos indivíduos portadores de cardiomiopatias dilatada ou isquêmica.

O significado prognóstico destas arritmias é bastante debatido. Alguns estudos sugerem um aumento de mortalidade quando estas são muito frequentes, especialmente em homens não portadores de coronariopatia. Não há dados demonstrando redução do risco de mortalidade após o tratamento desta arritmia.

Embora os dados sejam conflitantes para mortalidade, existem evidências um pouco mais robustas de que EVs frequentes podem isoladamente causar disfunção ventricular. O tratamento destes pacientes através da ablação por radiofrequência demonstrou contribuir para a recuperação da função ventricular em alguns estudos. A característica da EV mais relacionada à evolução para disfunção ventricular é a frequência com que a mesma ocorre. Estudos para determinar o ponto de corte para uma evolução desfavorável encontraram os valores de 16%, 24% ou 26% no Holter de 24 horas. A origem epicárdica da arritmia é outro fator de risco, tendo em vista que estas costumam ter maior duração do QRS, e portanto também mais dissincronia mecânica, do que as endocárdicas. A morfologia direita ou esquerda, o intervalo de acoplamento da EV, bem como a presença dessa arritmia em pares não parecem influenciar no desenvolvimento de disfunção ventricular.

A presença de EVs pode ser o gatilho que leva a arritmias mais graves. Embora haja descrição deste fenômeno ocorrer em corações estruturalmente normais, a presença de doença estrutural é que realmente responde pela maioria destes casos.

Tratamento

Tradicionalmente as EVs são consideradas condições benignas que podem ser acompanhadas clinicamente apenas. Embora isto seja verdade para a maioria dos pacientes, é necessário ofertar tratamento àqueles cujos sintomas ou risco sejam maiores.

A primeira consideração a ser tomada em toda arritmia ventricular é se há doença estrutural. Se houver, o clínico deve trata-la quando possível, não se focando apenas nas arritmias ou sintomas.

Mesmo na ausência destas condições, pacientes muito sintomáticos se beneficiam do tratamento. Antiarrítmicos podem ser tentados ou mesmo a ablação por radiofrequência. Se o paciente tiver coração estruturalmente normal e pouco ou nenhum sintoma, só se justificaria tratamento no caso de EVs muito frequentes, pensando-se em evitar a evolução para disfunção ventricular induzida por EV. Novamente, o tratamento por antiarrítmicos ou ablação por radiofrequência são as opções.

- Os antiarrítmicos de classe I devem ser evitados em pacientes com disfunção sistólica ventricular moderada ou grave; porém, podem ser úteis no controle de sintomas causados pelas EVs na ausência de cardiopatia evidente;
- As drogas do grupo IA e o sotalol são contraindicados nos casos de QT longo;
- Na fase pós-IAM e na disfunção ventricular, os betabloqueadores são uma boa opção;
- A amiodarona, associada ou não aos betabloqueadores, é escolha nos pacientes com disfunção ventricular grave.

Classificação dos antiarrítmicos

Classe I	Classe II	Classe III	Classe IV
Fármacos que retardam a condução mediada pelos canais rápidos de sódio	Fármacos bloqueadores beta adrenérgicos	Fármacos que prolongam a repolarização	Antagonistas do cálcio
Ia	Acebutolol	Amiodarona	Diltiazem
Deprimem fase 0	Bisoprolol	Azimilida	Verapamil
Retardam a condução	Carvedilol	Bretílio	
Prolongam repolarização	Esmolol	Dofetilida	
• Disopiramida	Nadolol	Ibutilida	
• Procainamida	Propranolol	Sotalol	
• Quinidina	Timolol		
	Outros		

(continuação)

Classe I Fármacos que retardam a condução mediada pelos canais rápidos de sódio	Classe II Fármacos bloqueadores beta adrenérgicos	Classe III Fármacos que prolongam a repolarização	Classe IV Antagonistas do cálcio
Ib Pouco efeito na fase 0 ou normais Deprimem fase 0 em tecidos anormais Encurtam ou tem pouco efeito na repolarização • Difenil hidantoina • lidocaína • Mexiletina			
Ic Deprimem acentuadamente a fase 0 Retardam a condução acentuadamente Discreto efeito na repolarização • Flecainida • Propafenona			

• Taquicardia Ventricular (TV)

A taquicardia ventricular é definida como uma sucessão de três ou mais batimentos ventriculares com frequência cardíaca maior que a do ciclo básico. Surge distalmente à bifurcação do feixe de His no sistema especializado de condução, no músculo ventricular ou na combinação de ambos. Quando a FC é < 100 bpm, chamamos de *ritmo idioventricular acelerado* (RIVA). Na fibrilação ventricular (FV), os complexos QRS são polimórficos e a frequência superior a 300 bpm. Pode ser originada por mecanismo de reentrada, atividade deflagrada ou automatismo.

- **Ritmo Idioventricular Acelerado (RIVA):** trata-se de ritmo ventricular com frequência lenta (usualmente em torno de 10 batimentos da frequência sinusal) podendo variar de 60 – 110 bpm. Por causa do ritmo lento, as capturas de batimentos são comuns. Surge e desaparece de modo gradual (não paroxístico) e ocorre quando a frequência da TV excede a frequência sinusal (seja por diminuição do marca-passo sinusal ou por bloqueio átrio-ventricular). O RIVA é comum em pacientes com doença cardíaca, tais como aquelas com IAM ou com intoxicação digitálica.
- **Tratamento:** devido à frequência ventricular ser usualmente menor que 100 bpm, a terapia supressora é geralmente desnecessária. Porém, deve ser considerada quando a dissociação resultar na perda sequencial da contração AV, quando o RIVA se iniciar a partir de uma EV com risco de cair sobre uma onda T, quando produzir sintomas ou quando fibrilação ventricular se desenvolver em consequência do ritmo idioventricular acelerado (raro). O tratamento é o mesmo das TVs (será descrito mais adiante). Muitas vezes, o simples aumento da frequência sinusal com atropina ou estimulação atrial suprime a arritmia.

Classificação e tipos de Taquicardias Ventriculares

Duração: TV sustentada versus TV não sustentada

- TV sustentada (TVS): quando apresentam duração maior que 30 segundos ou quando requerem intervenção terapêutica imediata para evitar colapso hemodinâmico.
- TV não sustentada (TVNS): quando a duração é menor que 30 segundos.

Morfologia: Monomófica versus Polimórfica

- Monomórfica: quando QRS tem morfologia constante.
- Polimórfica: quando existe variação de um QRS para outro na mesma derivação. A fibrilação ventricular é um tipo de TV polimórfica resultante de estímulo ventricular desorganizado, sem contração efetiva.

Forma de início

- Paroxística: tem início e término súbitos.
- Não paroxística: tem início e término gradativos.
- Idiopática: TV sem etiologia definida (também chamada de *taquicardia do coração normal*).
- Fascicular: originada nos fascículos do sistema His-Purkinge (ramos direito ou esquerdo ou nos hemi-ramos), caracteriza-se geralmente por QRS mais estreito que o da taquicardia parietal.
- Torsades de pointes: caracterizada por surtos de TV polimórfica não sustentada, com complexos QRS que tendem a inverter a polaridade na mesma derivação. É uma arritmia grave que facilmente evolui para FV.

A TVS pode ocorrer em indivíduos com o coração estruturalmente normal, mas em geral ocorre em cardiopatias estruturais, principalmente na fase aguda do infarto do miocárdio.

A TVNS, se decorrente de síndrome do QT longo, pode ser secundária a distúrbio metabólico, bradicardia excessiva ou efeito de drogas e à cardiomiopatia dilatada.

O automatismo anormal é o mecanismo de taquicardia ventricular monomórfica que ocorre nos primeiros dias pós-infarto do miocárdio.

A atividade atrial pode ser independente da atividade ventricular (dissociação AV – Figura 43.5) ou os átrios podem ser despolarizados pelos ventrículos retrogradamente (associação VA).

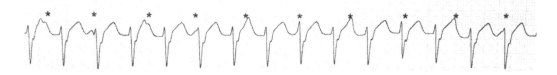

Figura 43.5 TV com dissociação AV (os " * " apontam as ondas P).

Fonte: Lopes AC, Pachón JC, Pachón EI, *et al.* Arritmias Cardíacas. Série Clínica Médica Ciência e Arte. São Paulo: Atheneu, 2004. P: 109-157.

Durante um curso de taquicardia com QRS largos e anormais, a presença de batimentos de fusão e batimentos de captura proporciona um suporte máximo para o diagnóstico de TV (ver Figura 43.6). Os batimentos de fusão indicam a ativação do ventrículo a partir de dois focos diferentes, sendo que um dos focos tem origem ventricular. Portanto, mesmo que a atividade atrial não seja visível, a dissociação AV está presente nesse tipo de TV e proporciona captura ventricular intermitente.

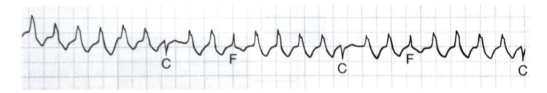

Figura 43.6 Batimento de fusão prematuro.
C = captura ventricular de estímulo atrial. QRS normal e ligeiramente prematuro.
F = QRS com morfologia intermediária. Representa batida de fusão.
Fonte: Adaptada de Lopes AC, Pachón JC, Pachón EI, et al. Arritmias Cardíacas. Série Clínica Médica Ciência e Arte. São Paulo: Atheneu, 2004. P: 109-157.

• Manifestações clínicas

Os sintomas dependem da frequência ventricular, da duração da taquicardia e da presença e extensão da doença cardíaca subjacente ou da doença vascular periférica. A TV pode ocorrer sob a forma de episódios curtos, assintomáticos, sem causar instabilidade hemodinâmica, geralmente ocorrendo a frequências mais lentas. Por outro lado, também pode se manifestar sob surtos instáveis, frequentemente, degenerando-se em fibrilação ventricular.

• Tratamento

Tratamento agudo da TV sustentada

A TV que não causa instabilidade hemodinâmica pode ser tratada clinicamente com antiarrítmico endovenoso para que se obtenha um término agudo da arritmia (amiodarona, lidocaína, procainamida), seguida pela infusão da droga que for bem-sucedida (Tabela 43.1). Se a TV não for interrompida ou se ela recorrer, pode-se repetir a dose de ataque. Se a arritmia não responder à terapia medicamentosa, a cardioversão elétrica pode ser usada.

A TV que precipita hipotensão, choque, angina, dispneia, sintomas de insuficiência cardíaca, rebaixamento do nível de consciência deve ser imediatamente tratada com cardioversão elétrica.

Tabela 43.1 Tratamento da TV sustentada.

Droga	Dose de ataque EV	Manutenção EV	Efeitos adversos
Lidocaína 2%	1 mg/kg – infusão rápida; pode ser repetida.	1-4 mg/min	Síndrome neuroléptica excitatória (recomendável usar por menos de 12h)
Procainamida	20-30 mg/min até dose máxima de 17 mg/kg/h, monitorando a pressão e o QRS (não ultrapassar 50% de aumento) até a arritmia ser suprimida.	2-6 mg/min. Pacientes com disfunção de VE, reduzir para 12 mg/kg.	Hipotensão arterial, depressão miocárdica, bloqueio AV total em indivíduos com alteração no sistema de condução.
Amiodarona	300 mg em 30 min	1.800 mg/dia (não exceder dose total de 2.200 mg por dia)	Hipotensão arterial, bradicardia sinusal e *torsades de pointes* (raro).

Fonte: Adaptada de Scanavacca MI, et al. Sociedade Brasileira de Cardiologia. Diretrizes para Avaliação e Tratamento de Pacientes com Arritmias Cardíacas. Arq. Bras. Cardiol. vol.79 suppl.5 São Paulo 2002.

Tratamento de manutenção

O tratamento de manutenção tem por objetivo a prevenção da morte súbita cardíaca e a recorrência de TVs sintomáticas. As arritmias ventriculares não sustentadas e assintomáticas em pacientes sem disfunção ventricular frequentemente não precisam ser tratadas. Em pacientes refratários aos betabloqueadores, os agentes IC, o sotalol e a amiodarona podem ser eficazes. Em pacientes com disfunção ventricular ou doença cardíaca estrutural, os antiarrítmicos da classe IC devem ser evitados. O sotalol deve ser usado com cautela pois pode prolongar o intervalo QT e produzir *torsades de pointes*. Nos portadores de TVs monomórficas sustentáveis, bem toleradas e reproduzíveis pelo estudo eletrofisiológico, é possível localizar e fazer ablação por radiofrequência do foco arritmogênico. Nos pacientes em que a taquicardia não é controlada com outras alternativas, o cardiodesfibrilador implantável (CDI) é o tratamento de escolha.

• Fibrilação e flutter ventriculares

São arritmias graves que usualmente terminam em óbito dentro de 3 a 5 minutos, a menos que medidas corretivas sejam tomadas imediatamente. O flutter ventricular apresenta-se ao ECG como uma onda sinuosa ocorrendo numa frequência que varia entre 150 a 300 bpm. A distinção entre TV rápida e flutter ventricular pode ser difícil e não muda a conduta nem o prognóstico. O colapso hemodinâmico está presente em ambos. A fibrilação ventricular é reconhecida pela presença de ondulações irregulares, de vários contornos e amplitudes diferentes. Não são identificados complexos QRS definidos, segmentos ST e ondas T.

A fibrilação ventricular pode ocorrer durante administração de drogas antiarrítmicas, hipóxia, isquemia, fibrilação atrial associada à síndrome de pré-excitação, no entanto é mais comum nos casos de doença arterial coronariana e como um evento terminal.

• Característica clínicas

O flutter e a fibrilação ventricular provocam colapso hemodinâmico, resultando em perda da consciência, convulsões, apneia, e, eventualmente, óbito. Cerca de 75% dos pacientes ressuscitados apresentam doença arterial coronariana, no entanto apenas 20% a 30% cursam com infarto transmural. Preditores de morte para pacientes ressuscitados incluem fração de ejeção reduzida, alteração da contratilidade segmentar, história de ICC, história prévia de IAM e presença de arritmias ventriculares. A fibrilação ventricular pode ocorrer também em crianças e jovens sem doença estrutural cardíaca.

• Tratamento

O tratamento deve seguir as diretrizes de suporte avançado de vida. Choque elétrico imediato e não sincronizado usando carga máxima é a terapia obrigatória, tanto para o flutter quanto para a fibrilação ventricular. A droga de escolha para manutenção pós-ressuscitação é a amiodarona endovenosa. Os CDIs são indicados nos pacientes com risco contínuo de FV e TV. Abaixo algoritmo para tratamento de QRS largo (ver Figura 43.7)

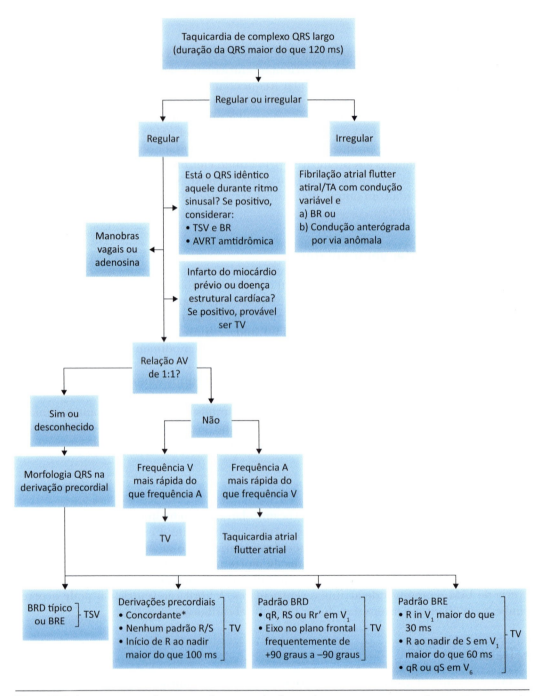

Figura 43.7 Algoritmo para o diagnóstico de taquicardia de QRS largo. AV = atrioventricular; AVRT = taquicardia reentrante AV; BR = bloqueio de ramo; BRE = bloqueio de ramo esquerdo; BRD = bloqueio de ramo direito; TSV = taquicardia supraventricular; TV = taquicardia ventricular.

Fonte: Adaptada de Scanavacca MI, et al. Sociedade Brasileira de Cardiologia. Diretrizes para Avaliação e Tratamento de Pacientes com Arritmias Cardíacas. Arq. Bras. Cardiol. vol.79 suppl.5 São Paulo 2002.

• Referências

1. Libby P, Bonow RO, Mann DL, Zipes DP. Braunwuald: tratado de doenças cardiovasculares. 8 ed. Rio de Janeiro: Elsevier; 2010. p. 863-909.
2. Lopes AC, Pachón JC, Pachón EI, et al. Arritmias cardíacas. Série Clínica Médica Ciência e Arte. São Paulo: Atheneu; 2004. p. 109-57.
3. Martinelli Filho M, Zimerman LI. Bases fisiopatológicas das arritmias cardíacas. Série Clínicas Brasileiras de Arritmias Cardíacas. São Paulo: Atheneu; 2008.([v.1, p.87-96)
4. Scanavacca MI, de Brito FS, Maia I, et al. Diretrizes para Avaliação e Tratamento de Pacientes com Arritmias Cardíacas. Arq Bras Cardiol 2002;79 (Suppl V):1-50.
5. Abdalla IS, Prineas RJ, Neaton JD, et al. Relation between ventricular HYPERLINK "http://www.ncbi.nlm.nih.gov/pubmed?term=Abdalla%20IS%201987" \t "_blank" premature complexes and sudden cardiac death in apparently healthy men. Am J Cardiol 1987;60:1036–42.
6. Bikkina M, Larson MG, Levy D. Prognostic HYPERLINK "http://www.ncbi.nlm.nih.gov/pubmed/1280018" \t "_blank" implications of asymptomatic ventricular arrhythmias: the Framingham Heart Study. Ann Intern Med1992;117:990–6.
7. Priori SG, Blomström-Lundqvist C, Mazzanti A. et al. 2015 ESC Guidelines for the management of patients with ventricular arrhythmias and the prevention of sudden cardiac death. Europace (2006) 8, 746–837

Bradiarritmias

Suélen Barboza Kapisch • Enrique I. Pachón Mateo • José Carlos Pachón Mateos

• Introdução

Considera-se bradiarritmia uma frequência cardíaca menor que 50 bpm. Essa é uma definição arbitrária, visto que, em alguns casos as bradicardias são fisiológicas. Por exemplo, atletas bem condicionados podem ter frequência sinusal de 40 ou 45 batimentos por minuto durante o repouso e acordados, sendo que, durante o sono, pode chegar a 30, com fenômeno de Wenckebach e pausas sinusais. Assim sendo, o diagnóstico de bradiarritmia depende também do quadro clínico do paciente.

• Etiologia

- Causas autonômicas
- Medicamentos/intoxicação exógena
- Doença isquêmica do coração
- Fibrose do sistema de condução
- Trauma cirúrgico
- Distúrbio eletrolítico
- Insuficiência cardíaca
- Doenças infiltrativa
- Doenças genéticas
- Doença do nó sinusal
- Bloqueio atrioventricular

• Bradicardia sinusal

- **ECG**: ritmo cardíaco sinusal com frequência menor que 60 bpm.
  A bradicardia sinusal pode resultar de tônus vagal excessivo, de um tônus simpático diminuído, decorrente do uso de medicamentos, ou de mudanças anatômicas do nó sinusal. Na maioria dos casos, as bradiarritmias sinusais sintomáticas são decorrentes

384 Guia Prático de Cardiologia

do uso de medicamentos (drogas parassimpaticomiméticas, lítio, amiodarona, drogas betabloqueadoras, clonidina, propafenona, ou bloqueadores dos canais de cálcio). A bradicardia sinusal assintomática é mais comum em adultos jovens e saudáveis, em atletas bem treinados e durante o sono. Pode ocorrer em patologias como estenose aórtica, hipertensão arterial não adrenérgica, na vagotonia primária etc. A bradicardia sinusal de origem orgânica ocorre na doença do nó sinusal devido à degeneração e destruição das células P (células marca-passo), de transição e de Purkinge, frequentemente ocasionadas por doenças infiltrativas, doença isquêmica miocárdica, miocardioesclerose, síndromes inflamatórias cardíacas, miocardiopatias e trauma cirúrgico.

• Tratamento

O tratamento na bradicardia sinusal assintomática não é necessário. Em situações emergenciais de baixo débito cardíaco decorrente da bradiarritmia, a administração de atropina (0,5 mg, IV, como dose inicial, repetida se necessário) usualmente é eficaz. Para episódios sintomáticos mais do que momentâneos, pode ser necessário estimulação cardíaca com eletrodo de marca-passo (temporário ou permanente). O marca-passo atrial usualmente é preferível por manter a contração efetiva dos átrios. Pode-se afirmar que não há droga disponível, confiável, eficaz e sem importantes efeitos colaterais para aumentar a frequência cardíaca durante longos períodos.

• Síncope Neurocardiogênica

O nodo sinusal é inervado pelo sistema nervoso simpático e parassimpático. A inervação parassimpática desacelera a atividade sinusal e é dominante em repouso. A estimulação simpática, assim como a liberação de adrenalina pela adrenal, aumenta o automatismo sinusal da mesma forma que ocorre durante a prática de exercícios físicos ou quadros de estresse. Indivíduos que apresentam predomínio do estímulo parassimpático podem apresentar síncope. Nesta condição, ocorre síncope por bradicardia, assistolia e/ou vasodilatação graves proporcionadas por reflexo mediado pelo sistema nervoso autônomo em situações de dor, estresse, emoções fortes, parada súbita de esforço físico, sangramento, permanência em posição ortostática etc. É muito frequente em jovens e o diagnóstico é dado pelo *tilt test*, após terem sido excluídas outras causas.

• Tratamento

Orientações ao paciente, uso de retentores hídricos, depressores do inotropismo, betabloqueadores. Recentemente, Pachón e colaboradores desenvolveram uma técnica de ablação que permite a redução da estimulação parassimpática sobre a atividade cardíaca, visto que a presença do neurônio ganglionar na própria parede miocárdica possibilita sua destruição. Essa técnica é chamada de Cardioneuroablação e encontra-se ainda em fase experimental.

• Síndrome de Hipersensibilidade do Seio Carotídeo

Essa síndrome é caracterizada por assistolia ventricular causada pela cessação da atividade atrial, por inatividade do nó sinusal ou por bloqueio de saída sino-atrial. O bloqueio AV também pode ser observado. É uma bradiarritmia tipicamente de pacientes idosos; doenças degenerativas, principalmente a arteriosclerose, comprometem a parede das artérias ocasionando endurecimento, que provoca "irritabilidade" dos pressorreceptores. Existem dois tipos de resposta de hipersensibilidade do seio carotídeo: cardioinibitória (onde ocorre assistolia ventricular que excede três segundos durante massagem do seio carotídeo) e vasodepressora (queda da pressão arterial sistólica ≥ 50 mmHg, sem redução da FC, ou decréscimo na PAs ≥ 30 mmHg associado a sintomas).

• Tratamento

A atropina abole a hipersensibilidade cardioinibitória do seio carotídeo. Contudo, a maioria dos pacientes irá precisar de marca-passo. O marca-passo não previne a hipotensão pela resposta vasodepressora. Meias elásticas e retentores de sódio podem ajudar nesses casos. Pacientes assintomáticos não necessitam de tratamento.

• Doença do nó sinusal

Na doença do nó sinusal existe lesão do nó sinusal e/ou da junção sinoatrial e da parede atrial (ver Figura 44.1). Caracteriza-se pela redução do automatismo sinusal, bloqueio sinoatrial e/ou instabilidade elétrica da parede do átrio.

ECG – engloba os seguintes achados:

- Bradicardia sinusal espontânea ou persistente não causada por drogas e inapropriada para as circunstâncias fisiológicas;
- Parada sinusal ou bloqueio de saída (o impulso formado no nó sinusal falha em despolarizar o átrio);
- Combinação de distúrbios de condução sino-atrial e átrio-ventricular;
- Alternância de paroxismos de taquiarritmias atriais com períodos de bradiarritmias (síndrome bradicardia-taquicardia).

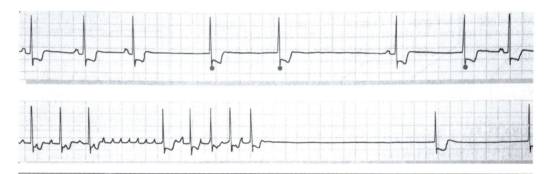

Figura 44.1 Síndrome bradicardia-taquicardia. **Superior**: parada sinusal intermitente com batimentos de escape juncional (pontos vermelhos). **Inferior**: flutter atrial seguido de quase 5 segundos de assistolia antes do escape juncional.
Fonte: Adaptada de Lopes AC, Pachón JC, Pachón EI, et al. Arritmias cardíacas. Série Clínica Médica Ciência e Arte. São Paulo: Atheneu; 2004. p. 109-57.

• Tratamento

Depende do problema basal do ritmo, mas geralmente envolve o implante de marca-passo permanente quando há sintomas. Nos pacientes com síndrome bradi-taqui, é necessária terapia de marca-passo (para os episódios de bradicardia) combinado com fármacos para tratar a taquicardia.

• Bloqueio átrio-ventricular (BAV)

Um bloqueio átrio-ventricular ocorre quando um impulso atrial é conduzido com retardo ou não é nem mesmo conduzindo para o ventrículo quando a junção AV não estiver fisiologicamente refratária. O bloqueio pode ocorrer no nó AV, no feixe de His ou nos feixes de ramo. Algumas vezes, em casos de bloqueio de ramo, o impulso pode ser apenas retardado, porém gerando um QRS semelhante ao de um bloqueio de ramo completo.

Os distúrbios de condução são classificados, de acordo com a sua gravidade, em três tipos. Serão discutidos na sequência.

Bloqueio AV de primeiro grau

No BAV de 1º grau, o tempo de condução está prolongado, mas todos os impulsos são conduzidos (ver Figura 44.2). O intervalo PR excede 200 milissegundos. Se o QRS no ECG for normal em morfologia e duração, o atraso AV quase sempre reside no nó AV. Se o complexo QRS mostrar um padrão de bloqueio de ramo, o atraso na condução pode estar dentro do nó AV e/ou do sistema His-Purkinge.

Figura 44.2 Bloqueio AV de 1º grau.

Fonte: Adaptada de Lopes AC, Pachón JC, Pachón EI, *et al*. Arritmias cardíacas. Série Clínica Médica Ciência e Arte. São Paulo: Atheneu; 2004. p. 109-57.

Bloqueio AV de segundo grau

Neste tipo de bloqueio AV existem algumas ondas P bloqueadas. É subdividido em *tipo I* ou *Wenckebach* e *tipo II* (ver Figuras 44.3, 44.4 e 44.5).

O BAV de 2º grau tipo I (*Mobitz* I) caracteriza-se por aumento progressivo do intervalo PR até o surgimento de uma onda P bloqueada. Tipicamente, o bloqueio se localiza no nó AV. O tipo II ou *Mobitz* II caracteriza-se pelo bloqueio inesperado da onda P sem o alargamento prévio do intervalo PR. As lesões responsáveis normalmente se localizam ao nível do tronco do feixe de His (nos casos com QRS estreito) ou no sistema His-Purkinge (nos casos com QRS largo). Tanto o *tipo I* quanto o *tipo II*, em casos extremos, conduzem ao tipo 2:1, que apresenta ondas P bloqueadas e conduzidas de forma alternada. Quando várias ondas P são bloqueadas consecutivamente, estamos diante de um *bloqueio de alto grau* ou de *grau avançado*.

Figura 44.3 Bloqueio AV de 2º grau tipo I.

Fonte: Adaptada de Lopes AC, Pachón JC, Pachón EI, *et al*. Arritmias cardíacas. Série Clínica Médica Ciência e Arte. São Paulo: Atheneu; 2004. p. 109-57.

Figura 44.4 Bloqueio AV de 2º grau tipo II.

Fonte: Adaptada de Lopes AC, Pachón JC, Pachón EI, *et al*. Arritmias cardíacas. Série Clínica Médica Ciência e Arte. São Paulo: Atheneu; 2004. p. 109-57.

Figura 44.5 Bloqueio AV 2:1.
Fonte: Adaptada de Lopes AC, Pachón JC, Pachón EI, *et al.* Arritmias cardíacas. Série Clínica Médica Ciência e Arte. São Paulo: Atheneu; 2004. p. 109-57.

Bloqueio AV de terceiro grau ou BAV total (BAVT)

O BAVT ocorre quando nenhuma atividade atrial é conduzida para os ventrículos e, portanto, os átrios e os ventrículos são controlados por marca-passos independentes. Sendo assim, o BAVT é um tipo de dissociação AV completa (ver Figura 44.6). O bloqueio AV de 3º grau pode resultar de um bloqueio ao nível do nó AV (geralmente congênito), dentro do feixe de His ou distal a ele, no sistema de Purkinge (geralmente adquirido).

Figura 44.6 Bloqueio AV de 3º grau (BAT total).
Fonte: Adaptada de Lopes AC, Pachón JC, Pachón EI, *et al.* Arritmias cardíacas. Série Clínica Médica Ciência e Arte. São Paulo: Atheneu; 2004. p. 109-57.

• Tratamento

De modo geral, nos pacientes com sintomas está indicado o implante de marca-passo. No BAV de alto grau (infra-Hissiano, BAV de 2º grau tipo II, BAVT não congênito), o implante de marca-passo definitivo independente de sintomas é o tratamento de escolha.

No BAV de 1º grau ou no BAV 2º grau tipo I a indicação do marcapasso deve ser individualizada. Se houver sintomas ou prova de um bloqueio intra ou infra-Hissiano pelo Estudo Eletrofisiológico, o implante pode ser realizado, porém, a indicação é mais controversa em outras situações. Ainda assim, quando há sinais de progressão ou possibilidade de progressão do BAV, tais como o desenvolvimento de bloqueios de ramo ou em certas doenças com história natural mais agressiva para BAV, pode-se considerar o implante. Por exemplo, em pacientes com doenças neuromusculares, o implante de marcapasso em qualquer grau de BAV pode ser razoável, pois a evolução natural da doença levará a bloqueios de graus avançados nesses casos.

A estimulação deve ser sempre bicameral no BAV, com eletrodo atrial e ventricular, exceção feita à fibrilação atrial permanente, na qual está indicada apenas a estimulação ventricular em modo VVIR. O implante de marcapasso com estimulação bifocal do Ventrículo Direito, isto é, com dois eletrodos, um no ápice e outro em posição septal alta pode ser considerado caso estes pacientes com fibrilação atrial permanente com indicação de marcapasso apresentem disfunção ventricular, sem serem candidatos a implante de ressincronizador convencional.

De outro modo, pacientes que além do BAV tenham indicação de Terapia de Ressincronização, (QRS alargado acima de 150ms, especialmente se QRS com padrão tipo Bloqueio de Ramo Esquerdo e Queda da Fração de Ejeção abaixo de 35%) devem recebê-la no lugar do marcapasso convencional.

Causas reversíveis, como intoxicação exógena, doença de Lyme ou hipóxia durante apneia do sono devem ser tratadas primeiro e monitorizar se há reversão do bloqueio e não são indicação de tratamento definitivo com marcapasso.

Para uma terapia em curto prazo, quando o bloqueio provavelmente será evanescente mas ainda precisa de tratamento, ou até que uma terapia adequada com marca-passo seja estabelecida, alternativas como agentes vagolíticos como a atropina podem ser úteis para pacientes com alterações AV nodais, enquanto as catecolaminas como o isoproterenol podem ser usadas transitoriamente para tratamento dos pacientes que apresentam BAV em qualquer nível, devendo contudo serem evitadas em pacientes com infarto agudo do miocárdio.

• Dissociação AV

Ocorre quando há batimento dissociado ou independente dos átrios e ventrículos. A dissociação AV nunca é um distúrbio primário do ritmo, mas um "sintoma" de um distúrbio subjacente do ritmo. É produzido por uma das três causas ou por uma combinação das mesmas que impedem a transmissão normal dos impulsos do átrio para o ventrículo, conforme a seguir:

1. Retardo do marca-passo dominante do coração (geralmente o nó sinusal), o que permite o escape de um marca-passo subsidiário ou latente.
2. Aceleração de um marca-passo latente que usurpa o controle dos ventrículos.
3. O bloqueio AV total.
4. Uma combinação de causas, por exemplo, quando o excesso de digital resulta na produção de uma taquicardia juncional AV não paroxística associada a bloqueio sino--atrial ou bloqueio AV.

• Tratamento

O tratamento é direcionado à doença cardíaca subjacente e à causa precipitante. Os componentes individuais que produzem a dissociação AV é que vão determinar o tipo específico de abordagem antiarrítmica.

• Marca-passos cardíacos

Os marca-passos convencionais são sistemas que monitoram constantemente o ritmo cardíaco e geram estímulos elétricos se a frequência cardíaca ou o intervalo AV ultrapassarem determinado limite imposto pela programação. Os marca-passos podem ser definitivos ou temporários, estes últimos indicados apenas em situações emergenciais e que devem ser substituídos por sistemas definitivos, exceto se a causa da bradicardia for totalmente reversível. Podem ser unipolares ou bipolares (quando os dois polos estão em contato com o miocárdio). Quando somente um átrio ou somente um ventrículo são estimulados, os marca-passos são chamados unicamerais. Quando estimulam/monitoram átrios e ventrículos são chamados de bicamerais. Marcapassos com estimulação nos dois ventrículos são denominados ressincronizadores, sistemas utilizados como tratamento suplementar na Insuficiência Cardíaca, cuja finalidade é melhorar o desempenho ventricular quando este está sendo comprometido por dissincronia elétrica (vista ao ECG como QRS largo), seja por bloqueio de ramo, especialmente o esquerdo, seja por estimulação ventricular artificial com geração de dissincronia. A colocação de dois eletrodos em locais distintos do Ventrículo Direito é uma modalidade chamada de estimulação bifocal, que pode ser utilizada com finalidade de segurança, em pacientes totalmente dependentes ou como modo de ressincronização caso o acesso ao ventrículo esquerdo pelas veias cardíacas não seja factível. Os eletrodos podem ser implantados no endocárdio por via trans-venosa ou no epicárdio, implantados através de

Estimulação Cardíaca em Situações Especiais

Diversas situações que levam a indicação dos marcapassos foram citadas no decorrer dos capítulos, porém, o tempo da indicação, o modo de estimulação, a posição dos eletrodos e a programação devem levar em conta a situação clínica. Seguem abaixo algumas das situações nas quais este conceito se aplica:

◗ **Infarto Agudo do Miocárdio:** cerca de 90% dos BAV associados a Infarto Agudo do Miocárdio com Supra de ST (IAMST) de parede inferior tem origem acima do feixe de His. A maioria dos BAV de IAMST de parede anterior têm origem no nó AV. Deste modo, a maioria dos casos de BAV de alto grau são resolvidos espontaneamente em 2 a 7 dias, sendo que apenas 9% vão necessitar de marcapasso definitivo, desde que o paciente receba o tratamento de reperfusão adequado.

◗ **Cirurgia Cardíaca:** ocorre mais comumente em cirurgias valvares, especialmente em estenose aórtica com calcificação valvar. Via de regra, se observa o bloqueio por 5 a 7 dias e antes de implantar um dispositivo definitivo, porém, no caso de BAVT desenvolvido nas primeiras 24 horas de uma cirurgia valvar, a recuperação é menos provável e normalmente se indica o marcapasso definitivo se não houver recuperação da condução ou se o ritmo de escape for muito baixo.

◗ **Implante percutâneo transcateter de valva aórtica (TAVI):** o Bloqueio de Ramo Esquerdo completo após o implante destes dispositivos não é raro. Em pacientes com dispositivo Core Valve ocorre em 20,8%, enquanto com a prótese Edwards Sapiens ocorre em 5,4%. No caso de um BAV avançado, há pouca evidência de chance de recuperação, de modo que o marcapasso definitivo normalmente é indicado. No caso de um BRE novo, sem evidência de BAV, a indicação deve ser mais individualizada. Na avaliação pré implante há dados que podem indicar uma possível evolução desfavorável, tais como Bloqueio de Ramo Direito prévio, uso de Core Valve e qualquer grau de BAV. Alguns grupos indicam o implante preventivo do marcapasso definitivo antes do implante valvar para pacientes com alto risco de BAV. Se além do BRE houver disfunção, deve-se considerar o implante de um ressincronizador.

◗ **Cardiomiopatia Hipertrófica:** o implante de marcapasso nesta população é uma opção, não apenas para o tratamento de bradiarritmias, como também para o alívio da obstrução dinâmica da via de saída do ventrículo esquerdo, quando esta gera gradiente significativo. Diferentemente da miectomia e da alcoolização septal, o tratamento não se baseia na redução de tecido miocárdico septal, mas sim, em uma dissincronia regional que a estimulação gerada na ponta do ventrículo direito por um eletrodo de marcapasso nesta região promove. O implante na ponta normalmente é favorecido em pacientes com esta cardiomiopatia, mesmo se a indicação for apenas por bradicardia. Outra consideração a ser feita antes do implante é se há indicação de Cardioversor Desfibrilador, o que é facilitado pelo uso de escores de risco específicos para pacientes hipertróficos.

• Ressincronizadores cardíacos

A dissincronia ventricular eletromecânica decorrente das alterações na sequência de ativação do ventrículo esquerdo é importante causadora de deterioração da função cardíaca. Sendo assim, a terapia de ressincronização cardíaca (TRC), através da estimulação biventricular, surgiu como eficiente terapêutica na redução da dissincronia e melhora clínica em pacientes com insuficiência cardíaca avançada refratária à terapia medicamentosa. A existência de complexo QRS ao ECG $\geq$ a 150 ms indica a presença de dissincronia eletromecânica, não necessitando de pesquisa adicional de dissincronia. O ecocardiograma é o método padrão para identificação do candidato à terapia de ressincronização através da avaliação da FEVE que deve ser $\leq$ 35%. De acordo com as diretrizes da Sociedade Brasileira de Arritmias Cardíacas, a recomendação clássica para uso do ressincronizador é se paciente apresentar FEVE $\leq$ 35%, duração do QRS $\geq$ 120 ms e ritmo sinusal; estar em classe funcional III ou IV em acompanhamento ambulatorial e refratário à terapia medicamentosa otimizada.

• Cardiodesfibriladores implantáveis (CDI)

O CDI está indicado como prevenção primária em pacientes com características individuais ou familiares de alto risco para morte súbita cardíaca, porém que não apresentaram episódio de arritmia ventricular sustentada ou PCR. As características de alto risco para morte súbita cardíaca em pacientes com miocardiopatia isquêmica ou não isquêmica são: disfunção ventricular, presença de TVNS ou extrassístoles ventriculares frequentes (> 10/hora) ao Holter, presença de potenciais tardios na fase de repolarização ventricular no ECG de Alta Resolução e indução de TV monomórfica ao estudo eletrofisiológico.

O uso do CDI como prevenção secundária está indicada nos pacientes que apresentaram previamente algum evento arrítmico potencialmente fatal, como, por exemplo, recuperados de PCR por FV ou TV sem pulso, TV espontânea com instabilidade hemodinâmica, TV sustentada de alta frequência cardíaca em pacientes com FEVE $\leq$ 35%, pacientes com síncope recorrentes que apresentaram indução de TV/FV ao estudo eletrofisiológico. Também está indicado nos pacientes sobreviventes de IAM há pelo menos 40 dias ou com cardiopatia isquêmica crônica, sob tratamento farmacológico otimizado, sem isquemia miocárdica passível de tratamento por revascularização (cirúrgica ou percutânea), expectativa de vida de pelo menos um ano e: FEVE $\leq$ 35% e CF II-III, ou FEVE $\leq$ 30% e CF I, II ou III.

• Referências

1. Libby P, Bonow RO, Mann DL, Zipes DP. Braunwuald: tratado de doenças cardiovasculares. 8 ed. Rio de Janeiro: Elsevier; 2010. p.863-909.
2. Lopes AC, Pachón JC, Pachón EI, et al. Arritmias cardíacas. Série Clínica Médica Ciência e Arte. São Paulo: Atheneu; 2004. p. 109-57.
3. Martinelli Filho M, Zimerman LI. Bases fisiopatológicas das arritmias cardíacas. Série Clínicas Brasileiras de Arritmias Cardíacas. São Paulo: Atheneu; 2008. (v.1, p.87-96)
4. Scanavacca MI, de Brito FS, Maia I, et al. Diretrizes para Avaliação e Tratamento de Pacientes com Arritmias Cardíacas. Arq Bras Cardiol 2002;79 (Suppl V):1-50.
5. Pachon JC, Pachon EI, Pachon JC, et al. "Cardioneuroablation"–new treatment for neurocardiogenic syncope, functional AV block and sinus dysfunction using catheter RF-ablation. HYPERLINK "http://www.ncbi.nlm.nih.gov/pubmed/15670960"Europace. 2005 Jan;7(1):1-13.
6. Pachon JC, Vargas, RNA, Pachon, EI, et al. Estimulação ventricular bifocal no tratamento da insuficiência cardíaca com miocardiopatia dilatada. Rev Bras Cir Cardiovasc vol.15 n.1 São Paulo Mar. 2000

Síncope

Tamirh Brandão Sakr Khouri • Enrique I. Pachón Mateo • José Carlos Pachón Mateos

• Introdução

Síncope é um importante problema clínico porque é frequente, muitas vezes incapacitante e de investigação dispendiosa. Pode causar lesões e talvez seja o único sinal antes da morte cardíaca súbita.

O primeiro episódio ocorre geralmente entre os 10 e 30 anos de idade. Tem incidência similar entre os sexos e aumenta com a idade. A incidência é bimodal com picos em torno dos 20 e 80 anos de idade, com incidência de 5 e 20 eventos para cada 1.000 pessoas/ano, respectivamente.

Síncope é a perda transitória de consciência, devido à hipoperfusão cerebral global. É caracterizada por rápido início, curta duração e recuperação espontânea.

• Classificação e fisiopatologia

A síncope pode ser classificada como reflexa (neuromediada), hipotensão ortostática e cardíaca (ver Tabela 45.1). A causa mais comum, independentemente da idade, sexo ou comorbidade, é a síncope reflexa vasovagal. A segunda causa mais comum é a síncope cardíaca. Hipotensão ortostática raramente causa síncope em menores de 40 anos de idade.

Tabela 45.1 Causas da síncope e características.

Síncope neuromediada

Vasovagal
- Desencadeada por estresse emocional (dor, medo, fobia a sangue)
- Desencadeada por estresse ortostático

Situacional
- Tosse, espirro, deglutição, dor visceral, micção
- Após exercício físico
- Outros (rir, levantar peso)

Síncope por hipersensibilidade do seio carotídeo

Formas atípicas (sem fator desencadeante e/ou sintomas não usuais)

Síncope por hipotensão ortostática

Disfunção autonômica primária
- Disfunção autonômica pura, atrofia de múltiplos sistemas, doença de Parkinson com disfunção autonômica.

Disfunção autonômica secundária
- Diabetes, amiloidose, uremia, lesão medular;
- Hipotensão ortostática induzida por drogas;
- Álcool, vasodilatadores, diuréticos, antidepressivos, fenotiazinas.

Depleção volumétrica
- Hemorragia, diarreia, vômitos etc.

Síncope cardíaca

Arritmias cardíacas
- Disfunção no nó sinusal, doença do sistema de condução atrioventricular;
- Disfunção de marca-passo;
- Taquicardia supraventricular, Taquicardia ventricular (idiopática ou secundária à doença cardíaca estrutural), arritmias induzidas por drogas.

Doença cardíaca estrutural
- Doença valvar cardíaca, infarto agudo do miocárdio, cardiomiopatia hipertrófica, mixoma atrial, doenças do pericárdio/tamponamento, anomalias congênitas das coronárias, disfunção de prótese valvar;
- Outros: embolia pulmonar, dissecção aguda da aorta, hipertensão pulmonar.

Fonte: Adaptada de Moya e colaboradores, 2009.

• Síncope mediada por reflexo

É um grupo de condições nas quais os reflexos cardiovasculares que controlam a circulação tornam-se inadequados em resposta a um deflagrador, resultando em vasodilatação com ou sem bradicardia, queda da PA e hipoperfusão cerebral.

Síncope mediada por reflexo é geralmente classificada baseada na via eferente, assim, se predominar hipotensão devido à vasodilatação periférica, é classificada como resposta reflexa tipo vasodepressiva. Se a bradicardia predominar, é classificada como resposta reflexa tipo cardioinibitória e, quando tanto a vasodilatação quanto a bradicardia participam do processo, classifica-se como resposta reflexa mista.

A síncope mediada por reflexo pode também ser classificada com base em sua via aferente ou agente deflagrador:

1. Síncope vasovagal:
   É mediada por estresse ortostático ou estresse emocional. Geralmente é precedida por sintomas prodrômicos, como sudorese, palidez, náusea.
2. Hipersensibilidade do seio carotídeo:
   A síncope resulta de estimulação de barorreceptores localizados na parede da Artéria Carótida Interna. É detectada em um terço dos pacientes idosos que se apresentam com síncope ou queda.
3. Síncope situacional:
   Tradicionalmente refere-se a síncope reflexa associada com algumas circunstâncias específicas, devido à ativação de receptores neurais correspondentes. Exemplo: tosse, defecação, micção, riso, espirro.

• Hipotensão ortostática

Há uma incapacidade da via simpática eferente em manter o tônus vasoconstrictor, acarretando hipotensão e baixo fluxo cerebral.

- A hipotensão ortostática clássica é definida como uma queda da PAS de 20 mmHg ou queda da PAD de 10 mmHg dentro de três minutos na posição em pé.
- A hipotensão ortostática inicial é definida como uma redução > 40 mmHg na pressão arterial imediatamente ao ficar em pé com um rápido retorno ao normal (< 30 segundos).
- A hipotensão ortostática progressiva retardada caracteriza-se por uma lenta diminuição progressiva da PAS na posição em pé.
- A síndrome da taquicardia ortostática postural caracteriza-se por sintomas de intolerância ortostática, aumento de 30 batimentos/min ou mais e ausência de alterações significativas na PA dentro de cinco minutos na posição em pé.
- A intolerância ortostática é um termo usado para se referir aos sinais e sintomas de uma anormalidade do controle pressórico. Os sintomas incluem síncope, pré-síncope, tremores, fraqueza, fadiga, palpitação, diaforese e turvação visual.

• Causas cardíacas de síncope

Arritmias são as causas cardíacas mais comuns de síncope. Elas induzem comprometimento hemodinâmico, que pode causar uma diminuição crítica do DC e do fluxo sanguíneo cerebral.

A TV é a arritmia mais comum que pode causar sincope.

A TSV também pode causar síncope, embora a maioria dos pacientes com arritmias supraventriculares se apresentem com sintomas menos graves, como palpitação, dispneia e tontura.

As bradiarritmias que podem resultar em síncope incluem a doença do nó sinusal e o BAV.

As causas estruturais são mais raras e são devido à obstrução fixa ou dinâmica ao fluxo de sangue, como no TEP, mixoma e EAo.

Vários distúrbios podem assemelhar-se à síncope de duas maneiras diferentes, porém não são classificados como síncope:

1. Ocorre perda da consciência, mas o mecanismo é diferente de hipoperfusão cerebral global. Exemplo: epilepsia, distúrbio metabólico, intoxicação, AIT.
2. Ocorre perda aparente da consciência. Exemplo: psicogênica.

• Achados clínicos

A história e exame físico são os componentes mais importantes da avaliação de um paciente com síncope e podem identificar a causa em até 25% dos casos (ver Tabela 45.2).

Ao avaliar um paciente com síncope, deve-se focar atenção especial em:

- Determinar se o paciente tem história de doença cardíaca, metabólica ou história familiar de doença cardíaca, síncope ou MS;
- Identificar medicações que possam ter um papel na síncope, especialmente as que possam causar hipotensão, bradicardia ou arritmias;
- Quantificar o número e a periodicidade dos episódios anteriores de síncope e pré--síncope;
- Identificar os fatores precipitantes, incluindo posição corporal e atividade imediatamente antes da síncope;
- Quantificar o tipo e a duração dos sintomas prodrômicos e de recuperação;
- Se foi presenciada por alguém, bem como a possibilidade de ocorrência de trauma;
- Investigar Doença de Chagas em pacientes com epidemiologia positiva, já que esses indivíduos são mais propensos a bradi e taquiarritmias.

Exame físico

O exame físico deve ser minucioso, incluindo dados gerais (mucosas, hidratação), medida da PA supina e após três minutos em posição ortostática, além de busca rigorosa por sinal de doença cardíaca (IC, sopros) e neurológica.

Tabela 45.2 Estratificação de risco na avaliação inicial em estudos populacionais prospectivos, com coorte de validação.

Estudo	Fatores de risco	Escore	Desfechos	Resultados (coortes de validação)
S. Francisco Syncope Rule	1. ECG anormal 2. IC 3. Dispneia 4. Hematócrito < 30% 5. AS < 90 mmHg	Sem risco = 0 pontos Com risco ≥ 1	Eventos graves em 7 dias	Sensibilidade = 98% Especificidade = 56%
Martin e col.	1. ECG anormal 2. História de arritmia ventricular 3. História de IC 4. Idade > 45	0 a 4 pontos (1 ponto cada)	Arritmia grave ou morte arrítmica em 1 ano	0 pontos = 0% 1 ponto = 5% 2 pontos = 16% ≥ 3 pontos = 27%
OESIL escore	1. ECG anormal 2. História de doença cardiovascular 3. Ausência de pródromos 4. Idade > 65	0 a 4 pontos (1 ponto cada)	Mortalidade em 1 ano	0 pontos = 0% 1 ponto = 0,6% 2 pontos = 14% 3 pontos = 29% 4 pontos = 53%

(continua)

(continuação)

Tabela 45.2 Estratificação de risco na avaliação inicial em estudos populacionais prospectivos, com coorte de validação.

Estudo	Fatores de risco	Escore	Desfechos	Resultados (coortes de validação)
EGSYS escore	1. Palpitação antes da síncope (+ 4 pontos)	Soma dos pontos	Mortalidade em dois anos	< 3 pontos = 2% ≥ 3 pontos = 21%
	2. ECG anormal ou doença cardíaca (+ 3 pontos)		Probabilidade de síncope cardíaca	< 3 pontos = 2% 3 pontos = 13% 4 pontos = 33% > 4 pontos = 77%
	3. Síncope durante esforço (+ 3 pontos)			
	4. Síncope supina (+ 2 pontos)			
	5. Pródromo autonômico* (- 1 ponto)			
	6. Fatores precipitantes**			

Fonte: Adaptada de Moya; *et al.*, 2009.

Massagem do Seio Carotídeo (MSC)

A massagem do Seio Carotídeo deve ser realizada após verificação de sopros em pacientes com mais de 40 anos e com síncope, realizada de forma delicada sobre pulsação carotídea logo abaixo do ângulo da mandíbula. Deve-se aplicar pressão por 5 a 10 segundos tanto em posição supina quanto ereta, porque em até um terço dos pacientes a resposta anormal à massagem está presente apenas em posição ereta.

Como as principais complicações associadas à MSC são neurológicas, deve-se evitá-las em pacientes com AIT e AVC nos três meses precedentes e com sopros, a não ser que seja excluída a presença de placas com estenose significativa ao Doppler.

A hipersensibilidade do seio carotídeo é definida como uma pausa sinusal com duração maior que três segundos (forma cardioinibitória) ou queda PAS maior que 50 mmHg (forma vasodepressiva). Quando associado com síncope, diagnostica-se a síndrome do seio carotídeo.

• Exames complementares

ECG

O ECG de 12 derivações deve fazer parte da avaliação inicial. De forma isolada, o exame é capaz de definir a causa de síncope em pequena porcentagem de casos. Qualquer alteração, mesmo que não seja diagnóstica, exige investigação complementar. Por outro lado, ECG normal sugere pouca probabilidade de causa cardíaca de síncope e está associado a excelente prognóstico, particularmente em jovens.

Tilt test

Principais indicações (IB):

- Síncope recorrente na ausência de doença cardíaca;
- Presença de cardiopatia estrutural que não justifica a etiologia da síncope;
- Episódio de síncope isolada em situações de alto risco (ocupacional, risco ou ocorrência de lesão física).

Ecocardiograma

A Diretriz europeia recomenda o ecocardiograma para o diagnóstico e estratificação de risco em pacientes nos quais se suspeita de doença cardíaca estrutural (IB).

Teste de esforço

É recomendado para pacientes que apresentam síncope durante ou imediatamente após o esforço (IC).

Gravadores de eventos

- Holter: É indicado para pacientes que apresentam síncope ou pré-síncope com frequência (>1×/semana) (IB).
- É comumente utilizado, porém raramente estabelece correlação entre eventos eletrocardiográficos e a síncope, sendo capaz de fornecer o diagnóstico etiológico em torno de 1% a 2% dos casos, em população não selecionada.
- Monitorização intra-hospitalar: É justificada quando o paciente apresenta grande probabilidade de arritmia com risco de morte (IC).
- Registradores prospectivos: São dispositivos externos acionados pelo paciente na vigência de sintomas. São utilizados na investigação de palpitação e não são utilizados para avaliar síncope.
- Gravador de circuito externo (*loop recorder*): Indicado em pacientes com episódios infrequentes de síncope (sintomas com intervalo menor que quatro semanas) (IIa B). Em população selecionada pode chegar a 25% de acurácia diagnóstica.
- Monitor de eventos implantável: Atualmente a Diretriz europeia recomenda sua indicação precoce na investigação de síncope inexplicada (IB).

Estudo Eletrofisiológico invasivo (EEF)

Indicado na suspeita de síncope arritmogênica. A eficácia do diagnóstico do EEF em determinar a causa de síncope é altamente dependente do grau de suspeição (probabilidade pré-teste), como naqueles pacientes com ECG alterado, doença cardíaca estrutural ou história clínica sugestiva de síncope arrítmica. O EEF não é mais indicado em pacientes com grave redução da FE porque, neste quadro, um CDI é indicado independente da presença ou do mecanismo da síncope.

Cateterismo cardíaco

Deve ser realizado na suspeita de doença arterial coronária (DAC) como causa de síncope.

Outros exames de imagem

Ecocardiografia transesofágica, tomografia computadorizada e ressonância magnética podem ser realizadas em casos selecionados (por exemplo, dissecção aórtica e hematoma,

Síncope **397**

embolia pulmonar, massas cardíacas, doenças do miocárdio e do pericárdio e anomalias congênitas das artérias coronárias).

Abaixo na Tabela 45.3, segue tratamento da síncope baseado na sua etiologia.

Tabela 45.3 Tratamento da síncope baseado na sua etiologia

Síndromes neuromediadas em geral	Educação sobre a benignidade; evitar eventos precipitantes, reconhecimento dos sintomas premonitórios (IC). Manobras para abortar o episódio em pacientes com pródromos (assumir posição supina, realizar manobras de contrapressão) (IB). Nas síncopes neuromediadas cardio-inibitórias malignas que não respondem ao tratamento clínico, deve-se indicar a denervação endocárdica (cardioneuroablação).
Síncope vasovagal	Evitar depleção volêmica, longos períodos em ortostase, ambientes fechados e quentes, punções venosas (fazê-la sempre em posição supina). Aumentar a ingestão hidrossalina (na ausência de HAS). Exercício moderado, tilt-training. Drogas (recorrência frequente ou trauma associado): midodrine e fludrocortisona.
Síndrome do seio carotídeo	Semelhante ao tratamento da síncope vasovagal. MP nas formas de predomínio cardioinibitórias (IIa B).
Síncope situacional	Evitar ou aliviar o evento deflagrador: tosse, defecação, micção, estresse emocional e dor intensa. Manter volemia adequada e evitar ortostase prolongada ou mudança brusca de posição.
Hipotensão ortostática	Evitar vasodilatadores, diuréticos e álcool. Evitar mudança brusca de posição, período prolongado em posição supina, ambientes quentes, exercício extenuante, refeições copiosas. Aumento da ingestão hidrossalina (IC). Elevar cabeceira da cama durante o sono. Em casos refratários: tratamento farmacológico (fludrocortisona e midodrine) (IIa).
Disfunção do nó sinusal	Marca-passo cardíaco (preferencialmente atrial ou dupla câmara).
Doença do sistema de condução atrioventricular	Marca-passo atrioventricular.
Taquicardias supraventriculares e ventriculares paroxísticas	Ablação por cateter; drogas antiarrítmicas; CDI.
Doenças cardíacas ou cardiopulmonares estruturais; isquemia miocárdica aguda ou infarto; embolia pulmonar; tamponamento pericárdico; estenose aórtica; CMH	Tratamento farmacológico ou revascularização; anticoagulação, trombólise (S/N); punção pericárdica e drenagem; tratamento farmacológico ou cirúrgico.

Fonte: Adaptada de Moya e colaboradores, 2009.

• Referências

1. Moya A, Sutton R, Ammirati F, et al. Guidelines for the diagnosis and management of syncope (version 2009). Eur Heart J 2009;30(21):2631-71.
2. Bonow RO, Mann DL, Zipes DP. Braunwald: tratado de doenças cardiovasculares. 9 ed. Rio de Janeiro: Elsevier; 2013.
3. Santos ECL, Figuinha FCR, Lima AGSL, Henares BB, Mastrocola F. Manual de cardiologia cardiopapers. São Paulo: Atheneu; 2013.
4. Saklani P, Krahn A, Klein G. Syncope. Circulation. 2013;127(12):1330-9.
5. Olshansky O. Pathogenesis and etiology of syncope. Disponível em: http://www.uptodate.com/contents/pathogenesis-and-etiology-of-syncope. [Uptodate, 2015].

Cardiopatias Congênitas

Cardiopatias não Cianogênicas

• Introdução

As cardiopatias congênitas são consideradas alterações estruturais graves do coração e vasos da base, resultantes da embriogênese patológica do sistema cardiovascular. A incidência de cardiopatia congênita é de 8 crianças em cada 1.000 nascidas vivas.

A etiologia é desconhecida na maioria dos casos; 90% cursa como patologia isolada; 3% são de herança mendeliana e 5% cursam com alterações cromossômicas. Fatores extrínsecos, como doenças maternas, infecções e uso de drogas, correspondem a 2% na incidência.

As cardiopatias congênitas são classicamente divididas em: acianogênicas e cianogênicas.

As principais manifestações clínicas são: cianose, insuficiência cardíaca, sopro ou arritmia.

Cianose

A cianose ocorre quando a concentração de hemoglobina reduzida no sangue circulante é maior que 5 g/dL, por isso pode estar ausente em crianças com anemia.

Causa de cianose	Patologias que exemplificam
Shunt direita – esquerda	Tetralogia de Fallot
Conexão ventrículo arterial discordante	Transposição das grandes artérias
Presença de mistura comum	Coração univentricular

Insuficiência cardíaca

Existe uma variedade de cardiopatias congênitas que se manifestam com insuficiência cardíaca (IC), mais comumente encontradas nas cardiopatias congênitas de hiperfluxo pulmonar com hipertensão venocapilar pulmonar e nas doenças obstrutivas, encontradas na Tabela 46.1.

Tabela 46.1 Frequência das principais cardiopatias congênitas que se manifestam com insuficiência cardíaca

Tipo	Frequência (%)
Comunicação interventricular (CIV)	41,59
Estenose Aórtica	7,77
Transposição das grandes artérias	5,39
Coarctação de Aorta (CoAo)	5,29
Persistência do canal arterial (PCA)	5,07
Defeito do septo atrioventricular (DSAV)	4
Síndrome da hipoplasia do coração esquerdo	3,42
Dupla via de saída do ventrículo direito	1,37
Ventrículo único	1,33
Truncus arteriosus	1,09
Drenagem anômala total de veias pulmonares	0,8
Anomalia de Ebstein	0,04
Interrupção do arco aórtico	0,38
Origem anômala de coronária esquerda (OACE)	0,22

Fonte: Chang AC, Hanley FL, Wernovsky G, Wessel DL – Pediatric Cardiac Intensive Care – Baltimore-USA, Willians & Wilkins, 1998.

A manifestação clínica é determinada por taquipneia, cansaço, interrupção às mamadas, sudorese excessiva, taquicardia, cardiomegalia, hepatomegalia. Dentre os fatores determinantes para o aparecimento da IC, devemos considerar na criança o fechamento do canal arterial, que ocorre entre as primeiras horas e os primeiros dias de vida, e diminuição da resistência vascular pulmonar, que ocorre ao longo dos primeiros meses.

Sopro cardíaco

Maior causa de encaminhamento para investigação de cardiopatias congênitas, sendo 50% considerados sopros inocentes. Podemos considerar sopros de bom prognóstico quando não houver manifestações adjacentes, como comunicação interarterial (CIA), CIV, PCA, estenose pulmonar e aórtica.

Arritmia

É manifestação rara primária da cardiopatia congênita, tendo o bloqueio atrioventricular total (BAVT) congênito como principal representante. Arritmias podem ser a primeira manifestação clínica em Transposição corrigida das grandes artérias e Anomalia de Ebstein.

• Cardiopatias acianogênicas

Entre os defeitos cardíacos congênitos, as cardiopatias acianogênicas assumem relevante importância, pois podemos encontrar desde simples manifestações hemodinâmicas até situações mais complexas. Além disso, esse grupo de cardiopatias foi o mais beneficiado no que se refere ao tratamento cirúrgico definitivo, enquanto no grupo das cianogênicas, nem todas são passíveis de correção total.

A correlação clínica e anatomofuncional permite subdividir o grupo das cardiopatias acianogênicas (Tabela 46.2).

Tabela 46.2 Classificação das cardiopatias congênitas acianogênicas

Aspecto anatomofuncional	Exemplos clássicos	Circulação pulmonar	Condições da resistência vascular
Fluxo E – D	CIV, CIA, PCA, DSAV	Aumentada (hiperfluxo) Diminuída (HPP)	Normal ou aumentada
Obstrução esquerda	Estenose aórtica Estenose mitral CoAo	Aumentada ou diminuída	Normal ou aumentada
Obstrução direita	Estenose pulmonar	Normal ou diminuída	Normal
Anomalia de coronárias	OACE	Aumentada	Normal ou aumentada

Fonte: Ebaid M, Atik E, Miura N, Afiune JÁ – Cardiologia em Pediatria: Temas Fundamentais. São Paulo, Roca, 2000.

Comunicação interventricular

Cardiopatia congênita mais comum na infância (aproximadamente 40% das cardiopatias congênitas): 2,56 casos para cada 1.000 nascidos vivos. Não predileção por sexo. Pode ser encontrada isolada ou associada a outras anomalias. Defeito mais comum nas síndromes genéticas de Down, Patau e Edwards.

Dentre os tipos anatômicos, podemos encontrar:

- Perimembranosa: defeito mais comum (70% dos casos), relacionada com feixe de Hiss;
- Muscular: única ou múltipla;
- Subarterial: pode cursar com prolapso de valva relacionada.

As manifestações dependem do tamanho, relação da resistência vascular sistêmica e pulmonar e lesões associadas. CIVs pequenas podem ser assintomáticas, porém com risco aumentado de endocardite infecciosa. CIVs grandes cursam com sintomas de IC.

No exame físico podemos evidenciar sopro holossistólico, regurgitativo, localizado em borda esternal esquerda baixa, com irradiação em faixa pelo precórdio, com intensidade variável a depender do tamanho do defeito.

Pode haver diminuição da intensidade ou ausência do sopro com o aparecimento de hipertensão pulmonar, em casos não tratados ou conduzidos corretamente.

Eletrocardiograma: sobrecarga ventricular esquerda ou biventricular.
Radiografia de tórax: área cardíaca aumentada e trama vascular acentuada (sinais de hiperfluxo pulmonar) nos maiores defeitos.
Ecocardiograma: avaliação da localização, tamanho e fluxo, além de valores de pressão pulmonar.
Estudos hemodinâmicos estão indicados na avaliação do grau de hipertensão pulmonar, diferenciando reatividade e alteração histológica.

O tratamento clínico consiste em medidas para IC (diuréticos, vasodilatadores ou inotrópicos). Cirurgia indicada por volta dos dois anos de idade se não houver redução ou fechamento espontâneo. Cirurgia corretiva ou paliativa indicada antecipadamente nos casos de IC descompensada apesar de tratamento clínico, CIVs múltiplas ou relacionadas a valvas atrioventriculares, podendo ocasionar prolapso.

Comunicação interatrial

Os defeitos de septo interatrial somam 7% das cardiopatias congênitas isoladas, prevalência de 0,53 por 1.000 nascidos vivos. Há predomínio do sexo feminino em 2:1. Pode ser isolada ou associada a outros defeitos.

Dentre os tipos anatômicos:

- Fossa oval ou Ostium secundum: mais comum
- Ostium Primum: localizada junto às valvas atrioventriculares
- Seio Venoso: geralmente associada à drenagem anômala de veias pulmonares

Manifestações clínicas: a grande maioria dos pacientes permanece assintomática até a idade adulta; em defeitos maiores, paciente apresenta sintomas de IC.

Exame físico: o sinal clínico característico é o desdobramento fixo da segunda bulha, devido ao retardo do esvaziamento do ventrículo direito. Esses pacientes costumam apresentar ainda sopro sistólico ejetivo em borda esternal esquerda alta, isso decorre do aumento do volume de sangue passando pela valva pulmonar (estenose pulmonar funcional).

Eletrocardiograma: o sinal mais comum é a presença de distúrbio de condução do ramo direito evidenciado pela presença de complexo QRS tipo Rsr' em derivações precordiais direitas. Na idade adulta pode apresentar arritmias atriais.

Radiografia de tórax: variável de acordo com o tamanho do defeito, apresenta aumento de área cardíaca às custas de câmaras direitas e sinais de hiperfluxo pulmonar.

Ecocardiograma: avalia tamanho, localização e repercussão. Pode ser necessário o uso da técnica de microbolhas e/ou ecocardiograma transesofágico para identificar defeitos menores.

Estudo hemodinâmico: raramente utilizado para complementação diagnóstica, salvo nos casos de drenagem anormal parcial de veias pulmonares ou definição de pressão pulmonar. Vem sendo cada vez mais utilizado como método terapêutico com implante de próteses.

O tratamento clínico consiste em medidas para IC e o tratamento definitivo deve ser eletivo em torno de dois anos, podendo ser cirúrgico ou, muitas vezes, hemodinâmico.

Persistência do canal arterial

Prevalência de 0,31 por 1.000 nascidos vivos, correspondendo a 5% das cardiopatias congênitas. É mais frequente no sexo feminino em 3:1, prematuros e pode estar relacionada à infecção materna por rubéola no primeiro trimestre.

Estrutura fundamental para circulação fetal, costuma ter fechamento funcional nos primeiros dias de vida e anatômico até três semanas. Se não houver o fechamento com a queda da pressão pulmonar, o shunt é invertido da esquerda para a direita, passando a funcionar de maneira semelhante a CIV.

Quadro clínico: variável, porém tipicamente apresenta sopro contínuo (maquinaria) infraclavicular esquerdo, em anatomia normal, com segunda bulha hiperfonética. Pulsos periféricos amplos.

Eletrocardiograma: pode ser normal em canais pequenos. Em canais grandes, apresenta sobrecarga ventricular esquerda.

Radiografia de tórax: aumento de área cardíaca, às custas de cavidades cardíacas esquerdas, sinais de hiperfluxo pulmonar.

Ecocardiograma: visualização do defeito, medição e repercussão hemodinâmica.

Cardiopatias não Cianogênicas **405**

Tratamento: todos devem ser fechados, principalmente pelo risco de endocardite infecciosa. Em prematuros deve-se tentar fechamento medicamentoso com indometacina ou ibuprofeno. Na falha do tratamento clínico ou em crianças de termo, o tratamento pode ser cirúrgico ou por hemodinâmica, em torno de 12 meses a depender do quadro clínico.

Defeito do septo atrioventricular

O Defeito do Septo Atrioventricular (DSAV) apresenta prevalência de 0,25 por 1.000 nascidos vivos, representando 4% das cardiopatias congênitas. Patologia de grande incidência na Síndrome de Down. É um defeito no desenvolvimento dos coxins endocárdicos, resultando em comunicação atrial tipo ostium primum, uma comunicação interventricular e valva atrioventricular única.

Subdividimos o DSAV em forma parcial, quando há dois orifícios atrioventriculares, e forma total, com um único orifício atrioventricular.

Quadro clínico: a forma parcial apresenta quadro clínico semelhante ao de CIA, já a forma total apresenta-se clinicamente como uma CIV com sinais de IC. As duas formas podem apresentar maior repercussão acompanhando o grau de insuficiência da valva atrioventricular. Assim como outras patologias de hiperfluxo pulmonar, pode cursar com hipertensão pulmonar caso não seja abordado em momento oportuno. Caso esteja associado à Síndrome de Down, a hipertensão pulmonar costuma apresentar-se mais precocemente.

Eletrocardiograma: apresenta classicamente bloqueio divisional antero-superior, com sobrecarga nos dois ventrículos, predominando no ventrículo direito.

Radiografia de tórax: aumento global da área cardíaca, com aumento do tronco pulmonar e sinais de hiperfluxo pulmonar.

Ecocardiograma: avalia cada defeito, CIA, CIV e valvas atrioventriculares. Na análise das valvas, deve-se classificar o DSAV nos subtipos A, B e C de Rastelli, de acordo com a inserção do folheto ponte-anterior. É necessário, ainda, avaliar cuidadosamente se a abertura das valvas atrioventriculares se dá de maneira balanceada para os dois ventrículos ou de maneira desbalanceada, privilegiando um dos dois ventrículos.

Estudo hemodinâmico: deve ser feito para avaliação da pressão pulmonar, na suspeita de hipertensão pulmonar por hiper-resistência.

Tratamento: a correção total deve ser indicada em torno de 6 meses de idade. Pode ser necessária cirurgia paliativa, bandagem do tronco da pulmonar, nos casos de IC refratária a tratamento clínico nos primeiros meses de vida, em crianças sem condições clínicas de tratamento definitivo ou com DSAV desbalanceado.

Estenose aórtica

A Estenose Aórtica (EAo) apresenta prevalência de 0,48 por 1.000 nascidos vivos, representa 7,7% das cardiopatias congênitas, apresenta predomínio do sexo masculino em 4:1. Pode apresentar-se de forma leve, oligossintomática com alguma intolerância ao exercício; forma moderada, com hipertrofia do ventrículo esquerdo e, consequentemente, evoluirá com disfunção diastólica, congestão pulmonar e baixo débito sistêmico; ou a forma crítica, com hipertrofia concêntrica do ventrículo esquerdo, podendo levar à diminuição da cavidade e do seu débito, dependendo, por isso, do canal arterial para manter o fluxo na aorta.

Quadro clínico: muito variável de acordo com o grau de estenose. Em estenoses críticas, o quadro se assemelha ao da síndrome da hipoplasia do coração esquerdo, com necessidade de intervenção precoce e dependente do canal arterial. Estenoses moderadas podem manifestar o baixo débito com o aumento da atividade da criança, a partir do segundo mês de vida, ou ainda manter-se oligossintomática.

Eletrocardiograma: observa-se hipertrofia ventricular esquerda.

Radiografia de tórax: pode apresentar dilatação aórtica pós-estenótica e aumento de ventrículo esquerdo.

Ecocardiograma: avalia o local da lesão, subvalvar, valvar ou supravalvar. Define a viabilidade da valva, número de cúspides e tamanho do anel.

Estudo hemodinâmico: pode ser necessário para avaliação do gradiente e de lesões associadas.

Tratamento: de acordo com o quadro clínico, pode ser indicada correção cirúrgica, por cateter balão, ou mesmo apenas acompanhamento clínico; vale ressaltar que, mesmo com bom resultado pós-correção, o paciente pode evoluir com reestenose ou insuficiência da válvula, portanto deve ser acompanhado periodicamente. Nessa patologia, devemos ter especial atenção para profilaxia de endocardite bacteriana.

Coarctação de aorta

A Coarctação da Aorta (CoAo) tem uma prevalência de 0,33 por 1.000 nascidos vivos e representa 5,29% das cardiopatias congênitas, há predomínio do sexo masculino em 2:1. Pode ser isolada ou associada a outros defeitos, em especial a valva aórtica bicúspide. A CoAo é ainda associada à síndrome de Turner.

A localização mais frequente da CoAo é a região pré-canal. Pode apresentar-se isolada ou associada a: valva aórtica bivalvularizada, CIV, estenose valvar aórtica e subaórtica, PCA, anomalias da valva mitral, fibroelastose endocárdica.

Quadro clínico: a apresentação clínica varia junto com o grau de obstrução ao fluxo sanguíneo. A coarctação grave é a principal causa de insuficiência cardíaca em neonatos, já coarctações leves podem ser assintomáticas, porém apresentam diferença de pulsos entre membros inferiores e superiores, além de pulsos amplos, ela evolui com hipertensão arterial. Pode haver sopro em região de fúrcula e em hemitórax esquerdo dorsal.

Eletrocardiograma: demonstra sobrecarga ventricular direita nas crianças menores e evolui com sobrecarga ventricular esquerda.

Radiografia de tórax: quando a CoAo cursa com IC já no recém-nascido, podemos encontrar, no RX, cardiomegalia com congestão pulmonar. Já nos casos menos graves, o RX pode ser inalterado ou apresentar apenas dilatação da aorta ascendente. Nas crianças maiores, podemos encontrar o sinal do "3", que corresponde à própria CoAo, e as dilatações pré e pós-estenóticas; pode apresentar, ainda, o sinal de Roesler, erosões/corrosões dos bordos inferiores das costelas.

Ecocardiograma: útil para confirmação diagnóstica e pesquisa de anomalias associadas. Algumas vezes se faz necessário ampliar o estudo diagnóstico com Tomografia Computadorizada ou Ressonância Magnética, visto que esses métodos diagnósticos avaliam com mais precisão estruturas extracardíacas.

Estudo hemodinâmico: pode ser dispensável como método diagnóstico se obtivermos bom estudo anatômico com tomografia computadorizada ou ressonância magnética, porém é muito útil para tratamento com angioplastia por cateter balão ou implantação de Stent no local coarctado.

Tratamento: os recém-nascidos que apresentam CoAo crítica, com sinais de baixo débito e choque cardiogênico devem ser mantidos com canal arterial aberto (uso de prostaglandina em UTI). Todos os pacientes sintomáticos ou assintomáticos com repercussão hemodinâmica devem ser tratados por hemodinâmica ou por cirurgia.

Estenose pulmonar

A Estenose Pulmonar (EP) apresenta uma prevalência de 0,36 para cada 1.000 nascidos vivos e representa 5,81% das cardiopatias congênitas. Pode ser dividida, de acordo com a

Cardiopatias não Cianogênicas **407**

localização, em: valvar (com ou sem acometimento do anel), subvalvar (infundibular) ou supravalvar (tronco e artérias pulmonares). A EP é ainda a cardiopatia congênita relacionada à síndrome de Noonan.

Quadro clínico: A EP apresenta-se em espectro, variando de EP crítica, com necessidade de intervenção precoce, até pacientes oligossintomáticos e assintomáticos. Quando presentes, os sintomas são dispneia aos esforços, fadiga, dor torácica e cianose (caso apresente CIA). Na ausculta cardíaca, observamos sopro sistólico ejetivo em borda esternal esquerda alta e a segunda bulha pode estar hipofonética.

Eletrocardiograma: pode ser normal nos casos leves ou apresentar sinais de sobrecarga ventricular e, posteriormente, atrial direita.

Radiografia de tórax: nos casos leves, podemos ter área cardíaca normal e normofluxo pulmonar. O arco médio apresenta-se aumentado devido à dilatação pós-estenótica do tronco pulmonar. Em casos de EP mais importante, encontraremos aumento de área cardíaca às custas de câmaras direitas e também podemos encontrar diminuição da trama pulmonar.

Ecocardiograma: nos permite confirmar diagnóstico e avaliar formato e comprometimento da válvula, tamanho do anel valvar e dimensão dos demais estreitamentos, bem como os gradientes envolvidos.

Tratamento: o tratamento de escolha para estenose valvar com anel de tamanho adequado é a dilatação percutânea com cateter balão, a abordagem terapêutica deve ser indicada em pacientes sintomáticos ou quando os gradientes superarem 50 mmHg. Já nas EPs com anel diminuto ou comprometimento importante sub ou supravalvar, pode ser necessária abordagem cirúrgica.

Origem anômala de coronária esquerda

A Origem Anômala de Coronária Esquerda (OACE) apresenta prevalência de 0,01 para cada 1.000 nascidos vivos e representa 0,22% das cardiopatias congênitas. Em aproximadamente 90% dos casos de OACE, a coronária esquerda emerge do tronco da pulmonar, os casos restantes originam-se da artéria pulmonar esquerda. Pode ser um defeito isolado ou acompanhado de outros como: CIV, CoAo, PCA e tetralogia de Fallot.

Quadro clínico: o bebê nasce assintomático, porém, após a queda da pressão pulmonar (padrão fetal), a perfusão da coronária anômala diminui, com isso o miocárdio começa a sofrer isquemias e a criança inicia o quadro de choro inconsolável que piora com as mamadas; caso não seja diagnosticada e tratada, essas isquemias vão se agravando e a criança evolui com insuficiência cardíaca. O regime de isquemia miocárdica atinge também os músculos papilares, o que gera insuficiência mitral e sopro sistólico regurgitativo nessa topografia.

Eletrocardiograma: tipicamente demonstra as áreas de isquemia e, posteriormente, áreas eletricamente inativas e sobrecarga ventricular esquerda.

Radiografia de tórax: apresenta cardiomegalia às custas de ventrículo esquerdo e átrio esquerdo, apresenta ainda aumento da trama pulmonar.

Ecocardiograma: faz diagnóstico observando a origem da coronária esquerda no tronco pulmonar. O sinal característico da OACE é a hiper-refringência do músculo papilar mitral.

Tratamento: a correção cirúrgica pode ser feita por reimplante do óstio da coronária na aorta ou pela técnica da tunelização (através do tronco da pulmonar). Os resultados costumam ser favoráveis.

408 Guia Prático de Cardiologia

• Referências bibliográficas

1. Chang AC, Hanley FL, Wernovsky G, Wessel DL - Pediatric Cardiac Intensive Care – Baltimore-USA, Willians & Wilkins, 1998.
2. Ebaid M, Atik E, Miura N, Afiune JÁ – Cardiologia em Pediatria: Temas Fundamentais. São Paulo, Roca, 2000.
3. Santana MVT – Cardiopatias Congênitas no Recém-nascido – São Paulo, Atheneu, 2000.

Cardiopatias Cianogênicas

• Introdução

As cardiopatias congênitas cianogênicas têm como principal característica a cianose, que pode estar presente desde o nascimento ou surgir em períodos distintos da evolução.

• Tetralogia de Fallot (T4F)

Em 1888, Fallot descreveu os aspectos anatômicos que determinam a patologia, caracterizados por comunicação interventricular (CIV) por desvio ântero-superior do septo infundibular, cursando com estenose pulmonar (EP) provocando cavalgamento da Aorta no septo interventricular (menor que 50%) e hipertrofia ventricular direita.

Existem variados graus de manifestação clínica, desde ausência de cianose, nos casos em que a estenose infundibulovalvar é discreta observando-se "*shunt*" esquerda - direita, até cianose decorrente de shunt direita - esquerda quando a estenose infundibular valvar for importante.

Existem fatores que contribuem para a acentuação da cianose, como aumento da atividade física da criança (choro, irritabilidade, cólicas) ou que diminuem a resistência vascular sistêmica (calor, hipotensão). Tais fatores podem desencadear a crise de hipóxia caracterizadas por taquipneia, cianose intensa, agitação, podendo ocasionar síncope, convulsão ou morte.

Dentre as manifestações clínicas mais comuns, encontramos cianose de mucosas, lábios e leitos ungueais. Posição de cócoras pode ser adotada pelos pacientes portadores da cardiopatia com a finalidade de aumentar a resistência vascular sistêmica e propiciar maior fluxo pulmonar. O sopro é sistólico ejetivo, localizado em borda esternal esquerda alta, com intensidade e duração inversamente proporcional ao grau de estenose.

A radiografia de tórax evidencia área cardíaca normal ou aumentada, arco médio escavado, botão aórtico saliente e elevação da ponta cardíaca (coração em "bota" ou "tamanco holandês"), sendo que a trama vascular pode ser normal ou diminuída.

410 Guia Prático de Cardiologia

O eletrocardiograma (ECG) demonstra eixo cardíaco desviado para a direita e sobrecarga ventricular direita. Bloqueio de ramo direito é evidenciado na grande maioria dos pacientes operados.

O ecocardiograma define anatomia, tamanho da CIV, grau de estenose pulmonar, além de tamanho do tronco pulmonar e artérias pulmonares proximais.

O cateterismo cardíaco complementa o diagnóstico e auxilia na visualização da árvore pulmonar.

A condução desses pacientes, no período pré-operatório, consiste em combater infecções e anemia e usar betabloqueador (propranolol, 1 a 4 mg/kg/dia). O tratamento da crise de hipóxia consiste em acalmar a criança, colocar a criança em posição genupeitoral para aumentar a resistência vascular sistêmica, utilizar morfina, betabloqueador endovenoso, tratar acidose. O uso do oxigênio nesses casos é controverso.

O tratamento cirúrgico consiste em duas abordagens diferentes:

▶ paliativo: aumentar fluxo pulmonar em crianças menores que 3 meses, sintomáticas, com anatomia desfavorável ou com más condições clínicas, que consiste na cirurgia de Blalock-Taussig (anastomose entre artéria subclávia e artéria pulmonar)

▶ corretivo: entre 4 e 6 meses, quando anatomia favorável e lactentes pouco sintomáticos. Consiste em fechamento da CIV com "patch" e direcionamento da aorta para ventrículo esquerdo, ressecção infundibular e comissurotomia pulmonar ou colocação de retalho transanular com monocúspide.

• Transposição das grandes artérias (TGA)

Considerada como a cardiopatia congênita cianogênica mais frequente no período neonatal, correspondendo a 6% de todas as cardiopatias congênitas. É a situação anatômica caracterizada por concordância atrioventricular e discordância ventrículo-arterial, de tal forma que o tronco pulmonar se origine do ventrículo esquerdo, e a Aorta, do ventrículo direito.

A TGA pode apresentar diferentes defeitos associados:

▶ TGA com CIA (mais comum e conhecida como TGA simples)
▶ TGA com CIV
▶ TGA com obstrução da via de saída do VE (geralmente com CIV associada)

A fisiologia é determinada pela circulação em paralelo, na qual o débito sistólico de cada ventrículo retorna para ele mesmo, sendo necessário algum tipo de *shunt* para sobrevivência até a correção cirúrgica.

As manifestações clínicas estão relacionadas com o grau de mistura entre as circulações.

Na TGA com septo interventricular íntegro (TGA simples) há pequena mistura interatrial e ocorre aparecimento de cianose com poucas horas de vida, que piora após o fechamento do canal arterial, levando à hipóxia grave, acidose e morte. Por isso, necessita de Atriosseptostomia (Rashkind) com cateter balão de urgência. A ausculta cardíaca evidencia segunda bulha única.

Na TGA com CIV, a cianose é discreta, aparecendo com mais frequência insuficiência cardíaca. Na ausculta cardíaca, podemos encontrar sopro sistólico regurgitativo em borda esternal esquerda baixa (CIV) ou sopro sistólico ejetivo discreto (aumento do fluxo pulmonar).

A TGA com obstrução da via de saída do ventrículo esquerdo (estenose pulmonar) geralmente vem acompanhada de CIV. Há limitação do fluxo pulmonar em proporção ao grau de estenose pulmonar. A cianose e a insuficiência cardíaca são discretas quando há equilíbrio entre fluxos pulmonar e sistêmico. O sopro cardíaco se caracteriza como sopro sistólico ejetivo em borda esternal esquerda alta.

Os achados eletrocardiográficos também dependem do tipo de TGA encontrada. Na presença de CIA, podemos observar desvio do eixo para a direita e sobrecarga de câmaras direitas, sendo que, na que possui CIV, a sobrecarga biventricular pode estar presente.

Os achados radiológicos são caracterizados por área cardíaca pouco aumentada, com formato ovoide em projeção póstero-anterior e pedículo vascular estreito.

O ecocardiograma é o método diagnóstico de escolha na TGA. Demonstra relação dos grandes vasos, localização e tamanho dos defeitos intracardíacos, além de determinar o funcionamento das valvas e a origem e trajeto proximal das coronárias.

O cateterismo tem sua indicação bem determinada nos casos de TGA com CIA restritiva, para realização de atriosseptostomia com cateter balão (técnica de Rashkind). Tem importância, também, na definição anatômica das artérias coronárias, em caso de dúvida do ecocardiograma.

Na TGA simples, a abordagem cirúrgica é indicada nos primeiros dias de vida, visando sempre à correção anatômica (Cirurgia de Jatene).

Na TGA com CIV, TGA com CIV e Estenose Pulmonar, a cirurgia de Jatene está indicada do período neonatal até os dois meses de vida, desde que a estenose pulmonar seja ressecável. Nos casos em que não é possível tratar a EP a opção cirúrgica é a cirurgia de Rastelli (colocação de tubo VD-TP e fechamento da CIV com direcionamento VE-Ao).

A estabilização clínica, com suporte ventilatório adequado, uso de Prostaglandina E1 e compensação da insuficiência cardíaca é fundamental para permitir a realização da cirurgia corretiva.

Existem situações em que a correção anatômica definitiva não pode ser realizada de imediato (VE tipo III – classificação ecocardiográfica – evidencia-se abaulamento do septo interventricular da direita para a esquerda, reduzindo a cavidade do VE na sístole), sendo necessária a preparação do ventrículo esquerdo para receber uma resistência sistêmica.

É realizada a cirurgia de Yacoub, na qual é colocada bandagem no tronco pulmonar para aumentar a resistência enfrentada por esse ventrículo e colocado um "shunt" sistêmico pulmonar (Blalock-Taussig modificado) para aumentar o retorno venoso do pulmão para o ventrículo esquerdo. Após algumas semanas e com a realização de ecocardiograma seriado, se o o VE estiver preparado (semelhante ao ventrículo sistêmico), pode-se realizar a cirurgia de Jatene. Nos casos em que o VE não estiver preparado (VE tipo III), deve-se realizar a correção atrial pela técnica de Senning ou Mustard, onde se realiza uma correção fisiológica (tunelização atrial: o fluxo de sangue que chega no átrio direito é desviado para o ventrículo esquerdo, e o do átrio esquerdo é desviado para o ventrículo direito). O ventrículo direito permanece como ventrículo sistêmico, podendo levar a arritmias, disfunção ventricular direita e insuficiência tricúspide a longo prazo.

• Atresia tricúspide

A atresia tricúspide (AT) consiste na ausência de conexão do átrio direito com o ventrículo direito, ocasionando hipoplasia do ventrículo direito (VD). Incidência de 0,3% a 5,3% das cardiopatias congênitas.

A sobrevida dos recém-nascidos com AT depende de defeitos associados para que ocorra mistura do sangue das duas circulações (CIA, CIV, PCA).

Pode ser classificada de diversas maneiras, porém a mais comumente aceita é a de Kuhne (modificada), determinada da seguinte maneira:

I. Grandes artérias normorrelacionadas (Concordância ventriculoarterial):
  A. Septo interventricular íntegro com atresia pulmonar
  B. Restrição ao fluxo pulmonar (CIV pequena e/ou estenose pulmonar)
  C. Fluxo pulmonar normal ou aumentado (CIV grande sem estenose pulmonar)

II. Transposição das grandes artérias (Discordância ventriculoarterial):
  A. Atresia pulmonar com CIV
  B. Estenose pulmonar com CIV
  C. Sem estenose pulmonar com CIV
III. Discordância atrioventricular e ventriculoarterial

A comunicação entre os átrios se dá em 80% dos casos por um forame oval patente, e 20% por CIA tipo Ostium Secundum. Observamos discordância ventriculoarterial em 25% dos casos, com possibilidade de 60% de malformações.

A cianose é a principal manifestação clínica, podendo ser observada já no primeiro dia de vida, sendo variável de acordo com o fluxo pulmonar e tamanho do canal arterial. Pode ocorrer, também, piora da cianose quando ocorre redução da CIV ou agravamento da lesão obstrutiva infundibular. Podemos observar, ainda, baqueteamento digital em casos mais graves e não tratados ou posição de cócoras para melhora da cianose.

Devido à hipoxemia crônica, podemos encontrar policitemia e dispneia. À ausculta cardíaca dos casos de estenose pulmonar e/ou CIV pequena, detectamos sopro sistólico ejetivo em foco pulmonar compatível com estenose pulmonar, que pode variar dependendo do grau da estenose. Nos casos de hiperfluxo pulmonar, em que a CIV é grande, encontramos sobrecarga das cavidades esquerdas, hipertensão pulmonar e débito sistêmico diminuído, podendo aparecer sinais de ICC e, na ausculta, encontra-se hiperfonese e desdobramento de B2. Nos casos em que ocorre desenvolvimento de doença vascular pulmonar, há acentuação da cianose, redução ou desaparecimento do sopro sistólico e aparecimento de sopro diastólico da insuficiência pulmonar.

O ECG é essencial para a orientação diagnóstica, com sinais de sobrecarga atrial direita importante associada à sobrecarga ventricular esquerda (achado típico), além de bloqueio de ramo esquerdo.

A radiografia de tórax revela vascularização pulmonar diminuída e área cardíaca normal ou pouco aumentada nos casos com restrição do fluxo pulmonar. Já nos casos de hiperfluxo pulmonar, os achados são área cardíaca aumentada e vascularização pulmonar proeminente.

O ecocardiograma geralmente determina o diagnóstico anatômico completo; caracteriza tamanho de CIA e CIV, relação dos vasos, persistência da veia cava esquerda e função ventricular.

O cateterismo cardíaco é fundamental nos casos de dúvida diagnóstica, podendo avaliar pressão e saturação das câmaras cardíacas. Indicado, também, para angiografia antes da operação de Glenn e da derivação Cavopulmonar Total. O cateterismo cardíaco revela tamanho e formato das artérias pulmonares, resistência pulmonar, pressão diastólica de VE, anormalidade venosa sistêmica e pulmonar, funcionalidade da valva mitral, presença de TGA e estudo da região subaórtica.

O tratamento da AT é cirúrgico, podendo ser dividido em eletivo ou de urgência. Em neonatos com hipofluxo pulmonar importante, há necessidade de Prostaglandina E1 para manter canal arterial pérvio, permitindo melhora clínica e estabilização hemodinâmica para posterior conduta cirúrgica. Se ocorrer baixo débito e hipoxemia, com CIA restritiva, realiza-se atriosseptostomia pela técnica de Rashkind. Nos pacientes com fluxo pulmonar reduzido, a cirurgia paliativa para aumentar o fluxo pulmonar é a criação de "shunt" sistêmico-pulmonar pela interposição de tubo sintético entre artéria subclávia e artéria pulmonar (Blalock Taussig modificado). Os pacientes com fluxo pulmonar aumentado, ICC e hipertensão arterial por hiperfluxo pulmonar necessitam de bandagem pulmonar. Quando a criança já atingiu idade adequada (ao redor de seis meses), podemos partir para a sequência de correção para corações univentriculares, sendo a primeira etapa a anastomose entre veia cava superior e artéria pulmonar direita (Cirurgia de Glenn). Ao redor de dois anos ou 15 kg, partimos para a segunda etapa, que é a cirurgia tipo Fontan ou Cavopulmonar Total, na qual se realiza anastomose da veia cava inferior com a artéria pulmonar por interposição de tubo extracardíaco.

• Atresia pulmonar com septo interventricular íntegro

A Atresia Pulmonar (AP) com septo ventricular íntegro é uma anomalia incomum, corresponde a 1% de todas as cardiopatias congênitas e a 2,5% dos recém-nascidos criticamente enfermos com cardiopatia congênita.

Corresponde à ausência de conexão entre o VD e o tronco pulmonar, sendo o fluxo sanguíneo pulmonar provido pelo canal arterial.

O tronco pulmonar e o anel valvar são hipoplásicos. A morfologia varia desde hipoplasia e hipertrofia de VD (mais comum), com valva tricúspide hipoplásica ou estenótica, até VD dilatado com paredes finas, com valva tricúspide displásica e insuficiência importante. Após o nascimento, o fluxo pulmonar depende da permeabilidade do canal arterial e do forame oval.

Nos casos com VD hipoplásico, o regime de alta pressão no VD se descomprime na microcirculação coronária dilatada através de sinusoides, que comunicam a luz do VD com as coronárias. A circulação se faz de forma retrógrada, do VD para os sinusoides, artérias coronárias, veias coronárias, seio coronário e AD. O sangue saturado da aorta que perfunde as coronárias sofre competição com o sangue insaturado vindo dos sinusoides. Portanto, todo tipo de tentativa de correção cirúrgica que diminua a pressão sistólica do VD pode resultar em isquemia miocárdica e infarto.

A manifestação clínica mais comum é cianose progressiva após o nascimento, em decorrência da diminuição do tamanho do canal arterial. Ao exame físico, nota-se taquipneia e baixo débito cardíaco quando houver restrição ao fluxo pela CIA. A segunda bulha é única, sopro cardíaco pode ser ausente ou sistólico regurgitativo em foco tricúspide, além de sopro sistólico ou contínuo em região infraclavicular.

A Atresia Pulmonar com SIV íntegro apresenta alta mortalidade (50% no primeiro mês de vida, 85% antes dos seis meses).

A radiografia de tórax evidencia silhueta cardíaca de tamanho variado, com aumento de átrio direito e ventrículo esquerdo, quando VD é hipoplásico. Vascularidade pulmonar é diminuída.

O ECG demonstra ritmo sinusal, sinais de sobrecarga de AD e padrão de dominância esquerda. Alterações do segmento ST podem estar presentes, traduzindo algum grau de isquemia.

O ecocardiograma é fundamental para o diagnóstico. Avalia tamanho da CIA, VD e valva tricúspide, além da presença de sinusoides.

O cateterismo é um exame de grande importância para determinar dimensões de VD, valvas e caracterizar sinusoides, além do estado funcional do canal arterial e anatomia das artérias pulmonares. Há indicação de atriosseptostomia se VD hipoplásico e CIA restritiva.

A abordagem inicial deve visar à estabilidade clínica por meio do uso de Prostaglandina E1, para manter o fluxo pulmonar pelo canal arterial, evitar o estado hipoxêmico grave do recém-nascido, controlar distúrbios metabólicos e eletrolíticos. Manter boa comunicação entre os átrios e atenção na oferta de oxigênio (pelo risco de fechamento do canal arterial) também são cruciais para a estabilidade clínica.

Em um primeiro momento, a cirurgia paliativa para manutenção de fluxo pulmonar deve ser realizada (Blalock Taussig modificado). A determinação do tamanho do VD é fundamental para prosseguir à correção uni ou biventricular. A primeira é realizada através de valvotomia cirúrgica ou por cateterismo intervencionista (perfuração com radiofrequência seguida de valvoplastia com balão). Pacientes com VD hipoplásico e/ou circulação coronariana dependente dos sinusoides não são candidatos à correção biventricular, podendo, posteriormente, ser submetidos à cirurgia para derivação Cavopulmonar Total.

Os pacientes com circulação coronariana dependente de sinusoides têm pior prognóstico e podem se beneficiar de transplante cardíaco.

• Síndrome da hipoplasia do coração esquerdo

A Síndrome da Hipoplasia do Coração Esquerdo (SHCE) caracteriza-se por um conjunto de anomalias inter-relacionadas que incluem o subdesenvolvimento do lado esquerdo do coração e a incapacidade de manter a circulação sistêmica. Ventrículo esquerdo (VE) apresenta variações desde pequeno sem função até totalmente atrésico. O VD mantém a circulação sistêmica e pulmonar.

Ocorre mistura do sangue trazido pelas veias pulmonares com o sangue sistêmico por meio de defeito atrial. O septo interventricular geralmente é íntegro. A aorta é suprida pelo canal arterial, que recebe o sangue das artérias pulmonares, de forma anterógrada para a aorta descendente e retrógrada para a aorta ascendente e coronárias.

O tamanho do defeito interatrial é determinante das principais anormalidades hemodinâmicas: hipertensão venosa pulmonar quando CIA é restritiva ou hiperfluxo pulmonar nos casos de CIA grande.

A manifestação clínica mais comum é uma coloração acinzentada da pele, podendo evoluir para sinais de má perfusão sistêmica e choque quando o canal arterial se fecha. Sinais de IC (dispneia, taquipneia, hepatomegalia) podem ocorrer dias após o nascimento e pulsos periféricos são geralmente diminuídos.

A radiografia de tórax evidencia cardiomegalia e vascularização pulmonar aumentada.

O ECG é determinado por ondas P proeminentes e sinais de sobrecarga ventricular direita.

O ecocardiograma é fundamental para o diagnóstico, especialmente intraútero, caracterizando as valvas mitral e aórtica, tamanho e via de saída de VE (aorta pequena, com possibilidade de coarctação de aorta) e determinando o tamanho da CIA e o fluxo pelo canal arterial.

O cateterismo cardíaco pode ser indicado para complementação diagnóstica e para obter informações adicionais em pacientes com anomalia do retorno venoso pulmonar ou tamanho do VE limítrofe.

As crianças não tratadas evoluem a óbito nos primeiros meses de vida, usualmente entre as duas primeiras semanas de vida. Até um terço dos pacientes com SHCE têm anormalidades no sistema nervoso central.

A abordagem clínica inicial deve visar estabilidade hemodinâmica por meio da manutenção da patência do canal arterial com uso de Prostaglandina E1, prevenção de hipotermia, correção de distúrbios metabólicos e eletrolíticos.

A atriosseptostomia com cateter balão (Rashkind) pode ser indicada se a CIA for altamente restritiva e deve ser cuidadosamente realizada.

A terapia cirúrgica para SHCE se divide em três estágios:

- ❯ Primeiro estágio: é determinado como estágio paliativo, que pode ser realizado pela cirurgia de Norwood (confecção de neoaorta com artéria pulmonar proximal e Shunt aortopulmonar) ou pelo procedimento híbrido (bandagem das artérias pulmonares para redução do fluxo pulmonar e implante de *stent* em canal arterial para manter fluxo em aorta ascendente e descendente).

- ❯ Segundo estágio: conexão da veia cava superior à artéria pulmonar (Cirurgia de Glenn); caso o primeiro estágio tenha sido determinado pelo procedimento híbrido, no segundo estágio realiza-se a Cirurgia de Norwood-Glenn.

- ❯ Terceiro estágio: conexão da veia cava inferior à artéria pulmonar, fazendo com que todo retorno sistêmico se direcione para as artérias pulmonares (Cirurgia de Cavopulmonar total ou tipo Fontan).

Cardiopatias Cianogênicas **415**

O transplante cardíaco pode ser uma terapia alternativa.

• *Truncus arteriosus*

É um defeito congênito incomum, no qual existe um vaso arterial único saindo da base do coração através de uma única valva semilunar, constituída de duas a seis válvulas, suprindo a circulação sistêmica e pulmonar. A comunicação interventricular (CIV) está sempre presente, para que o sangue dos dois ventrículos consiga ter acesso ao tronco comum.

O tronco arterial comum dá origem às artérias coronárias, sistêmica e pulmonar.

Incidência ao redor de 2,5% das cardiopatias congênitas, com predomínio no sexo masculino.

A origem das artérias pulmonares é variável, baseada na classificação de Collett-Edwards (1949):

- ❯ Tipo I: é o tipo mais comum (60%), existe um tronco pulmonar curto, que se emerge acima da valva truncal, dando origem às artérias pulmonares direita e esquerda.
- ❯ Tipo II:- as artérias pulmonares se originam próximas e lado a lado na face posterior do tronco comum.
- ❯ Tipo III: as artérias pulmonares se originam separadamente, nas faces laterais do tronco comum.

Van Praagh estabeleceu uma classificação com 4 tipos anatômicos, levando em consideração a presença ou ausência de septo aortopulmonar. Acrescentou o tipo IV, no qual não há conexão entre o coração e as artérias pulmonares e o fluxo sanguíneo pulmonar é originado de colaterais aortopulmonares.

Defeitos associados:

- ❯ Arco aórtico à direita – 30%
- ❯ Interrupção do arco aórtico – 15%, relacionada com o tipo IV
- ❯ Ausência unilateral de artéria pulmonar – 16%
- ❯ Anomalia na origem das coronárias – até 50% dos casos, tendo o óstio único de coronária como a principal anomalia

A história natural é muito desfavorável com sobrevida de 50% no primeiro mês e 30% nos três meses subsequentes devido a ICC.

Em relação à fisiopatologia, ocorre aumento do fluxo pulmonar no momento em que há redução da resistência vascular pulmonar, levando à dilatação de câmaras esquerdas e ICC, com cianose pouco evidente ao repouso. Existe grande possibilidade de desenvolvimento de hiper-resistência vascular pulmonar, devido a hiperfluxo pulmonar, até primeiro ano de vida.

A cianose clinicamente visível está presente nos casos em que há algum grau de redução ao fluxo pulmonar (estenose de artérias pulmonares).

A apresentação clínica é precoce; no período neonatal, em que há resistência pulmonar aumentada, ocorre cianose intermitente e taquipneia, além de possibilidade de insuficiência da valva truncal. Após duas ou três semanas de vida, já observamos ICC, caracterizada por taquipneia, sudorese excessiva, dificuldade de alimentação e ganho ponderal inadequado. Cianose intensa com poliglobulia e baqueteamento digital é encontrada em pacientes com estenose das artérias pulmonares.

Na ausculta cardíaca podemos encontrar segunda bulha com intensidade aumentada, única ou desdobrada, explicado pelo fechamento assincrônico das válvulas da valva truncal. Frequentemente detecta-se estalido protossistólico de grande intensidade, que coincide com a máxima abertura da valva truncal. Pode ocorrer insuficiência da valva truncal, caracterizada por pulsos simétricos amplos e sopro diastólico.

Radiologicamente, o principal achado é cardiomegalia e aumento da trama vascular pulmonar.

O ECG mostra ritmo sinusal, com sobrecarga biventricular, mas predomínio de sobrecarga de VD aparece quando há hiper-resistência vascular pulmonar.

O ecocardiograma é uma excelente ferramenta desde o diagnóstico intra-útero. Determina o diagnóstico pela detecção de tronco comum sobreposto à CIV e posterior origem das artérias pulmonares, além de avaliar estenose ou insuficiência da valva truncal.

Se necessário, o cateterismo cardíaco evidencia valores de oximetria e pressões das cavidades cardíacas e vasos, além de evidenciar possíveis variações anatômicas.

A evolução natural é de 12% das crianças completando um ano de vida. A sobrevida depende do grau de restrição ao fluxo pulmonar.

O tratamento clínico consiste do controle da ICC, com uso de diuréticos e vasodilatadores sistêmicos, que pode propiciar a realização de cirurgia eletiva (seis semanas a seis meses). A opção terapêutica é o tratamento cirúrgico precoce, que consiste na criação de continuidade entre VD e artéria pulmonar com interposição de tubo valvado e oclusão da CIV ou conduto não valvado e com monocúspide (Técnica de Barbero-Marcial).

Há necessidade de seguimento clínico constante, devido à possibilidade de calcificação do tubo, aparecimento de estenose ou insuficiência pulmonar e da valva truncal.

• Referências biliográficas

1. Santana MVT – Cardiopatias Congênitas no Recém-nascido – São Paulo, Atheneu, 2000.
2. Ebaid M, Atik E, Miura N, Afiune JÁ – Cardiologia em Pediatria: Temas Fundamentais. São Paulo , Roca, 2000.
3. Chang AC, Hanley FL, Wernovsky G, Wessel DL – Pediatric Cardiac Intensive Care – Baltimore-USA, Willians & Wilkins, 1998.
4. Santana MVT – Cardiopatias Congênitas no Recém-nascido – São Paulo, Atheneu, 2000.

Cardiointensivismo: Emergências e procedimentos

Ressuscitação Cardiopulmonar e Time de Resposta Rápida

• Introdução

Morte súbita cardíaca é evento irresversível e constitui-se de morte natural oriunda de causas cardíacas prenunciadas pela perda abrupta de consciêcia em um intervalo de tempo de até uma hora do início de alteraçãoes agudas do estado cardiovascular.

Parada cardíaca é um evento súbito e inesperado, configura-se na cessação súbita da função da bomba cardíaca, reversível pela pronta intervenção, mas que resulta em óbito na ausência de assistência.

• Epidemiologia

No Brasil estima-se cerca de 200.000 PCRs ao ano, sendo metade dos casos ocorridos em ambiente hospitalar, e outra metade em ambientes públicos.

Dentre as causas de PCR extra-hospitalar, atribui-se cerca de 56% a 74% dos casos a ritmos de fibrilação ventricular e taquicardia ventricular sem pulso, geralmente associados a causas isquêmicas ou instabilidades elétricas. Já as PCRs em ambiente hospitalar devem-se principalmente à atividade elétrica sem pulso e assistolia, e estão associadas à deterioração clínica progressiva.

• Tratamento

Deve ser iniciado tão prontamente ao reconhecimento da PCR. O sucesso está diretamente relacionado ao reconhecimento da PCR e à desfibrilação precoce, isto significa que esta deve ser aplicada nos primeiros 3 a 5 minutos iniciais após o colapso.

As chances de sobrevivência diminuem em 7% a 10% a cada minuto de PCR sem desfibrilação, e em 3% a 4% por minuto de RCP. A qualidade do suporte básico de vida também está altamente relacionada à chance de sobrevivência.

420 Guia Prático de Cardiologia

A American Heart Association (AHA) definiu uma sistematização para simplificar o atendimento a pacientes vítimas de PCR, que é consagrada universalmente e amplamente utilizada com ótimos resultados em todo o mundo.

• Abordagem sistemática: as avaliações de SBV e SAVC

Uma série de quatro etapas de avaliação sequenciais, designadas pelos números de 1 a 4. A cada etapa deve-se realizar as ações corretivas antes de se passar à etapa seguinte.

Avaliação de SBV

1. Verificar se o paciente responde, verificar se não há respiração ou respiração anormal tipo "gasping" – observar a elevação do tórax por 5 a 10 segundos.
2. Acionar o serviço Médico de Emergência/buscar o DEA ou desfibrilador.
3. Circulação: verifique o pulso carotídeo por 5 a 10 segundos.
   Se não houver pulso, inicie a RCP (30:2), começando pelas compressões torácicas. Comprima rápido e forte, com mínimo de 100 compressões por minuto com profundidade de 5 cm e retorno total do tórax entre as compressões.
   Evitar as interrupções, alternar os profissionais a cada dois minutos.
4. Desfibrilação: se não sentir pulso, verificar se há ritmo chocável, administre os choques assim que o DEA/desfibrilador estiver disponível.

Tais etapas podem ser simplificadas pela sequência CABD.

Sequência CABD primário

C: Checar a responsividade e respiração, chamar por ajuda, checar pulso, compressões.

Cheque a responsividade

Ao checar a responsividade, deve-se tocar a vítima pelos ombros, se não houver resposta, verificar se há respiração, observar se há elevação do tórax, no máximo por 10 segundos, se não estiver respirando ou respiração tipo "gasping" chamar por ajuda.

Chame ajuda

Na PCR extra-hospitalar, ligar para o Serviço Médico de Emergência (no Brasil, SAMU 192) ou peça pelo Dispositivo elétrico automático (DEA) se disponível no local. Se houver mais de uma pessoa disponível, uma deve acionar a ajuda enquanto a outra continua o atendimento.

Cheque o pulso

Dê preferência ao pulso carotídeo; a checagem deve ocorrer em menos de 10 segundos. Na presença de pulso, aplique uma ventilação a cada 5 a 6 segundos ou 10 a 12 ventilações por minuto, verifique o pulso a cada 2 minutos; se não houver pulso identificável, inicie os ciclos de compressões.

Compressões torácicas

Ciclos de 30 compressões torácicas e 2 ventilações, compressões efetivas envolvem compressão do tórax de, no mínimo, 5 cm com retorno completo do tórax após cada compressão.

Revezar com outro socorrista a cada 2 minutos para evitar a fadiga e garantir compressões de qualidade.

A: Vias aéreas

Garantir a abertura da via aérea; pode ser realizada com inclinação da cabeça e elevação do mento, salvo suspeita de trauma cervical, quando se deve proceder apenas à elevação do ângulo da mandíbula.

Recomenda-se que o socorrista utilize mecanismos de barreira ao aplicar as ventilações, como o lenço facial com válvula antirrefluxo, máscara de bolso ("*pocket-mask*") ou bolsa-válvula-máscara, para minimizar o risco de contaminação.

Alternativas para intubação orotraqueal

No caso de dificuldade de estabelecimento de via aérea avançada, pode-se utilizar dispositivos que substituem o tubo endotraqueal em situações de emergência. São eles: máscara laríngea, combitube e o tubo laríngeo.

B: Respiração / ventilações

Não se deve retardar o início das compressões; iniciar apenas após 30 compressões torácicas.

As ventilações devem durar um segundo e promover elevação do tórax. Minimizar as interrupções. A hiperventilação é contraindicada por risco de diminuir o débito cardíaco e, consequentemente, a sobrevida da vítima.

Ventilação com via aérea avançada

Intubação endotraqueal, combitube, máscara laríngea.

A partir do estabelecimento de uma VA avançada, inicia-se a sequência de suporte avançado de vida. A partir desse ponto, altera-se a sequência ventilação-compressões. Aplicam-se compressões torácicas contínuas (acima de 100 por minuto) e uma ventilação a cada 6 a 8 segundos, cerca de 8 a 10 por minuto.

D: desfibrilação

Desfibrilação precoce é o único tratamento para fibrilação ventricular/taquicardia ventricular sem pulso. Pode ser realizada por leigos ou socorristas treinados com o DEA ou com cardiodesfibrilador, opção esta restrita à profissionais da saúde.

Posicionamento do DEA

Existem quatro posições:

Ântero-lateral, ântero-posterior, anterior-esquerda infraescapular, anterior-direita infraescapular. Em portadores de marca-passo ou cardioversor-desfibrilador implantável, deve-se afastar as pás do dispositivo ou optar-se por outra posição (p. ex.: ântero-posterior).

O local mais adequado para aplicação do choque é a posição ântero-lateral, com uma pá em região infraclavicular direita e a outra pá no precórdio. Deve-se aplicar uma pressão de 13 kg sobre o tórax ou uso de pás adesivas, que dispensam o uso de gel.

Desfibriladores/cardioversores

a desfibrilação e cardioversão elétrica consistem em aplicação de corrente elétrica de alta energia para reversão das arritmias cardíacas geradas pelo mecanismo de reentrada.

Podem ser manuais ou semiautomáticos (DEA), externos ou internos, monofásicos ou bifásicos a depender do formato de onda.

Para desfibrilação, deve-se utilizar a energia máxima do aparelho, 360 J nos desfibriladores monofásicos e 120 a 200 J nos bifásicos, conforme orientação do fabricante.

Durante a PCR, os choques devem ser intercalados por dois minutos de RCP.

Cuidados adicionais: remover excesso de pelos do tórax, secar o tórax se estiver molhado, remover adesivos aplicados sobre a pele. Se a vítima estiver em contato com a água, deve-se removê-la até um local seco (ver Figura 48.1).

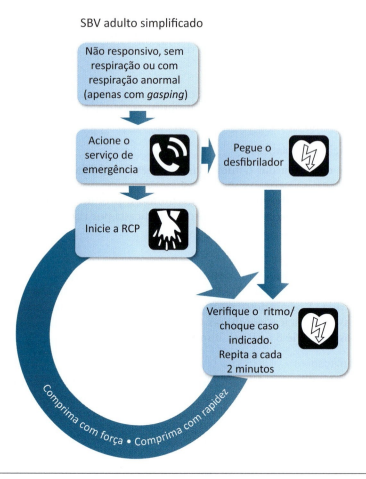

Figura 48.1 Algoritmo SBV adulto simplificado, retirado de Diretrizes da AHA 2010 para RCP e ACE.

Fonte: Adaptada de Vanden Hoek TL, Morrison LJ, Shuster M, *et al.* 2010 American Heart Association Guidelines for Cardiopulmonary Resuscitation and Emergency Cardiovascular Care Science, 2010. Circulation 2010;122(18 Suppl 3):S676-84.

Avaliação do SAVC

Ênfase nas manobras de ressuscitação cardiopulmonar de boa qualidade. Comprima rápido e forte (ver Figura 48.2).

Utilização de drogas vasopressoras e antiarrítmicos, apesar de não ter associação com redução de mortalidade hospitalar, aumenta a chance de sucesso da RCP.

Via aérea: manter a VA patente, utilizando a manobra de inclinação da cabeça – elevação do mento, equipamento para VA orofaríngea/ nasofaríngea ou via aérea avançada.

Se a ventilação com bolsa-valva-máscara for adequada, pode-se protelar o estabelecimento de uma VA avançada até que o paciente deixe de responder à RCP ou ocorra o retorno à circulação espontânea (RCE).

No caso de VA avançada após a inserção, verificar o correto posicionamento, fixe o dispositivo e monitorize a posição do equipamento por meio de capnografia quantitativa de onda.

1. **Respiração:** administre oxigênio suplementar a 100% para pacientes em PCR; para pacientes com RCE, titule a oferta a fim de manter a saturação de $O_2 > 94\%$ pela oximetria de pulso. Monitorizar a adequação da ventilação e da oxigenação por critérios clínicos, capnografia de onda e saturação de oxigênio. Evitar ventilação excessiva.
2. **Circulação:** monitorizar a qualidade da RCP através de capnografia quantitativa de onda (se $PETCO_2 < 10$ mmHg, melhorar a qualidade da RCP). Fornecer desfibrilação quando ritmo chocável. Obter acesso IV/IO. Administrar os medicamentos apropriados para cada ritmo de RCP.
3. **Diagnósticos diferenciais:** procurar e tratar as causas reversíveis de PCR.

Regra mnemônica dos "5 Hs e 5 Ts":

- Hipóxia
- Hipovolemia
- Hidrogênio (acidose)
- Hiper/hipocalemia
- Hipotermia

- Tóxicos
- Tamponamento cardíaco
- Tensão no tórax (pneumotórax hipertensivo)
- Trombose coronária (IAM)
- Tromboembolismo pulmonar

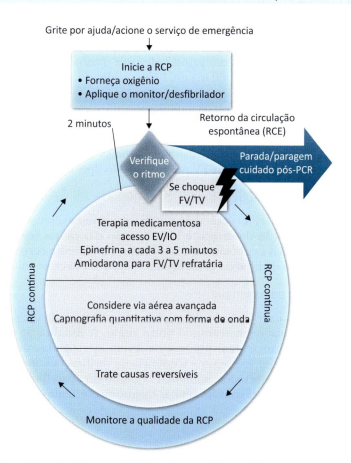

Figura 48.2 Algoritmo SAV adulto, retirado de Diretrizes da AHA 2010 para RCP e ACE.

Fonte: Adaptada de Vanden Hoek TL, Morrison LJ, Shuster M, et al. 2010 American Heart Association Guidelines for Cardiopulmonary Resuscitation and Emergency Cardiovascular Care Science, 2010. Circulation 2010;122(18 Suppl 3):S676-84.

424 Guia Prático de Cardiologia

• Ritmos de PCR

FV/TV

Ritmo desorganizado sem QRS no caso da FV ou com QRS alargado na TV sem pulso. Ambos são ritmos chocáveis.

O sucesso da desfibrilação depende da desfibrilação precoce, visto que a duração da arritmia é fator prognóstico na PCR.

Após o primeiro choque, procede-se sempre à RCP por dois minutos, em seguida checa-se o ritmo no monitor. Se ainda houver persistência de FV/TV, aplica-se novo choque de alta energia seguido por mais dois minutos de RCP.

As drogas vasopressoras devem ser administradas prontamente após a obtenção de um acesso venoso; na dificuldade de obtenção de acesso venoso, pode-se utilizar como via alternativa o acesso intraósseo ou endotraqueal, com ajuste das doses das medicações no caso da via endotraqueal.

Apesar do uso de vasopressores não alterar a mortalidade hospitalar, o início precoce dessas medicações pode modificar o prognóstico durante a RCP por otimizar o fluxo sanguíneo intracoronário.

A primeira droga administrada é sempre um vasopressor; segundo o ACLS, dá-se preferência à adrenalina na dose de 1 mg a cada 3 a 5 minutos. Vasopressina, na dose de 40U pode substituir a primeira ou segunda dose de adrenalina sem prejuízo à eficácia da RCP.

Na persistência de FV/TV apesar das medidas de suporte já empregadas, indica-se o uso de uma medicação antiarrítmica, com prioridade para o uso de amiodarona como antiarrítmico de escolha, dose inicial de 300 mg em bólus, podendo ser repetida uma vez na dose de 150 mg.

No caso de impossibilidade do uso da amiodarona, dá-se preferência à lidocaína 1,0 a 1,5 mg/kg, IV, podendo também ser repetida na dose de 0,5-0,75 mg/kg a cada 5 a 10 minutos até máximo de 3 mg/kg.

O sulfato de magnésio é utilizado exclusivamente na FV ou TPSV, associado ao prolongamento do intervalo QT por drogas ou TV polimórfica do tipo Torsades de Pointes.

Assistolia e Atividade Elétrica Sem Pulso

São os ritmos em que a desfibrilação não é indicada. A meta a ser priorizada é a RCP de boa qualidade, administração de drogas e identificação das causas reversíveis. A assistolia está associada a prognóstico extremamente reservado. Geralmente corresponde à evolução tardia de FV ou à via final de hipóxia prolongada, acidose ou necrose miocárdica.

Diagnóstico diferencial da assistolia

Um fator importante a ser avaliado nesse ritmo de parada é checar se a assistolia é um ritmo real ou um complicador mascarando outro ritmo. A visualização de uma linha reta deve obrigatoriamente levantar duas hipóteses a serem investigadas: assistolia ou FV fina. Para o diagnóstico diferencial, existe uma sequência de verificações que inclui: checar se os cabos estão devidamente conectados, aumentar o ganho do aparelho e mudar a derivação da monitorização. Caso persista a linha reta, o diagnóstico é realmente confirmado como de assistolia.

AESP

Ritmicidade elétrica do coração na ausência de função cardíaca efetiva, isto é, trata-se de um ritmo organizado no monitor, porém na ausência de pulso central.

Durante a PCR em AESP e assistolia é mandatório lembrar da regra dos 5Hs e 5Ts, já que o tratamento destas pode garantir o sucesso da RCP.

Ressuscitação Cardiopulmonar e Time de Resposta Rápida **425**

Medicações na AESP/Assistolia

Vasopressores, como adrenalina ou vasopressina, têm o objetivo de aumentar o fluxo sanguíneo cerebral e miocárdico durante a RCP. Atropina não é mais recomendada na PCR em assistolia e atividade elétrica sem pulso por não haver evidências de benefício com o seu uso rotineiro.

• Monitorização durante a PCR

Durante a PCR, pode-se lançar mão de artifícios para avaliar a qualidade e o prognóstico da RCP.

Capnografia quantitativa de onda

Em pacientes intubados, mede o dióxido de carbono exalado no final da expiração (expressado em $mmHg-PETCO_2$), correlaciona-se diretamente à qualidade da RCP e ao prognóstico de retorno à circulação espontânea (RCE). Valores inferiores a 10 mmHg indicam pouca probabilidade de RCE e necessidade de melhora na qualidade da RCP, enquanto valores maiores que 35 a 40 mmHg são sugestivos de RCE.

Pressão arterial invasiva

A medida da pressão arterial diastólica (PAD) tem muito boa correlação com a pressão de perfusão coronária; assim, valores de PAD menores que 20 mmHg demonstram necessidade de melhorar a qualidade da RCP (massagem e DVA) e podem reduzir o tempo de checagem de pulso em pacientes com atividade elétrica organizada. Saturação venosa de O_2: níveis inferiores a 30% indicam pouca probabilidade de RCE; o ideal é manter-se acima de 30% durante a RCP.

Ecocardiografia

Transtorácica ou transesofágica, a fim de identificar causas específicas e auxiliar na tomada de decisão em PCR.

• Time de resposta rápida (TRR)

Na tentativa de padronizar e melhorar a qualidade do atendimento a PCR em ambiente intra-hospitalares, criaram-se grupos de atendimento compostos por uma equipe multiprofissional com médicos, enfermeiros e fisioterapeutas, cujo objetivo é identificar e tratar precocemente os pacientes que apresentam deterioração clínica ou risco de morte.

Fatores de alerta de risco para PCR

Alterações significativas da FC, PA e FR, sinais de diminuição do DC, arritmias, alteração do nível de consciência, queda da saturação de O_2, alteração inexplicada da temperatura corporal, hemorragias significantes, relato pelo paciente ou percepção pela equipe de que o mesmo não está se sentindo bem.

A implantação desses TRR tem mostrado efetividade na prevenção da PCR, bem como diminuição das taxas de mortalidade e internação em UTI.

• Cuidados pós-parada

Após o RCE é importante preparar o paciente para o transporte para uma unidade de tratamento e ou monitorização definitivos com infraestrutura adequada às suas necessidades.

Cuidados pós-RCE:

1. Identificar as causas da PCR;
2. Assegurar monitorização contínua de ritmo cardíaco e estar preparado para pronta intervenção caso esta seja necessária;
3. Aferir e corrigir os sinais vitais, tais como PA, FC e saturação de O_2;
4. Corrigir a hipovolemia para manter PAS acima de 90 mmHg;
5. Manter saturação de O_2 maior ou igual a 94% evitando a hiperoxia; $PeTCO_2$ de 35 a 40 mmHg ou $PaCO_2$ de 40 a 45 mmHg;
6. ECG para identificar SCA como possível causa;
7. Antiarrítmicos no caso de PCR por FV ou TV sem pulso e manutenção de homeostase hidroeletrolítica para evitar recorrência;
8. Controlar a temperatura e evitar a hipertermia.

Conforme as diretrizes da AHA, 2010, deve-se resfriar pacientes sobreviventes de PCR por FV sem resposta significativa a comandos verbais, à temperatura de 32 °C a 34 °C por 12 a 24 horas. Considerar também em pacientes comatosos vítimas de PCR intra-hospitalar com qualquer ritmo ou PCR extra-hospitalar com ritmo inicial de AESP ou assistolia.

Recomenda-se iniciar hipotermia terapêutica com utilização de soro fisiológico 20 mL/ kg a 4°C e bolsas de gelo ou colchão térmico para manter a temperatura de 32 °C a 34 °C.

• Cessação dos esforços

Não existe recomendação clara quanto ao momento de interrupção dos esforços de RCP, esta é uma decisão que deve ser considerada entre os membros da equipe de ressuscitação.

Na PCR intra-hospitalar, alguns fatores que podem ser levados em consideração para ajudar nessa tomada de decisão são: estado pré-PCR, PCR presenciada ou não, RCE em algum momento do atendimento, tempo até o início das manobras de RCP, ritmo inicial da PCR.

• Protocolo para atendimento à PCR do Hospital do Coração

Veja Figura 48.3.

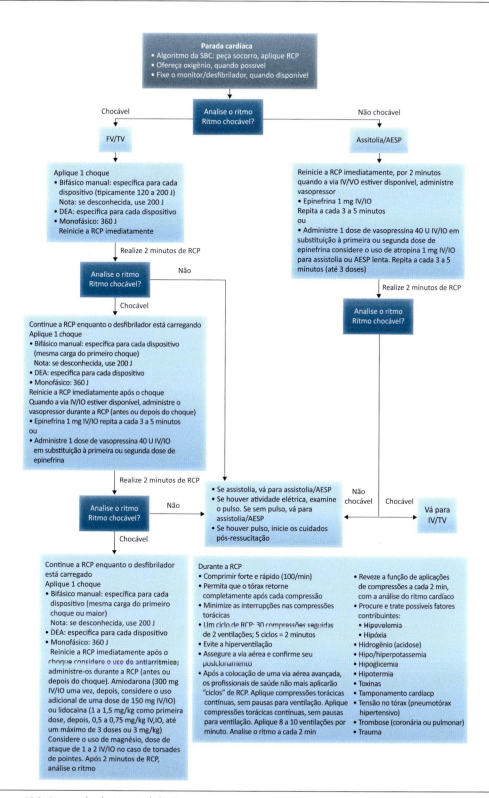

Figura 48.3 Protocolo do Hospital do Coração.
Fonte: Gentilmente cedido pela Unidade de Terapia Intensiva do HCor.

428 Guia Prático de Cardiologia

• Referências

1. Gonzalez MM, Timerman S, de Oliveira RG, et al. I Diretriz de Ressuscitação Cardiopulmonar e Cuidados Cardiovasculares de Emergência. Arq Bras Cardiol 2013;100(2):105-13.
2. Bonow RO, Mann DL, Zipes DP. Braunwald: tratado de doenças cardiovasculares. 9 ed. Rio de Janeiro: Elsevier; 2013.
3. American Heart Association. Suporte avançado de vida cardiovascular em Português. Guarulhos: AHA; 2012.
4. Vanden Hoek TL, Morrison LJ, Shuster M, et al. 2010 American Heart Association Guidelines for Cardiopulmonary Resuscitation and Emergency Cardiovascular Care Science, 2010. Circulation 2010;122(18 Suppl 3):S676-84.

Choque Cardiogênico

Fábia Carla Guidoti • Suélen Barboza Kapisch
• Saulo da Costa Pereira Fontoura • André Franz da Costa

• Introdução

O choque cardiogênico é a expressão clínica mais grave da disfunção ventricular esquerda e está associado a altíssimas taxas de mortalidade que variam entre 30% a 90%. É a principal causa de morte em pacientes com infarto agudo do miocárdio (IAM). Relaciona-se frequentemente a extenso dano miocárdico e é caracterizado por acentuada e persistente hipotensão com evidências de hipoperfusão em órgãos-alvo.

Clinicamente caracteriza-se por hipotensão prolongada que perdura por período de tempo maior que 30 minutos. Hemodinamicamente é definida por pressão arterial sistólica inferior a 80 mmHg ou queda de 30 mmHg dos valores basais apesar de adequada volemia, redução do débito cardíaco a valores geralmente inferiores a 1,8 L/min/m², e pressões de enchimento de VE elevadas (PCP > 18 mmHg), resultando em hipoperfusão orgânica.

• Epidemiologia

A principal causa do choque cardiogênico é o IAM e apresenta correlação direta com a extensão do dano miocárdico por ele causada. O choque cardiogênico está presente em mais de 80% dos casos de infarto agudo do miocárdio com supradesnivelamento de segmento ST (IAMCSST) com acometimento extenso de VE e em aproximadamente 3% dos casos de infarto de ventrículo direito (VD).

Sua incidência vem se mantendo estável desde a década de 1970. Estudos recentes relatam taxas de aproximadamente 5% a 8% de incidência de choque cardiogênico em pacientes com IAMCSST. O estudo GRACE, que avaliou pacientes em 100 hospitais em 14 países, demonstrou uma queda considerável desses valores na última década, com redução aproximada de 2,4% nos casos de IAMCSST e 0,3% no IAMSSST.

Apesar de sua premente correlação com o IAMCSST, o choque cardiogênico pode ainda estar presente em muitas outras situações clínicas, tais como: depressão miocárdica secundária à sepse grave, complicações mecânicas pós-IAM, insuficiência mitral severa, ruptura de cordoalhas ou válvulas em endocardites, miocardites, arritmias graves, trombose ou rupturas de próteses valvares, excesso de betabloqueadores ou bloqueadores dos canais de cálcio, rejeição de transplante, cardiomiopatias obstrutivas, acidente de cateterização, tromboembolismo pulmonar, entre outras.

Os principais fatores de risco relacionados à ocorrência do choque cardiogênico são idade avançada, insuficiência cardíaca, diabetes mellitus, sexo feminino e história prévia de IAM e/ou IAM de parede anterior. Sendo que idade superior a 65 anos, história de IAM pregresso, diabetes e disfunção importante de VE (fração de ejeção inferior a 35%) são variáveis de risco independentes para ocorrência do choque cardiogênico.

Apesar dos avanços no tratamento, as taxas de mortalidade ainda permanecem altas, girando em torno de 60% nos pacientes submetidos a fibrinólise e inferiores a 50% naqueles tratados em unidades de terapia intensiva, incluindo a terapia de revascularização miocárdica.

• Fisiopatologia

O IAMCSST é a principal causa de desenvolvimento do choque cardiogênico. Esses pacientes apresentam oclusão trombótica da artéria responsável por suprir a região da área infartada, evoluindo com perdas que chegam até a 40% da massa ventricular esquerda, culminando na disfunção ventricular (ver Figura 49.1).

Uma vez estabelecida a hipoperfusão coronária, dá-se início a um ciclo vicioso que envolve obstrução e isquemia coronariana. Instala-se um quadro de inflamação sistêmica com elevação de citocinas inflamatórias (IL-6 e TNF-alfa) e radicais livres de oxigênio, liberação de grandes quantidades de óxido nítrico, vasodilatação e queda da resistência vascular sistêmica. Seguida a esse quadro de vasodilatação ocorre vasoconstrição compensatória, o que acaba por gerar mais redução da perfusão sistêmica e coronariana, com aumento da área de isquemia e evolução para disfunção miocárdica progressiva e, em casos graves, morte.

Como a função ventricular esquerda está deprimida, ocorre queda do volume de ejeção do VE e aumento das pressões de enchimento no átrio esquerdo, que são transmitidas retrogradamente ao território pulmonar, convergindo em congestão, edema pulmonar e hipóxia. Essa queda acentuada do volume de ejeção diminui a pressão aórtica e coronariana, contribuindo ainda mais para a piora da isquemia miocárdica.

A persistência do baixo débito tecidual acaba por acentuar o quadro de hipóxia, com acúmulo de metabólitos, acidose e dano endotelial e celular. Uma avaliação do *status* micro-hemodinâmico é muito útil para orientar o tratamento e pode ser realizada à beira do leito, utilizando-se do cateter de Swan-Ganz ou pela técnica de calorimetria indireta. Através dessas técnicas é possível aferir o metabolismo aeróbio por meio do cálculo indireto da oferta (DO_2) e consumo (VO_2) de oxigênio. No choque cardiogênico, encontramos uma alta taxa de extração de oxigênio (EO_2), secundária à diminuição da oferta de O_2 (baixo débito) e necessidade de aumento de seu consumo. A queda da perfusão tecidual leva à acidose metabólica, detectada facilmente através de gasometria e dosagem dos níveis séricos de lactato. A acidose metabólica, por si só, constitui um problema à parte, pois promove diminuição da contratilidade cardíaca, do índice cardíaco e da responsividade vascular periférica, além de propiciar o surgimento de arritmias ventriculares e dificultar o controle de arritmias preexistentes.

Dentre as causas relacionadas ao choque cardiogênico estão os defeitos mecânicos, como ruptura do septo ventricular, músculo papilar ou parede livre com tamponamento, infarto ventricular direito ou acentuada redução da pré-carga, como ocorre, por exemplo, nos casos de hipovolemia.

Choque Cardiogênico

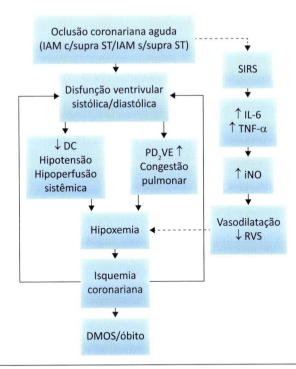

Figura 49.1 Fisiopatologia do choque cardiogênico. DC: débito cardíaco; PD$_2$VE: pressão diastólica final do VE; SIRS: síndrome da resposta inflamatória sistêmica; IL-6: interleucina 6; TNF-α: fator de necrose tumoral; RVS: resistência vascular sistêmica.

Fonte: Adaptada de Hochman JS, Buller CE, Sleeper LA, et al. Cardiogenic shock complicating acute myocardial infarction – etiologies, management and outcome: a report from the SHOCK Trial Registry. Should we emergently revascularize Occluded Coronaries for cardiogenic shock? J Am Coll Cardiol 2000; 36(3 Suppl A):1063-70.

• Classificação de Killip-KimbaLL

Em 1967, Killip e Kimball avaliaram 250 pacientes vítimas de IAM e propuseram uma classificação hemodinâmica baseada na avaliação clínica no momento da admissão hospitalar (ver Tabela 49.1). Essa classificação varia desde pacientes sem sinais de congestão até o choque cardiogênico e apresenta excelente correlação prognóstica com mortalidade hospitalar.

Tabela 49.1 Subgrupos clínicos do IAM com suas respectivas mortalidades

Subgrupo Killip	Características clínicas	Mortalidade hospitalar
I	Sem sinais de congestão	< 6%
I	B3, estertores basais	< 17%
III	Edema agudo de pulmão	38%
IV	Choque cardiogênico	81%

Fonte: Adaptado de Hochman JS, Buller CE, Sleeper LA, et al. Cardiogenic shock complicating acute myocardial infarction – etiologies, management and outcome: a report from the SHOCK Trial Registry. Should we emergently revascularize Occluded Coronaries for cardiogenic shock? J Am Coll Cardiol 2000; 36(3 Suppl A):1063-70.

• Diagnóstico

Acentuada e persistente hipotensão com pressão arterial sistólica inferior a 80 a 90 mmHg e acentuada redução do débito cardíaco a valores geralmente inferiores a 1,8 L/min/m² na presença de pressões de enchimento de VE elevadas (PCP > 18 mmHg).

Ao exame físico, esses pacientes apresentam-se hipotensos, com sinais de hipoperfusão sistêmica, congestão pulmonar, redução de débito urinário (inferior a 20 mL/h), aumento de escórias nitrogenadas e estados agudos de alteração do nível de consciência.

A anormalidade mais precoce encontrada é a queda da complacência diastólica do VE; quando a área isquêmica ultrapassa 15%, ocorre queda da fração de ejeção do VE às custas de aumento de pré e pós-carga secundária à dificuldade de esvaziamento do VE e aumento da tensão parietal pela dilatação ventricular esquerda.

Tríade do choque cardiogênico:

1. Hipotensão severa e persistente (PAS < 80 a 90 mmHg ou queda de 30 mmHg do valor basal por mais de 30 minutos, na ausência de hipovolemia).
2. Sinais de hipoperfusão tecidual (cianose, pele e extremidades frias, livedo reticular, oligúria e alteração do nível de consciência).
3. Congestão pulmonar (taquipneia, ortopneia, estertores, B3, pulso alternante, estase jugular, hepatomegalia e edema).

Exames complementares

Sempre que pacientes com IAMCSST apresentarem colapso circulatório é mandatório suspeitar-se de complicações mecânicas; para confirmar o diagnóstico, utilizam-se exames subsidiários hemodinâmicos, angiográficos e ecocardiográficos para confirmação imediata, já que tais complicações geralmente exigem tratamento primário cirúrgico, com intervenção de suporte da circulação (como, por exemplo, contrapulsação por balão intra-aórtico).

Eletrocardiograma

Ajuda a identificar as causas do choque cardiogênico e a localizar a área do IAM.

Ecocardiograma

Avaliar de forma rápida e não invasiva a função ventricular, presença de alterações segmentares, bem como a morfologia, função das valvas e complicações mecânicas. De forma indireta, permite o cálculo do DC, da pressão sistólica da artéria pulmonar e da pressão capilar pulmonar.

Raio X de tórax

Evidência de sinais de congestão pulmonar, derrames e dimensões das câmaras cardíacas.

Cateter de Swan-Ganz

Método invasivo que, através da inserção de um cateter na artéria pulmonar, permite a aferição do DC, da pressão capilar pulmonar e estima com boa correlação a pressão diastólica final do VE, a resistência vascular sistêmica, a resistência vascular pulmonar e o índice cardíaco. É indicado principalmente em pacientes com choque cardiogênico não responsivo a volume e aminas vasoativas.

• Tratamento

Seus objetivos são promover a estabilização clínica e minimizar os danos aos pacientes através da manutenção de um DC adequado às necessidades metabólicas do organismo, com a finalidade de evitar as consequências deletérias da hipoperfusão tecidual e minimizar a perda miocárdica consequente à hipoperfusão coronariana. É dividido em tratamento clínico ou mecânico, a depender da causa que originou o choque cardiogênico.

Um grande estudo publicado em 1999, o SHOCK trial, que reuniu 320 pacientes com diagnóstico de choque cardiogênico, demonstrou queda considerável da mortalidade em seis meses e um ano nos pacientes submetidos à revascularização miocárdica, quando comparados aos tratados clinicamente. Evidenciando benefício ainda maior naqueles pacientes submetidos à revascularização cirúrgica em relação à ICP, estando esta associada ou não à trombólise.

Apesar de os estudos demonstrarem que o tratamento clínico isolado tem altas taxas de mortalidade (superiores a 70%) e não alterar a história natural da doença, sua instituição é mandatória para prover o suporte hemodinâmico necessário para quebrar o ciclo vicioso de hipoperfusão tecidual e coronariana e permitir a instituição de medidas invasivas que poderão reverter as causas que originaram o choque cardiogênico.

Tratamento clínico

Uma vez estabelecido o comprometimento da função ventricular esquerda, o tratamento baseia-se no suporte inotrópico e com drogas vasopressoras, utilizadas sempre nas menores doses possíveis.

A droga de escolha para o tratamento do choque cardiogênico é a Dobutamina, na dose de 3 a 15 mcg/kg/minuto. Ela atua nos receptores beta-1 cardíacos promovendo ação inotrópica positiva. Pode haver necessidade de associação à noradrenalina, devido a seu efeito hipotensor por ação vasodilatadora nos receptores alfa periféricos.

Outra droga utilizada é a dopamina, dose de 3 a 15 mcg/kg/minuto. Quando utilizada em doses altas (> 10mcg/kg/minuto), promove inotropismo positivo e aumento de FC, porém, por seu efeito dose dependente, atualmente dá-se preferência ao uso da noradrenalina.

Noradrenalina, na dose de 0,01 a 3 mcg/kg/minuto, atua em receptores alfa dos vasos, causando vasoconstrição periférica e aumento de FC, tem pouca ação inotrópica. Utilizada principalmente em casos de hipotensão grave, por aumentar a pressão arterial diastólica, e manter a perfusão coronariana, pode ter ação na contratilidade miocárdica por sua ação alfa e beta-adrenérgicas.

Apesar de não haver comprovação de queda na mortalidade hospitalar, estas são as drogas de escolha no tratamento do choque cardiogênico por melhorar o *status* hemodinâmico desses pacientes.

Outras drogas: Milrinone, dose 0,25 a 0,75 mcg/kg/minuto, é um inibidor da fosfodiesterase III que atua diminuindo a degradação do AMPc, proporcionando maior disponibilidade de cálcio citosólico para o processo de contração miocárdica. Tem alto potencial arritmogênico e potente efeito vasodilatador. Por não ter ação em receptores beta, pode ser usado em pacientes que fazem uso de betabloqueadores ou em conjunto com a dobutamina. No entanto, estudos recentes mostram aumento de mortalidade com seu uso em pacientes isquêmicos durante a fase aguda do IAM.

Levosimendan, dose 0,05 a 2 mcg/kg/minuto, é outro inotrópico positivo que atua na sensibilização das proteínas contráteis (troponina C) ao cálcio intracelular, promove ainda vasodilatação pulmonar. Deve ser usado com cautela nos pacientes hipotensos por provocar hipotensão sistêmica. Utilizado em infusão contínua por 24 horas, tem ação prolongada, podendo manter seu efeito por até 20 dias após sua administração.

Os vasodilatadores (nitroprussiato de sódio, nitroglicerina e nesiritide) podem ser utilizados nos casos em que a RVS está elevada, fazem vasodilatação sistêmica, diminuem a pré e a pós-carga, aumentando o débito cardíaco, e reduzem a pressão de enchimento ventricular, são bons em diminuir o consumo miocárdico e minimizar a isquemia coronariana.

Fenilefrina e metoxamina são drogas alfa-agonistas que também podem ser usadas em casos de choque cardiogênico em que a RVS estiver alta.

Fibrinólise

Tratamento do IAM CSST com evidência de melhores resultados nas primeiras três horas de pós-infarto, não é um tratamento específico do choque cardiogênico. Mesmo naqueles pacientes submetidos à fibrinólise, o choque cardiogênico tem alta taxa de mortalidade, que pode chegar a cerca de 60% dos casos.

Suporte mecânico

Contrapulsação por balão intra-aórtico

Estratégia utilizada em pacientes com choque cardiogênico que não respondem ao tratamento medicamentoso. Consiste em um balão inserido em posição intra-aórtica, cerca de 2 cm abaixo da emergência da artéria subclávia, que funciona por contrapulsação; é insuflado na diástole (onda dicrótica) e desinsuflado na pré-sístole ventricular. Seu objetivo é diminuir o trabalho miocárdico e aumentar a perfusão coronariana. Atua aumentando o débito cardíaco, diminuindo a pressão sistólica, a FC e a pressão capilar pulmonar. Melhora o desfecho nos pacientes submetidos a tratamento clínico e trombólise.

Contraindicações ao uso do BIA

Contraindicação relativa na presença de fibrilação atrial. Contraindicações absolutas: insuficiência aórtica moderada a grave e aneurisma de aorta descendente.

Dispositivos de assistência ventricular percutânea

Os dispositivos de assistência ventricular são bombas de suporte circulatório que garantem a circulação sistêmica nos casos de falência ventricular, podem ser posicionados extra ou intracorporeamente, como assistência univentricular direita ou esquerda, ou como assistência biventricular (ver Figura 49.2). São utilizados com a finalidade de ganhar tempo para recuperação de um miocárdio atordoado ou hibernante, como ponte para transplante ou ainda como terapia de destino. Atuam diminuindo a pré-carga ventricular, garantindo a circulação sistêmica e reduzindo o trabalho miocárdico. Atualmente existem vários modelos de dispositivos disponíveis, com destaque para o TandemHeart, o ECMO e o IMPELLA. Dois importantes estudos, o ISAR-SHOCK trial e o PROTECT

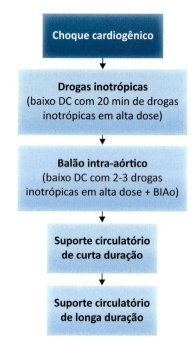

Figura 49.2 Fluxograma para utilização de dispositivos de suporte circulatório.

Fonte: Adaptada de Melchior Seyfarth, Dirk Sibbing, et al. A Randomized Clinical Trial to Evaluate the Safety and Efficacy of a Percutaneous Left Ventricular Assist Device Versus Intra-Aortic Balloon Pumping for Treatment of Cardiogenic Shock Caused by Myocardial Infarction. J Am Coll Cardiol 2008; 52(19):1584-8.

II, que utilizaram o IMPELLA em comparação ao BIA no tratamento de pacientes em choque cardiogênico, demonstraram claramente a superioridade do Impella, em termos de redução de eventos adversos maiores e mortalidade, quando comparado ao BIA. Apesar de superioridade na melhora hemodinâmica quando comparado ao balão de contrapulsação intra-aórtica, estudos atuais não demonstram diferença nos resultados em termos de sobrevida hospitalar.

Revascularização miocárdica

Único tratamento do choque cardiogênico comprovadamente associado à melhora na sobrevida. O estudo SHOCK trial comparou grupos de pacientes com IAMCSST submetidos a tratamento clínico, ICP e CABG precoce em subgrupos específicos de pacientes e encontrou resultados que corroboram diminuição de mortalidade a longo prazo (seis meses e um ano) naqueles submetidos à revascularização miocárdica precoce.

• Infarto de ventrículo direito

Presente em quase metade dos IAM de parede inferior, pode variar desde uma leve disfunção ventricular direita até quadros de choque cardiogênico.

Devido à sua morfologia natural, espessura e por tratar-se de câmara dependente de volume, a falência do VD em vigência de um IAM gera uma incapacidade deste em manter seu débito, resultando em diminuição da pré-carga do ventrículo esquerdo. Pacientes com grandes infartos de VD apresentam pressões de enchimento no átrio direito aumentadas, enquanto as pressões no VE são geralmente normais; além disso, com a evolução do IAM, ocorre dilatação do VD, movimentação septal anômala, aumento das pressões em AD, contribuindo para a disfunção do VE; a partir desse ponto, cai o débito cardíaco e surgem sinais de congestão pulmonar e hipoperfusão sistêmica, que, por sua vez, diminuem ainda mais a pré-carga que chega ao coração direito, resultando num ciclo vicioso que alterna pré-carga baixa, baixo fluxo pulmonar e queda do débito cardíaco, com consequente hipoperfusão coronariana e sistêmica.

O diagnóstico é suspeitado na presença de IAM de parede inferior e confirmado eletrocardiograficamente pelas derivações V3r e V4r. O ecocardiograma permite a visualização direta do funcionamento do VD, e pode ajudar ainda no diagnóstico de complicações mecânicas, como aumento das pressões em câmaras direitas, desvio de septo intraventricular, ruptura de septo intraventricular, ruptura de cordoalhas da VT, entre outras.

• Prognóstico

Apesar dos avanços no tratamento do choque cardiogênico nas últimas décadas, a mortalidade permanece alta, correspondendo a cerca de 70% dos pacientes que desenvolvem esta complicação, mostrando que o tratamento ainda hoje é difícil e tem pouco impacto sobre a mortalidade. Os maiores benefícios ainda estão associados à revascularização miocárdica precoce, seja esta por via percutânea ou cirúrgica (mortalidade aos seis meses de 50,3% versus 63,1%, p = 0,027 em comparação ao tratamento clínico). Alternativas vêm sendo estudadas na tentativa de diminuição da mortalidade, porém sem grandes resultados até o momento.

Abaixo segue protocolo de atendimento ao paciente com Choque Cardiogênico (Figura 49.3).

- Protocolo de atendimento do Hospital do Coração – Hcor

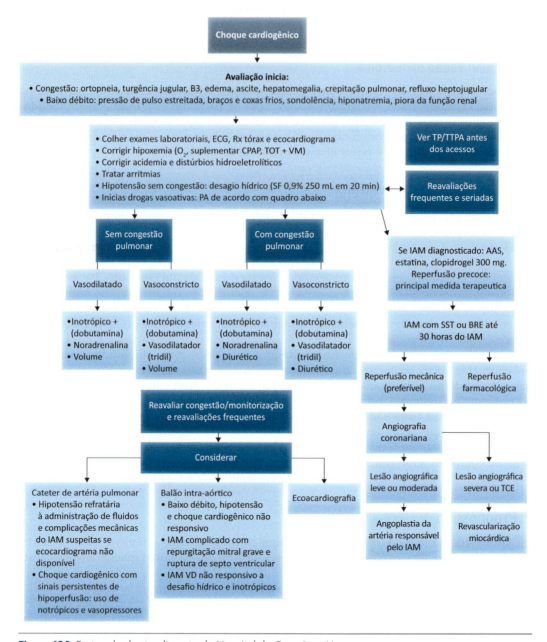

Figura 49.3 Protocolo de atendimento do Hospital do Coração – Hcor.
Fonte: Gentilmente cedido pela Unidade de Terapia Intensiva do HCor.

• Referências

1. Bonow RO, Mann DL, Zipes DP. Braunwald: tratado de doenças cardiovasculares. 9 ed. Rio de Janeiro: Elsevier; 2013. p.1172-4.
2. Hochman JS, Buller CE, Sleeper LA, et al. Cardiogenic shock complicating acute myocardial infarction – etiologies, management and outcome: a report from the SHOCK Trial Registry. Should we emergently revascularize Occluded Coronaries for cardiogenic shock? J Am Coll Cardiol 2000; 36(3 Suppl A):1063-70.
3. Reynolds HR, Hochman JS. Cardiogenic shock: current concepts and improving outcomes. Circulation 2008;117(5):686-97.
4. Melchior Seyfarth, Dirk Sibbing, et al. A Randomized Clinical Trial to Evaluate the Safety and Efficacy of a Percutaneous Left Ventricular Assist Device Versus Intra-Aortic Balloon Pumping for Treatment of Cardiogenic Shock Caused by Myocardial Infarction. J Am Coll Cardiol 2008; 52(19):1584-8.
5. Costa AF, Romano ML, Werneck VA. Choque cardiogênico. In: Guimarães HP, Lopes RD, Lopes AC. Tratado de medicina de urgência e emergência: pronto-socorro e UTI. São Paulo: Atheneu; 2010. p. 93-110.

Tromboembolismo Pulmonar

• Introdução

Tromboembolismo Pulmonar (TEP) é a oclusão de um ou mais ramos das artérias pulmonares, na maioria das vezes decorrente do desprendimento de fragmentos de um trombo venoso que pode estar presente em qualquer parte do organismo, sendo mais comum na trombose venosa profunda (TVP) de membros inferiores e superiores.

A região pélvica também pode ser sede de trombose venosa profunda. O TEP pode ser também do tipo gorduroso, e esta é uma situação possível de ocorrer em fraturas ou cirurgias de ossos longos e também no perioperatório de determinadas cirurgias plásticas (lipoaspiração); outra forma de embolia pulmonar é por processos pós-parto (aminiocaseosa).

O TEP provoca alteração na troca gasosa e na circulação cardiovascular, determinando desde dispneia leve até insuficiência respiratória grave com colapso cardiovascular, sendo potencialmente fatal naqueles pacientes de alto risco.

• Incidência

TEP é a terceira doença cardiovascular mais frequente, cuja incidência é inferior apenas às síndromes coronarianas agudas e ao acidente vascular cerebral, com incidência 100 a 200 por 100.000 habitantes.

Nos Estados Unidos, calcula-se que 600.000 pessoas apresentam EP ao ano, sendo que destes 50.000 evoluem para óbito.

• Sinais e sintomas

Os sinais e sintomas são inespecíficos no TEP. Por isso o diagnóstico diferencial se impõe a outras doenças, tais como: Pneumonia, Infarto agudo do miocárdio, Dissecção aguda da aorta, Pneumotórax, Pericardite e doenças musculoesqueléticas.

Achados clínicos mais frequentes nas embolias não maciças:

- Dor torácica
- Dor pleurítica
- Dispneia
- Taquipneia
- Tosse
- Hemoptise
- Taquicardia
- Febre

Achados clínicos mais frequentes nas embolias de alto risco:

- Síncope
- Hipotensão arterial
- Choque
- Taquicardia
- Dispneia
- Cianose

• Fatores predisponentes para tromboembolismo venoso (tev)

Existem vários fatores que podem ser atribuídos à TVP e TEP, estando estes listados na Tabela 50.1.

Tabela 50.1 Fatores predisponentes para TEV.
Risco alto (probabilidade > 10%)
Fratura membro inferior
Hospitalização por insuficiência cardíaca ou fibrilação atrial /flutter (dentro 3 meses)
Reconstrução quadril/joelho
Traumas maiores/politrauma
Infarto agudo miocárdio (dentro 3 meses)
Tromboembolismo venoso prévio
Injúria raquimedular
Risco moderado (probabilidade > 2%–9%)
Artroscopia joelho
Doença autoimune
Transfusão sangue
Acesso venoso central
Quimioterapia
Congestão cardíaca ou insuficiência respiratória
Estimulação eritropoiética
Reposição hormonal
Fertilização *in vitro*
Infecção (especialmente pneumonia, infecção trato urinário, HIV)

Tabela 50.1 Fatores predisponentes para TEV.

Doenças inflamatórias intestinais

Câncer

Contraceptivo oral

Acidente vascular cerebral

Puerpério

Trombose veias superficiais

Trombofilia

Risco baixo (probabilidade < 2%)

Hospitalização menor 3 dias

Diabetes *mellitus*

Hipertensão

Imobilização sentada ou deitada (p. ex.: viagem avião ou carro)

Cirurgia laparoscópica

Obesidade

Gravidez

Veias varicosas

Fonte: Adaptada de Guidelines on diagnosis and management of pulmonary embolis. Eur Heart J 2000;21(16):1301-36. Review.

• Classificação

O TEP é classificada através do encontro ou não de lesão miocárdica/instabilidade hemodinâmica, refletindo a gravidade e o prognostico dessa condição (Tabela 50.2).

Tabela 50.2 Estratificação do risco de acordo com a taxa de mortalidade precoce relacionada com a embolia pulmonar esperada

Risco de mortalidade precoce associada à EP		Mascadores de risco			
		Clínicos (choque ou hipotensão)	Disfunção do VD	Lesão do miocárdico	Potenciais implicações terapêuticas
Alto > 15%		+	(+)[a]	(+)[a]	Trombólise ou embolectomia
Não alto	Inter-médio 3 15%	−	+ + −	+ − +	Admissão hospitlar
	Baixo < 1%	−	−	−	Alta precoce ou tratamento ambulatório

*Na presença de choque ou hipotensão não é necessário confirmar a disfunção/lesão do VD para classificar como alto risco de mortalidade precoce associada à EP.

EP = embolia pulmonar; VD = ventrículo direito.
Fonte: Adaptada de Meyer G, Vicaut E, Danays T, *et al*. Fibrinolysis for patients with intermediate-risk pulmonary embolism. N Engl J Med 2014;370(15):1402-11.

Escore de Wells

Amplamente utilizado na suspeita clínica de TEP, reforça o diagnóstico quando pontuação acima de 6 pontos (Tabela 50.3).

Tabela 50.3 Escore de Wells

Critérios	Pontos	
Suspeita de tromboembolismo venoso	3,0 pontos	
Alternativa menos provável que TEP	3,0 pontos	
Frequência cardíaca>100 bpm	1,5 pontos	
Imobilização ou cirurgia nas 4 semanas anteriores	1,5 pontos	
Tromboembolismo venoso ou TEP prévio	1,5 pontos	
Hemoptise	1,0 ponto	
Malignidade	1,0 ponto	
Escore	**Probabilidade de TEP %**	**Interpretação do risco**
0-2 pontos	3,6	Baixa
3-6 pontos	20,5	Moderada
>6 pontos	66,7	Alta

Fonte: Adaptada de Meyer G, Vicaut E, Danays T, *et al*. Fibrinolysis for patients with intermediate-risk pulmonary embolism. N Engl J Med 2014;370(15):1402-11.

• Exames complementares

- **Gasometria/oximetria:** Sem alterações específicas, hipoxemia e hipocapnia junto a outros fatores fortalece a hipótese de EP.
- **Radiografia de tórax:** Sempre deve ser solicitada; alguns achados fortalecem o diagnóstico de EP: sinal de Palla (proeminência da artéria pulmonar)/Corcova de Hampton (densidade em forma de cunha, periférica e sobre o diafragma, corresponde à área de infarto pulmonar)/sinal de Westermark (atenuação da circulação pulmonar de localização periférica, corresponde à área de oligemia por obstrução). Derrame pleural, atelectasia e elevação de cúpula diafragmática são achados encontrados com certa frequência. A radiografia é fundamental para excluir outros diagnósticos.
- **Eletrocardiograma:** Taquicardia sinusal é a alteração mais frequente. Desvio do eixo para a direita, inversão de onda T em V1-V4, padrão S1Q3T3 são alterações menos encontradas.
- **US membros inferiores:** Mostra ocorrência de TVP como fonte dos êmbolos pulmonares.
- **Dímero D:** Produto da degradação da fibrina devido à ativação simultânea da coagulação e fibrinólise. Encontram-se em níveis aumentados na EP. Valores baixos praticamente excluem o diagnóstico de EP em pacientes de baixa probabilidade.
- **Ecodopplercardiograma:** Fundamental na investigação e prognóstico da EP. Fornece informações como disfunção de VD em toda sua extensão, eventualmente poupando

o ápex (sinal de McConnell), severidade da pressão de artéria pulmonar e até trombo em artéria pulmonar.

- **Cintilografia pulmonar V/Q:** Exame útil na avaliação dos pacientes com suspeita de EP que apresentam contraindicação à angio-TC, (alergia ao contraste iodado, insuficiência renal). Atualmente mais utilizado na investigação de quadros de EP crônica.
- **Angiotomografia pulmonar:** Evidencia interrupção do fluxo sanguíneo na região da ocorrência da embolia e nos casos onde se faz com protocolo para TEP visualiza-se todo o sistema venoso, identificando os sítios de trombose.
- **Arteriografia pulmonar:** Exame padrão ouro para diagnóstico de EP, apresenta a mesma acurácia que a angio-TC, porém de forma mais invasiva.

• Tratamento

O tratamento do TEP engloba duas condutas fundamentais: tratamento geral e tratamento específico.

Tratamento geral

- Alívio da dor
- Oxigenoterapia
- Equilíbrio hidroeletrolítico
- Controle da insuficiência respiratória
- Controle da hipotensão/choque

Tratamento específico

Pacientes com TEP podem ser divididos em cinco grupos, com base em critérios clínicos, laboratoriais e ecodopplercardiográficos:

Grupo I – baixo risco

- Pressão arterial sistêmica normal
- Função ventricular direita normal
- Troponina negativa
- Este grupo caracteriza-se por uma mortalidade hospitalar baixa < 1%, e o tratamento específico é heparina, seguida de anticoagulação com varfarina por um período não inferior a três meses. Portadores de fatores irremovíveis, tais como câncer, devem manter a varfarina indefinidamente.
- Heparina de baixo peso molecular (HBPM) ou fondaparinux (indicada nos pacientes com plaquetopenia induzida por Heparina).

HBPM

1 mg/kg, SC, 12/12h por 5 dias.

Fondaparinux

5 mg, 1x/dia (peso < 50 kg)
7,5 mg, 1x/dia (peso 50 a 100 kg)
10 mg; 1x/dia (peso > 100 kg)

Varfarina

5 mg dia. Iniciar juntamente com a Enoxaparina.

Controle

Manter INR 2-3
Suspender a Enoxaparina quando o INR atingir os níveis acima descritos.

Rivaroxabana – inibidor do fator Xa

Opção ao uso de varfarina, iniciar juntamente com enoxaparina ou fondaparinux.
15 mg, via oral, 12/12h, por 3 semanas.
20 mg, via oral, 1×/dia por 3 semanas.

Grupo II – intermediário baixo risco

- Pressão arterial normal
- Disfunção ventricular direita
- Troponina negativa
- Pressão arterial normal
- Sem disfunção de ventrículo direito
- Troponina positiva

Grupo III – intermediário alto risco

- Pressão arterial normal
- Troponina positiva
- Disfunção ventricular direita

O grupo de risco intermediário tem mortalidade estimada em 3% a 15% e obrigatoriamente deve ser tratado com internação hospitalar, iniciando com tratamento específico. Nos pacientes com EP de risco intermediário alto, já há evidências de benefícios da fibrinólise em relação apenas à heparinização pelos últimos trabalhos.

Heparina

5 a 10.000 unidades em bólus EV
1.200 unidades/hora EV em BIC

Controle

Tempo de tromboplastina parcial (TTPA) – protocolo por 5 dias.
Em nosso serviço, dispomos de um protocolo de heparinização que nos fornece informações sequenciais e segurança para uma heparinização de forma terapêutica (Figura 50.1).

Grupo IV – alto risco

- Pressão arterial sistêmica baixa
- Função ventricular direita com disfunção
- Troponina positiva
- Este grupo se caracteriza por uma mortalidade hospitalar elevada, maior que 15%.
- O tratamento específico recomendado é o trombolítico.

Tromboembolismo Pulmonar **445**

50

Homogeneizar a solução a cada 4h	**Protocolo de heparinização – UTI HCOR**	Etiqueta
TTPa pré_____	■ Colher antes de iniciar o protocolo: TTPa, INR, plaquetas, Hb e Ht ■ Solução: SG 5% 245 mL (Ecoflac) + Heparina 5 mL (concentração de 100 U/mL) ■ Iniciar infusão a 10 U/kg/h ■ Colher TTPA conforme protocolo	

Data	Hora	Resultado TTPA	Hora conduta	Conduta	Infusão heparina	Assinatura/ Obs

TTPA	Heparina (*bolus*)	Interromper infusão de heparina	Alteração de velocidade	Colher TTPA
Menor 40 seg	3000 U	0 min	Mais 2 mL/h	6h
40-49		0 min	Mais 1 mL/h	6h
50-75		0 min	Sem alterações	6h
76-85		0 min	Menos 1 mL/h	6h
86-100		30 min	Menos 2 mL/h	6h
101-150		60 min	Menos 3 mL/h	6h
Maior 150		60 min	Menos 6 mL/h	6h

Espaçar coleta de TTPa para 12/12h após estabilização da meta (50-75s) por 24h sob orientação médica

*Não realizar *bolus* em pacientes neurológicos

Figura 50.1 Protocolo de Heparinização HCor.

Fonte: Gentilmente decido pelo Departamento de Emergência do HCor.

A ANVISA aprova dois trombolíticos para o tratamento de TEP:

rt-PA

100 mg em 2 horas EV

Estreptoquinase

150.000 unidades em bólus EV
100.000 unidades/hora por 24hs
Após o emprego de trombolítico, o paciente deve fazer uso de heparina e varfarina como os pacientes dos Grupos II, III, IV.
Recomendações para minimizar risco de sangramento:

a) Não realizar punções prévias ao uso de trombolítico.
b) Não fazer heparina em bólus após o trombolítico.
c) Iniciar a heparina quando o TTPA após trombolítico atingir níveis em torno de 80 segundos.

Grupo V

Para pacientes com contraindicação ao tratamento fibrinolítico, relativa ou absoluta ao uso dessas medicações, está indicada a tromboembolectomia cirúrgica ou intervenção percutânea. A estratégia invasiva é uma opção quando não existe resposta ao tratamento farmacológico.

Cirurgia de Tromboembolectomia

A cirurgia cursa com mortalidade elevada 37% a 46% em várias séries.

Tratamento percutâneo

O tratamento percutâneo parece ser um procedimento promissor para pacientes desse grupo.

Tratamento extra-hospitalar

O paciente que recebe alta do hospital dará continuidade ao tratamento com medicações anticoagulantes orais por tempo determinado por seu médico, de forma que fatores de riscos removíveis, como uso de contraceptivos orais, fraturas e imobilização de membros, podem ter um tempo de tratamento estimado em 3-6 meses, ao contrário de pacientes que apresentam fatores de risco irremovíveis, como doença oncológica e trombofilias, que devem ser tratados por tempo indeterminado.
O filtro de veia cava inferior é uma opção terapêutica em pacientes com contraindicação aos anticoagulantes orais.

Tromboembolismo Pulmonar 447

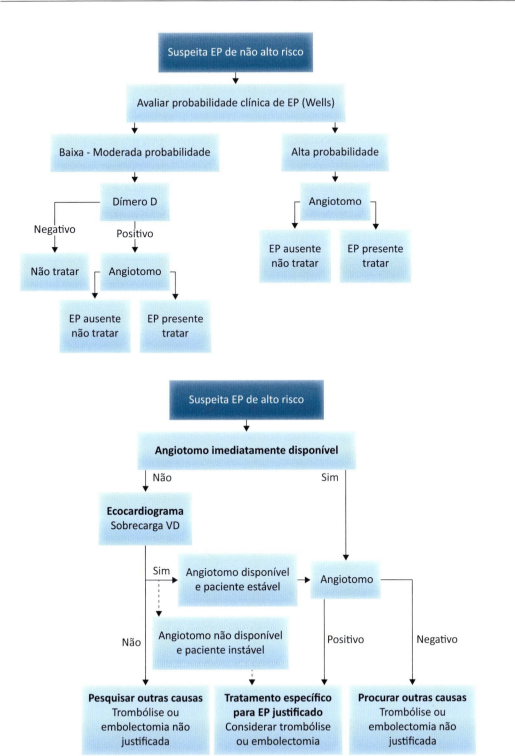

Figura 50.2 Protocolo de tratamento de TEP – HCor.

Fonte: Gentilmente cedido pelo Departamento de Emergência do HCor.

• Referências

1. Guidelines on diagnosis and management of pulmonary embolis. Eur Heart J 2000;21(16):1301-36. Review.
2. Volschan A, Caramelli B, Gottschall CA, et al. Diretriz de Embolia Pulmonar. Arq Bras Cardiol 2004;83(4):364.
3. Wells OS, Anderson DR, Rodger M, et al. Low-molecular-weight heparin in the treatment of patients with venous thromboembolism. New Engl J Med 1997; 337(10): 657-62.
4. Urokinase-streptokinase Embolism Trial. JAMA 1974; 229(12):1606-13.
5. Dalla-Volta S, Palla A, Santolicandro A, et al. PAIMS 2: alteplase combined with heparin versus heparin in the treatment of acute pulmonary embolism. Plasminogen activador Italian multicenter Study 2. J Am Coll Cardiol 1992;20(3):520-6.
6. Konstantinides S, Geibel A, Heusel G, et al. Heparin plus alteplase compared with heparin alone in patients with submassive pulmonary embolism. N Engl J Med 2002; 347(15):1143-50.
7. Meyer G, Vicaut E, Danays T, et al. Fibrinolysis for patients with intermediate-risk pulmonary embolism. N Engl J Med 2014;370(15):1402-11.

Acidente Vascular Encefálico

• Introdução

O acidente vascular encefálico (AVE) é definido como uma síndrome de início abrupto, de sintomas e sinais com perda focal da função cerebral, em que ocorre interrupção do fluxo sanguíneo em determinada região do cérebro.

O AVE é classificado em dois tipos: isquêmico, em 87% dos casos, e hemorrágico, em 13% deles. O tipo isquêmico é subdividido a partir dos dois mecanismos patológicos principais, que são: a trombose arterial aguda e a embolia cerebral. O tipo hemorrágico tem como apresentações mais frequentes a hemorragia intraparenquimatosa (HIP) e a hemorragia subaracnoide (HSA).

O Acidente Vascular Encefálico (AVE) responde por alta taxa de mortalidade e morbidade populacionais com impacto socioeconômico significativo. Os fatores de risco correlacionados são os mesmos das doenças cardiovasculares em geral: hipertensão arterial, diabetes, tabagismo, dislipidemia.

• Diagnóstico

O diagnóstico do AVE é feito através da história clínica, exame físico em conjunto com exames de imagem, o qual nos fornece o diagnóstico definitivo, diferenciando o AVE isquêmico do hemorrágico, norteando assim o tratamento.

Os principais achados clínicos do paciente com suspeita de AVE estão listados abaixo.

- Formigamento, fraqueza ou paralisia da face, braço ou perna, principalmente em um lado do corpo.
- Dificuldade para falar ou entender comandos simples.
- Cefaleia súbita e grave, frequentemente descrita como a pior da vida. Cuidado: AVCH e HSA.
- Visão borrada ou diminuição da acuidade visual em um olho, em ambos ou um hemicampo visual.

450 Guia Prático de Cardiologia

- Perda do equilíbrio ou coordenação quando combinado com outros sinais.
- Perda súbita da consciência (solicitar avaliação conjunta com clínica médica / neurologia na sala de emergência).
- Confusão mental súbita.
- Dificuldade para falar ou compreender.

Para definir o diagnóstico, além do exame clínico, é fundamental a realização de um método de imagem, podendo ser a Tomografia Computadorizada (TC), para descarte de evento hemorrágico, ou a Ressonância Magnética (RM), com a possibilidade de diagnóstico de isquemia cerebral em fase precoce.

O AVE tem como diagnóstico diferencial:

- Meningoencefalites
- Crise epiléptica
- Hipoglicemia ou hiperglicemia
- Distúrbios hidroeletrolíticos
- Enxaqueca com sinais focais
- Esclerose múltipla
- Intoxicação exógena
- Lesões expansivas intracraniana
- *Delirium*, infecções sistêmicas

• Manejo do AVE

O manejo no atendimento do paciente com suspeita de quadro de AVE deve ser feito de forma sistemática bem definida, de acordo com as diretrizes da AHA (American Heart Association), descritas em seu manual de ACLS (Advanced Cardiac Life Support).

Esse algoritmo (ACLS) repassa os períodos e ações de tempo intra-hospitalar críticos para a avaliação e o tratamento do paciente, e são eles:

- Avaliação geral e imediata pela equipe de AVE, pelo médico da emergência ou especialista em até 10 minutos após a entrada. Solicitar exame de TC sem contraste;
- Avaliação neurológica e exame de TC executado em até 25 minutos após a entrada no hospital;
- Interpretação do exame TC em até 45 minutos após a entrada no hospital;
- Início do tratamento fibrinolítico, em pacientes indicados, em até 4,5 horas após início dos sintomas;
- Encaminhamento para uma unidade de AVE ou UTI (ver Figura 51.1).

Acidente Vascular Encefálico 451

Os tempos e ações a serem tomadas estão descritas no algoritmo a seguir:

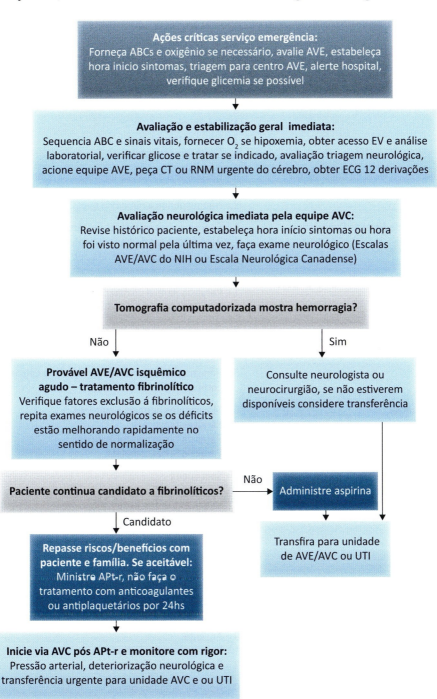

Figura 51.1 Protocolo de Atendimento do AVE.

Fonte: Gentilmente cedido pelo Departamento de Emergência do Hcor.

452 Guia Prático de Cardiologia

O emprego do fibrinolítico no AVCi é indicado através da duração do início dos sintomas, já citados anteriormente, e a escala NIH, sendo que uma pontuação entre 4 e 22 indicam a realização da terapia fibrinolítica, exceto contraindicações absolutas (ver Tabela 51.1).

Tabela 51.1 *National Institutes of Health Stroke Scale.*

Instrução	Definição da escala
1a. Nível de Consciência	0 = Alerta. 1 = Sonolento. 2 = Não alerta, embotado. 3 = Coma, irresponsivo.
1b. Perguntas de Nível de Consciência	0 = Responde a ambas as questões corretamente. 1 = Responde a uma questão corretamente. 2 = Não responde a nenhuma questão corretamente.
1c. Comandos de Nível de Consciência	0 = Realiza ambas as tarefas corretamente. 1 = Realiza uma tarefa corretamente. 2 = Não realiza nenhuma tarefa corretamente.
2. Melhor olhar conjugado	0 = Normal. 1 = Paralisia parcial do olhar. 2 = Paralisia completa do olhar.
3. Visual	0 = Sem perda visual. 1 = Hemianopsia parcial. 2 = Hemianopsia completa. 3 = Hemianopsia bilateral (cego, incluindo cegueira cortical).
4. Paralisia facial	0 = Movimentos normais simétricos. 1 = Paralisia facial leve. 2 = Paralisia facial central evidente. 3 = Paralisia facial completa.

5. Motor para braços
  a. Esquerda
  b. Direita
	0 = Sem queda
	1 = Queda antes dos 5 segundos
	2 = Queda antes dos 10 segundos
	3 = Não vence a gravidade
	4 = Nenhum movimento

6. Motor para pernas
  a. Esquerda
  b. Direita
	0 = Sem queda
	1 = Queda antes dos 5 segundos
	2 = Queda antes dos 10 segundos
	3 = Não vence a gravidade
	4 = Nenhum movimento

7. Ataxia de membros	0 = Ausente. 1 = Presente em 1 membro. 2 = Presente em 2 membros.
8. Sensibilidade	0 = Normal; nenhuma perda. 1 = Perda sensitiva leve a moderada. 2 = Perda da sensibilidade grave ou total.

Acidente Vascular Encefálico **453**

(*continua*)

Tabela 51.1 *National Institutes of Health Stroke Scale.*

Instrução	Definição da escala
9. Melhor linguagem	0 = Sem afasia; normal. 1 = Afasia leve a moderada. 2 = Afasia grave. 3 = Mudo, afasia global.
10. Disartria	0 = Normal. 1 = Disartria leve a moderada. 2 = Disartria grave.
11. Extinção ou Desatenção (antiga negligência)	0 = Nenhuma anormalidade. 1 = Perda de 1 modalidade sensória 2 = Perda de 2 modalidades sensórias.

Fonte: Adaptada de The national institute of neurological disorders and stroke rt-pa stroke study group. Tissue plasminogen activator for acute ischemic stroke. N Engl J Med. 1995;333:1581-1587.

• Terapia fibrinolítica

(AVEi com até 4,5 horas de início dos sintomas: *checklist* para trombólise endovenosa com Actlyse)

A terapia fibrinolítica no AVEi segue recomendação classe I naqueles pacientes previamente selecionados.

Seguem abaixo os critérios de exclusão para terapia fibrinolítica e os critérios de inclusão.

Critérios de inclusão (todos os critérios devem estar presentes)

- Diagnóstico clínico de AVEi em qualquer território arterial.
- Persistência do déficit neurológico.
- TC sem contraste sem evidência de hemorragia.
- Início dos sintomas há < 4,5 horas.
- Idade maior de 18 anos

Critérios de exclusão (todos os critérios devem estar ausentes)

- Sintomas leves (escala de AVE do NIH < 4), exceto afasia.
- Melhora significativa do déficit neurológico.
- Suspeita clínica de hemorragia subaracnóidea, apesar da TC normal.
- TC de crânio com sinais de isquemia precoce em > 1/3 do território de artéria cerebral média.
- Sangramento ativo (Gastrintestinal ou urinário nos últimos 21 dias).

Distúrbios hemorrágicos conhecidos, incluindo, mas não limitado a:

- plaquetas < 100.000/mm³.
- uso de heparina nas últimas 48 horas e TTPA > limite superior.
- uso recente de anticoagulante oral e elevação do TP (RNI > 1,7).
- Realização de neurocirurgia, trauma craniano grave ou AVE nos últimos três meses.
- Cirurgia de grande porte ou trauma há 14 dias.

454 Guia Prático de Cardiologia

- Punção arterial recente em local não compressível.
- Punção lombar nos últimos sete dias.
- História de hemorragia intracraniana, MAV ou aneurisma cerebral.
- Crise epiléptica no início dos sintomas.
- Glicemia < 50 mg/dL ou > 400 mg/dL.
- Infarto agudo do miocárdio recente.
- Evidência de pericardite ativa, endocardite ou êmbolo séptico.
- Aborto recente (nas últimas três semanas), gravidez e puerpério.
- PAS > 185 ou PAD > 105 não controlada com medicação (ver tratamento da PA no AVE).
- Idade maior de 80 anos.

• Protocolo AVEi: visão geral

Alteração neurológica sugestiva de AVE

Colher na admissão

- Hemograma completo.
- Sódio e potássio.
- Ureia e creatinina.
- Enzimas cardíacas (CKMB, CK e troponina).
- Coagulograma (TAP/RNI e TTPA).
- Glicemia.
- Tipagem sanguínea (caso elegível para trombólise).
- Dosagem de drogas se necessário.

Atenção: Dosagem de plaquetas, TAP e RNI devem ser liberados em até 15 minutos.

- Avaliação imediata
- Admitir na sala de emergência e chamar neurologista.
- Manter vias aéreas pérvias (ABCs).
- Monitorizar ECG, SpO_2 e PANI (a cada 5 minutos).
- O_2 se Sat < 92% (cateter a 3 l/min).
- Obter dois acessos venosos calibrosos.
- Realizar glicemia capilar (se < 80 mg/dL, administrar glicose a 50% EV, se > 180 mg/dL, considerar insulina regular).
- Medicar se T > 37,5 °C e obter ECG de 12 derivações (existe concordância geral sobre a recomendação de monitorização cardíaca durante as primeiras 24 horas de avaliação entre pacientes com AVE/AVC isquêmico agudo, para detectar fibrilação atrial/auricular e possíveis arritmias potencialmente fatais, que podem suceder ou acompanhar o AVE/AVC, particularmente hemorragia intracerebral).

Acidente Vascular Encefálico **455**

> **NOTAS:** A hora de início é a hora em que o início dos sintomas foi presenciado ou a última vez em que o paciente foi visto normal; em pacientes em uso de anticoagulantes orais ou heparina, o tratamento com APt-r pode ser iniciado antes da disponibilização dos resultados do estudo de coagulação, porém deverá ser interrompido se o RNI for maior que 1,7 ou se o TP estiver elevado, segundo as normais laboratoriais locais; em pacientes sem histórico de trombocitopenia, o tratamento com APt-r pode ser iniciado antes da disponibilização da contagem plaquetária, mas deverá ser interrompido se a contagem plaquetária for menor que $100.000/mm^3$, e, por fim, há dados documentados que demonstram um melhor resultado do uso do APt-r intra-arterial cerebral para pacientes com AVE/AVC isquêmico agudo não candidatos à fibrinólise IV, padrão nas primeiras seis horas após o início dos sintomas, porém a administração intra-arterial do APt-r ainda não está aprovada pelo FDA.

TROMBÓLISE (iniciar preferencialmente até 45′ após a admissão)

Administração do rtPA

▶ Paciente deve estar com monitorização cardiovascular e oximetria.
▶ rtPA IV (Actlyse®): dose: 0,9 mg/kg (até dose máxima de 90 mg).
▶ Dose de ataque em 1 minuto: 10%; restante da dose intravenoso em 60 minutos.
▶ Anotar início e término do tratamento.
▶ Monitorização com Doppler transcraniano para avaliar oclusão arterial e recanalização segundo critérios TIBI, a critério do neurologista do atendimento.
▶ Observação: em caso de pacientes com mais de 80 anos: considerar dose total de 0,6 mg/kg.

Complicações do rtPA

▶ Se piora neurológica (aumento de 4 pontos na escala de AVE do NIH):
  ▶ Suspender administração do rtPA
  ▶ Realizar nova tomografia
▶ Se sangramento (ou suspeita):
  ▶ Cessar infusão
▶ Sinais sugestivos de hemorragia intracraniana:
  ▶ Piora do déficit neurológico com diminuição do nível de consciência.
  ▶ Cefaleia, náusea ou vômitos.
  ▶ Aumento importante da pressão arterial.
▶ Certificar se está sendo infundido pelas duas vias endovenosas o soro fisiológico.
▶ Solicitar exames: Hb, Ht, coagulograma, plaquetas e fibrinogênio.
▶ Aguardar resultado da tomografia.
▶ Solicitar avaliação de neurocirurgião se sangramento.
▶ Infundir:
  6 a 10 unidades de crioprecipitado ou 2 a 3 unidades de plasma fresco;
  6 a 8 unidades de plaquetas;
  Concentrado de hemácias e reavaliar se hematócrito adequado.

Trombólise: Cuidados após rtPA

▶ Não utilizar antitrombóticos nas 24 horas após administrar rtPA.
▶ Não realizar cateterização arterial ou punção venosa profunda nas primeiras 24 horas.
▶ Não passar sonda vesical até 30 minutos após término do rtPA IV.

- Evitar SNG nas primeiras 24 horas.
- Realizar tomografia de crânio e Hb, Htc, TP, TTPA entre 12 e 24 horas, para avaliar terapêutica antitrombótica após 24 horas.
- Monitorizar PA durante as primeiras 24 horas:
- a cada 15 minutos por 2 horas
- a cada 30 minutos por 4 horas
- a cada hora por 18 horas
- Temperatura a cada 2 horas e glicemia a cada 4 horas.
- Uso de compressão pneumática nas primeiras 24 horas para prevenção de trombose venosa profunda.
- Manejo da pressão arterial.
- Realizar aplicação da escala de NIH a cada 6 horas nas primeiras 24 horas e, após, fazê-la diariamente.

• Tratamento do AVEI entre 4,5 – 6 horas

Via intra-arterial como opção nos pacientes com AVE isquêmico, em território de artéria cerebral média, que apresentam área viável visualizada na ressonância magnética. O *mismatch* maior ou igual a 20% (protocolo de 4,5 a 6 horas).

• Tratamento do AVE isquêmico após 6 horas

Após 6 horas, o tratamento trombolítico não se aplica (protocolo > 6 horas). Observação: pacientes com quadro sugestivo de acometimento vertebrobasilar podem ser considerados para tratamento intra-arterial de 6 a 12 horas do início dos sintomas.

Realizar para todos os casos de AVEi em até 24 horas após admissão

- Ecocardiograma Doppler colorido transtorácico;
- Ultrassonografia Doppler colorido de artérias carótidas e vertebrais;
- Avaliação metabólica, glicêmica e lipídica.

Tratamento clínico

- Monitorização cardiovascular e oximetria de pulso (a monitorização cardíaca deve ser mantida por 48 horas, especialmente naqueles pacientes com miocardiopatia, suspeita de arritmia, PA instável e infarto cerebral envolvendo o córtex insular).
- Controle da pressão arterial.
- AAS 300 mg via oral, clopidogrel 75 mg se alergia a AAS. NÃO CANDIDATO À TROMBÓLISE.
- Evitar punção venosa no membro parético ou plégico.
- Prevenção de trombose venosa profunda.
- Meias elásticas.
- Clexane® (enoxiparina sódica): 40 mg SC 1 vez ao dia 24 horas após a admissão.
- Compressão pneumática se risco de hemorragia.

Acidente Vascular Encefálico **457**

Fluxograma de imagem

> **AVEi menos que 4,5 horas:** pedir CT crânio antes do uso de trombolítico. Após o uso, fazer RM, inclusive difusão e perfusão, para avaliação da possibilidade de terapia de resgate.

> **AVEi entre 4,5 e 6 horas:** realizar RM com difusão e perfusão; se RM não disponível imediatamente, realizar TC e seguir para RM.

• Referências

1. Hacke W, Kaste M, Bluhmki E, Brozman M, Davalos A, Guidetti D, et al. Thrombolysis with alteplase 3 to 4.5 hours after acute ischemic stroke. N Engl J Med. 2008;359:1317-1329 5.
2. Donnan GA, Davis SM, Chambers B, al. e. Streptokinase for acute ischemic stroke with relationship to time of administration: Australian streptokinase (ask) trial study group. JAMA. 1996;276:961-966 6. Multicenter acute stroke trial - europe study group (mast-e).
3. Thrombolytic therapy with streptokinase in acute ischemic stroke. N Engl J Med. 1996;335:145-150 7. Multicenter acute stroke - italy (mast-i) group. Randomised controlled trial of streptokinase, aspirin and combination of both in treatment of acute ischemic stroke. Lancet. 1995;346:1509-1514
4. Adams HP, Jr., del Zoppo G, Alberts MJ, Bhatt DL, Brass L, Furlan A, et al. Guidelines for the early management of adults with ischemic stroke: A guideline from the american heart association/american stroke association stroke council, clinical cardiology council, cardiovascular radiology and intervention council, and the atherosclerotic peripheral vascular disease and quality of care outcomes in research interdisciplinary working groups: The american academy of neurology affirms the value of this guideline as an educational tool for neurologists. Stroke. 2007;38:1655-1711 9.

Pós-operatório de Cirurgia Cardíaca

Samere de Souza Itani Cavalcante • André Franz da Costa
• Marcelo Luz Pereira Romano

• Introdução

O aperfeiçoamento da cirurgia cardíaca a partir da segunda metade do século XX mudou drasticamente o prognóstico dos pacientes cardiopatas que necessitavam de intervenção, como portadores de doenças congênitas, traumas, miocardiopatas isquêmicos e valvares. O Brasil realiza aproximadamente 350 cirurgias cardíacas/1.000.000 habitantes/ano, incluindo implantes de marca-passos e desfibriladores, o que demonstra a magnitude das intervenções cardíacas.

O primeiro caso de cirurgia no coração é atribuído a Ludwing Rehnem, setembro de 1896, que suturou com sucesso um ferimento cardíaco. Ao longo das décadas de 1930 e 1940, novas técnicas foram desenvolvidas para o tratamento de cardiopatias congênitas, especialmente fechamento do canal arterial e coarctação de aorta. No entanto, foi o uso da circulação extracorpórea (CEC), utilizada com sucesso pela primeira vez em 1953, que permitiu o avanço das técnicas cirúrgicas e melhores taxas de sucesso das cirurgias cardíacas. Além disso, o avanço da monitorização hemodinâmica e maior disponibilidade de recursos terapêuticos tornou viável o êxito de procedimentos em pacientes de alto risco e com múltiplas comorbidades.

Atualmente a mortalidade geral perioperatória na cirurgia cardíaca varia entre 1% a 5%. No entanto, diversos fatores influenciam nessa estatística, como o tipo de cirurgia, as comorbidades dos pacientes (grau de disfunção do ventrículo esquerdo, disfunção renal e idade), o hospital onde é realizada e a experiência do cirurgião. No Brasil, essa taxa pode chegar a até 7% em alguns centros.

É necessária a compreensão dos mecanismos fisiopatológicos envolvidos nas intervenções cardíacas e suas peculiaridades, bem como realizar o diagnóstico precoce das complicações pós-operatórias.

Nesse contexto, este capítulo destina-se à abordagem pontual e prática dos principais fatores envolvidos no acompanhamento pós-operatório dos pacientes submetidos à cirurgia cardíaca.

• Considerações fisiopatológicas

A cirurgia cardíaca consiste em um procedimento complexo e de grande porte, que acarreta ao paciente alterações hemodinâmicas e metabólicas graves.

Deve ser considerado ainda que grande parte dos pacientes compõe um perfil com múltiplas comorbidades, o que interfere consideravelmente no desfecho da intervenção cirúrgica.

Circulação extracorpórea

A circulação extracorpórea é formada por um circuito que fornece fluxo sanguíneo para os órgãos, substituindo o coração e o pulmão. Consiste em uma bomba que faz o papel do coração, um oxigenador que propicia a troca gasosa e diversos acessórios (bombas aspiradoras, reservatório de cardiotomia, tubos, termopermutadores, cardioplegia, filtros e sistemas de ultrafiltração). O sangue é drenado do átrio direito, passa pelos dispositivos da CEC e retorna para o sistema arterial através de canulação da aorta ascendente, ou artérias femoral ou axilar, opcionalmente.

A resposta inflamatória induzida pela CEC é complexa e inicia-se com a ativação humoral e celular. Ocorre a liberação de fatores pró-inflamatórios e interleucinas (IL) como IL-1, IL-6, IL-8 e TNF alfa, que levam à síndrome da resposta inflamatória sistêmica (ver Figura 52.1). Na grande maioria dos casos, esta se manifesta de forma leve, sendo bem tolerada pelo organismo, mas pode levar a complicações sistêmicas e disfunção de órgãos.

A substituição da perfusão de fluxo pulsátil por fluxo contínuo também gera alterações na resistência vascular periférica. Dessa forma, a perfusão do cérebro e rins podem ser comprometidas.

Figura 52.1 Resposta inflamatória à CEC.
Fonte: Adaptada de Paola AAV, Barbosa MM, Guimarães JI, *et al*. Cardiologia: livro texto da Sociedade Brasileira de Cardiologia. Barueri(SP): Manole; 2012. p.981-1037.

Pós-operatório de Cirurgia Cardíaca **461**

O contato do sangue com as superfícies não endotelizadas da CEC resulta na liberação de calicreína, que, em conjunto com o fator XII da coagulação, ativa as cascatas de coagulação e fibrinólise. Associados à hemodiluição dos fatores de coagulação, disfunção plaquetária e uso de heparina, aumentam, assim, o risco de discrasias sanguíneas. No entanto, há também liberação de fatores pró-coagulantes, como trombina e fator ativador de plaquetas. Dessa forma, além de hemorragias, o paciente também está sob o risco de complicações trombóticas.

• Admissão e monitorização

A admissão e monitorização do paciente de cirurgia cardíaca fazem parte de um processo simultâneo, que deve ser composto por equipe bem treinada de médicos, enfermeiros e fisioterapeutas, capazes de trabalhar em conjunto, trocar as informações pertinentes a cada caso e auxiliar no diagnóstico e tratamento das complicações (ver Tabela 52.1).

É importante a obtenção de informações relativas à cirurgia realizada, dificuldades técnicas e intercorrências intraoperatórias, em conjunto com dados dos pacientes, como comorbidades, funções ventricular e renal, balanço hídrico e resultado dos últimos exames realizados no centro cirúrgico. O tempo de CEC e anóxia (tempo de isquemia a que é submetido o miocárdio após pinçamento da aorta e infusão de substâncias cardioplégicas) são importantes, pois, quando prolongados, aumentam o risco de complicações, como infarto agudo do miocárdio (IAM) e choque cardiogênico.

Tabela 52.1 Monitorização inicial.

Monitorização cardíaca contínua
Pressão venosa central (PVC)
Pressão arterial invasiva (PAI)
Oximetria de pulso
Sinais vitais
Drenos e sondas

Fonte: Adaptada de Santos ECL, Figuinha FCR, Lima AGSL, Henares BB, Mastrocola F. Manual de cardiologia cardiopapers. São Paulo: Atheneu; 2013.

Afim de complementar o acompanhamento pós-operatório, devem ser realizados exames complementares de rotina. No nosso serviço, segue-se como na Tabela 52.2.

Tabela 52.2 Rotina de exames laboratoriais.

Exames	POI	1 PO	2 PO
Gasometria arterial e venosa central	Admissão e após 6h	A cada 12h	Rotina manhã
Glicemia	Admissão e após 6h	A cada 12h	Rotina manhã
Ureia e creatinina	Admissão e após 6h	A cada 12h	Rotina manhã
Sódio e potássio, magnésio e cálcio iônico	Admissão e após 6h	A cada 12h	Rotina manhã

(*continua*)

462 Guia Prático de Cardiologia

(continuação)

Tabela 52.2 Rotina de exames laboratoriais.

Exames	POI	1 PO	2 PO
HB e Ht	Admissão e após 6h	A cada 12h	Rotina manhã
TP, TTPA, TT, INR, plaquetas e fibrinogênio	Admissão e após 6h	A cada 12h	Rotina manhã
Lactato	Admissão e após 6h	A cada 12hs	INR e TTpa
Eletrocardiograma	Admissão	Rotina manhã	Rotina manhã
Radiografia de tórax	Admissão	Rotina manhã	Rotina manhã

Fonte: Gentilmente cedido pela Unidade de Terapia Intensiva do Hcor.

É relevante ressaltar a importância da monitorização hemodinâmica invasiva para controle de parâmetros metabólicos, de perfusão tecidual e consumo energético, para auxiliar no manejo das complicações inerentes à cirurgia cardíaca, conforme capítulo específico deste manual.

• Prescrição

▶ Dieta
Deve ser mantido jejum por 4 horas após a extubação, e liberada após restabelecimento de nível de consciência adequado.

▶ Hidratação
Em nosso serviço, iniciamos no pós-operatório imediato com SF 0,9%, 0,5 a 1,0 mL/kg/h, de acordo com as características individuais de cada paciente, como a função do ventrículo esquerdo.

▶ Protocolo de úlcera de estresse
Relizado com inibidor de bomba de prótons. Em nossa rotina é utilizado Pantoprazol 40 mg, EV, 1×/dia.

▶ Antibioticoterapia profilática
Deve ser escolhida com base no perfil epidemiológico de cada serviço. Portanto, nossa UTI inclui o uso de cefuroxima 750 mg, EV, 8/8h, num total de 8 doses.

Sedação e analgesia

A sedação dos pacientes no pós-operatório de cirurgia cardíaca está indicada em situações que requeiram a necessidade da manutenção da ventilação mecânica. Dentre elas, instabilidade hemodinâmica, sangramento aumentado e agitação psicomotora. A Tabela 52.3 engloba as medicações mais utilizadas na rotina clínica.

Tabela 52.3 Sedativos mais utilizados no pós-operatório de cirurgia cardíaca.

Medicações	Efeitos colaterais
Cloridrato de Midazolan Infusão contínua Início: 0,01-0,05 mg/kg/h Manutenção: 0,02-0,1 mg/kg/h	Hipotensão

(continua)

Pós-operatório de Cirurgia Cardíaca **463**

(*continuação*)

Tabela 52.3 Sedativos mais utilizados no pós-operatório de cirurgia cardíaca.

Medicações	Efeitos colaterais
Dexmedetomidina Bólus 1 mcg/kg em 10 a 20 min Manutenção: 0,2-0,7 mg/kg/h	Bradicardia e hipotensão
Propofol Bólus 0,5-3 mg/kg/h Manutenção: 0,3-3 mg/kg/h	Aumento do intervalo QT, depressão cardiovascular

Fonte: Adaptada de Guia de Pós operatório de cirurgia cardíaca: manual de condutas e rotinas de pós operatório de cirurgia cardíaca do Hospital do Coração -HCor. Atheneu, 2014.

A analgesia é um item extremamente importante no acompanhamento desses pacientes, já que diminui o uso de sedativos, propicia conforto e melhora a ventilação mecânica.

Pode ser utilizada a analgesia convencional ou a analgesia controlada pelo paciente (ACP), que se faz por meio de cateter peridural e deve sempre ser prescrita e supervisionada pelo anestesista. A Tabela 52.4 lista as medicações mais utilizadas na prática clínica.

Tabela 52.4 Analgésicos mais utilizados no pós-operatório de cirurgia cardíaca.

Medicações	Efeitos adversos
Dipirona sódica 0,5 mg a 1 g a cada 4-6h	Hipotensão, náuseas, vasculite, agranulocitose, necrólise epidérmica
Sulfato de morfina 2,5 mg a 10 mg a cada 4h	Dependência, íleo paralítico, depressão respiratória, náuseas, prurido, sudorese
Tramal 100-400 mg/dia	Taquicardia, náuseas, constipação
Dexmetomidina Bólus 1 mcg/kg em 10 a 20 min Manutenção: 0,2-0,7 mg/kg/h	Bradicardia e hipotensão
Bupivacaína 10-20 mg	Bradicardia, hipotensão, arritmias cardíacas, bloqueios cardíacos, retenção urinária, parada respiratória
Fentanil IV: 0,5-5 mcg/kg/min Epidural ou raqui: 1,5 mcg/kg	Bradicardia, miose, rigidez muscular, náuseas, depressão respiratória, íleo paralítico

Fonte: Adaptada de Guia de Pós operatório de cirurgia cardíaca: manual de condutas e rotinas de pós operatório de cirurgia cardíaca do Hospital do Coração -HCor. Atheneu, 2014.

Medicações vasopressoras e inotrópicas

No contexto do pós-operatório de cirurgia cardíaca, são medicações utilizadas para restauração de parâmetros hemodinâmicos adequados, considerando que se trata de injúria de grande magnitude e muitas vezes compreende situações de instabilidade hemodinâmica.

Para sua utilização, deve ser efetuada avaliação global do paciente, que inclui parâmetros de exame físico, sinais vitais (frequência cardíaca, pressão arterial, saturação), diurese e monitorização hemodinâmica invasiva (oxigenação e perfusão, PVC, lactato arterial, débito cardíaco, índice cardíaco, índice de resistência vascular periférica, entre outros).

464 Guia Prático de Cardiologia

De forma geral, objetiva-se PAM entre 65 e 90 mmHg. Devem ser levados em consideração fatores individuais, como doença carotídea e AVC. Quando corrigida a volemia sem obtenção de níveis adequados de pressão arterial, está indicado o uso de drogas vasopressoras. A Tabela 52.5 lista as mais utilizadas na prática clínica.

Tabela 52.5 Vasopressores mais utilizados no pós-operatório de cirurgia cardíaca	
Medicações	**Indicação**
Noradrenalina	Casos de vasodilatação ou hipotensão severa. Dose: 0,01 a 2 mcg /kg/min
Vasopressina	Em associação à noradrenalina no caso de choques refratários. Dose: 0,6 a 2,4 U/h
Dopamina	Opcional ao uso de noradrenalina em casos de bradicardia associados à hipotensão. Dose: 3 – 10 mcg/kg/min: predomínio β 1 com aumento do inotropismo e cronotropismo. Acima disso, predomínio α-adrenérgico com vasoconstrição.
Adrenalina	Alternativa à noradrenalina. Dose: 0,01 – 2 mcg/kg/min

Fonte: Adaptada de Guia de Pós operatório de cirurgia cardíaca: manual de condutas e rotinas de pós operatório de cirurgia cardíaca do Hospital do Coração -HCor. Atheneu, 2014.

Em relação aos inotrópicos, devem ser utilizados em casos de disfunção ventricular e podem ser associados aos vasopressores em casos de hipotensão. A Tabela 52.6 lista os mais utilizados na prática clínica.

Tabela 52.6 Inotrópicos mais utilizados no pós-operatório de cirurgia cardíaca	
Dobutamina	**Choque associado à disfunção ventricular. Dose: 2,5 – 15 mcg/kg/min**
Milrinone	Disfunção de ventrículo direito e/ou hipertensão pulmonar. Dose: 0,37 a 0,75 mcg/kg/min
Isoproterenol	Protocolos de transplantes cardíacos e bradiarritmias em que o marca-passo não apresenta comando satisfatório. Dose: 0,005 a 0,1 mcg/kg/min

Fonte: Adaptada de Guia de Pós operatório de cirurgia cardíaca: manual de condutas e rotinas de pós operatório de cirurgia cardíaca do Hospital do Coração -HCor. Atheneu, 2014.

Heparina

A profilaxia de trombose venosa profunda com enoxaparina 40 mg deve ser iniciada no primeiro dia de pós-operatório se não houver contraindicação, neste caso deve-se optar por profilaxia mecânica. Nos casos em que é necessária anticoagulação plena, como em implantes valvares metálicos, a mesma pode ser iniciada após retirada de drenos e fio de marca-passo epicárdico, concomitantemente com varfarina.

Ácido acetilsalicílico (AAS)

Nos casos de revascularização miocárdica, a primeira dose deve ser administrada o mais precoce possível a partir da quarta hora de POI, e, a partir daí, a cada 24 horas, na dose de 100 mg por dia.

Controle glicêmico

Deve ser estabelecida meta glicêmica entre 110 e 140 mg/dL, considerada hipoglicemia medidas abaixo de 70 mg/dL e hiperglicemia medidas acima de 140 mg/dL.

Pós-operatório de Cirurgia Cardíaca **465**

Fica reservado a cada serviço a utilização do protocolo glicêmico que melhor se adequar às suas rotinas.

• Suporte ventilatório

A insuficiência respiratória no pós-operatório de cirurgia cardíaca é influenciada por diversos fatores e atinge cerca de 5% dos pacientes. Condições pré-existentes, como desnutrição e obesidade, pneumopatias e disfunção ventricular esquerda são causas frequentes. Além disso, condições pós-operatórias, como hiperidratação, má programação do ventilador, mau posicionamento da cânula endotraqueal, lesão do nervo frênico, distúrbios hidroeletrolíticos e derrames pleurais influenciam negativamente na função pulmonar. Destaca-se que os pulmões são os órgãos mais predispostos à disfunção pela CEC.

É importante que a extubação seja efetuada o quanto antes, respeitados os parâmetros necessários para o desmame da ventilação mecânica, visando redução de comorbidades associadas e menor tempo de internação em UTI e hospitalar.

Como objetivos impõem-se baixos níveis de pressão inspiratória nas vias aéreas limitados a 35 cm de água e níveis de FiO_2 iguais ou inferiores a 50%, de forma que a saturação arterial de O_2 mantenha-se acima de 90% e a PaO_2 acima de 70 mmHg.

Caso haja hipercapnia e acidose metabólica, sua correção deve ser feita por meio do aumento da frequência respiratória, sem elevar o volume-corrente.

Muitas condições podem dificultar o desmame da ventilação mecânica, predispondo à sua cronicidade. Deve haver atenção para a presença de complicações como atelectasias, edema pulmonar (cardiogênico ou não cardiogênico), pneumonia, broncoespasmo, pneumotórax ou hemotórax e problemas metabólicos que impliquem no maior consumo de O_2 e produção de CO_2, como tremores, febre e sepse (ver Tabela 52.7).

Tabela 52.7 Programação do ventilador.

Volume-corrente	6-10 mL/Kg de peso
Sensibilidade	0,5 cmH$_2$O
FR	10-14 irpm
FiO$_2$	40%
Modo ventilatório	Assistido controlado
Tipo de onda de fluxo	Decrescente
Peep	4-5 cmH$_2$O

Fonte: Adaptada de Guia de Pós operatório de cirurgia cardíaca: manual de condutas e rotinas de pós operatório de cirurgia cardíaca do Hospital do Coração -HCor. Atheneu, 2014.

A maior parte dos pacientes consegue ser extubada nas primeiras horas de pós-operatório, assim que despertam da sedação. Os critérios clínicos incluem ausência de sinais de desconforto respiratório, nível de consciência adequado, responsividade a comandos e ausência de secreção brônquica abundante. Além disso, é necessária estabilidade hemodinâmica (PAS > 90 e <160 mmHg, FC < 140 bpm), sangramento inferior a 60 mL/h e parâmetros baixos do ventilador (PEEP < 10 cm H_2O, PS < 10 cmH_2O, SpO_2 > 90% sob FiO_2 < 40%).

• Abordagem do sangramento

O sangramento aumentado no pós-operatório de cirurgia cardíaca é responsável pelo aumento da mortalidade, tempo de internação, maior necessidade de reintervenções e politransfusões (ver Figura 52.2). Pode ser decorrente de causas cirúrgicas, como o procedimento em si e as técnicas utilizadas ou causas não cirúrgicas. Relacionadas a esta destacam-se a coagulopatia decorrente da CEC, disfunção plaquetária, efeito residual da heparina, acidose metabólica, hipertensão, hipotermia e hemodiluição (ver Figura 52.3).

É esperado sangramento nas primeiras 24 horas de até 400 mL na maior parte dos pacientes, sendo que, naqueles que utilizaram dupla antiagregação plaquetária, este limite sobe para 1200 mL, ambos com variação de 200 mL para mais ou para menos. Deve ser observada ainda a permeabilidade dos drenos e proceder à sua ordenha, caso haja dúvida quanto à obstrução dos mesmos. Atentar ainda para sangramentos súbitos.

Além dos exames referentes à coagulação já citados e realizados de rotina, recomenda-se o uso do tromboelastograma em pacientes com sangramento aumentado, visto que se trata de um exame mais detalhado quanto às vias de coagulação comprometidas e orienta o uso dos hemoderivados de forma mais consciente.

Suspender

- Clopidogrel: 5 dias
- Prasugrel: 7 dias
- HBPM: 12-24h
- Fondaparinux: 24h
- Tirofiban: 4 horas
- Varfarina: 5 dias ->INR < 1,5
- Dabigatran: 5 dias
- Rivoraxaban: 48h

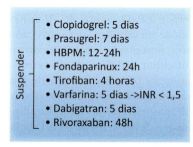

Figura 52.2 Drogas que devem ser suspensas no pré-operatório de cirurgia cardíaca.

Fonte: Adaptada de Guia de Pós operatório de cirurgia cardíaca: manual de condutas e rotinas de pós operatório de cirurgia cardíaca do Hospital do Coração -HCor. Atheneu, 2014.

- **Fatores de risco pré-operatórios:**
  - Insuficiência renal (disfunção plaquetária)
  - Uso de antiplaquetários
  - Cirurgia de urgência
  - Insuficiência hepátoca (deficiência de fatores da coagulação ou falha em depurar fatores pró-fibrinoliticos)
  - Estados de má absorção (deficiência de vitamina K)
  - LES (plaquetopenia e disfunção plaquetária)
  - Amiloidose (fragilidade capilar por infiltração amiloide)
  - Malignidade, deficiência de fator de Won Willebrand
- **Fatores de risco pós-operatórios:**
  - Idade avançada
  - Hipotermia
  - Pequena área de superficie corpórea
  - CEC > 150 min
  - Cirurgia combinada
  - > 5 pontes
  - Re-operação

Figura 52.3 Fatores de risco para sangramento aumentado no pós-operatório de cirurgia cardíaca.

Fonte: Adaptada de Guia de Pós operatório de cirurgia cardíaca: manual de condutas e rotinas de pós operatório de cirurgia cardíaca do Hospital do Coração -HCor. Atheneu, 2014.

Pós-operatório de Cirurgia Cardíaca **467**

A conduta no sangramento aumentado inclui aquecer o paciente, controle de agitação, hipertensão e tremores e correção dos distúrbios de coagulação. A seguir, os principais hemoderivados utilizados na prática clínica:

▶ Protamina
Deve ser considerada nas primeiras horas de sangramento para reversão dos efeitos residuais da heparina. Devem ser feitos 25-50 mg em SF 0,9%, 100 mL, em 20 minutos, já que sua infusão rápida pode levar à reação anafilática grave.

▶ Plasma fresco congelado (PFC)
Dever ser utilizado caso TTPa ou TP alargados na dose de 2-4 U (5-10 mL/kg)

▶ Concentrado de hemácias
Se Ht < 30% e Hb < 10 g/dL (com sangramento ativo)

▶ Plaquetas
Se plaquetas abaixo de 100.000, ou com valores normais e sangramento persistente após a utilização de PFC, em virtude da disfunção plaquetária. A dose utilizada é 1U/10kg

▶ Crioprecipitado
Deve ser utilizado se fibrinogênio < 100 mg/dL e TTPA anormal mesmo após infusão de PFC, ou pacientes portadores de estenose aórtica, pois os mesmos podem apresentar deficiência de fator de Won Willebrand, presente no crioprecipitado.

▶ Ácido épsilon-aminocaproico (Ipsilon)
Deve ser utilizado na suspeita de fibrinólise (fibrinogênio baixo e dímero D alto) na dose de 25 mg/kg, IV, em 1 hora, seguido por 1 g/h em 4 a 5 horas.

▶ Outros
Podem ser utilizados ainda complexo protrombínico (Beriplex), fibrinogênio sintético (Haemocompletan), concentrado de fator VIII (Fibrogammin) e fator VII ativado (NovoSeven).

Considerar reabordagem cirúrgica na presença de tamponamento cardíaco, sangramento persistente apesar da correção da coagulopatia e sangramentos volumosos súbitos (300-500 mL).

• Outras complicações

Síndrome do baixo débito cardíaco

Dentre as principais causas destacam-se o comprometimento da função sistólica ou diastólica ventricular, hipovolemia, tempo prolongado de CEC, tamponamento cardíaco, arritmias e SIRS. É marcada por taquicardia e má perfusão periférica, má oxigenação, hipotensão, acidose metabólica com aumento de lactato arterial e redução do débito de diurese (<0,5 mL/kg/h).

O tratamento varia conforme a causa diagnosticada, especialmente o tipo de choque envolvido. É relevante o uso de drogas inotrópicas e vasopressoras, correção das arritmias, reposição volêmica e tratamento cirúrgico quando necessário.

Infarto perioperatório

O diagnóstico desta complicação baseia-se em parâmetros laboratoriais, eletrocardiográficos e de imagem. Consideram-se, portanto, aumento de mais de 10 vezes da troponina, novas ondas Q ou bloqueio de ramo esquerdo ao ECG, angiografia com oclusão de enxerto ou leito nativo e alteração segmentar ao exame de imagem.

468 Guia Prático de Cardiologia

A decisão de tratamento deve ser discutida com a equipe cirúrgica e deve considerar a repercussão clínica do infarto, bem como características da anatomia coronária envolvida. Em pacientes assintomáticos, a reoperação ou angioplastia com *stent* só devem sem realizadas se a artéria envolvida possuir grande calibre e for responsável por irrigar um grande território miocárdico.

Arritmias cardíacas

A realização do eletrocardiograma de doze derivações se faz necessária para o diagnóstico correto das arritmias que podem se apresentar como arritmias supraventriculares, ventriculares e bradiarritmias.

A mais comum é a fibrilação atrial, que pode incidir em até 40% dos pacientes em pós-operatório de cirurgia cardíaca. O uso de estatinas no pré-operatório pode reduzir essa incidência. Os principais fatores de risco são idade maior que 70 anos, interrupção do uso de betabloqueadores, aumento atrial e sexo masculino.

Para o tratamento das taquiarritmias, utilizam-se medidas convencionais de acordo com o elucidado em seção específica deste livro.

Em relação às bradiarritmias é utilizado o marca-passo epicárdico sempre que possível. Em caso de falha do mesmo, pode ser utilizada atropina e, se persistência do quadro, dopamina, noradrenalina ou adrenalina.

Acidente vascular encefálico

Tem incidência geral de 3% dentro do contexto da cirurgia cardíaca. No entanto, pode variar conforme os fatores de risco individuais.

Pode ser de causa embólica, trombótica, hemorrágica (menos comum e de maior gravidade) ou por hipotensão seguida de diminuição da perfusão de determinado território vascular cerebral.

O diagnóstico e tratamento baseiam-se, respectivamente, em suspeita clínica, com exames de imagem e prevenção de complicações secundárias com suporte hemodinâmico criterioso, conforme capítulo específico deste livro.

Delirium

Ocorre com frequência no pós-operatório (em até 50% dos casos), principalmente em pacientes idosos, com múltiplas comorbidades preexistentes, alterações metabólicas e quadros infecciosos. É marcado por flutuações do nível de consciência, déficit de atenção e pensamento desorganizado. Pode ainda manifestar-se com agitação ou sonolência.

O tratamento é feito com a correção de distúrbios metabólicos e infecciosos, descontinuação de benzodiazepínicos, estímulo cognitivo e alta precoce. Medicações como antipsicóticos podem auxiliar.

Infecções

As infecções podem ocorrer em até 3,5% dos pacientes submetidos a cirurgia cardíaca. As mais relevantes são pneumonia, infecção de ferida operatória, infecção do trato urinário, endocardite e mediastinite.

Existem fatores de risco inerentes ao paciente, como extremos de idade, sexo masculino, desnutrição, obesidade, diabetes mellitus, insuficiência renal crônica e insuficiência cardíaca crônica. Entre os inerentes ao procedimento, destacam-se cirurgia de emergência, tempo cirúrgico prolongado, abordagem da cavidade pleural, tempo de intubação, politransfusão e uso de balão intra-aórtico

O tratamento consiste em antibioticoterapia e manutenção dos parâmetros hemodinâmicos e metabólicos.

• Referências

1. Bocchi EA, Marcondes-Braga FG, Bacal F, et al. Atualização da Diretriz Brasileira de Insuficiência Cardíaca Crônica – 2012. Arq Bras Cardiol 2012; 98(1 Suppl I): 1-33.
2. Bocchi EA, Marcondes-Braga FG, Ayub-Ferreira SM, et al. III Diretriz Brasileira de Insuficiência Cardíaca Crônica. Arq Bras Cardiol 2009;93(1 Suppl I):1-71.
3. Bonow RO, Mann DL, Zipes DP. Braunwald: tratado de doenças cardiovasculares. 9 ed. Rio de Janeiro: Elsevier; 2013. p.557-83.
4. Santos ECL, Figuinha FCR, Lima AGSL, Henares BB, Mastrocola F. Manual de cradiologia cardiopapers. São Paulo: Atheneu; 2013
5. Paola AAV, Barbosa MM, Guimarães JI, et al. Cardiologia: livro texto da Sociedade Brasileira de Cardiologia. Barueri(SP): Manole; 2012. p.981-1037.
6. Gomes WJ, Mendonça JT, Braile DM. Resultados em cirurgia cardiovascular: oportunidade para rediscutir o atendimento médico e cardiológico no sistema público de saúde do país. Rev Bras Cir Cardiovasc 2007;22(4):III-VI.
7. Guia de Pós operatório de cirurgia cardíaca: manual de condutas e rotinas de pós operatório de cirurgia cardíaca do Hospital do Coração -HCor. Atheneu, 2014

Balão Intraórtico e Marca-passo

• Introdução

O choque cardiogênico permanece como complicação de grande magnitude na rotina de cardiointensivismo. Apesar da redução da mortalidade após o desenvolvimento de técnicas avançadas de revascularização no infarto agudo do miocárdio, o mesmo ainda se apresenta como um desafio na prática clínica.

Nesse contexto, a utilização de mecanismos de assistência ventricular na presença de síndromes de baixo débito cardíaco se faz necessária. O balão intra-aórtico é o mais disponível e com menores taxas de complicações.

O BIA foi inserido na prática clínica a partir de 1968. Seu mecanismo de ação baseia-se no princípio de contrapulsação diastólica, com intuito de reduzir a pós-carga e aumentar a pressão de perfusão coronariana. Dessa forma, favorece o débito cardíaco e promove equilíbrio entre oferta e demanda de oxigênio.

Os níveis de peptídeo natriurético atrial foram consideravelmente menores nos pacientes que o utilizaram. Além disso, quando bem indicado, conferiu redução da mortalidade.

• Indicações e contraindicações

O BIA está indicado em situações de isquemia miocárdica, como pós cardiotomia, choque cardiogênico refratário às medidas convencionais e complicações mecânicas de IAM. Adicionalmente é utilizado em doentes com angina refratária e arritmias refratárias de causa isquêmica. No âmbito da cirurgia cardíaca, seu uso também é conveniente, conforme a avaliação do grau de disfunção ventricular, no pré, pós ou intra-operatório. Em choques cardiogênicos refratários é grau de recomendação I nível de evidência B.

O tempo de utilização destina-se a curtos períodos (até 14 dias) e deve ser removido assim que possível.

Não deve ser utilizado em pacientes com insuficiência aórtica moderada e importante, além de casos com dissecção de aorta.

- Inserção

Os locais de inserção do BIA incluem a artéria femoral (por meio da técnica de Seldinger, podendo ser feita pelo intensivista), artérias subclávias, axilar ou, durante o ato cirúrgico, diretamente na aorta.

Existem diversos modelos de BIA e o tamanho deve ser de acordo com as características físicas do paciente. Para brevilíneos, o balão de hélio deve ser de 40 mL e para longilíneos é recomendado o de 60 mL.

Deve ser feita a medição considerando como ponto anatômico o ângulo esternal, aproximadamente após a saída da artéria subclávia esquerda. A radioscopia pode ser um método auxiliar; na ausência desta, sua confirmação deve ser efetuada por meio de radiografia de tórax simples, pois o BIA possui uma marcação radiopaca em sua porção distal. Até que a posição correta seja confirmada, o aparelho deve ficar em parâmetros mínimos.

- Sincronização e monitorização

O BIA pode ser sincronizado pelo eletrocardiograma ou pela curva de pressão. Pode auxiliar em todos os ciclos cardíacos (1:1), alternadamente (1:2) e a cada 3 ciclos (1:3).

A insuflação deverá ocorrer de forma concomitante com o pico da onda T (fechamento da valva aórtica), promovendo, assim, aumento de 30% na pressão diastólica e melhora da perfusão coronariana (ver Figura 53.1). A deflação deve ser imediatamente antes da onda R, de forma que haja um "efeito de vácuo", no qual o débito cardíaco seja melhorado em torno de 10% a 20% com a redução da pós-carga. Mais uma vez, ressalta-se o correto posicionamento do BIA para que não haja redução de seus benefícios e até prejuízo da função cardíaca.

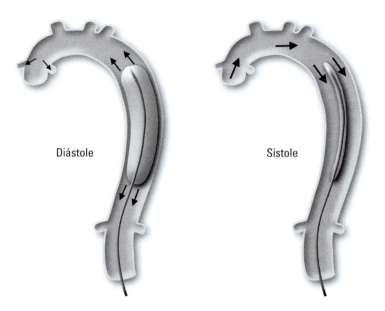

Figura 53.1 Mecanismo de funcionamento do BIA.
Fonte: Adaptada de Goldstein DJ, Oz MG. Cardiac assist devices. Armonk(NY): Futura Publishing; 2000.

O monitoramento é feito através de parâmetros clínicos e hemodinâmicos. Espera-se redução da pressão sistólica, pressão de capilar pulmonar e frequência cardíaca de 20%. São observados também melhora da perfusão tecidual e débito urinário.

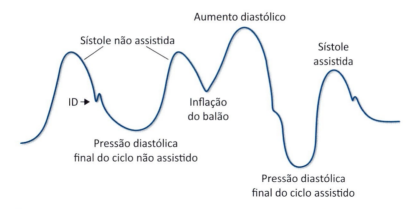

Figura 53.2 Curva de contrapulsação gerada pelo BIA. ID: Incisura dicrótica.
Fonte: Adaptada de Goldstein DJ, Oz MG. Cardiac assist devices. Armonk(NY): Futura Publishing; 2000.

• Desmame do BIA

A redução do suporte deve ser gradual e conforme melhora clínica e hemodinâmica do paciente. A frequência da assistência deve ser reduzida para 1:2 e depois 1:3 por algumas horas. Se bem tolerado, procede-se à retirada. Evitar deixar o dispositivo parado por mais de 30 minutos, pelo risco de formação de trombos. Logo após a retirada, pressionar por alguns segundos distalmente à punção para permitir saída de pequeno jato de sangue com eventuais trombos. Em seguida, realizar compressão arterial pontual por 30 a 40 minutos em localização proximal à punção.

• Complicações mais frequentes

Em sua maioria são de origem vascular, listadas na Tabela 53.1. A perfusão e os pulsos dos membros inferiores devem sempre ser reavaliados, evitando flexão do membro com o dispositivo.

Tabela 53.1 Complicações mais frequentes do uso de BIA.

Laceração nas artérias de inserção
Laceração, dissecção ou rotura aórtica
Isquemia de membros inferiores
Embolização renal ou mesentérica
Infecção
Perfuração do balão
Aneurisma ou pseudoaneurisma no local de punção

Fonte: Adaptada de Romano ER, Galantier J, Farran JA, Werneck VA, Costa AF, Guimarães HP. Guia de pós-operatório de cirurgia cardíaca: manual de condutas e rotinas de pós-operatório de cirurgia cardíaca do Hospital do Coração-HCor. São Paulo: Atheneu; 2014.

474 Guia Prático de Cardiologia

• Marca-passo cardíaco no cardiointensivismo

Introdução

No que diz respeito ao cardiointensivismo e às emergências cardiológicas, o marca-passo desempenha papel fundamental. Este capítulo limita-se a discorrer sobre as peculiaridades dos marca-passos temporários, visto que estes constituem medida de restabelecimento da integridade circulatória em situações de risco iminente à vida do paciente.

Os mais utilizados são os marca-passos transcutâneos, transvenosos e os epicárdicos. Os primeiros podem ser aplicados pelos profissionais da saúde em casos de emergência de forma rápida e segura. Em geral, desfibriladores externos apresentam função de marca-passo e, através de duas pás adesivas, essa função pode ser exercida com facilidade. Os marca-passos transvenosos destinam-se ao estímulo do ventrículo direito e conferem mais segurança que os marca-passos transcutâneos, permitindo estabilidade clínica até o implante do marca-passo definitivo, quando necessário. Já os epicárdicos destinam-se a pacientes em pós-operatório de cirurgias cardíacas e podem ser unicamerais, quando apenas o ventrículo é estimulado, ou bicamerais, quando átrio e ventrículo são estimulados.

Conceitos básicos

A estimulação elétrica do coração pelo marca-passo é possível pois as células miocárdicas têm natureza sincicial, o que significa que podem funcionar como uma célula única. Dessa forma, o estímulo se propaga por condução muscular entre todas as células.

O limiar de estimulação consiste na energia mínima capaz de despolarizar o miocárdio. Esse valor é medido em volts e é obtido estimulando-se o coração com uma frequência acima da frequência de escape do paciente. A partir de então, diminui-se a intensidade do estímulo até que o marca-passo perca o comando. Para que haja uma margem de segurança adequada, é recomendado manter uma amplitude duas a três vezes superior a esse valor.

A sensibilidade do marca-passo está relacionada à menor energia em volts de um estímulo cardíaco que o marca-passo consegue detectar. Portanto, com uma sensibilidade alta, a energia programada em volts no aparelho será baixa e qualquer estímulo cardíaco será detectado pelo aparelho. O contrário é verdadeiro; com sensibilidade baixa, a energia em volts programada no aparelho será alta, e para que o aparelho detecte o estímulo cardíaco, o mesmo deverá ser de grande amplitude. O teste é efetuado com o gerador externo em menor frequência de estimulação, a partir disso aumenta-se progressivamente a voltagem (diminuindo a sensibilidade do marca-passo), até que o mesmo não detecte o estímulo cardíaco e passe a comandar competitivamente. O valor recomendado para a programação deve ser a metade do valor encontrado no teste. Por exemplo, se aumentada a voltagem do aparelho de 2 mV para 4 mV, ou seja, reduzindo a sensibilidade do aparelho, o estímulo cardíaco deverá ser de maior monta para ser detectado.

Devem ser procedidos testes diários de limiar de comando e sensibilidade e ajustes conforme a necessidade.

Para o melhor entendimento e manuseio do marca-passo é preciso conhecer a nomenclatura composta por um código de letras que descreve de forma prática a função básica do marca-passo. São utilizadas cinco posições na nomenclatura convencional, no entanto apenas três são utilizadas rotineiramente na terapia intensiva.

A primeira letra representa a câmara estimulada: A (átrio), V (ventrículo), D (átrio e ventrículo) e O (nenhuma). A segunda letra representa a câmara sentida, conforme a anterior. A terceira letra indica a função do marca-passo: I (indica que um impulso detectado inibe o estímulo do marca-passo); D, restrito a marca-passos bicamerais (duas respostas possíveis, um evento sentido no átrio inibe o estímulo atrial, porém deflagra um ventricular ou, caso detecte um impulso ventricular, é capaz de inibir a estimulação ventricular pelo marca-passo).

Nesse sentido, o marca-passo transvenoso opera apenas em modo VVI, enquanto o epicárdico pode apresentar as funções VVI, AAI ou DDD, embora o mais utilizado ainda seja o VVI.

O ECG em pacientes com marca-passo apresenta uma espícula, artefato compatível com a estimulação artificial do coração (ver Figura 53.3). É uma onda muito estreita e de grande amplitude nos marca-passos acima citados. A despolarização subsequente à espícula gera um complexo QRS superior a 120 milissegundos, com morfologia de bloqueio de ramo esquerdo quando o eletrodo se encontra no lado direito do coração.

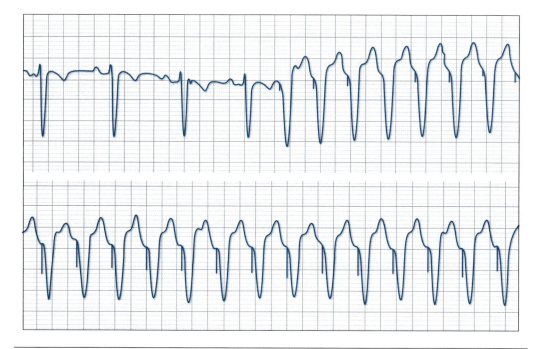

Figura 53.3 Marca-passo medtronic à esquerda. ECG com estímulo ventricular à direita.
Fonte: Adaptada de Lopes RD, Guimarães HP, Lopes AC. Tratado de medicina de urgência e emergência: prontosocorro e UTI. São Paulo: Atheneu; 2010.

- ## INDICAÇÕES

Sao indicados em situações de emergência e risco de arritmias, conforme a Tabela 53.2.

Tabela 53.2 Indicações de marca-passo transitório.
Bradiarritmias sintomáticas (sinusal ou bloqueios AV)
Profilaxia no IAM com bradiarritmia ou bloqueio de ramo recente
Otimização hemodinâmica em pacientes após cirurgia cardíaca
Lesões de nó AV ou sistema His-Purkinje em cirurgias cardíacas

Fonte: Adaptada de Lopes RD, Guimarães HP, Lopes AC. Tratado de medicina de urgência e emergência: pronto socorro e UTI. São Paulo: Atheneu; 2010.

Instalação do marca-passo

No pós-operatório de cirurgia cardíaca em geral, os pacientes são admitidos com um ou dois fios de marca-passo epicárdico, em posição ventricular e, em alguns casos, também atrial. Quando presente apenas um fio, será necessária a passagem de outro subcutâneo, o qual funcionará como polo positivo. Se dois fios estiverem presentes em posição ventricular ou mesmo atrial, a conexão com o gerador do marca-passo é indiferente quanto ao polo.

Durante as emergências clínicas com bradiarritmias existe a opção do marca-passo transcutâneo. Devem ser instaladas as pás adesivas do desfibrilador externo em contato com a pele do paciente. É necessária a sedação leve e analgesia. Nem sempre será bem tolerado pelo doente e eventualmente ocorre falha de captura do estímulo cardíaco, que pode ser influenciada por fatores como pneumotórax, obesidade, isquemia cardíaca e mau contato do eletrodo das pás com a pele. Dessa forma, se há necessidade de estímulo prolongado, deve ser utilizado temporariamente até que um dispositivo mais apropriado seja implementado.

O mais utilizado é o marca-passo transvenoso. A estimulação percutânea endocárdica é realizada através de eletrodo bipolar geralmente do ventrículo direito, através de punção venosa. Os acessos mais frequentemente utilizados são a veia subclávia esquerda, veia jugular interna direita ou esquerda.

É realizada a punção venosa com agulha, passagem de fio guia, dilatação e colocação de uma bainha por onde passará o cabo do eletrodo. É possível a utilização de um dispositivo de plástico transparente e estéril para encapar o eletrodo e facilitar seu manuseio e reposicionamento em casos de deslocamento. Em nosso serviço, preconizamos a via de acesso jugular, por julgar que minimiza as chances de lesões vasculares, pneumotórax e hemotórax. No entanto, fica a critério de cada serviço e da prática do profissional que realiza o procedimento. O cabo-eletrodo apresenta um balão que pode ser insuflado assim que o mesmo passar pela bainha, facilitando a locação adequada e o sucesso do procedimento. Deve ainda ser desinsuflado sempre que houver necessidade de retrocedê-lo.

O posicionamento do cabo-eletrodo pode ser efetuado com auxílio de um monitor cardíaco ou por radioscopia. No primeiro caso, observa-se a morfologia do QRS durante a passagem do cabo para garantir o posicionamento correto, conforme a Figura 53.4.

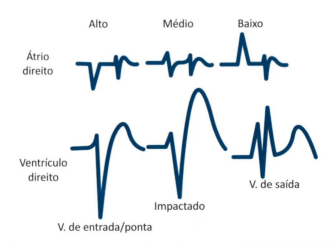

Figura 53.4 Morfologia eletrocardiográfica durante a passagem do marca-passo transvenoso.

Fonte: Adaptada de Lopes RD, Guimarães HP, Lopes AC. Tratado de medicina de urgência e emergência: prontosocorro e UTI. São Paulo: Atheneu; 2010.

• Referências

1. Santos ECL, Figuinha FCR,Lima AGSL,Henares BB, Mastrocola F. Manual de cardiologia cardiopapers. São Paulo: Atheneu; 2013.
2. Romano ER, Galantier J, Farran JA, Werneck VA, Costa AF, Guimarães HP. Guia de pós-operatório de cirurgia cardíaca: manual de condutas e rotinas de pós-operatório de cirurgia cardíaca do Hospital do Coração-HCor. São Paulo: Atheneu; 2014.
3. Serrano CV, Stefanini E, Timerman A. Tratado de cardiologia SOCESP. 2 ed. Barueri(SP): Manole; 2009.
4. Goldstein DJ, Oz MG. Cardiac assist devices. Armonk(NY): Futura Publishing; 2000.
5. Menon V, Slater JN, White HD, Sleeper LA, Cocke T, Hochman JS. Acute myocardial infarction complicated by systemic hypoperfusion whithout hypoperfusion: report of the SHOCK Trial Registry. Am J Med 2000;108(5): 374-80.
6. Thiele H, Zeymer U, Neumann FJ, et al. Intraaortic balloon support for myocardial infarction with cardiogenic shock. N Engl J Med 2014; 367(14): 1287-96.
7. Lopes RD, Guimarães HP, Lopes AC. Tratado de medicina de urgência e emergência: pronto-socorro e UTI. São Paulo: Atheneu; 2010.

Monitorização Hemodinâmica

• Introdução

A monitorização hemodinâmica é uma das mais importantes ferramentas no manuseio do paciente crítico. Apesar de atualmente a monitorização se fundamentar no desenvolvimento de novos equipamentos ou tecnologia, sem o fator humano para adequada observação e interpretação dos dados, ela perde qualquer valor.

Todo paciente que apresenta uma desproporção entre a perfusão tecidual e a demanda metabólica dos tecidos deve ser monitorizado hemodinamicamente. Isto porque a identificação e correção precoce dos fatores responsáveis por esse desequilíbrio podem ter impacto na mortalidade do paciente crítico.

Perfusão tecidual pode ser conceituada como o produto do fluxo capilar pelo conteúdo de nutrientes e de oxigênio oferecidos aos tecidos. Portanto, duas variáveis são importantes: fluxo e conteúdo de oxigênio. Fluxo pode ser entendido como débito cardíaco e sua distribuição, enquanto a análise do conteúdo leva em consideração a concentração sérica de hemoglobina, a saturação de oxigênio e a pressão parcial de oxigênio arterial.

Já a demanda metabólica dos tecidos compreende o consumo tecidual de oxigênio, e este pode ser obtido a partir da relação entre a diferença do conteúdo arterial e venoso de oxigênio e o débito cardíaco.

Nesse contexto, a monitorização hemodinâmica inclui a avaliação da pressão (arterial e venosa) e do fluxo do sistema cardiocirculatório (débito cardíaco), dados particularmente úteis nos pacientes com instabilidade hemodinâmica, ao fornecer informações adicionais não obtidas com o exame clínico ou métodos mais simples. Tais informações, se interpretadas corretamente, resultam em mudanças na terapêutica e benefício ao paciente.

• Pressão venosa central

Denomina-se pressão venosa central (PVC) a pressão que o sangue exerce no átrio direito, que, por sua vez, espelha a pressão diastólica final do ventrículo direito, que, finalmente, reflete a pressão de enchimento do ventrículo esquerdo. Dessa forma, a PVC pode contribuir para avaliação e controle do estado volêmico dos pacientes críticos. Seus valores são uma resultante da interação entre o débito cardíaco e a volemia do paciente, de maneira que a alteração de qualquer um desses parâmetros, como ocorre na disfunção diastólica, na ventilação mecânica e no uso de drogas vasoativas, pode mudar o valor da PVC. Portanto, para evitar falsas conclusões e condutas errôneas, sua interpretação deve ser realizada com cuidado e sempre em conjunto com a avaliação do débito cardíaco. Assim, uma queda do débito cardíaco associada a uma redução da PVC sugere hipovolemia, enquanto a queda do débito cardíaco com uma elevação da PVC sugere disfunção cardíaca na qual não há indicação de reposição volêmica.

Sua monitorização requer a presença de um cateter venoso central na junção da veia cava superior com o átrio direito, geralmente inserido por meio de punção de veia jugular ou subclávia e deve ser indicada a todo paciente no qual haja dúvida quanto ao estado volêmico e cuja correção dessa alteração interfira em sua evolução clínica. A medida da PVC é realizada com a mesma tecnologia empregada na medida da PAI, estando sujeita aos mesmos cuidados técnicos.

Apesar das limitações como método de avaliação da volemia, a análise da PVC ainda é um método de monitorização hemodinâmica simples, pouco invasivo, disponível rapidamente à beira do leito e muito útil se avaliada de maneira evolutiva e em associação a outras variáveis clínicas e hemodinâmicas.

• Pressão arterial invasiva

A medida invasiva da pressão arterial média (PAM) permite a mensuração segura, contínua e mais precisa dos níveis pressóricos. Dessa forma, a monitorização da pressão arterial invasiva (PAI) está indicada em pacientes com instabilidade hemodinâmica e/ou respiratória. As condições em que se considera a colocação de um cateter intra-arterial são a necessidade frequente de coleta de amostras de sangue arterial, infusão contínua de aminas vasoativas, emergências hipertensivas, pacientes em intra e pós-operatório imediato de cirurgia cardíaca e neurológica ou outras condições nas quais não se pode tolerar hipotensão ou variações bruscas da PAM.

A artéria radial é o acesso mais utilizado, pela facilidade da técnica e pelo fato de a mão possuir boa circulação colateral. Outros acessos, como a artéria axilar ou artéria femoral, também podem ser utilizados.

Vale lembrar que a canulação de artérias mais distais (pediosas) resultam em medidas de PAI maiores do que em artérias centrais (maior ou igual 10 a 20 mmHg – artéria central).

No caso da escolha pela canulação da artéria femoral, os cuidados devem ser intensificados pelo maior risco de infecção. A inspeção repetida e curativos diários minimizam a probabilidade de complicações infecciosas e trombose.

• Técnica de mensuração da pressão arterial invasiva

O primeiro passo consiste na canulação de uma artéria de escolha. Feito isso, a extremidade externa do cateter se conecta a uma coluna de líquido de soro dentro de um equipo de baixa complacência e esta é acoplada a um transdutor que contém uma membrana sensível à pressão. Sinais mecânicos de pressões pulsáteis são transmitidos através da coluna de líquido até o transdutor que, por sua vez, transforma tais sinais mecânicos em elétricos, os quais são registrados no monitor. Vale ressaltar que a coluna de soro que preenche o equipo é ligada a um sistema pressurizado que previne a formação de coágulos na ponta do cateter.

Para obtenção de medidas de pressão acuradas e precisas faz-se necessário um nivelamento correto do transdutor ao nível dos átrios (na altura do quarto espaço intercostal e linha axilar média); uma adequada zeragem, ou seja, o transdutor de pressão deve estar com o zero calibrado com a pressão atmosférica (abre-se o transdutor para o ar); e, finalmente, possuir um coeficiente de atenuação adequado, evitando super e subestimações do valor real da pressão dentro do vaso.

• Interpretação da curva da PAI

A curva da PAI resulta da interação do volume sistólico (VS) ejetado pelo coração na aorta com a complacência dos vasos de condutância (aorta e grandes vasos) e a resistência imposta pelas arteríolas. Dessa forma, a interpretação da onda arterial permite a inferência de possíveis condições do coração e da circulação.

Mas, o registro de qualquer pressão invasiva está sujeito a falhas que podem determinar uma medição incorreta e, consequentemente, intervenções danosas ao paciente. Logo, a monitorização da PAI não deve ser utilizada de maneira isolada na tomada de decisão terapêutica do paciente. Deve sempre ser interpretada em associação ao exame clínico e exames complementares, como medida do débito cardíaco, lactato e saturação venosa central de oxigênio, garantindo correta avaliação e intervenção do paciente crítico.

• Variação da pressão de pulso

A pressão de pulso é definida como a diferença entre a pressão sistólica e a pressão diastólica num determinado momento. Já a análise da variação da onda do pulso arterial (DPP) é um método preciso para avaliar a fluido responsividade do paciente crítico após prova volêmica, configurando-se como mais uma técnica de monitorização hemodinâmica. Trata-se de uma prática simples, que usa como recurso um cateter intra-arterial (PAI) e um monitor para registro das curvas de pressão arterial e que expressa percentualmente a variação da pressão de pulso entre as fases inspiratória e expiratória do ciclo respiratório sob ventilação controlada, independentemente da pressão arterial basal do paciente. A análise dessa variação pode ser útil em pacientes sépticos, hipotensos ou normotensos (às custas de drogas vasopressoras) e após grandes cirurgias, entretanto vale ressaltar que o emprego desse método exige que o paciente esteja sob ventilação mecânica, corretamente sedado, utilizando modalidade ventilatória com volume controlado (volume corrente entre 8 e 10 mL/kg, PEEP até de 10), não apresentando qualquer esforço inspiratório. Além disso, não pode ser utilizado na presença de arritmias cardíacas.

O cálculo é simples e consiste em dividir a diferença entre a pressão de pulso inspiratória e a pressão de pulso expiratória pela média das duas pressões de pulso:

$$\Delta PP = (PP\text{máx.} - PP\text{mín.}) \, / \, (PP\text{máx.} + PP\text{mín})//2$$

Quando essa variação for maior ou igual a 13%, ha uma grande probabilidade de o paciente responder à expansão volêmica (sensibilidade de 94% e uma especificidade de 96%).

• O cateter de artéria pulmonar

O cateter de artéria pulmonar (CAP), ou cateter de Swan Ganz, fornece fundamentalmente medidas das pressões hemodinâmicas e do débito cardíaco. Trata-se de um instrumento de monitorização diagnóstica e não uma modalidade terapêutica. Consiste em um cateter radiopaco e flexível com aproximadamente 110 cm de comprimento que apresenta um pequeno balão inflável na ponta distal, um termistor localizado a 4 cm do balão e quatro vias: proximal (azul: para medida de pressão do átrio direito); distal (amarela: para medida da pressão da artéria pulmonar e pressão de oclusão da artéria pulmonar); via do balão (vermelho: com função de inflar o balão); e uma última via ligada ao termistor para medir o débito cardíaco por termodiluição.

O CAP fornece parâmetros hemodinâmicos e oximétricos que podem ser medidos diretamente ou calculados.

Os parâmetros hemodinâmicos incluem as medidas diretas da pressão venosa central (PVC), pressão de artéria pulmonar e pressão de oclusão de artéria pulmonar (POAP), assim como a medida do débito cardíaco (DC).

Já o parâmetro oximétrico mais comumente medido é a saturação venosa mista de oxigênio (SVO_2) obtida da artéria pulmonar.

Curvas de pressão

O CAP é introduzido através de uma veia central (jugular interna ou subclávia) e, após ultrapassar o átrio e ventrículo direitos, é posicionado na artéria pulmonar. A localização do cateter durante sua introdução é guiada pelas alterações nas curvas de pressão das câmaras cardíacas que apresentam formas de ondas características. A monitorização simultânea do ritmo cardíaco com o eletrocardiograma (ECG) é fundamental para uma análise correta dessas curvas e para a detecção de possíveis taquiarritmias ventriculares associadas à passagem do cateter.

Após o cateter atingir o átrio direito (AD), o balonete então é insuflado com 1,5 mL de ar, o cateter progride pela válvula tricúspide e ganha o ventrículo direito (VD). Nesse momento, a curva de pressão demonstra uma elevação sistólica aguda e uma pressão diastólica baixa. O cateter progride então até a artéria pulmonar, que apresenta uma curva de pressão semelhante ao VD. Por fim, o cateter atinge um ramo da artéria pulmonar, onde vai obstruir o fluxo de sangue e registrar os fenômenos pressóricos do átrio esquerdo (AE). Nesta situação, o cateter está registrando a pressão de oclusão da artéria pulmonar (POAP).

As curvas de pressão do átrio direito (PAD) e POAP permitem a análise dos fenômenos pressóricos que ocorrem no átrio direito (AD) e no átrio esquerdo (AE), respectivamente. Mas, apesar de semelhantes, as curvas de PAD e POAP possuem diferenças.

A curva da PAD é um registro de pressão dentro do AD, enquanto a POAP é um registro de um fenômeno que ocorre a distância. Sendo assim, como a POAP é registrada no pulmão, pode sofrer interferência das pressões intrapulmonares.

Outra diferença entre a PAD e POAP é a relação temporal com o ECG. Como a POAP é o registro de um fenômeno retrógrado, ele ocorrerá com um atraso em relação ao estímulo elétrico que o provocou.

A interpretação dessas curvas também deve ser cuidadosa.

A PAD avalia o enchimento das cavidades cardíacas direitas. Dessa forma, a interpretação dessa pressão resulta da avaliação de um sistema composto por variáveis como o volume sanguíneo atrial, a complacência atrial e do VD e a competência da válvula tricúspide. Logo, qualquer alteração em uma dessas variáveis pode interferir na PAD.

Já a POAP é considerada um marcador indireto de pressão do átrio esquerdo, pressão diastólica do ventrículo esquerdo e volume diastólico final do ventrículo esquerdo. Embora valores reduzidos da POAP tradicionalmente signifiquem hipovolemia e valores elevados sugiram disfunção de ventrículo esquerdo ou hipervolemia, essas associações nem sempre correspondem à realidade e devem ser feitas com cuidado, pois dependem de vários fatores, inclusive da complacência ventricular.

Débito cardíaco

A medida do débito cardíaco (DC) através do CAP é realizada pela técnica de termodiluição, na qual a administração de uma solução salina resfriada (5 a 10 mL) por meio da via proximal do cateter produz uma alteração de temperatura, que antes estava constante em torno de 37 °C, detectada pelo termistor localizado a 4 cm da extremidade distal. Essa oscilação de temperatura vai determinar o aparecimento de uma curva, e a área dessa curva vai determinar o débito cardíaco. Quanto maior a área sob a curva, menor o débito cardíaco. Ainda com base na medida direta de pressões e débito cardíaco, podem ser calculadas a resistência vascular sistêmica ou pulmonar, o volume de ejeção, entre outros.

É necessário enfatizar que a exatidão da medição é altamente dependente da técnica correta. Dessa forma, a monitorização do débito cardíaco, associada às medidas de pressão arterial e de variáveis oximétricas, permite a identificação precoce de pacientes críticos com alterações perfusionais, assim como intervenções rápidas e guiadas com potencial impacto prognóstico.

Parâmetros oximétricos

Por fim, como anteriormente citado, a saturação venosa mista de oxigênio é mais uma medida que pode ser obtida pelo CAP através da via distal do cateter, provavelmente o melhor indicador isolado de transporte global de oxigênio. Valores inferiores a 65% sugerem aumento da taxa de extração de oxigênio pelos tecidos, consequente à menor oferta tecidual de oxigênio, devido a uma diminuição do débito cardíaco ou do conteúdo arterial de oxigênio. Dessa forma, a partir da medida da saturação venosa mista pode-se obter a oferta tecidual de oxigênio (DO_2), o consumo de oxigênio (VO_2), o conteúdo arterial de oxigênio e o percentual de "shunt" pulmonar. Tais medidas oximétricas são de fundamental importância por complementar, junto com as outras variáveis já mencionadas, o diagnóstico e a terapêutica dos pacientes hemodinamicamente instáveis.

Complicações

As complicações mais comuns que envolvem o uso do CAP são hemorragia no local de punção, pneumotórax, arritmias transitórias associadas à passagem do cateter, rotura da artéria pulmonar e infecção.

Muita controvérsia ainda tem sido atribuída ao uso do CAP. Sendo assim, em decorrência da ausência de evidências de benefício da sua utilização e o aparecimento de opções menos invasivas, seu uso diminuiu progressivamente nos últimos anos.

• Análise do Contorno de Pulso

A análise da curva de pressão do pulso arterial consiste em um método capaz de monitorizar de forma contínua o volume sistólico e o débito cardíaco, a partir das características da forma da onda do pulso arterial, sendo uma importante ferramenta para estimar a resposta a fluidos. Há uma relação entre a curva de pressão arterial e o volume sistólico, na qual o débito cardíaco é mensurado por meio do cálculo da área sob a curva de pressão arterial. Para isso, é necessária, basicamente, a instalação de um cateter arterial para que a forma do pulso seja analisada, técnica relativamente pouco invasiva.

Inúmeros dispositivos que utilizam esse princípio foram desenvolvidos nas últimas décadas, entre eles estão o LiDCO, Flo-Trac/Vigileo, PiCCO e Volume View/EV 1000. Todos demonstraram boa acurácia na previsão da resposta de reposição de fluidos, bem como uma boa correlação entre os resultados das medidas de débito cardíaco e volume sistólico em comparação com o cateter de artéria pulmonar. Entretanto, temos que nos atentar para algumas situações que podem determinar erros na mensuração do volume sistólico, como a presença de arritmias, alterações do tônus vascular e insuficiência aórtica.

Os dispositivos anteriormente citados podem ser divididos em não calibrados (LiDCOrapid e o Flo-Trac/Vigileo) e calibrados (LiDCOplus, PiCCO e Volume View/EV 1000), sendo a principal vantagem dos calibrados uma maior acurácia quando comparados aos outros.

484 Guia Prático de Cardiologia

O sistema Flo-Trac/Vigileo informa o débito cardíaco através do transdutor Flo-Trac, o qual é conectado a uma linha arterial. O equipamento calcula o volume sistólico utilizando um algoritmo eletrônico interno de calibração que leva em consideração dados como pressão arterial, idade, sexo, altura e peso do paciente. Este monitoriza continuamente o débito cardíaco com boa acurácia e, quando associado a um cateter de oximetria localizado em uma veia central, pode fornecer também a saturação venosa central. Assim, as medidas obtidas pelo Flo-Trac/Vigileo são: débito cardíaco, índice cardíaco, volume sistólico, índice sistólico, variação de volume sistólico, resistência vascular sistêmica e o índice de resistência vascular sistêmica.

O sistema LiDCO possui a versão LiDCOplus e LiDCOrapid, respectivamente. O primeiro necessita de calibração externa, o segundo não. Tal dispositivo informa continuamente o débito cardíaco através da avaliação da curva de diluição transpulmonar com o lítio, infundido em uma veia (central ou periférica) e mensurado em sensor conectado a uma linha arterial. O sistema pode gerar o débito cardíaco, resistência vascular sistêmica, pressão arterial média, frequência cardíaca e volume sistólico. Todos ajustados para o peso e altura do paciente.

Já os sistemas de monitorização PiCCO e Volume View/Ev 1000 utilizam a análise da termodiluição transpulmonar através de um cateter venoso central e uma linha arterial. Uma solução resfriada é injetada através do cateter venoso e a variação da temperatura é aferida pelo termistor na linha arterial. Ambos constituem um bom método para a avaliação de variações hemodinâmicas durante a infusão volêmica ou uso de drogas vasoativas e também demonstraram boa acurácia das medidas quando comparados com o cateter de artéria pulmonar.

• Ecocardiografia transtorácica

Com o avanço tecnológico e a experiência adquirida, o ecocardiograma tem se tornado uma ferramenta importante e cada vez mais utilizada para diagnóstico e auxílio a procedimentos invasivos para cardiologistas e intensivistas em ambiente de UTI. O seu uso na prática clínica diária é seguro, não invasivo, disponível à beira-leito e facilmente aplicável em pacientes críticos. Além disso, a disponibilidade de aparelhos mais portáteis e o barateamento dos equipamentos contribuíram para o uso cada vez mais frequente da ecocardiografia como meio confiável e preciso na monitorização de pacientes gravemente enfermos.

Essa ferramenta pode ser utilizada como método diagnóstico fornecendo informações anatômicas e funcionais sobre o coração e os grandes vasos, avaliando a contratilidade e a pré-carga de ambos os ventrículos, estimando o débito cardíaco, além de prever a resposta à infusão de fluidos intravenosos através da medida do diâmetro das veias cavas e de sua variabilidade.

Como já mencionado anteriormente, uma das particularidades da ecocardiografia bidimensional, aliada ao Doppler, é estimar o fluxo sanguíneo através da medida do débito cardíaco por meio do volume sistólico de ejeção ventricular. Para isso se faz necessária a obtenção da área da via de saída do ventrículo esquerdo (VSVE) no plano paraesternal com eixo longo e a medida da integral Velocidade-Tempo (IVT) do fluxo da VSVE com o Doppler pulsado, no plano apical de "cinco câmaras". Após o conhecimento dessas medidas é possível calcular o volume sistólico por meio da equação: VS (mL) = ($\pi \times d^2/4$) $\times$ IVT (onde d é o diâmetro da VSVE). Finalmente, conseguimos a medida do débito cardíaco ao multiplicar o VS anteriormente calculado pela frequência cardíaca do paciente.

Vale ressaltar que a estimativa do débito cardíaco obtida pelo ecocardiograma Doppler tem uma boa correlação com a medida obtida por termodiluição pulmonar através do cateter de artéria pulmonar (Swan-Ganz), o que torna tal ferramenta ainda mais atraente para o uso rotineiro.

Outra medida fornecida pelo ecocardiograma que contribui para a monitorização do paciente crítico é a avaliação do diâmetro e da variabilidade do calibre das veias cavas induzida pelas mudanças nas pressões intratorácicas nos ciclos respiratórios, o que nos permite estimar de forma relativamente precisa a pressão venosa central. A análise dessas mudanças no diâmetro da veia cava inferior é obtida no plano subesternal em modo M e bidimensional e prevê de forma confiável a resposta à infusão de fluidos intravenosos com o intuito de obter aumento no débito cardíaco. Medimos o diâmetro da veia cava durante a inspiração e expiração e calculamos a variação do diâmetro da veia cava inferior (ΔdVCI) através do seguinte cálculo:

$$\Delta dVCI = dVCImáx - dVCImín \, / \, dVCImáx + dVCImín//2$$

O resultado é expresso em porcentagem, e valores acima de 12% predizem responsividade a volume.

De uma maneira geral, tal correlação entre a variabilidade do calibre da VCI e a pressão venosa central é bem estabelecida em pacientes respirando espontaneamente, mas em pacientes sob ventilação mecânica existe alguma controvérsia. De maneira semelhante a outras técnicas dinâmicas de avaliação da resposta a volume, o paciente deve obrigatoriamente estar em modo ventilatório controlado, sem esforço respiratório e com volume corrente acima de 8–10 mL/kg. Nesse contexto, os índices ecocardiográficos parecem ser suficientemente precisos.

Enfim, a avaliação ecocardiográfica feita à beira-leito não substitui um exame físico completo do paciente com todas as suas variáveis e nem o exame feito pelo especialista, mas, sem dúvida alguma, a ecocardiografia tornou-se mais uma ferramenta na avaliação e monitorização diária de pacientes críticos.

• Considerações finais

A monitorização hemodinâmica desempenha um papel importante no paciente crítico com instabilidade hemodinâmica, ao permitir a aquisição de informações a respeito da fisiopatologia do sistema cardiovascular e a integração deste com o sistema respiratório e metabólico. Seu uso somente está associado a benefícios se sua interpretação for correta e precisa, resultando em uma intervenção terapêutica eficaz e positiva para o paciente.

• Referências

1. Dias FS, Rezende E, Mendes CL, et al. Parte II: monitorização hemodinâmica básica e cateter de artéria pulmonar. Rev Bras Ter Intensiva 2006;18(1):63-77.
2. Figueiredo FL. Avaliação hemodinâmica macro e micro-circulatória no choque séptico. Rev Med (São Paulo) 2008; 87(2):84-91.
3. Silva WO. Monitorização hemodinâmica no paciente crítico. Revista HUPE (Rio de Janeiro) 2013;12(3):57-65.
4. Azevedo L, Taniguchi LU, Ladeira JP. Medicina intensiva: abordagem prática. 2 ed. São Paulo: USP; 2015. [Série Abordagem Prática]
5. Guimarães HP, Assunção MSC, Carvalho FB, et al. Manual de Medicina Intensiva. São Paulo: Atheneu; 2014.

Dispositivos de Assistência Ventricular

Leandro Okumura • Vinicius Avellar Werneck • João Galantirer

• Introdução

A disfunção ventricular pode ser causada por diversas etiologias, como infarto agudo do miocárdio e miocardites. Seja qual for a causa, o paciente pode evoluir com a síndrome de baixo débito cardíaco, situação grave que leva a diversas complicações de órgãos e sistemas, sendo potencialmente fatal. Seu diagnóstico e tratamento precoces são essenciais para a sobrevida do paciente.

Nos casos mais graves e refratários ao tratamento convencional com drogas vasoativas e inotrópicas, e após exclusão de causas potencialmente reversíveis (por exemplo, tamponamento cardíaco), deve-se considerar o uso de algum dispositivo de assistência ventricular (DAV). Os DAV são dispositivos mecânicos utilizados no suporte cardíaco, seja através de otimização das condições hemodinâmicas, seja pela substituição da função miocárdica através da geração de fluxo sanguíneo para os diversos órgãos e sistemas.

No caso da insuficiência cardíaca crônica, que pode ser classificada em estágios conforme a Figura 55.1, as possíveis indicações dos DAV encontram-se no estágio D, levando-se em consideração uma subclassificação desse estágio que é o registro norte-americano INTERMACS (**Inter**agency **R**egistry for **M**echanically **A**ssisted **C**irculatory **S**upport) (Tabela 55.1), onde os DAV devem ser considerados principalmente nos INTERMACS 2 a 4; a importância desse tipo de categorização decorre do fato de estar relacionada à evolução do paciente após o implante do dispositivo.

Estágio A	Estágio B	Estágio C	Estágio D
Pacientes de alto risco de desenvolver IC, ainda sem doença estrutural	Pacientes com doença estrutural porém assintomáticos	Pacientes com doença estrutural e IC sintomática	Pacientes refratários ao tratamento convencional

Figura 55.1 Estágios da Insuficiência Cardíaca.

Fonte: Adaptada de Samuels LE, Narula J. Cardiology clinics 21, 1, Feb 2003. Ventricular Assist Devices and the Artificial Heart. WB Saunders Company.

Tabela 55.1 Classificação INTERMACS.

Nível	Características
1	Choque cardiogênico crítico
2	Piora progressiva com suporte inotrópico
3	Estável mas dependente de inotrópicos
4	Sintomas em repouso, em casa, fazendo uso de terapia oral
5	Intolerância aos esforços
6	Limitação aos esforços
7	Sintomas NYHA classe III avançados

Fonte: Adaptada de Pennington DG, Smedira GN, Samuels LE, Acker MA, Curtis JJ, Pagani FD, Mechanical circulatory support for acute heart failure Ann Thorac Surg 2001;71:S56-S59.

• Classificação

Os dispositivos, habitualmente, são classificados de acordo com sua durabilidade (curta permanência e longa permanência), modo de implante (para-corpóreo ou totalmente implantáveis), mecanismo propulsor (fluxo pulsátil ou contínuo; este último pode ser por bomba axial ou centrífuga) e tipo de assistência oferecida (ventricular esquerda, ventricular direita ou biventricular). A denominação de coração artificial tem sido reservada a dispositivos que permitem o explante do coração nativo e sua substituição total pelo dispositivo; estes encontram-se ainda em fase de investigação. Logo abaixo encontra-se a Figura 55.2 com a classificação esquemática.

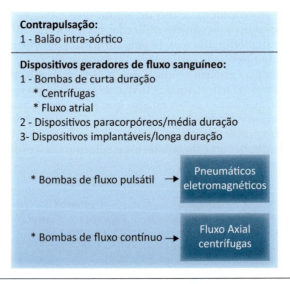

Figura 55.2 Classificação dos dispositivos de assistência circulatória mecânica.

Fonte: Adaptada de Pennington DG, Smedira GN, Samuels LE, Acker MA, Curtis JJ, Pagani FD, Mechanical circulatory support for acute heart failure Ann Thorac Surg 2001;71:S56-S59.

• Indicações

São reconhecidos objetivos para o implante de um dispositivo de assistência ventricular:

- **Ponte para o transplante cardíaco:** suporte circulatório para manutenção do estado clínico e hemodinâmico do paciente até a realização do transplante cardíaco; a escolha do tipo de dispositivo dependerá fundamentalmente da expectativa de duração da espera até o transplante. Por sua vez, a duração da espera dependerá da condição do paciente (estado de priorização, peso, tipo sanguíneo, sensibilização imunológica), bem como da disponibilidade de órgãos e estrutura da equipe para a captação.
- **Ponte para decisão/recuperação:** suporte circulatório implantado em pacientes com instabilidade hemodinâmica apesar de tratamento medicamentoso e que apresentam condição cardíaca com potencial de recuperação (miocardite, miocardiopatia periparto, isquemia miocárdica, disfunção miocárdica pós-CEC, entre outros), ou com condição que contraindica o transplante cardíaco em dado momento, mas que possui potencial de recuperação (insuficiência renal por baixo débito cardíaco, insuficiência respiratória por insuficiência cardíaca, entre outras). Nestas circunstâncias são utilizados apenas dispositivos para-corpóreos.
- **Assistência como terapia definitiva:** suporte circulatório implantado em pacientes com contraindicação ao transplante cardíaco; nestas circunstâncias são utilizados apenas dispositivos implantáveis, que permitam o seguimento ambulatorial do paciente.

• Balão intra-aórtico (BIAo)

O balão intra-aórtico é considerado um dispositivo de suporte circulatório não gerador de fluxo. Na prática, esse é o dispositivo mais usado, inclusive por sua disponibilidade. Consiste em um balão que é posicionado na aorta descendente (logo abaixo da emergência da subclávia, até a altura do diafragma), conectado a um módulo que através de sincronização (mediante ECG ou curva pressão arterial), insufla o mesmo por ocasião da diástole e o esvazia por ocasião da sístole (contrapulsação – Figura 55.3).

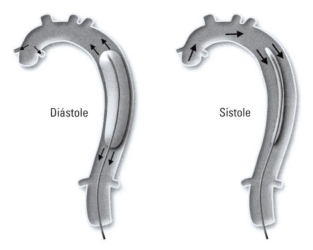

Figura 55.3 Esquema ilustrando os princípios básicos de configuração intra-aórtico. À esquerda: balão insuflado na diástole, aumentando a pressão diastólica e a perfusão coronariana. À direita: balão desinsuflado na sístole, reduzindo a pós-carga ventricular esquerda ("efeito vácuo") e facilitando a ejeção ventricular.

Fonte: Adaptada de Pennington DG, Smedira GN, Samuels LE, Acker MA, Curtis JJ, Pagani FD, Mechanical circulatory support for acute heart failure Ann Thorac Surg 2001;71:S56-S59.

O princípio do BIAo está em aumentar a perfusão coronária diastólica e reduzir a pós-carga, facilitando a ejeção ventricular. Isto ocorre através da deflação rápida imediatamente antes do início da sístole ventricular e permitir melhoria na relação entre demanda e suplemento de oxigênio ao miocárdio.

• Indicação e contra indicação

O BIAo é mais indicado em situações isquêmicas, como falência pós cardiotomia, infarto agudo do miocárdio, complicações mecânicas do infarto do miocárdio, miocardiopatias isquêmicas entre outras.

A sua utilização vem ganhando maior espaço, e a precocidade na sua indicação, bem como sua indicação profilática (pacientes graves, com isquemia muito acentuada e/ou com disfunção ventricular presente), têm mostrado resultados cada vez melhores.

As contraindicações para seu uso são a insuficiência aórtica grave e moderada, a dissecção de aorta e de forma relativa a ateromatose aorto-ilíaca severa.

• Dispositivos geradores de fluxo sanguíneo

Como o nome diz, são dispositivos de assistência circulatória que determinam fluxo sanguíneo podendo substituir o débito cardíaco.

Nas situações de falência ventricular aguda, pós-operatória ou pós-infarto do miocárdio, em que há otimização do uso de drogas inotrópicas e vasoativas, bem como da utilização de balão intra-aórtico de contrapulsação, e mesmo assim o paciente persiste em quadro de baixo débito cardíaco, os dispositivos geradores de fluxo devem ser indicados precocemente (algoritmo de utilização de dispositivos de suporte circulatório – Figura 55.4), no sentido de evitar a disfunção múltipla de órgãos. Nesta situação, os dispositivos de maior utilização são as bombas de fluxo contínuo. Abaixo algoritmo para utilização de dispositivos de suporte circulatório.

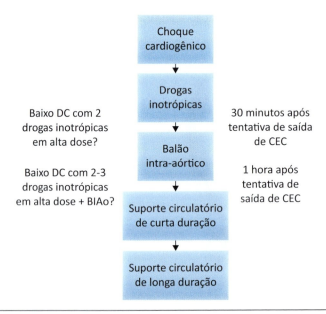

Figura 55.4 Algoritmo para utilização de dispositivos de suporte circulatório.
Fonte: Adaptada de Pennington DG, Smedira GN, Samuels LE, Acker MA, Curtis JJ, Pagani FD, Mechanical circulatory support for acute heart failure Ann Thorac Surg 2001;71:S56-S59.

Dispositivos de Assistência Ventricular **491**

• Bombas centrífugas de fluxo contínuo

Indicação e funcionamento

São dispositivos que podem ser utilizados em circulação extracorpórea convencional (pacientes mais graves, com maior comprometimento miocárdico ou com tempo de circulação extracorpórea mais prolongado), e estão disponíveis para uso como suporte circulatório em situações cirúrgicas, pós-operatórias e mesmo clínicas. Estes dispositivos também podem ser utilizados em casos de rejeição pós-transplante ou ponte para transplante.

Os princípios de funcionamento baseiam-se em suportar a circulação sistêmica, reduzir o enchimento ventricular e reduzir o trabalho miocárdico permitindo melhores condições de recuperação hemodinâmica.

Podem ser utilizadas como suporte para ventrículo esquerdo, para ventrículo direito ou para ambos. A forma mais habitual é para ventrículo esquerdo. O objetivo é derivar o sangue do ventrículo esquerdo (diretamente ou através do átrio esquerdo) para a bomba centrífuga e desta para aorta ou artéria periférica.

• Inserção

Preferencialmente utiliza-se canulação do átrio esquerdo através de realização de sutura em bolsa ao nível das veias pulmonares direitas (local mais frequente), ou em aurícula; ou ainda menos frequentemente a canulação do ventrículo esquerdo (através da ponta do mesmo, com colocação de pontos em U ancorados em feltro seguida da introdução de cânula). A canulação de drenagem sanguínea pode ser feita com uso de cânulas apropriadas, embora possam ser utilizadas cânulas comuns. A canulação para o retorno sanguíneo é frequentemente a mesma da circulação extracorpórea, ou seja, aorta ascendente, mas pode-se utilizar a canulação da artéria femoral ou subclávia.

• Manutenção e monitorização

Um cuidado rigoroso é necessário no controle do paciente com assistência por bomba centrífuga.

Os ajustes iniciais são feitos com o intuito de manter um fluxo tal que determine um débito em torno de 2,2 a 2,5 litros/min/m². O ecocardiograma e o uso do cateter de Swan-Ganz podem contribuir para o controle do débito cardíaco e da função ventricular.

O fluxo da máquina depende diretamente da pré-carga e pós-carga. Se o fluxo não consegue ser mantido, deve-se pensar em posicionamento inadequado das cânulas ou acotovelamento das mesmas, hipovolemia ou falência do ventrículo direito.

Em hipovolemia, há colabamento da parede atrial em torno da cânula seguido de liberação da mesma após o enchimento atrial, nesta situação, além de se observar pressões de enchimento baixas (tanto PVC quanto PCP), percebe-se que a cânula atrial "dança", o que é muito sugestivo de hipovolemia ou fluxo excessivamente alto.

O quadro da falência ventricular direita é de pressão venosa elevada e pressão capilar baixa, levando à necessidade de suporte biventricular.

A assistência circulatória com bomba centrífuga requer, sobretudo na sua instalação, início do processo e na fase de desmame, a utilização de anticoagulante mantendo TCA entre 180-250 segundos (ou relação TTPa do paciente / TTPa referência entre 2 – 3 segundos) com infusão contínua de heparina. Uma vez estabilizado, pode-se reduzir a heparinização.

O tempo de sua utilização pode ser de semanas.

• Retirada

Quando há melhora da função do ventrículo esquerdo, procede-se à redução do fluxo progressivamente até níveis próximos de 2 litros/minuto, quando se permite a retirada das cânulas.

• Assistência do ventrículo direito

Há casos de necessidade de suporte ventricular direito, que está frequentemente associado à falência ventricular esquerda, mas que pode ser isolado:

a) Infarto de ventrículo direito;
b) Hipertensão arterial pulmonar (presente muitas vezes em casos de transplante, quando o coração transplantado não está adaptado a vencer a resistência pulmonar elevada, em casos limítrofes – entrando em falência temporária);
c) Alterações na resistência pulmonar pela circulação extracorpórea com liberação de citocinas.

Nesses casos, utiliza-se a canulação do átrio direito e da artéria pulmonar (mediante bolsa colocada no tronco da mesma).

• Complicações

As principais complicações com o uso de bombas centrífugas como assistência circulatória estão descritos na Figura 55.5.

Complicações bombas centrífugas

- ❱ Sangramento
- ❱ Infecção
- ❱ Tromboembolismo
- ❱ Insuficiência renal
- ❱ Falência respiratória
- ❱ Choque séptico
- ❱ Choque vasoplégico

Complicações bombas centrífugas
▪ Sangramento
▪ Infecção
▪ Tromboembolismo
▪ Insuficiência renal
▪ Falência respiratória
▪ Choque séptico
▪ Choque vasoplégico

Figura 55.5 Complicações das bombas centrífugas.

Fonte: Adaptada de Samuels LE, Narula J. Ventricular assist devices and the artificial heart. St. Louis (MO): WB Saunders; 2003.

• Bombas axiais de fluxo contínuo

Um sistema de fluxo contínuo vem sendo utilizado em situações de falência miocárdica. Esse equipamento tem um eixo central que movimenta um dispositivo helicoidal que promove o fluxo sanguíneo. O modelo é introduzido pela artéria femoral, axilar, ou aorta até o ventrículo esquerdo e pela rotação helicoidal "aspira" o sangue do ventrículo esquerdo e injeta o sangue na aorta.

Existem dois tamanhos de cateteres, um deles determina um fluxo máximo de 2,5 L/min e pode ser introduzido através de punção arterial e o outro pode gerar um fluxo máximo de 5 L/min e sua introdução deve ser feita através da dissecção direta da artéria.

Há necessidade de heparinização plena e o período máximo de utilização do dispositivo é de 10 dias.

As complicações estão relacionadas a sangramento e infecção do local de inserção, comprometimento da perfusão do membro utilizado e tromboembolismo.

• Outros dispositivos de assitência circulatória

Dispositivos de assitência circulatória de longa permanência

Para pacientes nos quais a necessidade é mais prolongada e principalmente para aqueles que estão em fila para transplante (ponte para transplante) a opção está em utilizar dispositivos de longa permanência, também conhecidos como ventrículos artificiais (Figuras 55.6 e 55.7).

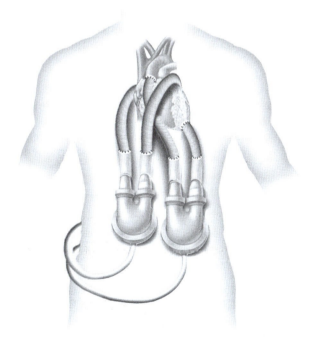

Figura 55.6 Berlin Heart EXCOR®.
Fonte: Cedido por ©Berlin Heart.

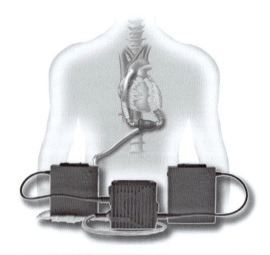

Figura 55.7 Berlin Heart INCOR®.
Fonte: Cedido por ©Berlin Heart.

Esses modelos podem ser paracorpóreos ou totalmente implantáveis, de fluxo pulsátil ou contínuo e, normalmente, devem ser implantados antes de haver disfunção de múltiplos órgãos e sistemas.

Tecnicamente, a canulação é semelhante àquela efetuada nas bombas de fluxo contínuo, com algumas variações de acordo com a expectativa de recuperação. Para os pacientes em ponte para transplante prefere-se a canulação ventricular. A mesma é realizada em circulação extracorpórea com parada anóxica. Já para pacientes com possibilidade de recuperação (ponte para recuperação), a preferência de canulação continua sendo a via atrial esquerda. A reposição arterial é feita através de enxerto de tubo de *Dacron* de porosidade muito baixa suturado de forma término-lateral na Aorta.

A necessidade de anticoagulação depende do tipo de aparelho. A monitorização, a necessidade de assistência uni- ou biventricular, o desmame e as complicações são semelhantes aos dos sistemas de fluxo contínuo.

O período de utilização pode ser de semanas até anos, dependendo do dispositivo e da intenção de tratamento, e as principais complicações são: sangramento, tromboembolismo e infecção.

• Referências

1. Goldstein DJ, Oz MC. Cardiac assist devices. Armonk(NY): Futura Publishing; 2000.
2. Goldstein DJ, Oz MC. Mechanical support for postcardiotomy cardiogenic shock. Semin Thorac Cardiovasc Surg 2000; 12(3):220-8.
3. Pennington DG, Smedira GN, Samuels LE, Acker MA, Curtis JJ, Pagani FD. Mechanical circulatory support for acute heart failure. Ann Thorac Surg 2001;71(3 Suppl):S56-9.
4. Curtis JJ, Walls JT, Schmaltz RA, Demmy TL, Wagner-Mann CC, McKenney CA. Use of centrifugal pumps for postcardiotomy ventricular failure: tecnique and anticoagulation. Ann Thorac Surg 1996;61(1):296-300.
5. Samuels LE, Narula J. Ventricular assist devices and the artificial heart. St. Louis (MO): WB Saunders; 2003.

Cardiologia Baseada em Evidências

Princípios de Cardiologia Baseada em Evidências

• Introdução

A Medicina Baseada em Evidências (MBE) é definida como o elo entre a boa pesquisa científica e a prática clínica. Em outras palavras, a MBE utiliza provas científicas existentes e disponíveis no momento, com boa validade interna e externa, para a aplicação de seus resultados na prática clínica. Quando abordamos o tratamento e falamos em evidências, referimo-nos a efetividade, eficiência, eficácia e segurança. A efetividade diz respeito ao tratamento que funciona em condições do mundo real. A eficiência diz respeito ao tratamento barato e acessível para que os pacientes possam dele usufruir.

Referimo-nos à eficácia quando o tratamento funciona em condições de mundo ideal. E, por último, a segurança significa que uma intervenção possui características confiáveis que tornam improvável a ocorrência de algum efeito indesejável para o paciente.

Neste capítulo abordaremos alguns tópicos da MBE utilizada tão comumente na Cardiologia.

• Formulação da pergunta da pesquisa

O processo da MBE inicia-se pela formulação de uma questão clínica de interesse. Uma boa pergunta formulada é o primeiro e mais importante passo para o início de uma pesquisa, pois diminui as possibilidades de ocorrerem erros sistemáticos (vieses) durante a elaboração, o planejamento, a análise estatística e a conclusão de um projeto de pesquisa. Uma boa pergunta científica consiste em quatro itens fundamentais, são eles: situação clínica (qual é a doença), intervenção (qual é o tratamento de interesse a ser testado), grupo controle (placebo, *sham*, nenhuma intervenção ou outra intervenção) e desfecho clínico. Suponhamos que se queira saber se os inibidores de agregação de plaquetas são mais efetivos e seguros quando comparados aos anticoagulantes orais na diminuição da incidência de mortalidade cardiovascular. Nesse exemplo, os inibidores de agregação de plaquetas seriam a intervenção de interesse, os anticoagulantes orais seriam o grupo controle, os pacientes hipertensos seriam a situação clínica e a diminuição da incidência de mortalidade cardiovascular seria o

498 Guia Prático de Cardiologia

desfecho primário de interesse. É claro que existem outros desfechos que podem ser avaliados em um mesmo estudo. Dando continuidade a esse mesmo exemplo, poderíamos considerar como desfechos secundários os eventos cardiovasculares não fatais (acidente vascular cerebral, infarto do miocárdio e eventos tromboembólicos).

• BASE LÓGICA DO DESENHO DA PESQUISA

O principal objetivo do desenho de um estudo é responder a uma questão utilizando os princípios gerais da investigação científica. De forma didática, os principais passos no desenvolvimento de um projeto de pesquisa são:

- ❱ Passo 1: Formular a questão de estudo
- ❱ Passo 2: Planejar o desenho da pesquisa. Nessa fase, decidirá se o desenho será experimental ou não experimental. Uma vez escolhido que tipo de desenho efetuará, deverá considerar cuidadosamente se existem variáveis confundidoras. Se existirem é preciso desenvolver estratégias para neutralizá-las.
- ❱ Passo 3: Envolve a seleção do instrumento para a análise de variáveis dependentes (aquelas que expressam a pergunta da pesquisa) e a operacionalização das variáveis independentes (todas as demais que podem influenciar a pesquisa).
- ❱ Passo 4: Em qualquer estudo é como conduzi-lo.

• Tipos de estudo

O desenho de estudo que possui validade interna mais adequada são as revisões sistemáticas com ou sem metanálises (consideradas nível I de evidências), seguidas dos grandes ensaios clínicos, denominados *megatrials* (com mais de1.000 pacientes – nível II de evidências), ensaios clínicos com menos de 1.000 pacientes (nível III de evidências), estudos de coorte (não possuem o processo de randomização – nível IV de evidências), estudos caso-controle (nível V de evidências), séries de casos (nível VI de evidências), relatos de caso (nível VII de evidências), opiniões de especialistas, pesquisas com animais e pesquisas.

As três últimas classificações permanecem no mesmo nível de evidência (nível VIII de evidências), sendo fundamentais para formular hipóteses que serão testadas à luz de boa pesquisa científica.

Cabe ressaltar que a hierarquia dos níveis de evidências apresentada acima é válida para estudos sobre tratamento e prevenção. Portanto, se a questão formulada for relacionada a fatores de risco, prevalência de uma doença ou sensibilidade e especificidade de um teste diagnóstico, a ordem dos níveis de evidências apresentados será modificada em virtude da questão clínica. Em outras palavras, a hierarquia dos níveis de evidências não é estática e, sim, dinâmica conforme a pergunta elaborada.

As revisões sistemáticas possuem vantagens quando comparadas às revisões tradicionais. As revisões sistemáticas que utilizam métodos rigorosos diminuem a ocorrência de vieses. Revisões sistemáticas com metanálises geralmente otimizam os resultados achados, pois a análise quantitativa dos estudos incluídos na revisão fornece informações adicionais.

As metanálises são um cálculo estatístico (somatório estatístico) aplicado aos estudos primários incluídos em uma revisão sistemática. As metanálises aumentam o poder estatístico para detectar possíveis diferenças entre os grupos estudados e a precisão da estimativa dos dados, diminuindo o intervalo de confiança. Além disso, as metanálises são fáceis de serem interpretadas, dependendo apenas de um pouco de prática e treino. Para maiores detalhes, consulte capítulo 57.

Os ensaios clínicos randomizados são estudos primários que respondem a questões de tratamento e prevenção. Nesse desenho de estudo, existem no mínimo dois grupos: um recebe a intervenção a ser testada (por exemplo, imatinib para tumores do trato gastrintestinal) e o outro grupo recebe outra intervenção, nenhuma intervenção ou placebo. Os dois grupos são seguidos de forma que os participantes não sejam perdidos até que os desfechos de interesse ocorram. Mais detalhes sobre ensaio clínico no próximo tópico

Entretanto, existem questões na área da saúde em que o processo de randomização seria antiético, como, por exemplo, investigar a possível ocorrência de câncer de pulmão randomizando indivíduos para fumar e não fumar. Desta maneira, o melhor desenho de estudo para responder a essa questão seria o estudo de coorte clássico. Nesse tipo de estudo, os participantes expostos e não expostos ao fator de risco – cigarro – são seguidos prospectivamente durante um período de tempo até os eventos de interesse aparecerem. Nesse estudo, é testada uma hipótese de associação.

Quando lidamos com questões de fatores de risco, o estudo de coorte é considerado nível II de evidências, apenas sucedendo a revisão sistemática de coortes (nível I de evidências).

Vale lembrar que alguns ensaios clínicos, geralmente de caráter cirúrgico, são difíceis de serem classificados como duplo-cegos (quando o paciente e investigador desconhecem a alocação do participante). Porém, existe um procedimento para lidar com esse tipo de situação denominado *sham, fake* ou *dummy* (simulação). Esse procedimento tem por objetivo atuar de maneira similar ao placebo (remédio sem atividade farmacológica específica); entretanto, é aplicado para mascarar técnicas cirúrgicas. Alguns autores consideram esse procedimento antiético, pois os pacientes são submetidos à anestesia, sendo expostos a riscos. Outros autores defendem que um procedimento pode ser eticamente justificado se há uma questão clínica relevante a ser respondida, se a utilização do grupo-controle com *sham* for metodologicamente necessária para testar a hipótese do estudo e se o risco do procedimento com *sham* for mínimo.

De modo similar ao estudo de coorte, o estudo caso-controle é observacional, porém retrospectivo, partindo do desfecho para a exposição, e, geralmente, é útil para questões que abordam doenças ou situações raras. Um exemplo de estudo caso-controle seria investigar o possível efeito de uma dieta rica em sal sobre doença cardiovascular. O estudo inicia-se com um grupo de pacientes com doença cardiovascular (casos) e um grupo de indivíduos sem doença cardiovascular (controle). É realizado um questionário para investigar os hábitos alimentares dos pacientes e, então, estabelecer uma possível relação de associação entre os pacientes que ingeriram dieta rica em sal e que desenvolvem ou não doença cardiovascular.

Esse desenho de estudo é mais barato e mais rápido de ser realizado. Entretanto, para questões sobre tratamento e prevenção, acaba por ser considerado nível V de evidência, por ser retrospectivo e, obviamente, por estar propício à ocorrência de viés de memória, além de não incluir o processo de randomização e, assim, estar sujeito à ocorrência de viés de seleção.

• Princípios do ensaio clínico

Ensaios clínicos randomizados representam, dentre os estudos individuais, o padrão-ouro para a avaliação de intervenções terapêutico-preventivas. Essa estratégia de pesquisa, proposta pela primeira vez em 1948, por Hill, encontra-se entre as mais importantes descobertas da medicina no século XX. Em um ensaio clínico randomizado, a designação de pacientes para os tratamentos ou exposições encontra-se sob o controle do investigador e, por isso, esse é considerado um delineamento do tipo experimental. Nesse tipo de estudo, os pacientes são designados de maneira randomizada ou aleatória para qualquer uma das intervenções sob estudo. A randomização procura assegurar que os grupos fiquem balanceados, tanto para características conhecidas quanto desconhecidas, de forma que a única diferença entre os grupos sejam as intervenções experimental e controle. Assim, a randomização representa o grande diferencial sobre os demais delineamentos (estudos observacionais e quase-experimentos) por permitir, quando adequadamente implementada, um método extremamente eficaz para o controle de erros sistemáticos. Após a randomização, os grupos são seguidos por período de tempo específico e analisados em termos de desfechos de interesse definidos pelo protocolo do estudo (exemplo: óbito, reinfarto, hospitalização por insuficiência cardíaca etc.). Dado que a única diferença entre os grupos são os tratamentos experimentais e controle, caso ocorram diferenças no evento desses desfechos ao final do estudo, essas diferenças podem ser atribuídas ao tratamento experimental.

Todo paciente que foi admitido no estudo deve ser analisado na sua conclusão final. Caso isso não seja feito ou um número substancial de pacientes seja relatado como "perda de seguimento", a validade do estudo está aberta para questionamentos.

Quanto maior o número de pacientes com perda de seguimento, mais o estudo está sujeito a erros sistemáticos, porque os pacientes que estão perdidos, frequentemente, têm prognósticos diferentes àqueles nos quais o seguimento foi adequadamente realizado. Em casos de perda de seguimento, duas possibilidades, influenciando os resultados do estudo de forma diferente, podem ocorrer: 1) os pacientes não retornaram para o seguimento porque apresentaram resultados adversos, incluindo óbito; 2) os pacientes estão clinicamente bem e, devido a isso, não retornaram à visita clínica para serem avaliados. Leitores podem decidir se a perda de seguimento foi excessiva, assumindo em estudos com resultados positivos (o tratamento em investigação promove resultados benéficos), que todos os pacientes perdidos no grupo tratamento evoluíram mal (exemplo: apresentaram óbito) e todos aqueles perdidos no grupo controle evoluíram bem (exemplo: encontram-se vivos).

Recalculando os resultados sob essa circunstância proposta, se as conclusões do estudo não forem modificadas, a perda de seguimento não foi excessiva. Entretanto, caso as conclusões se modifiquem, a perda de seguimento deve ser considerada excessiva e o poder de inferência, através da conclusão obtida, torna-se enfraquecido e os resultados não são confiáveis.

Na prática clínica, pacientes em estudos randomizados esquecem algumas vezes de utilizar a medicação ou mesmo recusam-se a essa utilização. À primeira vista, pareceria lógico que pacientes que nunca utilizaram a medicação designada deveriam ser excluídos da análise de eficácia. Frequentemente, as razões pelas quais os pacientes não utilizam a medicação estão relacionadas ao prognóstico. Alguns estudos clínicos randomizados demonstram que pacientes não-aderentes ao tratamento apresentam pior prognóstico do que aqueles que o são, mesmo considerando todos os fatores prognósticos conhecidos e incluindo aqueles pacientes que utilizaram placebo.

A exclusão de pacientes não-aderentes ao tratamento da análise destrói a comparação sem erros sistemáticos, proporcionada pela randomização. Esse princípio de atribuir todos os pacientes aos grupos nos quais eles foram originalmente randomizados denomina-se análise de intenção-de-tratar. Essa estratégia preserva o benefício da randomização, permitindo a distribuição balanceada de fatores prognósticos nos grupos comparados e, consequentemente, o efeito observado será realmente devido ao tratamento designado.

O não respeito a critérios metodológicos (quebra do sigilo da lista de randomização, ausência de cegamento, perdas no seguimento e ausência de análise por intenção de tratar e grupos de forma não-uniforme) podem alterar de forma significativa os resultados de um ensaio clínico randomizado. Nesse sentido, estão disponíveis evidências empíricas na literatura demonstrando que, independente de qualquer efeito biológico das intervenções em estudo, a presença de qualquer dessas limitações metodológicas, na maior parte das vezes, tende a levar a uma superestimativa do efeito de uma intervenção, contudo a direção dos efeitos é imprevisível, podendo, em algumas ocasiões, ocorrer exatamente o oposto, ou seja, subestimativa de efeito.

Princípios de Cardiologia Baseada em Evidências **501**

• Significância clínica

Relevância clínica refere-se à importância da diferença nos resultados clínicos entre os grupos tratamento e controle, sendo geralmente descrita em termos de magnitude de resultado. Em contraste, significância estatística mostra se as conclusões obtidas pelos autores apresentam probabilidade de serem verdadeiras, independentemente de serem clinicamente importantes ou não. Duas questões devem ser formuladas para se avaliar esse item: 1) além de estatisticamente significativa, a diferença encontrada também é clinicamente significativa?; 2) se a diferença não é estatisticamente significativa, o estudo apresentava tamanho de amostra suficiente para demonstrar diferença clinicamente importante, caso essa tenha ocorrido?

Como exemplo, imaginamos que um autor conclui que o tratamento A é melhor do que B, com um valor de p = 0,01. Em outras palavras, o valor de p diz quão frequente os resultados poderiam ter ocorrido por acaso, se a intervenção não fosse diferente do controle. Isso significa que o risco de ter concluído erroneamente que A é melhor do que B (quando na verdade não o é) é de apenas 1 em 100. Isso parece atrativo, entretanto a questão fundamental é: "isso é clinicamente importante também?".

Significância clínica vai além da aritmética e é determinada por julgamento clínico. A medida utilizada para avaliar a significância clínica é o número necessário para tratar (NNT), o qual têm três propriedades para ilustrar sua utilidade clínica: a) enfatiza os esforços utilizados para atingir alvo tangível de tratamento (auxilia a quantificar e desmistificar a decisão de tratar alguns, mas não todos os pacientes); b) fornece a base para se expressar os custos do tratamento; c) fornece elementos úteis para comparar diferentes tratamentos para diferentes doenças.

O NNT expressa quantos pacientes necessitam ser tratados por dado período de tempo para se evitar certo desfecho. Quanto menor o NNT, mais importante é o efeito do tratamento. O NNT pode ser facilmente obtido dividindo-se 100 pela RAR (em porcentagem).

Por exemplo, se em um ensaio clínico randomizado é obtida uma RAR de 2%, o NNT pode ser facilmente obtido pelo cálculo 100/2 = 50. (Interpretação: "é necessário tratar 50 pacientes com a intervenção experimental, por cinco anos para que um paciente adicional deixe de sofrer o desfecho em estudo"). É bem definido o conceito de que, quanto maior o risco de eventos, maior o potencial benefício do tratamento.

• Conclusões

Na busca de uma prática baseada em evidências, é necessário que cardiologistas possuam capacidade de avaliar criticamente a evidência disponível. Nesse sentido, ao avaliar um artigo sobre tratamento (particularmente um ensaio clínico randomizado), o cardiologista deve julgar aspectos de qualidade metodológica, poder estatístico (dado, principalmente pelo número de eventos), efeito da intervenção sobre desfechos clinicamente relevantes, principalmente levando em conta a significância clínica (por meio de NNT).

• Referências

1. Berwanger O, Guimarães HP, Avezum A, Piegas LS. Os dez mandamentos do ensaio clínico randomizado: princípios para avaliação crítica da literatura médica. Rev Bras Hipertens 2006;13(1): 65-70.
2. El Dib RP. Medicina baseada em evidências. [editorial] J Vasc Bras 2007; 6(1):1-4.
3. Luna Filho B. A ciência e a arte de ler artigos médicos. São Paulo: Atheneu; 2010.

Avaliação Crítica de Metanálises

• Introdução

Nos últimos anos, as pesquisas em medicina vêm se intensificando e as informações se tornando cada vez mais acessíveis ao clínico, e em vista da diversidade de estudos disponíveis sobre um mesmo tema, tornou-se imperativo que se estruturasse um meio de reunir informações que elucidassem com clareza e valor científico questões importantes do cotidiano médico.

Para tanto, nas últimas décadas consagrou-se um modelo de estudo que fosse capaz de reunir, de forma prática e confiável, resultados de diversos estudos sobre o tema que se deseja investigar. Tal formato adotado é conhecido como estudos de revisões sistemáticas e sumarizam com eficácia estudos de alto valor metodológico e científico, e através de análises estatísticas apresentam esses resultados ao leitor. A esse modelo de estudo que se utiliza de uma análise estatística deu-se a denominação de metanálise.

As metanálises fazem parte do universo dos estudos de revisão sistemática, e constituem-se de um procedimento estatístico com a finalidade de integrar os resultados de vários estudos independentes e de importante reconhecimento científico sobre uma variável que se deseja investigar.

Diferentemente da revisão sistemática, que é um método de revisão baseado numa busca rigorosa e ampla entre estudo originais, com o objetivo de encontrar e avaliar criticamente todas as evidências científicas disponíveis sobre uma questão, a metanálise é, por sua vez, uma combinação estatística dos resultados desses diversos estudos.

Trata-se portanto, de uma técnica ponderada que reúne de forma não aleatória resultados de diferentes estudos, analisando-os e atribuindo um peso diferente a cada um deles, de modo que cada estudo contribua diferentemente para a conclusão final. A metanálise permite uma avaliação mais objetiva da evidência, proporciona uma estimativa mais precisa do efeito de um tratamento e é capaz explicar a heterogeneidade entre os resultados de diversos estudos individuais.

• Os dados de uma metanálise

Para que se faça a análise quantitativa de uma revisão sistemática através de uma metanálise é necessário definir previamente quais resultados serão combinados. Na área médica é de praxe combinar resultados de estudos que comparam tipos de tratamento, como medicamentos, procedimentos, técnicas cirúrgicas etc.

• Heterogeneidade

Variações, ainda que pequenas, entre as populações incluídas nos estudos, nos tratamentos administrados ou na definição do desfecho, podem produzir o que usualmente convencionou-se chamar de heterogeneidade. A heterogeneidade pode ser devida a fatores clínicos ou metodológicos.

A heterogeneidade clínica é causada por diferenças nas características dos estudos como, por exemplo, o tipo de desenho, o número de pacientes retirados do estudo, diferenças nas características dos pacientes (idade média, estágio da doença, comorbidades etc.) e diferenças na intervenção (dose, duração do tratamento etc.). Heterogeneidade estatística é detectada por testes estatísticos específicos e pode ser proveniente da heterogeneidade clínica ou devida ao acaso.

Na avaliação da heterogeneidade estatística são utilizados testes da heterogeneidade. Descritos inicialmente por Cochran em 1954, o teste Q de Cochran e o teste do $I2$ descrito por Higgins e col. são utilizados para avaliar se os achados dos estudos primários são iguais (hipótese nula) ou divergem entre si. Caso os dados encontrados em um destes testes confirme a hipótese nula, estes estudos são considerados homogêneos.

As heterogeneidades clínica e metodológica podem ainda ser reunidas sob um termo comum, conhecido como diversidade e, na maioria das vezes, possui impacto no resultado dos estudos.

Quando não há diversidade e nem heterogeneidade importantes, aqueles estudos com maior poder estatístico possuirão mais "peso". Nesse caso, utiliza-se o método de efeitos fixos, que pressupõe que todos os estudos apontaram um mesmo efeito. Quando há diversidade e heterogeneidade, dá-se preferência ao modelo de efeitos-aleatórios ou randomizados, pois este distribui o peso de maneira mais uniforme, valorizando a contribuição dos estudos pequenos e fornecendo um intervalo de confiança maior (ver Tabela 57.1).

Variáveis binárias (sim/não, presente/ausente etc.) são combinadas em medidas ou valores-síntese, como Odds ratio (OR) ou razão de chances, risco relativo (RR) e número necessário ao tratamento (NNT).

Os valores-síntese:

▶ Razão de chances: é a razão entre a chance de ocorrência do evento com a intervenção e a chance de ele ocorrer sem a intervenção. Se a intervenção for eficaz em reduzir a chance de ocorrência do evento, a razão das chances será menor que 1,0.

▶ Risco relativo: é o risco de ocorrência do evento após a intervenção dividido pelo risco de ele ocorrer sem a intervenção. Se for menor do que 1,0, conclui-se que a intervenção reduziu o risco e, se for maior do que 1,0, que aumentou o risco.

▶ Redução absoluta de risco: representa a redução, em termos absolutos, do risco no grupo que sofreu a intervenção de interesse, em relação ao grupo controle.

▶ Número necessário para tratar: representa o número de pacientes de que se precisa tratar para se prevenir um evento indesejado, é uma maneira adicional de se medir o impacto de uma intervenção.

Tabela 57.1 Cálculo de valores-síntese utilizados em metanálise

1. Tabela 2×2:

Subgrupo	Tratamento (ou exposição)	Controle (ou não-exposição)	Total
Evento	a	b	a+b
Não evento	c	d	c+d
Total	a+c	b+d	N

2. Chance

2.1) de ocorrência do evento no grupo tratamento = a/c

2.2) ocorrência do evento no grupo controle = b/d

2.3) razão das chances ("*odds ratio*") = $\left(\frac{a}{c}\right) \div \left(\frac{b}{d}\right) = \frac{ad}{bc}$

3. Risco

3.1) de ocorrência do evento no grupo tratamento = a/a+c

3.2) de ocorrência do evento no grupo controle = b/b+d

3.3) risco relativo: $\left[\frac{a}{a+c}\right] + \left[\frac{b}{b+d}\right] = \frac{a(b+d)}{b} \cdot (a+c)$

Fonte: Moreira e col., 2011.

Tanto o OR como o RR são medidas de eficácia da intervenção. O NNT informa o impacto clínico, e dados contínuos (idade, peso, pressão arterial etc.) podem ser sumarizados em médias entre os grupos.

Em metanálise de estudos diagnósticos, os resultados podem ser sumarizados como sensibilidade, especificidade e *likelihood ratios*. Nos estudos observacionais, os resultados são sumarizados como RR e OR e, nos estudos prognósticos, utilizam-se *hazard ratio* e medidas de tempo para um evento.

Para que os pacientes possam ser comparados entre os diferentes estudos sem que isso interfira com a interpretação dos resultados, são calculados o valor-síntese para o efeito da intervenção, e a sua média ponderada ou variância (discutidos adiante).

• Interpretando a metanálise

A maneira mais prática de se interpretar uma metanálise é através do gráfico de *forest plot*. Nesse gráfico são mostradas informações individuais dos estudos e os resultados da metanálise. Cada linha horizontal representa o intervalo de confiança de um ensaio clínico. A linha horizontal representa o efeito do tratamento. A linha vertical que divide o gráfico ao meio marca o efeito nulo, ou seja, o *odds ratio* ou o risco relativo igual a 1, e significa que a terapêutica não tem efeito sobre a variável estudada (ver Figura 57.1).

A medida de efeito é representada por um símbolo que pode, por exemplo, ser um quadrado, um círculo etc., e seu tamanho é proporcional ao peso do estudo na metanálise.

À esquerda da linha vertical estão os resultados que apresentaram uma redução do risco ou efeito benéfico devido à nova terapêutica em relação ao grupo controle, e à direita estão os resultados que significam um aumento de risco decorrente do tratamento.

Quando essa linha cruza a linha vertical, significa que o resultado não é estatisticamente significante, em outras palavras, o acaso pode ser responsável pela diferença encontrada.

Sempre que o intervalo de confiança de 95% não ultrapassa a linha vertical significa que o valor de P é menor que 0,05.

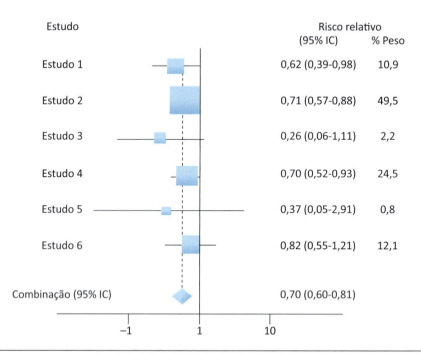

Figura 57.1 Metanálise hipotética de estudos aleatorizados.
Fonte: Berwanger e col., 2007.

- ## Como avaliar criticamente uma revisão sistemática-metanálise?

Para se determinar se um estudo de revisão sistemática com metanálise possui aplicabilidade e validade existem algumas regras a serem consideradas no que concerne à qualidade metodológica, à importância dos resultados e à sua aplicabilidade. De uma maneira simplificada, deve-se responder a três perguntas:

O estudo possui validade interna?

A validade interna define até que ponto os resultados de um estudo são corretos para uma determinada amostra de pacientes, e não significa, necessariamente, que podem ser extrapolados a outros grupos de pacientes. Ela é determinada pela qualidade do planejamento e da execução do estudo, e pode sofrer interferência de erros sistemáticos e do acaso.

Na prática, sugere-se que se adotem os critérios estabelecidos por Deeks em 1999 (Quadro 57.1).

Definir a questão a ser pesquisada.

A revisão sistemática delimita uma questão clínica estruturada e focada (PICO)?

A revisão sistemática deve partir da formulação de uma questão científica estruturada. O autor deve elaborar uma questão em que é definida previamente o tipo de paciente, a intervenção que será investigada, como será a comparação de desfechos entre os tratamentos e o objetivo que se deseja alcançar com essa intervenção. Pode ser resumido pelo acrônimo

Avaliação Crítica de Metanálises

Quadro 57.1 Etapas metodológicas na avaliação da revisão sistemática

1. Definir, com clareza, a questão a ser pesquisada.

2. Definir critérios da inclusão que possam identificar todos os estudos que avaliaram a questão proposta.

3. Escrever um protocolo com todos os procedimentos e métodos a serem usados na revisão.

4. Proceder a busca rigorosa de todos os experimentos relevantes, publicados ou não.

5. Rever os artigos recuperados para avaliar se preenchem os critérios de inclusão.

6. Avaliar a qualidade dos artigos e a possibilidade de viés.

7. Extrair dados de cada estudo e produzir valores-síntese.

8. Proceder à combinação estatística dos dados dos diferentes estudos.

9. Investigar a robustez dos resultados através de gráficos e testes estatísticos.

10. Interpretar os resultados.

Fonte: Moreira e col., 2011.

do inglês PICO (patient-intervention-comparisons-outcome), por exemplo: em pacientes coronariopatas (paciente) o uso de betabloqueadores (intervenção) é superior aos bloqueadores de canais de cálcio (comparação) em prevenir novo eventos (obejtivo)?

Definir critérios da inclusão que possam identificar todos os estudos que avaliaram a questão proposta.

Foi determinado um protocolo para inclusão dos estudos?

A revisão sistemática deve sempre ser baseada na melhor evidência disponível, isto significa que os estudos incluídos devem fornecer as respostas à questão formulada. Revisões sobre intervenções terapêuticas ou prevenção devem utilizar como base experimentos clínicos randomizados, de preferência duplo-cegos. Revisões sobre testes diagnósticos devem utilizar estudos que comparem o teste em estudo com um padrão-ouro bem estabelecido; nas revisões sobre prognóstico, a escolha recai sobre estudos do tipo coorte, e nas revisões sobre fatores de risco dá-se preferência a estudos de coorte ou caso-controle.

Escrever um protocolo com todos os procedimentos e métodos a serem usados na revisão.

Os critérios de inclusão e exclusão dos estudos foram definidos a priori?

Durante o delineamento do estudo, os critérios de inclusão e exclusão, como o tipo de paciente ou a condição clínica a ser estudada, o tipo de estudo que se deseja incluir, o tipo de intervenção, o tipo de controle, o tipo de desfecho e o período de publicação devem ser decididos previamente. E, uma vez estabelecidos, tais critérios devem ser descritos e seguidos rigorosamente durante toda a confecção da metanálise.

Proceder a busca rigorosa de todos os experimentos relevantes.

Foi realizada uma estratégia de busca abrangente?

A estratégia de busca e seleção deve ser definida antes da consulta aos bancos de dados. Uma revisão sistemática deve reunir toda a evidência atual existente, publicada ou não, referente ao objeto do estudo, incluindo desde estudos antigos até os mais recentes, e deve-se utilizar de mais de um banco de dados para reunir os estudos a fim de evitar que ocorra falta de artigos importantes sobre o tema. As principais bases de dados atualmente disponíveis são: Chrocane, EMBASE, LILACS.

Rever os artigos recuperados para avaliar se preenchem os critérios de inclusão.

Os autores avaliaram a qualidade metodológica dos estudos incluídos na revisão sistemática?

Durante a fase de análise dos resultados, todo estudo deverá ter sua qualidade metodológica avaliada para evitar vieses. No corpo da revisão sistemática devem obrigatoriamente estar descritos os critérios de inclusão e exclusão de cada estudo. Recomenda-se que cada revisão inclua o fluxograma descrito por Liberati e col., como demonstra a Figura 57.2.

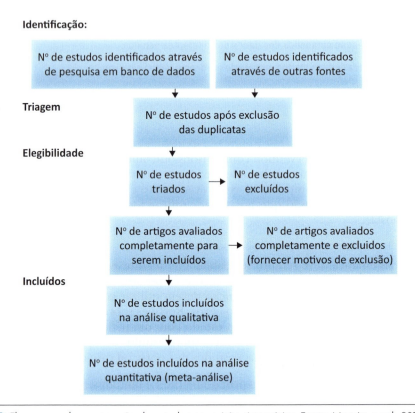

Figura 57.2 Fluxograma da recuperação de estudos na revisão sistemática. Fonte: Moreira e col., 2011.

Avaliar a qualidade dos artigos e a possibilidade de viés.

Os autores realizaram um processo de extração de dados padronizado e sem vieses?

Os formulários de coleta de dados devem ser produzidos e padronizados antes do início do levantamento dos estudos, a fim de garantir que os dados não sejam modificados posteriormente.

Extrair dados de cada estudo e produzir valores-síntese.

Para que os pacientes possam ser comparados entre os diferentes estudos sem que isso interfira com a interpretação dos resultados, são calculados o valor-síntese para o efeito da intervenção e a sua média ponderada ou sua variância.

Avaliação Crítica de Metanálises **509**

Tais valores-síntese, como já citado, correspondem a estimativas para medidas do tamanho do efeito, entre eles estão a razão de chances, o risco relativo, a redução absoluta de risco e o número necessário para tratar.

Proceder a combinação estatística dos dados dos diferentes estudos.

Como integrar os valores-síntese?

Existem diversas maneiras de integrar os valores-síntese, em geral atribui-se o peso de acordo com a precisão dos seus resultados, isto é, estudos com intervalo de confiança menor têm mais peso que estudos com mais incerteza.

Ainda não há um consenso sobre o modelo a ser utilizado, o que se convencionou é que, quando os estudos incluídos são homogêneos, o melhor método é o modelo de efeitos fixos, por sua facilidade de calcular e representar graficamente. No caso de inclusão de poucos estudos ou quando há heterogeneidade prefere-se utilizar o modelo de efeitos randômicos.

Cabe, portanto, ao clínico que estiver analisando a revisão sistemática ficar atento se tais considerações foram discriminadas durante o texto.

Investigar a robustez dos resultados através de gráficos e testes estatísticos

A robustez de um estudo é parte fundamental na análise dos estudos de revisão sistemática, visto que a escolha de artigos inadequados e contendo vieses resultará em conclusão final de validade incerta.

Recomenda-se que esta análise deva ser feita através do fluxograma da recuperação de estudos na revisão sistemática ou através de uma lista de verificação especialmente confeccionada para cada revisão, de acordo com o tema abordado e em conformidade com a questão que foi formulada, seguindo-se sempre formato de PICO.

Interpretar os resultados

Os resultados de toda revisão sistemática devem ser apresentados de forma clara e concisa. Genérica e simplificadamente, esses resultados são apresentados sob a forma do gráfico *forest plot* (citado acima) com a finalidade de simplificar a compreensão dos resultados.

• Os resultados são importantes?

Em estudo de revisão sistemática, a metanálise á utilizada para, através de métodos estatísticos, sumarizar os resultados de diversos estudos em uma única medida denominada, genericamente, estimativa de efeito conjunto e, desta forma, prover as respostas aos questionamentos levantados.

• Os resultados são aplicáveis na prática?

Após a análise e interpretação dos resultados, a etapa final de uma metanálise é determinar se os resultados encontrados são aplicáveis na realidade do clínico. Para tal, algumas questões ainda precisam ser respondidas.

Os estudos da revisão incluem pacientes semelhantes ao meu?

Geralmente não é encontrada razão significativa que impossibilite a generalização dos resultados. Se isto ocorrer, deve-se questionar se existe alguma razão que torna os resultados não aplicáveis.

510 Guia Prático de Cardiologia

A intervenção em estudo está disponível no meu meio de trabalho? É de baixo risco de complicações e custo?

Considerar se há disponibilidade de aplicação da intervenção no mundo real e se há risco de evento adverso se o paciente não receber a intervenção. Quanto maior a possibilidade de o paciente apresentar um evento caso não seja tratado, maior será o benefício da intervenção.

• Conclusões

Diante do exposto, a revisão sistemática é atualmente consagrada como a melhor evidência para a determinação da prática clínica. É importante, ao se deparar com uma metanálise, buscar esses elementos discutidos acima para que se faça uma análise crítica e realista das evidências disponíveis na literatura.

De forma resumida, o clínico ao avaliar um estudo de revisão sistemática deve tentar identificar os pontos no Quadro 57.2.

Quadro 57.2 Requisitos a serem avaliados em uma revisão sistemática.

1) A questão em estudo pode ser claramente delineada?

2) Foram incluídos todos os estudos randomizados, publicados ou não? Há descrição para os critérios de busca?

3) Foi feito estudo de heterogeneidade interestudos, estatística e clínica?

4) Foi usada alguma tecnologia para avaliação da qualidade dos estudos incluídos na revisão?

5) As variáveis de resultado estudadas são adequadas para avaliar a questão proposta?

6) O valor-síntese escolhido para medir o efeito da intervenção, ou exposição, é adequado ao tipo de variável?

7) Estão os resultados expressos em termos de valor-síntese e intervalo de confiança?

8) Estão os resultados apresentados sob a forma de gráficos e tabelas de fácil apreensão?

9) Estão as conclusões em conformidade com os dados?

Fonte: Moreira e col., 2011.

• Referências

1. Berwanger O, Suzumura EA, Buehler AM, Oliveira JB. Como avaliar criticamente revisões sistemáticas e metanálises? Rev Bras Ter Intensiva 2007;19(4):475-80.
2. Moreira WB, editor. Leitura crítica de artigos científicos: revisão sistemática. Gramado(RS): Sociedade Brasileira de Oncologia Clínica; 2011. p. 123-136.
3. Rodrigues CL, Ziegelmann PK. Metanálise: um guia prático. Seção de biostatística. Revista HCPA 2010; 30(4):436-47.
4. Castro AA. Revisão sistemática: análise e apresentação dos resultados. in: Castro AA. Revisão sistemática com ou sem metanálise. São Paulo: AAC; 2001. [Disponível em URL: http://www.metodologia.org.]
5. Atallah NA, Castro AA. Revisão sistemática da literatura e metanálise: a melhor forma de evidência para tomada de decisão em saúde e a maneira mais rápida de atualização terapêutica. [Disponível em URL: http://www.centrocochranedobrasil.org.br.]
6. Egger M, Smith GD, Phillips AN. Meta-analysis: principles and procedures BMJ 1997;315(7121):1533-7.

Peculiaridades em Cardiologia

Dislipidemias

• Introdução

Este capítulo tem como objetivo nortear de forma prática a conduta médica para que se possa fazer o diagnóstico preciso das dislipidemias, estratificar o risco individual e, assim, tratar corretamente tais alterações metabólicas. São diversos os ensaios clínicos e as metanálises que demonstram, de maneira inequívoca, que o controle das dislipidemias, em especial as reduções mais intensivas do LDL-C, têm se associado a importantes benefícios na redução de eventos e mortalidade cardiovascular.

• Avaliação laboratorial dos parâmetros lipídicos e apolipoproteínas

A coleta de sangue deverá ser realizada após jejum de 12 horas para análise das concentrações de TG, como também para o cálculo do colesterol da LDL (LDL-C) pela fórmula de Friedewald: **LDL-C = CT − (HDL-C + TG/5)**, onde TG/5 representa o colesterol ligado à VLDL ou VLDL-C. Para valores de TG >400 mg/dL, essa fórmula não poderá ser usada e também não é indicada quando o sangue é coletado sem jejum. Entretanto, as determinações do colesterol total (CT), apo B, apo A-I e colesterol da HDL (HDL-C) podem ser analisadas em amostras coletadas sem jejum prévio. Outra observação é a de que a determinação do perfil lipídico deve ser feita em indivíduos com dieta habitual, estado metabólico e peso estáveis por pelo menos duas semanas antes da realização do exame. Além disso, devem-se evitar ingestao de álcool e atividade física vigorosa nas 72 e 24 horas que antecedem a coleta de sangue, respectivamente.

Vale ressaltar que as medidas tradicionais de risco CV, como CT e LDL-C, são mantidas e corroboradas por evidências de numerosos estudos, sendo que o LDL-C tem sido apontado como o principal alvo terapêutico na prevenção da doença CV. Outras medidas, como colesterol não-HDL, que estima o número total de partículas aterogênicas no plasma (VLDL + IDL+ LDL), podem fornecer melhor estimativa do risco CV em comparação ao LDL-C nos casos de hipertrigliceridemia associada ao diabetes, doença renal crônica ou síndrome metabólica.

Os valores referenciais do perfil lipídico são apresentados na Tabela 58.1.

Tabela 58.1 Valores referenciais do perfil lipídico para adultos maiores de 20 anos.

Lípides	Valores (mg/dL)	Categoria
CT	< 200	Desejável
	200-239	Limitrofe
	≥ 240	Alto
LDL-C	< 100	Ótimo
	100-129	Desejável
	130-159	Limitrofe
	160-189	Alto
	≥ 190	Muito alto
HDL-C	> 60	Desejável
	< 40	Baixo
TG	< 150	Desejável
	150-200	Limitrofe
	200-499	Alto
	≥ 500	Muito alto
Colesterol não-HDL	< 130	Ótimo
	130-159	Desejável
	160-189	Alto
	≥ 190	Muito alto

Fonte: Adaptada de Xavier H. T., Izar M. C., Faria Neto J. R., Assad M. H., Rocha V. Z., Sposito A. C., Fonseca F. A., dos Santos J. E.,Santos R. D., Bertolami M. C., Faludi A. A., Martinez T. L. R., Diament J., Guimarães A., Forti N. A., Moriguchi E.,Chagas A. C. P., Coelho O. R., Ramires J. A. F.; Sociedade Brasileira de Cardiologia. V Diretriz Brasileira de Dislipidemias e Prevenção da Aterosclerose. Arq Bras Cardiol 2013.

• Classificação das dislipidemias

- ◗ **Hipercolesterolemia isolada:** elevação isolada do LDL-C (≥ 160 mg/dL);
- ◗ **Hipertrigliceridemia isolada**: elevação isolada dos TGs (≥ 150 mg/dL), que reflete o aumento do número e/ou do volume de partículas ricas em TG, como VLDL, IDL e quilomícrons;
- ◗ **Hiperlipidemia mista**: valores aumentados de LDL-C (≥ 160 mg/dL) e TG (≥ 150 mg/dL). Nesta situação, o colesterol não-HDL também poderá ser usado como indicador e meta terapêutica; entretanto, quando TGs ≥ 400 mg/dL, o cálculo do LDL-C pela fórmula de Friedewald é inadequado, devendo-se, então, considerar a hiperlipidemia mista quando CT ≥ 200 mg/dL;

Dislipidemias **515**

▶ **HDL-C baixo**: redução do HDL-C (homens < 40 mg/dL e mulheres < 50 mg/dL) isolada ou em associação a aumento de LDL-C ou de TG.

• Estratificação de risco

A identificação de pacientes assintomáticos com maior risco cardiovascular faz-se necessária para que metas terapêuticas sejam traçadas e previnam de forma efetiva uma possível complicação da doença aterosclerótica, como por exemplo um evento coronário agudo.

Recomenda-se que a estratificação do risco seja realizada em três etapas: (1) a determinação da presença de doença aterosclerótica significativa ou de seus equivalentes; (2) a utilização dos escores de predição do risco (ER); e (3) a reclassificação do risco predito pela presença de fatores agravantes do risco.

Etapa 1 – Presença de doença aterosclerótica significativa ou de seus equivalentes

O primeiro passo é determinar a presença de doença aterosclerótica significativa ou de seus equivalentes; se o paciente se enquadrar numa dessas situações da Tabela 58.2, será considerado de alto risco, não havendo a necessidade das demais etapas. Indivíduos assim identificados, homens e mulheres, possuem risco superior a 20% em 10 anos de apresentar novos eventos cardiovasculares (recomendação I, evidência A), ou de um primeiro evento cardiovascular (recomendação I, evidência A).

Tabela 58.2 Critérios de identificação de pacientes com alto risco de eventos coronarianos (Fase 1).

- Doença aterosclerótica arterial coronária, cerebrovascular ou obstrutiva periférica, com manifestações clínicas (eventos CV)

- Ateroclerose na forma subclínica, significativa, documentada por metodologia diagnóstica

- Procedimentos de revascularização arterial

- Diabetes melito tipos 1 e 2

- Doença renal crônica

- Hipercolesterolemia familiar (HF)

Fonte: Adaptada de Xavier H. T., Izar M. C., Faria Neto J. R., Assad M. H., Rocha V. Z., Sposito A. C., Fonseca F. A., dos Santos J. E.,Santos R. D., Bertolami M. C., Faludi A. A., Martinez T. L. R., Diament J., Guimarães A., Forti N. A., Moriguchi E.,Chagas A. C. P., Coelho O. R., Ramires J. A. F.; Sociedade Brasileira de Cardiologia. V Diretriz Brasileira de Dislipidemias e Prevenção da Aterosclerose. Arq Bras Cardiol 2013

Etapa 2 – Escore de risco

Para pacientes que não se enquadraram na condição de alto risco, deve ser usado o ER Global para avaliação inicial (Tabelas 58.3 a 58.6).

Tabela 58.3 Atribuição de pontos de acordo com o risco cardiovascular global para mulheres.

Pontos	Idade (anos)	HDL-C	CT	PAS (não tratada)	PAS (tratada)	Fumo	Diabetes
–3				<120			
–2		60+					
–1		50-59			< 120		
0	30-34	45-49	< 160	120-129		Não	Não
1		35-44	160-199	130-139			
2	35-39	< 35		140-149	120-129		
3			200-239		130-139	Sim	
4	40-44		240-279	150-159			Sim
5	45-49		280+	160+	140-149		
6					150-159		
7	50-54				160+		
8	55-59						
9	60-64						
10	65-69						
11	70-74						
12	75+						
Pontos							Total

Fonte: Adaptada de Xavier H. T., Izar M. C., Faria Neto J. R., Assad M. H., Rocha V. Z., Sposito A. C., Fonseca F. A., dos Santos J. E.,Santos R. D., Bertolami M. C., Faludi A. A., Martinez T. L. R., Diament J., Guimarães A., Forti N. A., Moriguchi E.,Chagas A. C. P., Coelho O. R., Ramires J. A. F.; Sociedade Brasileira de Cardiologia. V Diretriz Brasileira de Dislipidemias e Prevenção da Aterosclerose. Arq Bras Cardiol 2013.

Tabela 58.4 Risco cardiovascular global em 10 anos: para mulheres.

Pontos	Risco (%)	Pontos	Risco (%)
≤ –2	< 1	13	10,0
–1	1,0	14	11,7
0	1,2	15	13,7
1	1,5	16	15,9
2	1,7	17	18,5
3	2,0	18	21,6
4	2,4	19	24,8
5	2,8	20	28,5
6	3,3	21+	>30
7	3,9		
8	4,5		
9	5,3		
10	6,3		
11	7,3		
12	8,6		

Fonte: Adaptada de Xavier H. T., Izar M. C., Faria Neto J. R., Assad M. H., Rocha V. Z., Sposito A. C., Fonseca F. A., dos Santos J. E.,Santos R. D., Bertolami M. C., Faludi A. A., Martinez T. L. R., Diament J., Guimarães A., Forti N. A., Moriguchi E.,Chagas A. C. P., Coelho O. R., Ramires J. A. F.; Sociedade Brasileira de Cardiologia. V Diretriz Brasileira de Dislipidemias e Prevenção da Aterosclerose. Arq Bras Cardiol 2013.

Dislipidemias **517**

Tabela 58.5 Atribuição de pontos de acordo com o risco cardiovascular global: para homens.

Pontos	Idade (anos)	HDL-C	CT	PAS (não tratada)	PAS (tratada)	Fumo	Diabetes
-2		60+		<120			
-1		50-59					
0	30-34	45-49	< 160	120-129	<120	Não	Não
1		35-44	160-199	130-139			
2	35-39	< 35	200-239	140-149	120-129		
3			240-279	160+	130-139		Sim
4			280+		140-149	Sim	
5	40-44				160+		
6	45-49						
7							
8	50-54						
9							
10	55-59						
11	60-64						
12	65-69						
13							
14	70-74						
15+	75+						
Pontos							**Total**

Fonte: Adaptada de Xavier H. T., Izar M. C., Faria Neto J. R., Assad M. H., Rocha V. Z., Sposito A. C., Fonseca F. A., dos Santos J. E.,Santos R. D., Bertolami M. C., Faludi A. A., Martinez T. L. R., Diament J., Guimarães A., Forti N. A., Moriguchi E.,Chagas A. C. P., Coelho O. R., Ramires J. A. F.; Sociedade Brasileira de Cardiologia. V Diretriz Brasileira de Dislipidemias e Prevenção da Aterosclerose. Arq Bras Cardiol 2013.

Tabela 58.6 Risco cardiovascular global em 10 anos: para homens.

Pontos	Risco (%)	Pontos	Risco (%)
≤ -3 ou menos	< 1	13	15,6
-2	1,1	14	18,4
-1	1,4	15	21,6
0	1,6	16	25,3
1	1,9	17	29,4
2	2,3	18+	> 30
3	2,8		
4	3,3		
5	3,9		
6	4,7		
7	5,6		
8	6,7		
9	7,9		
10	9,4		
11	11,2		
12	13,2		

Fonte: Adaptada de Xavier H. T., Izar M. C., Faria Neto J. R., Assad M. H., Rocha V. Z., Sposito A. C., Fonseca F. A., dos Santos J. E.,Santos R. D., Bertolami M. C., Faludi A. A., Martinez T. L. R., Diament J., Guimarães A., Forti N. A., Moriguchi E.,Chagas A. C. P., Coelho O. R., Ramires J. A. F.; Sociedade Brasileira de Cardiologia. V Diretriz Brasileira de Dislipidemias e Prevenção da Aterosclerose. Arq Bras Cardiol 2013.

518 Guia Prático de Cardiologia

Após o uso do escore global, são considerados pacientes de baixo risco aqueles com probabilidade < 5% de apresentarem os principais eventos cardiovasculares (DAC, AVE, doença arterial obstrutiva periférica ou insuficiência cardíaca) em 10 anos (recomendação I, evidência A); porém pacientes classificados como baixo risco, mas que possuírem história familiar de doença cardiovascular prematura, são reclassificados e, assim, considerados de risco intermediário. Pacientes classificados como risco intermediário são homens com risco calculado ≥ 5% e ≤ 20% e mulheres com risco calculado ≥ 5% e ≤ 10% (recomendação I, evidência A) e, finalmente, são considerados de ALTO RISCO aqueles com risco calculado > 20% para homens e > 10% para mulheres no período de 10 anos (recomendação I, evidência A).

Etapa 3 – Fatores agravantes

Nos pacientes de risco intermediário, deve-se buscar a presença de fatores agravantes (Tabela 58.7) que, quando presentes, reclassificam o indivíduo para alto risco.

Tabela 58.7 Fatores agravantes de risco.

História familiar de doença arterial coronariana prematura (parente de primeiro grau masculino < 55 anos ou feminino < 65) (recomendação IIa, evidência A)
Critérios de síndrome metabólica de acordo com a IDF[24,25] (recomendação IIb, evidência A)
Microalbuminúria (30-300 µg/min) ou macroalbuminúria (>30-300 µg/min) (recomendação IIb, evidência B)
Hipertrofia ventricular esquerda (recomendação IIa, evidência B)
Proteína C reativa de alta sensibilidade > 2 mg//l[26] (recomendação IIa, evidência B)
Espessura íntima-média de carótidas > 1,00 (recomendação IIb, evidência B)
Escore de cálcio coronário > 100 ou > percentil 75 para idade ou sexo[22] (recomendação IIa, evidência A)
Índice tornozelo-braquial (ITB) < 0,9[22] (recomendação IIa, evidência A)

Fonte: Adaptada de Xavier H. T., Izar M. C., Faria Neto J. R., Assad M. H., Rocha V. Z., Sposito A. C., Fonseca F. A., dos Santos J. E.,Santos R. D., Bertolami M. C., Faludi A. A., Martinez T. L. R., Diament J., Guimarães A., Forti N. A., Moriguchi E.,Chagas A. C. P., Coelho O. R., Ramires J. A. F.; Sociedade Brasileira de Cardiologia. V Diretriz Brasileira de Dislipidemias e Prevenção da Aterosclerose. Arq Bras Cardiol 2013.

Após as três etapas, chega-se ao risco absoluto final, mostrado na Tabela 58.8.

Tabela 58.8 Risco absoluto final.

Risco absoluto em 10 anos	%
Baixo risco	< 5 em homens e mulheres
Risco intermediário	≥ 5 e ≤ 10 nas mulheres ≥ 5 e ≤ 20 nos homens
Alto risco	> 10 nas mulheres > 20 nos homens

Fonte: Adaptada de Xavier H. T., Izar M. C., Faria Neto J. R., Assad M. H., Rocha V. Z., Sposito A. C., Fonseca F. A., dos Santos J. E.,Santos R. D., Bertolami M. C., Faludi A. A., Martinez T. L. R., Diament J., Guimarães A., Forti N. A., Moriguchi E.,Chagas A. C. P., Coelho O. R., Ramires J. A. F.; Sociedade Brasileira de Cardiologia. V Diretriz Brasileira de Dislipidemias e Prevenção da Aterosclerose. Arq Bras Cardiol 2013

A seguir encontra-se o resumo da estratificação de risco em forma de algoritmo (Figura 58.1).

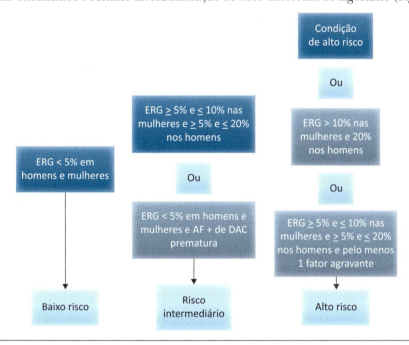

Figura 58.1 Estratificação de risco global.
Fonte: Adaptada de Xavier H. T., Izar M. C., Faria Neto J. R., Assad M. H., Rocha V. Z., Sposito A. C., Fonseca F. A., dos Santos J. E.,Santos R. D., Bertolami M. C., Faludi A. A., Martinez T. L. R., Diament J., Guimarães A., Forti N. A., Moriguchi E.,Chagas A. C. P., Coelho O. R., Ramires J. A. F.; Sociedade Brasileira de Cardiologia. V Diretriz Brasileira de Dislipidemias e Prevenção da Aterosclerose. Arq Bras Cardiol 2013.

Metas terapêuticas

Com base na estratificação de risco global em alto, intermediário e baixo risco, são traçadas as metas terapêuticas a serem atingidas: de forma primária, os níveis de LDL-C (recomendação I, evidência A), e de forma secundária, o colesterol não-HDL (recomendação II, evidência A) (Tabela 58.9), por meio da mudança do estilo de vida e/ou fármacos. Com relação aos TG, considera-se que pacientes com valores > 500 mg/dL devem receber terapia apropriada para redução do risco de pancreatite, e aqueles com valores entre 150 e 499 mg/dL devem receber terapia individualizada, com base no risco CV e condições associadas (recomendação II, evidência A).

Tabela 58.9 Metas lipídicas de acordo com o risco cardiovascular

Nível de risco	Meta primária: LDL-C (mg/dL)	Meta secundária (mg/dL)
Alto	LDL-C < 70	Colesterol não-HDL < 100
Intermediário	LDL-C < 100	Colesterol não-HDL < 130
Baixo*	Meta individualizada	Meta individualizada

*Pacientes de baixo risco CV deverão receber orientação individualizada, com as metas estabelecidas pelos valores referenciais do perfil lipídico (apresentados na tabela II) e foco no controle e na prevenção dos demais fatores de risco CV
Pacientes de baixo risco CV deverão receber orientação individualizada, com as metas estabelecidas pelos valores referenciais do perfil lipídico (apresentados na Tabela 57.1) e foco no controle e na prevenção dos demais fatores de risco CV.

Fonte: Adaptada de Xavier H. T., Izar M. C., Faria Neto J. R., Assad M. H., Rocha V. Z., Sposito A. C., Fonseca F. A., dos Santos J. E.,Santos R. D., Bertolami M. C., Faludi A. A., Martinez T. L. R., Diament J., Guimarães A., Forti N. A., Moriguchi E.,Chagas A. C. P., Coelho O. R., Ramires J. A. F.; Sociedade Brasileira de Cardiologia. V Diretriz Brasileira de Dislipidemias e Prevenção da Aterosclerose. Arq Bras Cardiol 2013.

Tratamento não medicamentoso das dislipidemias

É fundamental a adesão à terapia não medicamentosa (dieta, perda de peso, atividade física e cessação do tabagismo) para que as metas terapêuticas sejam atingidas. Recomendações dietéticas são apresentadas na Tabela 58.10. O impacto dessas orientações sobre a lipemia deve ser reconhecido, como mostrado nas Tabelas 58.11, 58.12 e 58.13.

Tabela 58.10 Recomendações dietéticas para a redução da hipercolesterolemia.

	Preferir	Consumir com moderação	Ocasionalmente em pouca quantidade
Cereais	Grãos integrais	Pão refinado, arroz e massas, biscoitos, cereais açucarados	Pães doces, bolos, tortas, croissants
Vegetais	Vegetais crus e cozidos		Vegetais preparados na manteiga ou creme
Legumes	Todos, incluindo soja e proteína de soja		
Frutas	Frescas ou congeladas	Frutas secas, geleia, compotas, sorvetes	
Doces e adoçantes	Adoçantes não calóricos	Mel, chocolates, doces	Bolos e sorvetes
Carnes e peixes	Peixe magro e oleoso, frango sem a pele	Cortes de carne bovina magra, carne de porco, frutos do mar	Salsichas, salames, toucinho, costelas, vísceras
Alimentos lácteos e ovos	Leite e iogurte desnatados, clara de ovos	Leite semidesnatado, queijos brancos e derivados magros	Queijos amarelos e cremosos, gema de ovo, leite e iogurte integrais
Molhos para temperar e cozinhar	Vinagre, ketchup, mostarda, molhos sem gordura	Óleos vegetais, margarinas leves, molhos de salada, maionese	Manteiga, margarinas sólidas, gordurosas de porco e trans, óleo de coco
Nozes e sementes		Todas	Coco
Preparo dos alimentos	Grelhados, cozidos e no vapor	Assados e refogados	Fritos

Fonte: Adaptada de Xavier H. T., Izar M. C., Faria Neto J. R., Assad M. H., Rocha V. Z., Sposito A. C., Fonseca F. A., dos Santos J. E.,Santos R. D., Bertolami M. C., Faludi A. A., Martinez T. L. R., Diament J., Guimarães A., Forti N. A., Moriguchi E.,Chagas A. C. P., Coelho O. R., Ramires J. A. F.; Sociedade Brasileira de Cardiologia. V Diretriz Brasileira de Dislipidemias e Prevenção da Aterosclerose. Arq Bras Cardiol 2013.

Tabela 58.11 Impacto de mudança alimentar e de estilo de vida sobre a hipercolesterolemia (CT e LDL-C).

Intervenção não medicamentosa	Magnitude	Nível de evidência
Redução de peso	+	B
Reduzir a ingestão de AG saturados	+++	A
Reduzir a ingestão de AG trans	+++	A
Ingestão de fitoesteróis	+++	A
Ingestão de fibras solúveis	++	A
Ingestão de proteínas da soja	+	B
Aumento da atividade física	+	A

Fonte: Adaptada de Xavier H. T., Izar M. C., Faria Neto J. R., Assad M. H., Rocha V. Z., Sposito A. C., Fonseca F. A., dos Santos J. E.,Santos R. D., Bertolami M. C., Faludi A. A., Martinez T. L. R., Diament J., Guimarães A., Forti N. A., Moriguchi E.,Chagas A. C. P., Coelho O. R., Ramires J. A. F.; Sociedade Brasileira de Cardiologia. V Diretriz Brasileira de Dislipidemias e Prevenção da Aterosclerose. Arq Bras Cardiol 2013.

Dislipidemias **521**

Tabela 58.12 Impacto de mudanças alimentares e de estilo de vida sobre a trigliceridemia.

Intervenção não medicamentosa	Magnitude	Nível de evidência
Redução de peso	+++	A
Reduzir a ingestão de bebidas alcoólicas	+++	A
Reduzir a ingestão de açúcares simples	+++	A
Reduzir a ingestão de carboidratos	++	A
Substituir os AGs saturados pelos mono e poli-insaturados	++	B
Aumento da atividade física	++	A

Fonte: Adaptada de Xavier H. T., Izar M. C., Faria Neto J. R., Assad M. H., Rocha V. Z., Sposito A. C., Fonseca F. A., dos Santos J. E.,Santos R. D., Bertolami M. C., Faludi A. A., Martinez T. L. R., Diament J., Guimarães A., Forti N. A., Moriguchi E.,Chagas A. C. P., Coelho O. R., Ramires J. A. F.; Sociedade Brasileira de Cardiologia. V Diretriz Brasileira de Dislipidemias e Prevenção da Aterosclerose. Arq Bras Cardiol 2013.

Tabela 58.13 Impacto de mudanças alimentares e de estilo de vida sobre os níveis de HDL-C.

Intervenção não medicamentosa	Magnitude	Nível de evidência
Redução de peso	++	A
Reduzir a ingestão de AGs saturados	+++	A
Reduzir a ingestão AG trans	+++	A
Ingestão moderada de bebidas alcoólicas	++	B
Aumento da atividade física	+++	A
Cessar tabagismo	++	B

Fonte: Adaptada de Xavier H. T., Izar M. C., Faria Neto J. R., Assad M. H., Rocha V. Z., Sposito A. C., Fonseca F. A., dos Santos J. E.,Santos R. D., Bertolami M. C., Faludi A. A., Martinez T. L. R., Diament J., Guimarães A., Forti N. A., Moriguchi E.,Chagas A. C. P., Coelho O. R., Ramires J. A. F.; Sociedade Brasileira de Cardiologia. V Diretriz Brasileira de Dislipidemias e Prevenção da Aterosclerose. Arq Bras Cardiol 2013.

Tratamento farmacológico das dislipidemias

Nota-se que tem havido grande avanço no desenvolvimento e aprimoramento de hipolipemiantes cada vez mais potentes, permitindo que metas terapêuticas sejam alcançadas. Os fármacos disponíveis para tratamento das dislipidemias são didaticamente classificados em:

- os que agem predominantemente sobre a colesterolemia (podem ter ação também sobre os triglicérides): estatinas, resinas e ezetimiba.
- os que agem predominantemente sobre a trigliceridemia (podem ter ação também sobre o colesterol): fibratos, niacina, ácidos graxos ômega-3.

Várias linhas de pesquisa estão em andamento com desenvolvimento de novos produtos, que, no entanto, ainda não estão disponíveis, motivo pelo qual não serão abordados.

Estatinas

São fármacos de primeira escolha tanto na prevenção primária quanto secundária. Sua ação se faz por inibir a hidrometilglutaril coenzima A (HMG CoA) redutase, levando à depleção de colesterol intracelular, estimulando, dessa forma, a liberação de fatores de transcrição. Como consequência, ocorre síntese e expressão na membrana celular de receptores para captação de colesterol circulante, como LDL-R. Assim, a interação do LDL-R com as lipoproteínas circulantes (LDL, VLDL, remanescentes de quilomícrons) pode ser potencialmente influenciada pelas estatinas. Além disso, ao inibirem a HMG CoA redutase, as estatinas reduzem a formação de mevalonato e radicais isoprenil, diminuindo a ativação de proteínas relacionadas à atividade inflamatória. Observe-se que a redução do LDL-C varia muito de acordo com a estatina e posologia inicial introduzida (figura abaixo) e, a cada vez que a dose é dobrada, obtém-se redução média adicional do LDL-C de 6% a 7% (sobre o valor basal – de antes de iniciar o uso do produto).

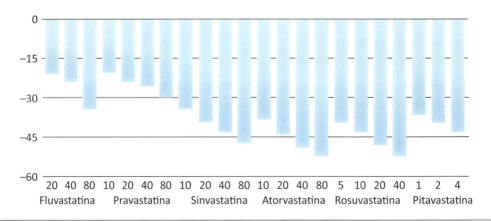

Figura 58.2 Redução de LDL × Tipo de Estatina.

Fonte: Adaptada de Simão AF, Précoma DB, Andrade JP, Correa Filho H, Saraiva JFK, Oliveira GMM et al.Sociedade Brasileira de Cardiologia. I Diretriz Brasileira de Prevenção Cardiovascular. Arq Bras Cardiol. 2013: 101 (6Supl.2): 1-63.

Com relação ao HDL-C e TG, as estatinas promovem elevação e redução, respectivamente, em geral, discretas. Porém, a variação em ambos não influenciou a redução de eventos cardiovasculares.

Os efeitos colaterais são raros com as estatinas, porém o mais comum é a miopatia (0,1% a 0,2% – esta variação, na prática é muito maior, chegando até 20% a 25%), cujos sintomas variam desde uma mialgia com ou sem elevação de CPK até a rabdomiólise. Podem surgir com semanas ou anos do início de tratamento. Na prática clínica, ocorre elevação de CPK em cerca de 3% e queixas musculares em média de 10%. Outro efeito colateral muito raro é a toxicidade hepática, por volta de 1%; a dosagem de transaminases dever ser feita 6 a 12 semanas após introdução da medicação ou quando houver aumento da dose terapêutica. A suspensão temporária deve ocorrer com elevações superiores a três vezes o valor de referência, e a suspensão definitiva em casos de infecção hepática aguda ou disfunção hepática grave. As estatinas não devem ser iniciadas em pacientes que apresentam doença hepática aguda ou em atividade.

Resinas

São grandes polímeros que se ligam aos sais biliares e ácidos biliares carregados negativamente no intestino delgado e, assim, reduzem a absorção de colesterol. Como consequência, ocorre depleção do colesterol intra-hepático, estimulando a síntese de LDL-R e colesterol endógeno. No Brasil, a resina disponível é a colestiramina, testada no estudo *Lipid Research Clinics Coronary Prevention Trial* (LRC), cujo desfecho primário combinado de morte por doença coronária e infarto do miocárdio foi reduzido em 19%. Recomenda-se o uso em associação com estatinas quando metas de LDL-C não são atingidas, mesmo com estatinas potentes e doses efetivas (recomendação IIa, evidência C). A redução do LDL-C é dose-dependente e pode variar de 5% a 30% nas doses de 4 a 24 g/dia. Como efeito colateral podem levar à constipação intestinal (até 25% dos casos) e aumento dos TGs em indivíduos com hipertrigliceridemia acentuada (> 400 mg/dL).

Dislipidemias **523**

Ezetimiba

Atua seletivamente nos receptores Niemann-Pick C1-*like protein* 1 inibindo o transporte de colesterol na borda em escova do intestino delgado. Assim, reduz a absorção do colesterol da luz intestinal, a maior parte proveniente da bile. Isso leva à diminuição do colesterol intra-hepático e síntese de LDL-R com consequente redução do nível plasmático de LDL-C de 10% a 25%. A adição da ezetimiba tem sido recomendada quando a meta de LDL-C não é atingida com o tratamento com estatinas (recomendação IIa, evidência C). Em comparação com placebo, a ezetimiba associada à estatina reduziu eventos CV em pacientes com estenose aórtica degenerativa e doença renal crônica. Mais recentemente, o estudo IMPROVE-IT mostrou que, após episódio de síndrome coronária aguda, o emprego de ezetimiba associada à sinvastatina preveniu significativamente mais eventos cardiovasculares do que a sinvastatina usada isoladamente. Os efeitos colaterais são relacionados a mudanças do hábito intestinal, mas são raros.

Fibratos

Os fibratos ativam o proliferador de peroxissomos-α (PPARs-α) expressos, primariamente, em fígado, rins, coração e músculos, estimulando uma série de genes relacionados com hidrólise dos TGs (lipase lipoproteica e apolipoproteína CIII), levando à degradação de AG e síntese de HDL. A mudança no perfil lipídico varia entre os diversos tipos de fibratos, como descrito na Tabela 58.14.

Tabela 58.14 Efeito dos fibratos sobre HDL-C e TG.

Medicamento	Dose mg/dia	ΔHDL-C	ΔTG
Bezafibrato	400 a 600	+5% a 30%	−15% a 55%
Ciprofibrato	100	+5% a 30%	−15% a 45%
Etofibrato	500	+5% a 20%	−10% a 30%
Fenofibrato	160 e 200 (micronizado) ou 250	+5% a 30%	−10% a 30%
Genfibrozila	600 a 1200	+5% a 30%	−20% a 60%

Fonte: Adaptada de Simão AF, Précoma DB, Andrade JP, Correa Filho H, Saraiva JFK, Oliveira GMM *et al*. Sociedade Brasileira de Cardiologia. I Diretriz Brasileira de Prevenção Cardiovascular. Arq Bras Cardiol. 2013: 101 (6Supl.2): 1-63.

Os resultados de estudos com monoterapia não demonstraram de forma consistente redução de eventos cardiovasculares. Apenas com o uso do genfibrozil, os estudos evidenciaram redução de eventos CVs. O uso de fenofibrato associado às estatinas, em diabéticos tipo 2, não mostrou benefício adicional em redução de eventos CVs, porém promoveu redução de eventos microvasculares como amputação, retinopatia e netropatia.

Ácidos graxos ômega-3

São ácidos graxos poli-insaturados derivados do óleo de peixes, certas plantas e nozes; em altas doses (4 a 10 g ao dia) reduzem TGs e aumentam discretamente HDL-C, porém não confirmam o benefício dessa terapia na redução de eventos CVs, coronários, cerebrovasculares, arritmias ou mortalidade global, logo sua indicação na terapia de prevenção CV não está recomendada (recomendação III, evidência A).

Niacina

Atua no tecido adiposo periférico, leucócitos e células de Langerhans por meio de sua ligação com um receptor específico ligado à proteína G, o GPR109A. Dessa ação nos adipócitos, decorre diminuição da liberação de ácidos graxos livres pelo tecido adiposo. Em paralelo, a niacina inibe a atividade da enzima diacilglicerol aciltransferase-2 (DGAT-2) nos microssomos dos hepatócitos, reduzindo a síntese de triglicérides. Essas duas ações levam à redução da síntese de VLDL pelo fígado. Porém, não existe evidência de benefício com esse fármaco em indivíduos com LDL-C controlado pelo uso de estatinas (recomendação III, evidência A).

Dislipidemias em situações especiais

Dislipidemias graves

Quando os exames laboratoriais mostram LDL-C > 190 mg/dL e TG > 800 mg/dL, isoladamente ou em associação, devem ser afastadas causas secundárias (hipotireoidismo, diabetes melito descompensado, nefropatia crônica e medicações) e, assim, considerar etiologia genética e de caráter familiar. Ressalta-se que, quando houver hipercolesterolemia isolada (LDL-C > 190 mg/dL), a etiologia familiar deve ser sempre cogitada (recomendação I, evidência C).

Idosos

Nos idosos em geral ocorrem elevações de CT, LDL-C e TG discretas ou moderadas. O tratamento deve levar em conta o bom estado geral e mental do paciente idoso, as suas condições socioeconômicas, o apoio familiar, as comorbidades presentes e o uso de outros fármacos que irão influenciar na adesão e na manutenção da terapêutica. Devem ser priorizadas as medidas não farmacológicas (recomendação I, evidência B). Quando necessário, o tratamento farmacológico para hipercolesterolemia, as estatinas são a primeira escolha, sendo, em geral, bem toleradas. Os estudos em idosos, com ou sem manifestação prévia de aterosclerose, evidenciaram os benefícios do tratamento para essa faixa etária: redução de eventos coronários (recomendação IIa, evidência B), AVE (recomendação IIa, evidência B) e preservação de funções cognitivas (recomendação IIb, evidência B). Já para o tratamento de hipertrigliceridemia isolada, os fibratos (se não houver calculose biliar e insuficiência renal) são indicados e, quando houver dislipidemia mista, a associação de estatina e fibrato pode ser feita. Considerar como etiologia causas secundárias, sendo as mais frequentes hipotireoidismo (principalmente nas mulheres), diabetes melito, intolerância à glicose, síndrome nefrótica, obesidade, alcoolismo ou uso de medicamentos, como diuréticos tiazídicos e bloqueadores beta-adrenérgicos não seletivos.

Crianças e adolescentes

É indicada a determinação do perfil lipídico em algumas situações como: quando avós, pais, irmãos e primos de primeiro grau apresentam dislipidemia, principalmente grave ou manifestação de aterosclerose prematura; há clínica de dislipidemia; tenham outros fatores de risco; há acometimento por outras doenças, como hipotireoidismo, síndrome nefrótica, imunodeficiência etc.; em pacientes que utilizam contraceptivos, imunossupressores, corticoides, antirretrovirais e outros produtos que possam induzir a elevação do colesterol. Como causas primárias encontradas nesse grupo de pacientes, estão: HF homo e heterozigótica, hipertrigliceridemia endógena, hiperquilomicronemia e hiperlipidemia combinada. Entre as causas secundárias, constam o diabetes melito, o hipotireoidismo e a síndrome nefrótica, além do emprego de medicamentos como a isotretinoína. Tratamento não farmacológico é indicado a partir dos dois anos de idade e a terapia farmacológica após os 10 anos de idade, mas em casos graves podem ser tratados antes dessa idade.

Hepatopatias

Não há contraindicação do uso de estatinas em doenças hepáticas não colestáticas crônicas e na cirrose hepática, porém se ocorrer aparecimento de icterícia, elevação de bilirrubina direta ou aumento do tempo de protrombina, a estatina deve ser suspensa (recomendação IIb, evidência C), ou no surgimento de nova doença hepática, quando não for possível excluí-la como agente causal (recomendação IIb, evidência C).

Doenças autoimunes

As doenças reumáticas autoimunes, como lúpus eritematoso sistêmico (LES), artrite reumatoide, síndrome antifosfolípide, esclerose sistêmica progressiva, síndrome de Sjögren, vasculite sistêmica primária e psoríase, estão associadas a maiores índices de morbidade e mortalidade CVs, porém não há indicação de terapia com estatinas em prevenção primária com base exclusivamente na presença da doença autoimune (recomendação III, evidência C).

Hipotireoidismo

Costuma cursar com aumento do LDL-C e TGs. As alterações no perfil lipídico podem ocorrer tanto na forma clínica como na subclínica da doença. O uso da estatina só deverá ser iniciado após a regularização dos níveis hormonais, em função do risco aumentado de miosite nesses pacientes e também porque a simples reposição hormonal pode corrigir a dislipidemia induzida pelo hipotireoidismo.

Mulheres em idade fértil/gestação/menopausa/climatério

Evitar a terapia com estatinas e outros hipolipemiantes em mulheres com idade fértil e sem contracepção adequada ou que desejem engravidar, gestantes e lactantes (recomendação IIa, evidência C), pois há relatos inconclusivos de teratogenicidade. Já em mulheres após a menopausa, a terapia de reposição hormonal (TRH) pode reduzir o LDL-C em até 20% a 25% e aumentar o HDL-C em até 20%, porém não há indicação de TRH, exclusivamente, para reduzir o risco CV em mulheres no período de transição menopáusica ou da pós-menopausa, seja em prevenção primária ou secundária (recomendação III, evidência A).

Doença renal crônica

Sendo considerada risco-equivalente à DAC e como a redução do LDL-C está associada à diminuição do risco CV em pacientes com DRC, principalmente em estágios mais avançados, a redução de LDL-C deverá ser o objetivo principal no tratamento desses pacientes (recomendação I, evidência A). A terapia medicamentosa, em especial naqueles com DRC avançada, deverá ter como meta o LDL-C < 70 mg/dL. Isso deve ser atingido com o emprego de estatina isolada ou associada à ezetimiba (recomendação IIa, evidência B). Porém, o tratamento com estatinas não deve ser iniciado em pacientes que já se encontrem em tratamento hemodialítico (recomendação III, evidência A).

Síndrome coronária aguda

Recomenda-se a determinação do perfil lipídico nas primeiras 24 horas e a instituição precoce do tratamento com altas doses de estatina entre o primeiro e o quarto dia da SCA (recomendação I, evidência A), preferencialmente atorvastatina na dose de 80 mg ao dia. Pacientes indicados para intervenção percutânea e angioplastia podem experimentar benefício adicional quando a dose de estatina for administrada até 12 horas antes do pro-

526 Guia Prático de Cardiologia

cedimento (recomendação IIa, evidência B). Novo perfil lipídico deve ser solicitado após quatro a seis semanas, e a meta terapêutica é manter o LDL-C < 70 mg/dL (recomendação I, evidência A).

• Referências

1. Xavier HT, Izar MC, Faria Neto JR, et al. V Diretriz Brasileira de Dislipidemias e Prevenção da Aterosclerose. Arq Bras Cardiol 2013;101(4 Suppl I):1-20.
2. Santos RD, Gagliardi ACM, Xavier HT, et al. I Diretriz Brasileira de Hipercolesterolemia Familiar. Arq Bras Cardiol 2012;99(2 Suppl II):1-28.
3. Simão AF, Précoma DB, Andrade JP, et al. I Diretriz Brasileira de Prevenção Cardiovascular. Arq Bras Cardiol 2013; 101 (6 Suppl II): 1-63.

Tabagismo

Livia Ferraz Accorsi • Rafael Augusto Mendes Domiciano • Enilton Sérgio Tabosa do Egito • Rosa Egito

• Introdução

Existem mais de 1 bilhão de fumantes no mundo, sendo que cerca de 80% deles vivem nos países em desenvolvimento.

Em 1989, cerca de 32% da população acima de 15 anos era fumante de acordo com a Pesquisa Nacional sobre Saúde e Nutrição/IBGE. Os dados do inquérito domiciliar revelaram que, no Brasil, no ano de 2008, existiam cerca de 25 milhões de fumantes e 26 milhões de ex-fumantes.

O tabagismo passou a ser reconhecido como doença a partir do final do século passado.

• Doença cardiovascular e tabagismo

Aproximadamente uma em cada cinco mortes por doenças cardiovasculares é ocasionada pelo tabagismo. O risco relativo de infarto do miocárdio apresenta-se aumentado duas vezes entre os fumantes com idade superior a 60 anos e cinco vezes entre os com idade inferior a 50 anos, se forem comparados aos não fumantes.

O cigarro isoladamente dobra a possibilidade de doença cardiovascular e, em associação com outras doenças, como dislipidemia e hipertensão arterial, aumenta esses risco em quatro vezes. O risco torna-se oito vezes maior quando os três fatores estão juntos.

Nas mulheres, seus efeitos deletérios parecem ser maiores, com maior relevância naquelas que fazem uso concomitante de contraceptivos orais.

Dessa forma, o tabagismo é o maior fator de risco cardiovascular isolado e modificável na população mundial.

• Prevenção do tabagismo

A prevenção primordial da doença cardiovascular engloba evitar a instalação dos fatores de risco modificáveis, entre eles o tabagismo, e construir estratégias eficazes para que se faça

Guia Prático de Cardiologia

a promoção da saúde do indivíduo e da população. Para tanto, torna-se necessária a ação conjunta de equipes multidisciplinares (médicos, enfermeiros, psicólogos, educadores físicos, pedagogos, nutricionistas, assistentes sociais, comunicadores, gestores) e intersetoriais (família, escola, governo) de forma contínua e simultânea.

Em prevenção primária, os indivíduos que interrompem o tabagismo reduzem em 50% o risco de eventos coronários até o segundo ano após a interrupção. Em mulheres, essa redução varia de 50% a 70%.

• Tratamento

O tratamento contra o tabagismo implica a abordagem da dependência química do tabaco e também da dependência psicológica que o indivíduo desenvolve.

Tratamento da dependência psicológica do fumante

Pode ser feito através de duas abordagens, a abordagem básica ou a intensiva específica.

Na **abordagem básica**, deve-se perguntar se o paciente fuma, avaliar o perfil do fumante, aconselhar a parar de fumar, preparar para a cessação e acompanhar o fumante para a interrupção do tabagismo. Esses questionamentos devem durar em média de 3 a 5 minutos durante as consultas de rotina, devendo ser reabordados a cada consulta.

Esse tipo de estratégia pode e deve ser utilizada em todos os pacientes tabagistas durante a consulta médica; estudos demonstraram eficácia de 19,9% na cessação do tabagismo para este método.

A **abordagem intensiva específica** deve ser realizada por profissionais de saúde e médicos com treinamento no acompanhamento de pacientes tabagistas. Nesse caso, o paciente será acompanhado através de um programa estruturado e sessões programadas. Além do uso de medicações para tratamento do tabagismo, ocorrem sessões de terapia cognitivo-comportamental.

Nessa abordagem é útil a utilização de escalas para determinar o grau de dependência nicotínica apresentado pelo paciente, sendo a mais comum em uso o escore de Fageström. Essa escala ajuda na escolha da medicação antitabaco que deve ser usada e sua dose.

O intervalo entre as consultas deve ser semanal nas primeiras quatro semanas, quinzenal, mensal, trimestral até completar um ano.

A abordagem intensiva tem obtido taxas de cessação de tabagismo em um ano em torno de 30% a 35%.

Tratamento farmacológico do tabagismo

O uso de medicações antitabaco aumentam as taxas de abstinência de duas até em quatro vezes.

Segundo o Consenso Brasileiro de Abordagem e Tratamento do Fumante de 2001, os critérios para a utilização de medicamento para o tratamento do tabagismo são:

- Fumantes com carga tabágica acima de 20 cigarros ao dia.
- Fumantes que acendem o primeiro cigarro em até 30 minutos após acordar.
- Fumantes com escore de Fageström igual ou superior a 5.
- Tentativas anteriores de cessar tabagismo fracassadas.
- Para calcular a carga tabágica, o número de cigarros fumados por dia deve ser dividido por 20 (o número de cigarros em um maço) e o resultado multiplicado pelo número de anos de uso de tabaco (anos-maço).

Os fármacos atualmente considerados de primeira linha no tratamento são os repositores de nicotina, a bupropiona e a vareniclina. Essas substâncias agem primordialmente no sistema dopaminérgico, reconhecidamente relacionado com os sistemas de recompensa e mesolímbico, é crucial no processo da abstinência e dependência.

Tabagismo **529**

CAPÍTULO 59

Os repositores de nicotina podem dobrar a taxa de abstinência e estão disponíveis para uso na forma transdérmica e via oral (gomas e pastilhas).

A vareniclina é um agonista parcial do receptor nicotínico no sistema nervoso central e é um dos mais eficazes para o tratamento do tabagismo.

Estudos demonstram que a eficácia da associação de terapia de reposição de nicotina via oral e via transdérmica é maior, assim como a associação da terapia de reposição de nicotina com a bupropiona, ao invés do uso deste fármaco isoladamente.

Desde 2007 o cigarro eletrônico foi lançado no mercado e seu uso tem aumentado na população a cada ano. Seu mecanismo consiste em converter em vapor a nicotina diluída em líquidos específicos, no entanto ainda não se sabe os efeitos nocivos que essas substâncias podem causar no organismo humano.

Atualmente, existem poucos estudos que tenham avaliado os cigarros eletrônicos para uso na cessação do tabagismo. Apenas um estudo randomizado testou a eficácia pra este fim, porém o estudo sugeriu que os cigarros eletrônicos podem ter uma eficácia semelhante à do adesivo de nicotina para parar de fumar. Desta forma, estudos adicionais são necessários antes de uma conclusão definitiva. O uso desses dispositivos ainda não foi autorizado pela Agência Nacional de Saúde Brasileira (ANVISA).

As Tabelas 59.1 e 59.2 apresentam a posologia desses medicamentos e suas contraindicações respectivamente.

A Tabela 59.3 demonstra o grau de recomendação e nível de evidência para o tratamento do tabagismo.

Tabela 59.1 Medicamentos para tratamento do tabagismo e posologia.

Fármaco	Dose	Posologia
Nicotina via oral (gomas/pastilhas)	2 a 4 mg	1 a 15 gomas/dia – usar quando sentir vontade de fumar
Nicotina transdérmica	7 mg, 14 mg e 21 mg	Usar a mesma apresentação por 4 semanas e reduzir progressivamente
Bupropiona	150 mg/cp	1 cp/dia por 4 dias e, após, 1 cp duas vezes ao dia
Vareniclina	0,5 a 1 mg/cp	0,5 mg/dia até o 4º dia, 0,5 mg de 12/12h até o 7º dia e, após, 1mg de 12/12h

Fonte: Adaptada de Simão A, Precoma D, Andrade J, *et al*. I Diretriz Brasileira de Prevenção Cardiovascular. Arq Bras Cardiol 2013;101(6 Suppl 2):1-63.

Tabela 59.2 Contraindicações dos medicamentos para tratamento do tabagismo e efeitos adversos.

Fármaco	Contraindicações	Efeitos colaterais
Nicotina	▪ **Adesivos:** grávidas, amamentação, doenças dermatológicas, período de 15 dias após infarto agudo do miocárdio. ▪ **Goma:** úlcera péptica ativa, período de 15 dias após infarto agudo do miocárdio.	▪ Prurido e vermelhidão no local de aplicação do adesivo. ▪ Dor epigástrica, náuseas. ▪ Taquicardia, crise hipertensiva.
Bupropiona	▪ epilepsia, convulsão, tumor de sistema nervosa central, alcoolismo e traumatismo craniano.	▪ Boca seca, insônia, constipação intestinal.
Vareniclina	**Absolutas:** insuficiência renal terminal, grávidas e mulheres amamentando. **Precaução no uso:** cautela em pacientes com histórico de doenças psiquiátricas, como depressão grave, transtorno bipolar e síndrome do pânico.	Náuseas, sonhos anormais.

Fonte: Adaptada de Simão A, Precoma D, Andrade J, *et al*. I Diretriz Brasileira de Prevenção Cardiovascular. Arq Bras Cardiol 2013;101(6 Suppl 2):1-63.

530 Guia Prático de Cardiologia

Tabela 59.3 Grau de recomendação e nível de evidência para o tratamento do tabagismo.		
Recomendação	**Classe**	**Nível de evidência**
O fumo é um fator de risco independente para doença cardiovascular, portanto deve ser evitado	I	B
Tratamento farmacológico do tabagismo	I	A
▪ Repositor de nicotina	I	A
▪ Bupropiona	I	A
▪ Vareniclina	I	A

Fonte: Adaptada de Simão A, Precoma D, Andrade J, *et al.* I Diretriz Brasileira de Prevenção Cardiovascular. Arq Bras Cardiol 2013;101(6 Suppl 2):1-63.

• Referências

1. Simão A, Precoma D, Andrade J, et al. I Diretriz Brasileira de Prevenção Cardiovascular. Arq Bras Cardiol 2013;101(6 Suppl 2):1-63.
2. Issa JS. Tabagismo e doença cardiovascular. São Paulo: Planmark; 2007.
3. Gigliotti AP, Presman S. Atualização no tratamento do tabagismo. Rio de Janeiro: Associação Brasileira de Promoção de Saúde; 2006.
4. Tanni SE, Godoy I, Godoy I. Tabagismo: intervenções motivacionais e farmacológicas. In: Cukier A, Godoy I, Pereira MC, Fernandes PMP. Pneumologia: atualização e reciclagem. 8 ed. Rio de Janeiro: Elsevier; 2009. p.107-14.
5. Pisinger C, Dossing M. A systematic review of health effects of electronic cigarettes. Prev Med 2014; 69:248-60
6. Orellana-Barrios MA, Payne D, Mulkey Z, Nugent K. Electronic cigarettes: a narrative review for clinicians. Am J Med 2015;128(7):674-81
7. Rigotti NA, Rennard SI. E-cigarettes. Up to Date. http://www.uptodate. com/contents/e-cigarettes?source=search_result&search=e+cigarettes& selectedTitle=1%7E14.

Obesidade

• Introdução

As doenças cardiovasculares são a principal causa de morte no Brasil. Há correlação entre a obesidade e o risco de doenças cardiovasculares. A obesidade aumenta o risco de morbidade por hipertensão arterial, dislipidemia, diabetes mellitus tipo 2 (diabetes), doença arterial coronariana (DAC), acidente vascular cerebral, doença da vesícula biliar, osteoartrite, apneia do sono, doenças respiratórias, e alguns tipos de câncer.

O aumento da prevalência do excesso de peso não é só um problema sério nos países desenvolvidos, como os Estados Unidos, mas também dos países em desenvolvimento, como o Brasil.

A obesidade está associada ao aumento de risco de todas as causas e mortalidade por doença cardiovascular.

• Epidemiologia

A obesidade é o terceiro problema de saúde pública que mais demandou gastos da economia brasileira em 2015. Estima-se que os gastos giraram em torno de R$ 110 bilhões, o que equivale a 2,4% do Produto Interno Bruto (PIB) do país.

Em 2013, 33,3% dos brasileiros apresentavam sobrepeso, e 17,5%, obesidade. O Consenso Latino Americano de Obesidade, cita que cerca de 200 mil pessoas morrem por ano devido a doenças associadas ao excesso de peso.

Nos Estados Unidos as estimativas atuais são de que 34% dos adultos estão com sobrepeso e 35%, obesos, totalizando 69% dos adultos fora do padrão de peso para a idade.

• Definição e classificação

A obesidade é caracterizada pelo acúmulo excessivo de gordura corporal no indivíduo.

Para o diagnóstico em adultos, o parâmetro utilizado mais comumente é o do índice de massa corporal (IMC).

O IMC é calculado dividindo-se o peso do paciente pela sua altura elevada ao quadrado, sendo classificado em sobrepeso, obesidade grau I, II e III:

- 25 - 29,9 kg/m^2 sobrepeso
- 30 - 34,9 kg/m^2 obesidade grau I
- 35 - 39,9 kg/m^2 obesidade grau II
- ≥ 40 kg/m^2 obesidade grau III

• Obesidade e hipertensão arterial

A obesidade com predomínio de deposição de gordura na região abdominal, com maior frequência associa-se à intolerância à glicose, alterações do perfil lipídico do plasma e, principalmente, à hipertensão arterial.

Redução do excesso de peso, restrição dietética de sódio e prática de atividade física regular são fundamentais para o controle da pressão arterial e podem, por si só, normalizar os níveis pressóricos.

Em adultos com sobrepeso ou obesos com elevado risco cardiovascular (incluindo diabetes tipo 2 e hipertensão arterial), há uma relação dose-resposta entre a redução da pressão arterial e a perda ponderal.

A perda de 5% de peso conseguida ao longo de 4 anos, por mudança do estilo de vida em adultos com sobrepeso ou obesos com diabetes tipo 2, está associada à redução na prescrição de medicamentos anti-hipertensivos em comparação com os controles.

- Em uma perda de peso de 5%, é observada uma redução média da PA sistólica e diastólica de cerca de 3 e 2 mmHg, respectivamente
- Nas perdas ponderais menores que 5%, há reduções modestas e variáveis da pressão arterial.

Inibidores da enzima conversora de angiotensina são benéficos para o paciente obeso, pois aumentam a sensibilidade à insulina. Antagonistas dos canais de cálcio podem ser recomendados pela sua ação natriurética; estas medicações não alteram o metabolismo lipídico e glicêmico.

Diuréticos e betabloqueadores devem ser utilizados com cautela pela possibilidade de aumentar a resistência à insulina.

• Mecanismo neuro-humoral saciedade

O entendimento atual do sistema envolvido nesta regulação sugere que, no hipotálamo, há dois grandes grupos de neuropeptídeos envolvidos nos processos orexígenos e anorexígenos. Os neuropeptídios orexígenos são o neuropeptídeo Y (NPY) e o peptídeo agouti (AgRP); já os neuropeptídeos anorexígenos são o hormônio alfa-melanócito estimulador (Alfa-MSH) e o transcrito relacionado à cocaína e à anfetamina (CART).

A insulina é produzida pelas células beta do pâncreas, e a sua concentração sérica é proporcional à adiposidade. Com seu efeito anabólico, a insulina aumenta a captação de glicose, e a queda da glicemia é um estímulo para o aumento do apetite. O centro da saciedade é influenciado por mecanismo de *feedback* pelos hormônios grelina e leptina (produzidos no estômago e nos adipócitos respectivamente). A insulina ainda interfere na secreção de entero-hormônios como glucagon-like-peptide (GLP 1), que atua inibindo o esvaziamento gástrico e, assim, promovendo uma sensação de saciedade prolongada.

Obesidade **533**

• Obesidade e dislipidemia

A principal dislipidemia associada ao sobrepeso e à obesidade são as elevações leves a moderadas dos triglicérides e diminuição do HDL-colesterol.

Esses indivíduos apresentam hiperinsulinemia, hiperuricemia, hipertensão arterial e podem sofrer também de diabetes mellitus.

Em adultos com sobrepeso ou obesos, com ou sem risco cardiovascular elevado, existe uma relação dose-resposta entre a quantidade de perda ponderal por mudança do estilo de vida e a melhora no perfil lipídico. O nível de perda ponderal necessário para observar essa melhora do perfil lipídico varia:

- ▶ Uma perda ponderal de 3 kg, tem redução média de triglicérides de pelo menos 15 mg/dL.
- ▶ Perda ponderal de 5 kg a 8 kg, reduz LDL-C em cerca de 5 mg/dL e aumenta o HDL--C em cerca de 2 a 3 mg/dL.
- ▶ Com perdas menores que 3 kg, benefícios mais modestos e mais variáveis em triglice-rídeos, HDL-C e LDL-C são observados.

Entre os adultos com sobrepeso e obesos com diabetes tipo 2, com 8,0% de perda de peso em 1 ano e 5,3% de perda de peso ao longo de 4 anos, resulta em maiores aumentos médios (2 mg/dL) no HDL-C e maiores reduções médias de triglicérides.

Perda ponderal de 5% de peso médio alcançado ao longo de 4 anos está associada com uma redução de prescrição de medicamentos hipolipemiantes.

• Obesidade e diabetes

Perdas de peso médio de 2,5 kg a 5,5 kg em mais de 2 anos reduzem o risco de desenvol-ver diabetes tipo 2 em 30% a 60%.

Pacientes com sobrepeso e obesos com diabetes tipo 2, 2% a 5% de perda de peso em 1 a 4 anos, resulta em reduções modestas nas concentrações plasmáticas de glicose em jejum e diminuição da hemoglobina A1c de 0,2% a 0,3%, quanto maior a perda ponderal, maior a queda da hemoglobina glicada.

Adultos com sobrepeso e obesos com diabetes tipo 2 podem alcançar maiores reduções nas concentrações plasmáticas de glicose em jejum. Metas de perdas de peso de 2% a 5% têm reduções clinicamente significativas de glicemia em mais de 20 mg/dL, perdas de 9 kg a 13 kg apresentaram uma redução de 25% na taxa de mortalidade.

• Síndrome metabólica

A Síndrome Metabólica (SM) é um transtorno complexo representado por um conjunto de fatores de risco cardiovascular usualmente relacionados à deposição central de gordura e à resistência à insulina.

É importante destacar a associação da SM com a doença cardiovascular, aumentando a mortalidade geral em cerca de 1,5 vezes e a cardiovascular em cerca de 2,5 vezes.

O tratamento da síndrome metabólica envolve medidas não farmacológicas, como mu-dança do estilo de vida (dieta, atividade física), acompanhamento multiprofissional e trata-mento específico da resistência insulínica ou diabetes, hipertensão arterial e dislipidemia (Tabela 60.1).

534 Guia Prático de Cardiologia

Tabela 60.1 Componentes da síndrome metabólica segundo o NCEP-ATP III.

Componentes	Níveis
Obesidade abdominal por meio de circunferência abdominal	
▪ Homens	> 102 cm
▪ Mulheres	> 88 cm
Triglicerídeos	≥ 150 mg/dL
HDL colesterol	
▪ Homens	< 40 mg/dL
▪ Mulheres	< 50 mg/dL
Pressão arterial	≥ 130 mmHg ou ≥ 85 mmHg
Glicemia de jejum	≥ 110 mg/dL

Fonte: Adaptada de 2013 AHA/ACC/TOS Guideline for the Management of Overweight and Obesity in AdultsA Report of the American College of Cardiology/American Heart Association Task Force on Practice Guidelines and The Obesity Society - Volume 63, Issue 25_PA, Julho 2014.

• Obesidade e cardiopatias

Insuficiência cardíaca sistólica ou diastólica é uma complicação frequente e uma das principais causas de óbito em pacientes com obesidade grau III.

Hipertensão arterial sistêmica, aterosclerose e diabetes são doenças frequentemente encontradas em obesos.

Pacientes obesos podem evoluir com cardiopatia por diversos mecanismos, sabe-se que a obesidade está relacionada a alterações estruturais, hemodinâmicas e funcionais.

Analisando as alterações cardíacas encontramos:

Estruturais

▶ IMC como preditor importante para massa e diâmetro diastólico ventricular esquerdo.
▶ Duração da obesidade correlacionada positivamente com dimensões internas do ventrículo esquerdo.
▶ Quando a hipertrofia é inadequada e o estresse sistólico é alto, ocorre disfunção cardíaca.
▶ Resistência vascular periférica encontra-se normal ou aumentada, ocasionando aumento da pós-carga, sendo estímulo para o desenvolvimento de hipertrofia concêntrica.
▶ Em indivíduo obeso com hipertensão arterial, há uma sobrecarga mista de volume e de pressão.

Esteatose Cardíaca

▶ A obesidade está relacionada a infiltração gordurosa do miocárdio.
▶ Em razão do aumento do número de obesos é esperado um aumento dos casos de esteatose cardíaca.
▶ É condição subdiagnosticada.
▶ A esteatose cardíaca está relacionada à disfunção do miocárdio e, em grau avançado, à morte súbita.

Hemodinâmicas

- Aumento do consumo de oxigênio devido a aumento do tecido adiposo, com necessidade de aumento do débito cardíaco.
- Aumento do débito cardíaco ocorre às custas de aumento do volume sistólico, pois não há modificações da frequência cardíaca.
- Obesos apresentam aumento da pré-carga, com estímulo para o desenvolvimento de hipertrofia excêntrica.
- Um paciente com 100 kg de excesso de gordura necessitaria de um aumento de 3 L/min no débito cardíaco.

Funcionais

- A disfunção diastólica se desenvolve independentemente da hipertensão e hipertrofia ventricular esquerda, podendo antecipar alterações da contratilidade.
- A disfunção sistólica é encontrada em períodos prolongados de obesidade, sendo resultado da sobrecarga, alterações do remodelamento e doença coronariana.

Coronariopatia

As condições de carga miocárdica levam, à medida que a massa ventricular aumenta, a diversas complicações; pode ocorrer diminuição da reserva coronariana consequente à hipertrofia ventricular esquerda, podendo estar associada à aterosclerose com doença arterial coronariana, afetando significativamente o prognóstico desses pacientes.

• Tratamento da obesidade

O tratamento da obesidade é complexo e multidisciplinar. Não existe nenhum tratamento farmacológico em longo prazo que não envolva mudança de estilo de vida.

Considera-se sucesso no tratamento da obesidade a habilidade de atingir e manter uma perda de peso clinicamente útil, que resulte em efeitos benéficos sobre doenças associadas, como diabetes tipo 2, hipertensão e dislipidemia

• Tratamento não farmacológico

1. Mudança estilo de vida (dieta/atividades físicas).
2. Acompanhamento multiprofissional (psicoterapia, educador físico, nutrição).
3. Terapia Comportamental.

• Terapia comportamental

O objetivo dessa abordagem é ajudar os pacientes a fazer mudanças a longo prazo no seu comportamento alimentar, modificando e monitorando sua ingestão de alimentos, aumentando sua atividade física e controle de sinais e estímulos no ambiente. Atividade física e automonitorização são componentes particularmente importantes para o sucesso.

• Tratamento farmacológico

1. IMC de 30 kg/m^2 ou 25 kg/m^2 na presença de comorbidades;
2. falha em perder peso com o tratamento não farmacológico.

As medicações disponíveis são: sibutramina, fluoxetina, liraglutida, dapaglifozina, orlistate.

Dapaglifozina

As glifozinas (como são conhecidas essas drogas) são medicamentos que inibem essa proteína (SLGT2) fazendo com que a glicose não seja absorvida, mas sim eliminada pelos rins. Esse mecanismo é capaz de reduzir os níveis de glicemia em diabéticos, pressão arterial e pode haver perda ponderal significativa.

Posologia: dose 10 mg, 1×/dia, em paciente diabéticos

Liraglutida

O Food and Drug Administration (FDA), em 2014, aprovou a liraglutida como opção terapêutica para a obesidade, é um análogo do GLP-1, promove o aumento da saciedade e, consequentemente, redução da ingestão de alimentos por dois mecanismos: uma ação sobre o centro da saciedade e por causar um retardo no esvaziamento gástrico.

Posologia: dose inicial 0,6 mg; objetivo de alcançar dose de 3,4 mg; durante o tratamento é importante controle laboratorial de função hepática e enzimas pancreáticas.

Orlistate

O orlistate atua no lúmen gastrintestinal, inibindo a atividade das lipases gástrica e pancreática. As enzimas inativas são incapazes de hidrolisar a gordura da dieta na forma de triacilgliceróis em ácidos graxos livres e monoacilgliceróis, que não serão absorvidos sistemicamente.

Posologia: dose desejada 120 mg, 3×/dia, nas refeições, de acordo com a tolerância do paciente.

Fluoxetina

A fluoxetina age no bloqueio da receptação de serotonina, associado a aumento da saciedade e, por consequência, perda ponderal.

Posologia: dose 20 a 60 mg/dia

• Tratamento cirúrgico

1. IMC $\geq$ 40 kg/m² sem comorbidades.
2. Adultos com IMC $\geq$ 35 kg/m² com uma ou mais comorbidades associadas. Resistência aos tratamentos conservadores realizados regularmente há pelo menos dois anos (dietoterapia, psicoterapia, tratamento farmacológico e atividade física). Motivação, aceitação e conhecimento sobre os riscos da cirurgia e não haver contraindicações (doenças psiquiátricas, dependência química, causas endócrinas tratáveis, dificuldade de compreensão dos riscos e benefícios da cirurgia).

• Referências

1. Jensen MD, Ryan DH, Apovian CM, et al. 2013 AHA/ACC/TOS guideline for the management of overweight and obesity in adults: a report of the American College of Cardiology/American Heart Association Task Force on Practice Guidelines and The Obesity Society. J Am Coll Cardiol 2014;63(25 Pt B):2985-3023.
2. Godoy-Matos AF, Oliveira J, Guedes EP, et al. Diretriz brasileira de obesidade. São Paulo: ABESO; 2009/20010.
3. Santos RD, Timerman S, Spósito AC, Coordenadores. Diretrizes para Cardiologistas sobre Excesso de Peso e Doença Cardiovascular. Arq Bras Cardiol 2002; 78(Suppl I): 1-14.
4. Astrup A, Rössner S, Van Gaal L, et al. Effects of liraglutide in the treatment of obesity: a randomised, double-blind, placebo-controlled study. Lancet 2009;374(9701):1606-16.

Cardiopatia na Gravidez

Caroline Erika Pereira Nagano • Bernardo Noya Alves de Abreu

• Introdução

No Brasil, a incidência de cardiopatia na gravidez é, em centros de referência, de até 4,2%, ou seja, oito vezes maior que as estatísticas internacionais.

Causas mais comuns de cardiopatia na gestação no Brasil em ordem de frequência:

1. Valvopatia reumática (59%);
2. Cardiopatias congênitas (15%);
3. Doença arterial coronariana e doença de Chagas, ambas representando menos de 10% dos casos.

Universalmente, a cardiopatia é considerada a maior causa de morte materna indireta no ciclo gravídico-puerperal.

Em 2% das gestações. a doença cardiovascular materna está presente.

Em geral os pacientes que não alcançam mais do que 70% de sua capacidade funcional aeróbia prevista são incapazes de apresentar uma gravidez segura.

• Assistência pré-natal cardiológica

A diferenciação de sinais e sintomas entre gestantes normais e portadoras de cardiopatias é muitas vezes difícil, já que mudanças hemodinâmicas podem comprometer uma reserva cardíaca limitada e os sinais e sintomas de uma gestação normal podem imitar a presença de cardiopatia.

No entanto, devem ser valorizadas queixas como palpitações, piora da capacidade funcional, tosse seca noturna, ortopneia, dispneia paroxística noturna, hemoptise, dor precordial ao esforço e síncope.

Alterações hemodinâmicas:

- Resistência periférica diminui;
- Aumenta o fluxo de sangue uterino;

Guia Prático de Cardiologia

- Volume sanguíneo aumenta 40% a 50%;
- FC aumenta 10% a 20%;
- PA se mantém ou diminui;
- RVP pulmonar diminui.

• Semiologia

A gravidez favorece o aparecimento de sopros funcionais, aumento na intensidade das bulhas, desdobramento da 1ª e 2ª bulhas e aparecimento de 3ª bulha.

- Sopros diastólicos habitualmente estão associados à lesão cardíaca anatômica.

• Estimativa do risco cardiológico

O diagnóstico anatomofuncional da doença e a estimativa do risco gravídico permitem estabelecer as condições que se associam ao mau prognóstico.

Durante o pré-natal os fatores que precipitam as complicações cardiovasculares são: insuficiência cardíaca, arritmias, tromboembolismo, angina, hipoxemia e endocardite infecciosa.

Preditores de complicações maternas:

- evento cardíaco prévio (IC, AVC/AIT) ou arritmia;
- IC com classe funcional maior que II da NYHA ou cianose basal;
- Obstrução cardíaca esquerda;
- FE < 40%.

• Via de parto

Na maior parte das vezes é decisão do médico obstetra, porém, em algumas condições, deve-se considerar o parto cesariana (ver Tabelas 61.1 e 61.2).

Tabela 61.1 Considerar parto cesariana.

Uso de anticoagulação oral nos últimos 15 dias.
Síndrome de Marfan e aorta > 45 mm.
Dissecção de aorta.
Disfunção ventricular de difícil tratamento.

Fonte: Adaptada de Serrano Jr. C, Timerman A, Stefanini E. Tratado de cardiologia SOCESP. 2 ed. Barueri(SP): Manole; 2009.

Tabela 61.2 Cardiopatias que contraindicam a gestação.

Coarctação de aorta importante
Estenose aórtica grave com área valvar < 1 cm²
Síndrome de Marfan com diâmetro de raiz de aorta > 40 mm
Hipertensão arterial pulmonar de qualquer etiologia
Disfunção ventricular grave (FE < 30% ou CF NYHA III ou IV)
Miocardiopatia periparto prévia associada à disfunção ventricular residual

Fonte: Adaptada de Serrano Jr. C, Timerman A, Stefanini E. Tratado de cardiologia SOCESP. 2 ed. Barueri(SP): Manole; 2009.

Cardiopatia na Gravidez **539**

• Segurança farmacológica na gestação

O maior problema terapêutico durante a gestação é o efeito adverso sobre o feto (ver Tabela 61.3).

O potencial efeito teratogênico é maior durante a embriogênese, que compreende as primeiras oito semanas após a concepção. Entretanto, outros efeitos adversos podem ocorrer nos demais períodos da gestação.

No momento do aleitamento, a farmacocinética das drogas no leite materno depende de vários fatores e o parecer em relação à segurança na amamentação é orientado pela Academia Americana de Pediatria.

Ao administrar fármacos cardiovasculares durante a gestação, avaliar a classificação dos mesmos no FDA (US Food and Drug Adminstration) para informações detalhadas.

Só devem ser administradas medicações quando os benefícios superarem o risco para o feto.

Tabela 61.3 Fármacos e efeitos colaterais.

Fármacos	Possíveis efeitos colaterais
Amiodarona	Bócio, hipo/hipertireoidismo, RCIU – uso com cautela. Não recomendada na amamentação.
IECA e BRA	Formalmente contraindicados; RCIU, oligoidrâmnio, falência renal, ossificação anormal.
Aspirina	Não prejudicial.
Betabloqueadores	Relativamente seguros; RCIU, bradicardia neonatal e hipoglicemia Pindolol: não causa restrição do crescimento fetal (RCF). Atenolol: aumento da taxa de RCF e de recém-nascidos pequenos para a idade gestacional. Não usar como anti-hipertensivo. Os lactentes devem ser observados para detecção de possíveis sinais de betabloqueio.
Bloqueadores do canal de cálcio	Relativamente seguros; poucos dados; preocupação com o tônusuterino no momento do parto.
Clopidogrel	Relativamente seguro.
Hidroclorotiazida	Não altera o volume do líquido amniótico, pode provocar trombocitopenia neonatal.
Digoxina	Segura; sem efeitos adversos.
Estatinas	Contraindicadas na gestação e amamentação.
Flecainamida	Relativamente segura; dados limitados; usada para tratar arritmias fetais.
Hidralazina	Segura; sem eventos adversos importantes.
Furosemida	Segura; cuidado em relação à hipovolemia materna e fluxo sanguíneo placentário reduzido.
Heparina de baixo peso molecular e heparina não fracionada	Seguras; não atravessam a placenta.
Lidocaína	Segura; altas doses podem causar depressão do SNC neonatal.
Metildopa	Segura na gestação e aleitamento. Droga de escolha para tratamento de hipertensão em gestantes.

(Continua)

(continuação)

Tabela 61.3 Fármacos e efeitos colaterais.

Fármacos	Possíveis efeitos colaterais
Morfina	Relativamente segura. Pode causar depressão respiratória no feto.
Nitroprussiato de sódio	Pode levar a acúmulo de cianeto no feto, porém utilizar nos casos emergenciais e pelo menor tempo possível.
Procainamida	Relativamente segura; dados limitados; usada para tratar arritmias fetais, sem efeitos colaterais fetais importantes.
Propafenona	Dados limitados.
Quinidina	Relativamente segura; raramente associada à trombocitopenia neonatal.
Trombolíticos – alteplase e estreptoquinase	Relativamente seguros.
Varfarina	Contraindicada. Embriopatia fetal, hemorragia placentária e fetal, anormalidades do SNC.

Fonte: Adaptada de Santos ECL, Figuinha FCR, Lima AGS, Mastrocola F. Manual de cardiologia cardiopapers. São Paulo: Atheneu; 2013.

• Situações cardiológicas na gestação

Nos limitaremos a descrever as apresentações cardiológicas mais frequentes, sendo que as miocardiopatias, como a periparto, serão abordadas em outro capítulo.

• Valvopatias

A doença reumática é a causa mais frequente de cardiopatia na gravidez.

Possui incidência estimada em 50%.

Lesões valvares obstrutivas (EAo e EMi) apresentam pior evolução clínica quando comparadas às lesões regurgitantes, como IAo ou IMi.

Recomendações gerais para gestantes valvopatas:

▶ Medidas gerais – restrição de sal, restrição de atividade física, ganho de peso < 10 kg, suplementação de ferro após 20ª semana.

▶ Prevenção de doença reumática – Penicilina benzatina 1.200.000 UI IM a cada 21 dias. Eritromicina 500 mg 12 a 12h se alergia.

▶ Prevenção de Endocardite Infecciosa – não há recomendação de rotina para antibioticoprofilaxia.

▶ Antibióticos opcionais em alto risco – valvas protéticas, EI prévias, cardiopatias congênitas complexas ou "shunt" sistêmicos pulmonares cirúrgicos.

Estenose mitral

Lesão valvar mais frequente e com maior chance de complicação, cuja etiologia principal é a reumática.

Piora importante da FC: considerar tratamento através de reparo cirúrgico antes da concepção.

Aumento da volemia e da FC : aumenta de forma importante o gradiente transmitral; logo o cálculo da área valvar pelo ecocardiograma deve ser o parâmetro preconizado.

Cardiopatia na Gravidez **541**

Tratamento de estenose mitral sintomática

Controle da FC e diminuição da pressão no átrio esquerdo

1. Betabloqueadores (sem atividade simpaticomimética intrínseca) – metoprolol é preferido pela menor incidência de crescimento intrauterino restrito.
2. Diurético – congestão pulmonar – furosemida 40 mg/dia.
3. Digital – IC direita ou FA – 0,25 a 0,5 mg/dia.
4. Valvoplastia mitral percutânea por cateter de balão – refratário ao tratamento medicamentoso otimizado. Mesma indicação e contraindicação da não gestante. Lembrar de realizar inibição da atividade uterina – deve ser profilática por meio de fármacos com ação uterolítica – e realizar proteção abdominal e pélvica com avental de chumbo.

Estenose aórtica

Etiologia reumática principal, porém pode haver a presença de valva bicúspide.

Tratamento

- Estenose aórtica moderada – grave + FE normal + assintomática = Repouso, O_2, betabloqueador.
- Estenose grave + IC, diminuição do fluxo cerebral ou coronariano – interrupção gestação e/ou tratamento cirúrgico valvar independentemente da idade gestacional.

Insuficiência mitral e aórtica

Melhor prognóstico na gestação sendo bem toleradas pela vasodilatação fisiológica da gestação.

- Tratamento (somente na vigência de IC)
- Furosemida: 20 a 60 mg/dia
- Hidralazina: dose média 75mg/dia, com possibilidade de associação a nitratos.
- Digoxina: útil em FE reduzida.

Infarto agudo do miocárdio

Raro durante a gravidez, sendo estimado que possa ser diagnosticado entre 3 a 10 casos para cada 10.000 gestações com apresentação mais frequente no terceiro trimestre.

O IAM está provavelmente relacionado ao acréscimo do consumo de oxigênio pelo miocárdio, devido ao aumento do volume sanguíneo, frequência cardíaca e débito cardíaco fisiológicos da gestação.

A aterosclerose coronariana é a principal causa de IAM na gestação (43% dos casos), mas também pode estar relacionada com trombose coronária (21%), aneurismas (1%), dissecção coronariana (16%) e até coronárias normais (29%).

A troponina I é o marcador de escolha para detectar a lesão cardíaca na paciente gestante, pois não sofre elevação no parto vaginal ou cesáreo e não se altera com a anestesia nem com a lesão tecidual desencadeada pelas contrações uterinas, trabalho de parto e parto, como ocorre com os demais marcadores.

O tratamento não difere muito do da paciente não gestante, porém leva-se em consideração as possíveis ações dos medicamentos ou procedimentos sobre o concepto.

IECA/BRA e estatinas estão contraindicadas.

Terapia de reperfusão de escolha é a percutânea com *stents* não revestidos preferencialmente.

542 Guia Prático de Cardiologia

Trombólise tem contraindicação relativa

Via de parto individualizada. É recomendado o uso de fórcipe para abreviar o trabalho de parto e reduzir o esforço materno e boa analgesia para evitar o aumento do consumo de oxigênio.

• Insuficiência cardíaca

Edema agudo de pulmão

Sentar a paciente para aumentar o retorno venoso aos pulmões.

Tratamento semelhante ao das pacientes não gestantes.

Insuficiência cardíaca

Complicações mais frequentes em gestantes cardiopatas

A identificação da etiologia e a remoção da causa subjacente, quando possível, como correção cirúrgica das malformações congênitas e das valvopatias, o tratamento clínico ou cirúrgico da insuficiência coronária, da hipertensão arterial e da endocardite infecciosa (ver Figura 61.4).

Tratamento semelhante ao das pacientes não gestantes, com exceção do uso de IECA\ BRA e espironolactona.

Tabela 61.4 Tratamento da IC.
Restrição hidrossalina
Digitálicos – monitorizar o nível sérico
Furosemida – sem restrições
Hidralazina
Nitratos
Betabloqueadores – carvedilol e metoprolol , doses mínimas iniciais com progressão subsequente, devendo-se postergar as doses máximas alvo para o puerpério.

Fonte: Adaptada de Santos ECL, Figuinha FCR, Lima AGS, Mastrocola F. Manual de cardiologia cardiopapers. São Paulo: Atheneu; 2013.

Tromboembolismo venoso

Tromboembolismo pulmonar é a principal causa de morte materna direta em países desenvolvidos (ver Tabela 61.5).

É fundamental um diagnóstico preciso, devido à necessidade de anticoagulação prolongada.

Os métodos diagnósticos, incluindo a angio-TC, podem ser utilizados sem maior risco para o feto.

As HBPM são recomendadas para o tratamento e preferidas em relação à HNF, por maior biodisponibilidade e menor risco de trombocitopenia e osteoporose, e os anticoagulantes devem ser evitados no primeiro e na segunda metade do terceiro trimestre, devendo ser usados com cautela nos demais períodos.

O tratamento deve ser mantido pelo menos até três meses após o parto.

Cardiopatia na Gravidez

Tabela 61.5 Possíveis esquemas de heparinização na gestante.

HNF IV por 5 dias, seguida por HNF SC ou HBPM SC, em doses ajustadas, até 6 semanas pós-parto (IC).

HNF SC ou HBPM SC, em doses ajustadas, do início ao final do tratamento (IC).

HNF IV ou SC, ou HBPM SC, em doses ajustadas por 5-7 dias, seguida por ACO (INR entre 2-3) até duas semanas antes do parto (35-36 semanas de gestação), retornando para uma das heparinas até o parto. Reiniciar com HNF ou HBPM, seguida por ACO ou mantendo uma das heparinas até 6 semanas pós-parto (IIa C).

OBS.: Não há contraindicação em manter a amamentação com o uso de qualquer tipo de anticoagulante, devendo a mesma ser estimulada.
Fonte: Adaptada de Santos ECL, Figuinha FCR, Lima AGS, Mastrocola F. Manual de cardiologia cardiopapers. São Paulo: Atheneu; 2013.

Fibrilação atrial

Adotar medidas não farmacológicas para arritmias benignas evitando estimulantes, como café, álcool, estresse, atividade física excessiva, entre outros (ver Tabela 61.6).

A cardioversão elétrica (CVE) pode ser realizada com segurança em qualquer idade gestacional e o feto pode apresentar bradicardia transitória com resolução espontânea.

Tabela 61.6 Manejo da fibrilação atrial.

FA aguda	Instável: CVE (IC) Química: preferir quinidina ou procainamida (IIbC)
FA crônica	Controle de FC: digoxina, bloqueador beta-adrenérgico, diltiazem ou verapamil (IC). Manter com anticoagulante contínuo. (Usar uma das heparinas durante toda a gestação ou no primeiro trimestre e duas semanas antes do parto, e anticoagulante oral nos demais períodos) (IIbC).

Fonte: Adaptada de Santos ECL, Figuinha FCR, Lima AGS, Mastrocola F. Manual de cardiologia cardiopapers. São Paulo: Atheneu; 2013.

• Referências

1. Serrano Jr. C, Timerman A, Stefanini E. Tratado de cardiologia SOCESP. 2 ed. Barueri(SP): Manole; 2009.
2. Bonow RO, Mann DL, Zipes DP, Libby P. Braunwald's heart disease: a textbook of cardiovascular medicine. 9th ed. Philadelphia: Elsevier/Sounders; 2012.
3. Santos ECL, Figuinha FCR, Lima AGS, Mastrocola F. Manual de cardiologia cardiopapers. São Paulo: Atheneu; 2013.

Anticoagulação

• Introdução

Historicamente, os antagonistas da vitamina K, eram os únicos anticoagulantes disponíveis para uso humano. As hemorragias relacionadas ao uso de varfarina são as principais complicações da droga. Por causa do risco de sangramento e necessidade de controle frequente dos níveis terapêuticos da droga, existe um anseio de criar alternativas seguras que não demandem monitoramento constante. Dessa forma, existe uma série de novos anticoagulantes sendo desenvolvidos, incluindo inibidores diretos da trombina e inibidores do fator Xa, elaborados para agirem em pontos específicos da cascata da coagulação. Os novos anticoagulantes estão cada vez mais difundidos na prática clínica, tornando essencial que o médico conheça as indicações, posologias, complicações e métodos de reversibilidade do efeito das drogas. O conhecimento é a base para o manejo. Enquanto a eficácia dos novos anticoagulantes está bem estabelecida, o conhecimento quanto aos riscos de eventos adversos e reversibilidades dos agentes ainda é limitado. Este capítulo tem como objetivo apresentar de maneira resumida (Tabela 62.1) as drogas, os mecanismos de ação, posologias recomendadas e efeitos colaterais mais comuns.

Tabela 62.1 Comparativo entre anticoagulantes.

	Posologia	Efeitos adversos	Potenciais antagonistas	Contraindicações
Antagonista da vitamina K				
Varfarina	1,5 - 10 mg VO Ajustar dose para INR 2-3 Não há ajuste para função renal	Hemorragia, síndrome purpúrica dos pés, necrose dérmica nos primeiros dias de tratamento, teratogênese, alopecia e hepatite induzida por cumarínicos (cessa com a interrupção do tratamento).	Vitamina K	Pacientes com hepatopatia grave, presença de aneurisma cerebral ou aórtico com dissecção, sangramento patológico ativo, gestantes, hipersensibilidade. Evitar em pacientes com plaquetas < 80.00 mm³

546 Guia Prático de Cardiologia

Tabela 62.1 Comparativo entre anticoagulantes.

	Posologia	Efeitos adversos	Potenciais antagonistas	Contraindicações
Heparinas				
Heparina Não Fracionada Liquemine® (ampolas de 5 mL com 25.000 UI)	Dose de ataque: 60 UI/kg EV (máximo 4000 UI) Manutenção: 12-15 UI/kg/h EV em BIC (máximo 1.000 UI/h) Controle de TTPa (1,5 a 2,5 vezes o controle) Não há ajuste para função renal. Dose para profilaxia de TEV: 5.000 UI SC 12/12h ou 8/8h.	Hemorragia, trombocitopenia induzida pela heparina, reações de hipersensibilidade, náuseas, hipercalemia, alopecia (uso prolongado).	Sulfato de protamina 1 mg para 1.000 UI de HNF administrada 4h antes	Sangramento ativo ou coagulopatia grave, hemorragia cerebral recente, trombocitopenia < 100.000/mm³, úlceras em atividade, insuficiências hepática e renal graves, hipertensão grave, endocardite bacteriana subaguda).
Heparina de Baixo Peso Molecular Enoxaparina (Clexane®), seringa de 20, 40, 60, 80 e 100 mg	Dose para anticoagulação: ataque 30 mg EV + manutenção: 1 mg/kg SC de 12/12h (se > 75 anos, 0,75 mg/kg SC 12/12 horas; se Cl Cr < 30mL/min, 1 mg/kg SC 1x/dia) Dose para profilaxia de TEV: 40 mg SC 1x/dia (se Cl Cr < 30 mL/min, dose de 20-30 mg SC 1×/dia).	Hemorragia, trombocitopenia induzida pela heparina, edema periférico, cefaleia, hipercalemia, elevação de aminotransferases, reações de hipersensibilidade.	Sulfato de protamina: 1mg para 1mg de enoxaparina	Sangramento ativo e coagulopatia grave, alto risco para sangramento de difícil controle, úlcera gastroduodenal ativa, hemorragia cerebral recente, plaquetopenia < 100.000/mm³, endocardite bacteriana aguda, hipersensibilidade à heparina.
Heparina de Baixo Peso Molecular Deltaparina (Fragmin®) Seringa de 0,2 mL com 2500-5000UI	120 UI/kg SC 2×/dia (até 10.000 UI em 12h).	Hemorragia, trombocitopenia induzida pela heparina.	Sulfato de protamina: 1 mg para 100 U do inibidor do fator Xa.	Hipersensibilidade à deltaparina, trombocitopenia imunologicamente mediada ou heparina-induzida, hemorragia ativa (como úlcera gastroduodenal aguda e hemorragia cerebral), distúrbios graves da coagulação, endocardite séptica.
Inibidores do fator Xa				
Fondaparinoux (Arixtra®) seringa de 0,5 mL com 2,5 mg	2,5 mg SC 1×/dia.	Hemorragia (local, gastrintestinal, pulmonar, hematoma, hematúria), trombocitopenia, púrpura, aumento de transaminases, edema e anemia.	Possivelmente complexo protrombínico. Dose: 25 a 50 U/kg.	Cl Cr < 20 mL/min, sangramento ativo ou coagulopatia, hipersensibilidade, endocardite bacteriana aguda, gestantes, lactantes e crianças.

Anticoagulação   547

Tabela 62.1 Comparativo entre anticoagulantes.

	Posologia	Efeitos adversos	Potenciais antagonistas	Contraindicações
Rivaroxabana (Xarelto®) comprimidos de 15-20 mg	20 mg VO 1×/dia (Cl Cr > 50 mL/min) 15 mg VO 1×/dia (Cl Cr 49-15 mL/min) Não recomendado se Cl Cr < 15mL/min	Hemorragia (principalmente em pacientes com FA), náuseas, síncope, prurido, espasmo muscular, dor nas extremidades e aumento de marcadores de lesão hepatobiliar.	Possivelmente complexo protrombínico. Dose: 25 a 50 U/kg	Sangramento ativo, AVC isquêmico ou hemorrágico nos últimos 6 meses, doença hepática com coagulopatia associada, doença hepática moderada (CHILD B e C), Cl Cr < 30 mL/min, IRA, menores que 18 anos, uso concomitante com cetoconazol e ritonavir.
Apixabana (Eliquis®)	5 mg VO 2x/dia 2,5 mg VO (se Cr > 1,5 mg/dL, ou > 80 anos ou peso < 60 kg.	Hemorragia, anemia e náusea.	Possivelmente complexo protrombínico. Dose: 25 a 50 U/kg	Sangramento ativo, AVC isquêmico ou hemorrágico nos últimos 6 meses, doença hepática com coagulopatia associada, Cl Cr < 15 mL/min, gestantes, menores que 18 anos, uso concomitante com cetoconazol e ritonavir.
Apixabana (Eliquis®)	5 mg VO 2×/dia 2,5 mg VO (se Cr > 1,5 mg/dL, ou > 80 anos ou peso < 60 kg.	Hemorragia, anemia e náusea.	Possivelmente complexo protrombínico. Dose: 25 a 50 U/kg	Evitar em paciente com menos de 100.000 plaquetas
Inibidores direto da trombina				
Dabigatrana (Pradaxa®) comprimidos de 75 e 110 mg	150 mg VO 2×/dia (Cl Cr > 50 mL/min) 110 mg VO 2×/dia (Cl Cr 30-50 mL/min ou risco aumentado de sangramento*) Não recomendado se Cl Cr < 30 mL/min	Hemorragia, plaquetopenia, dispepsia (dor abdominal, náuseas e vômitos), aumento de aminotransferases.	Possivelmente complexo protrombínico. Dose: 25 a 50 U/kg	Sangramento ativo ou diátese hemorrágica, AVCi ou hemorrágico nos últimos 6 meses, presença de prótese valva, Cl Cr < 30 mL/min, menores de 18 anos, uso concomitante com cetoconazol.
Bivalirrudina (Angiomax®, Angiox®), frascos com 250 mg Não disponível no Brasil.	Bólus: 0,75 mg/kg EV Manutenção: 1,75 mg/kg/h EV Controle pelo TCA Não recomendado se Cl Cr < 30 mL/min	Hemorragia, anemia.	Possivelmente complexo protrombínico. Dose: 25 a 50 U/kg	Hemorragia ativa, hipersensibilidade a hirudinas, hipertensão grave não controlada e endocardite bacteriana subaguda.

548 Guia Prático de Cardiologia

Tabela 62.1 Comparativo entre anticoagulantes.

	Posologia	Efeitos adversos	Potenciais antagonistas	Contraindicações
Argatrobana (Argatroban®), frascos com 100 mg/mL	Dose inicial: 25mcg/kg/min EV Bólus adicional: 350 mcg/kg EV em 3 a 5 min. Não há ajuste para função renal.	Hemorragia, diarreia, dispneia, hipotensão, dor torácica, tontura, taquicardia, náuseas e vômitos.	Possivelmente complexo protrombínico. Dose: 25 a 50 U/kg	Hemorragia ativa, hipersensibilidade à droga, hepatopatia grave.

INR, reação normatizada internacional; HNF, heparina não fracionada; TTPa, tempo de tromboplastina parcial ativada; Cl Cr, clearance de creatinina; AVCi, acidente vascular cerebral. *Idade maior ou igual a 75 anos, história de sangramento gastrintestinal ou intracraniano prévio, uso concomitante de AAS, clopidogrel, amiodarona, uso crônico ou abusivo de AINH, IMC < 18kg/m².
Fonte: Adaptada de Brazilian Guidelines, 2013.

• Referências

1. Brazilian Guidelines on Platelet Antiaggregants and Anticoagulants in Cardiology. Arq Bras Cardiol 2013;101(3 Suppl 3):1-95.
2. A randomized trial of anticoagulants versus aspirin after cerebral ischemia of presumed arterial origin. The Stroke Prevention in Reversible Ischemia Trial (SPIRIT) Study Group. Ann Neurol 1997;42(6):857-65.
3. Mohr JP, Thompson JL, Lazar RM, et al. A comparison of warfarin and aspirin for the prevention of recurrent ischemic stroke. N Engl J Med 2001; 345 (20): 1444-51.
4. Yusuf S, Mehta SR, Chrolavicius S, et al. Fifth Organization to assess strategies in acute ischemic syndromes investigators: comparison of fondaparinux and enoxaparin in acute coronary syndromes. N Engl J Med 2006;354(14):1464-76.
5. Risk of myocardial infarction and death during treatment with low dose aspirin and intravenous heparin in men with unstable coronary artery disease. The RISC Group. Lancet 1990;336(8719):827-30.
6. Alexander J, Becker R, Bhatt D, et al. Apixaban, an oral, direct, selective factor Xa inhibitor, in combination with antiplatelet therapy after acute coronary syndrome:results of the Apixaban for Prevention of Acute Ischemic and Safety Events (APPRAISE) trial. Circulation. 2009;119(22):2877-85.
7. Stone GW, Witzenbichler B, Guagliumi G, et al. Bivalirudin during primary PCI in acute myocardial infarction. N Engl J Med 2008;358(21): 2218-30.

Índice Remissivo

A

Abciximab, 124
Ablação
   cirúrgica, 240
   septal alcoólica, 213
Abordagem
   SAVC, 420
   SBV, 420
Acidente vaascular
   encefálico, 168
   diagnóstico, 449
   manejo, 450
   protocolo AVEi, 454
   protocolo de atendimento, 451
   terapia fibrinolítica, 453
Ácido(s)
   acetilsalicílico, 464
   épsilon-aminocaproico, 467
   graxos, 523
Acinesia, 42
Adenosina, 50, 70
Afilamento parietal, 84
Agentes
   antiplaquetários, 123
   quimioterápicos, incidência de
     cardiotoxicidade e, 271
Alara (*as low as reasonable achieavable*), 69
Alargamento mediastinal, 35
Alterações cardiovasculares, 274
Amiloidose, classificação, 229
Amiodarona, 369
Analgésicos mais utilizados no pós-
   operatório de cirurgia cardíaca, 463
Análise
   "de fora para dentro", 30
   qualitativa, 51
   quantitativa, 53
   visual semiquantitativa, 52
Aneurisma
   da aorta

     abdominal, 282
     anatomia, 281
     fisiologia, 282
     torácica, 285
   do ventrículo esquerdo, 144
Angina
   de causa não aterosclerótica
     anomalias congênitas das coronárias,
       146
     cardiomiopatia de Takotsubo, 148
     classificação, 145
     embolia coronariana, 147
     etiologia, 145
     fisiopatologia, 145
     síndrome X, 147
   estável
     classificação, 107
     diagnóstico, 108
     etiologia, 107
     exames, 109
     fisiopatologia, 107
     prognóstico, 112
     tratamento, 110, 112
   instável, classificação de Braunwald para,
     120
   não aterosclerótica, causas, 145
   pós-infarto, 142
   variante de Prinzmetal, 146
Angiorressonância coronariana, 84
Angiotomografia
   computadorizada na avaliação da
     doença cardiovascular, 74
     doença coronária, 73
   das artérias coronárias, 15, 76
   das artéris coronárias na avaliação da da
     DAC, indicações, 73
   na avaliação da
     cardiopatia congênita, 75
     doenças vasculares, 75
   por tomografia computadorizada, 67
Anomalia(s)

congênitas das coronárias, 146
de Ebstein, 32
Antagonista da aldosterona, 186, 197
Antiagregantes plaquetários, 111
Antiarrítmicos,classificação dos, 375
Anticoagulação, 545-548
Anticoagulantes, comparativo entre, 545-548
Anti-hipertensivos, associações de, 162
Antiproliferativos, 205
Antitrombínicos, 124
Aorta, 35
ascendente, 281
descendente, 281
Arco aórtico, 31, 281
Área eletricamente inativa, 25
Arritmia(s), 60, 141, 402
supraventricular, 351
ventriculares, 371
Artéria
coronária, tomografia computadorizada de, 117
pulmonares, 31,35
renal, denervação simpática da, 166
Assistolia, 424
Associação entre nitrato e hidralazina, indicações do uso, 187
Atenuação
da parede inferior, 55
mamária, 55
Atividade
deflagrada, 372
elétrica sem pulso, 424
"Atraso final de condução", 25
Atresia
pulmonar com septo interventricular íntegro, 413
tricúspide, 411
Átrio
direito, 31
esquerdo, 31, 32
Ausculta cardíaca, focos, 8
Ausência de pausa compensatória, 374
Automatismo anormal, 371
Avaliação pulmonar, 36

B

Bacteremias transitórias, 332
Balão
de contrapulsação intra-aórtica, 36, 37
intra-aórtico, 489
complicações, 473
curva de contrapulsação gerada pelo, 473
desmame, 473
idicações e contraindicações, 471
inserção, 472

mecanismo de funcionamento, 472
princípios básicos de configuração do, 489
sincronização e monitorização, 472
Barorreceptores, estimulação dos, 166
Batimento de fusão prematuro, 378
Berlin Heart EXCOR ®, 493
Berlin Heart INCOR ®, 494
Betabloqueador (es), 70, 110, 185
posologia, 186
Bigeminismo, 374
Biomarcadores, monitoramento por meio de, 275
Bioprótese valvar
aórtica por cateter, recomendações de implante de, 304
por cateter, recomendações para implante, 100
Biópsia endomiocárdica, 246
Bloqueadores
do receptor de angiotensina, 185
posologia, 185
dos canais de cálcio, 111
Bloqueio
átrio-ventricular, 385-387
de ramo
direito, 242
esquerdo, 23
divisional
anteromedial esquerdo, 25
anterossuperior esquerdo, 24
posteroinferior esquerdo, 25
Bomba (s)
axiais de fluxo contínuo, 493
centrífugas
complicações, 492
de fluxo contínuo, 491
Bradiarritmia (s)
bloqueio átrio-ventricular, 385
bradicardia sinusal, 383
dissociação AV, 388
doença do nó sinusal, 385
etiologia, 383
síncope
de hipersensibilidade do seio carotídeo, 384
neurocardiogênica, 384
Broncoespasmo, 71
Bulha(s)
"a", 6
cardíacas, 8
Bull's Eye, 53

C

Calcificação coronária, interpretação clínica do grau de, 15

Índice Remissivo

Calcineurina, efeitos colaterais dos inibidores de, 205
Cálcio coronário, indicações para a realização, 72
Câmaras cardíacas, 30
Captação de estruturas extracardíacas, 55
Cardiodesfibriladores implantáveis, 189, 214,390
Cardiologia intervencionista
  intervenção coronária percutânea, 94
  métodos diagnósticos invasivos na doença araterial coronária, 91
Cardiomiectomia transvalvar aórtica, 214
Cardiomiopatia (s)
  chagásica
    diagnóstico, 237
    fisiopatologia, 236
    manaifestações clíncias, 236
    prognóstico, 241
    tratamento, 239
  de Takotsubo, 148
  dilatada
    causas, 218
    deterioração hemodinâmica, 219
    diagnóstico, 221
    epidemiologia, 217
    etiopatogenia, 218
    exames complementares no diagnóstico, 221
    manifestações clínicas, 220
    prognóstico, 224
    tratamento, 223, 224
  hipertrófica
    diagnóstico, 211
    epidemiologia, 209
    etiopatogenia, 209
    genes relacionados à, 210
    prognóstico, 215
  infiltrativas, 87
  restritiva
    amiloidose, 229
    classificação de acordo com sua causa, 227
    endomiocardiofibrose, 230
    exames compementares, 228
    fisiopatologia, 228
    síndrome de restrição diastólica, 228
  restritiva, 231
    endomiocardiofibrose, 230
Cardiopatia (s)
  acianogênicas, 402
  cianogênicas
    atresia
      pulmonar com septo interventricular íntegro, 413
      tricúspide, 411

      síndrome de hipoplasia do coração esquerdo, 414
      tetraologia de Fallot, 409
      transposição das grandes artérias, 410
      truncus aarteriosus, 415
  congênitas, 401
    frequência das, 402
  isquêmica, 41
  na gravidez, 537-543
  não cianogênicas, 401
  obesidade e, 534
Cardiotoxicidade, 71
  agentes quimioterápicos e a incidência de, 271
  manifestações clínicas, 271
  prevenção da, 275
Cardite, 344
  reumática, 342
Cateter
  de artéria pulmonar, 481
  de Swan-Ganz, 432
Cateterismo cardíaco, 302
CDIs, 36
Células-tronco, 241
Cessação dos esforços, 426
Check-up
  angiotomografia das artérias coronárias, 15
  cardiológico, 11
  cintilografia de perfusão miocárdica, 14
  ecodopplercardiograma, 13
  eletrocardiograma, 12
  escore de cálcio coronário, 15
  exames subsidiários, 12
  história clínica, 11
  ressonância magnética cardiovascular, 16
  teste ergométrico, 13
Choque cardiogênico, 141, 471
  classificação de Killip-Kimball, 431
  diagnóstico, 432
  epidemiologia, 429
  fisiopatologia, 430, 431
  infarto de ventrículo direito, 435
  prognóstico, 435
  protocolo de atendimento do hospital do coração, 436
  tratamento, 433
Cianose, 5, 401
Cinecoronariografia, 91
Cinética dos principais marcadores de necrose miocárdica, 116
Cintilação, 47
Cintilografia
  cortes na, 52
  de perfusão miocárdica, 14, 54
  indicações, 51

552 Guia Prático de Cardiologia

miocárdica
   fármacos utilizados na, 50
   interpretação do exame, 51
   metodologia, 48
   modo de ação dos fármacos indutores
     de estresse cardiovascular, 49
   radiofármacos, 47
  segmentos miocárdicos, 52
  território de irrigação coronária avaliada
    pela, 52
Circuito de reentrada, esquematização, 352
Circulação extracorpórea, 459, 460
  resposta inflamatória à, 460
Cirurgia cardíaca, pós-operatório
  abaordagem do sangramento, 466
  admissão e monitorização, 461
  analgésicos mais utilizados, 463
  considerações fisiopatológicas, 460
  inotrópicos mais utilizados, 464
  prescrição, 462
  programação do ventilador, 465
  rotina de exames laboratoriais, 461
  sedativos mais utilizados, 462
  suporte ventilatório, 465
  vasopressores mais utilizados, 464
Classificação
  de Braunwald para angina instável, 120
  de Killip-Kimball, 431
  dos dispositivos de assistência circulatória
    mecânica, 488
  INTERMACS, 488
    para transplante cardíaco, 202
Clopidogrel, 123
Coarctação de aorta, 406
Complexo
  protrombínico, 467
  QRS, 20, 371
Comunicação
  interatrial, 404
  interventricular, 403
Confirm, registro multicêntrico
  internacional, 15
Congestão venosa pulmonar, 36
Contrapulsação por balão intra-aórtico, 434
Contraste, 71
Controle glicêmico, 464
Cor pulmonale, 6
Coração
  em "moringa", 34
  tomografia computadorizada do, 252
Core Valve, 305
Coreia, 345
Coronária esquerda, origem anômala de, 407
Correlação eletrocardiográfica × parede
  miocárdica, 130
Cortes paraesternais, 40

Corticosteroides, 204
Costocondrite, 108
Crioprecipitado, 467
Crise hipertensiva, 167
Critério
  de Boston para diagnósticos de
    insuficiência cardíaca, 176
  de Framingham, 176
  de Romhilt-Estes, 23
Cuidado pós-parada, 425
Curva
  da pressão arterial invasiva, interpretação,
    481
  de pressão, 482

D

DAC, ver Doença arterial coronária
Dapaglifozina, 536
Débito cardíaco, 482
Decisão terapêutica, 96, 159
Defeito
  de perfusão, extensão dos, 53
  do septo atrioventricular, 405
Delirium, 468
Denervação simpática da artéria renal, 166
Derrame pericárdico, 34, 43, 255, 257
  ecocardiograma na avaliação do, 259
  pericardite com suspeita de, 258
Descendente X, 6
Diabetes, obesidade e, 533
Digitálicos, 188
Dilatação da raiz da aorta, 35
Dímero D, 442
Dinitrato de isossorbda sublingual, 70
Dipiridamol, 50, 70, 71
Discinesia, 42
Disfunção
  diastólica, 210
    padrões de, 42
  valvar, 338
  ventricular, 487
Dislipidemia
  classificação, 514
  crianças e adolescentes, 524
  em situações especiais, 524
  estratificação de risco, 515
  no idoso, 524
  obesidade e, 533
  tratamento farmacológico, 521
Displasia
  arritmogênica do VD, 86
  arritomogênica do ventrículo dirieto, 232
Dispneia, 4, 311
Dispositivo (s)
  cardíacos × ressonância magnética, 88
  de assistência circulatória de longa

permanência, 493
de assistência ventricular
balão intra-aórtico, 489
bombas
axiais de fluxo contínuo, 493
centrífugas de fluxo contínuo, 491
classificação, 488
indicações, 489
de suporte circulatório, utilização, algoritmo para, 490
geradores de fluxo sanguíneo, 490
Dissecção (ões)
agudas
da aorta, 168
tipo A, tratamento, 293
tipo B, tratamento, 294
Dissociação AV, 388
Distensão muscular, 108
Distrofia muscular de Emery-Dreifuss, 266
Distúrbio de coagulação, 143
Diuréticos, 187, 197
de alça, 198
Dobutamina, 50
Doença (s)
cardíacas, classificação segundo a NYHA, 174
cardiovascular, 128
tabagismo e, 527
coronária, teste ergométrico para diagnóstico de, 57
coronariana aguda, recomendações do ecocardiograma na, 42
de Chagas, 235
de Fabry, 231
de Gaucher, 231
de Hurler, 231
do nó sinusal, 385
do pericárdio, 87
orovalvar, 87
valvar aórtica, 35
Dor
anginosa, 108
classificação
clínica, 108
da característica da, 108
esofágica, 108
musculoesquelética, 108
torácica, 3, 311
abordagem na sala de emergências, 113-118
atendimento do paciente com, fluxograma geral, 118
causas, 114
na sala emergência, 115
diagnóstico diferencial, 4
na emergência, 113

paciente com, abordagem do, 113
Drenagem do líquido pericárdico, 258
Droga (s) (*v.tb* Fármacos, Medicamento)
com interação medicamentosa com inibidores de calcineurina, 205
que devem ser suspensas no pós-operatório de cirurgia cardíaca, 466
Duplo contorno atrial, 33

E

Ecocardiografia transtorácica, 484
Ecocardiograma (ECG), 39
da taquicardia por reentrada nodal atípica, 353
transtorácico, 13, 245
Ecodopllercardiograma, 13
Ecodopplercardiografia
aplicações clínicas, 41
janelas, 39
princípios básicos, 39
Eclâmpsia, 169
Edema, 5
agudo de pulmão, 168
causas, 5
intersticial, 37
medicamentoso, 5
pulmonar com opacidades, 37
Edward-Sapien, 305
Eletrocardiograma
análise do ritmo cardíaco, 22
bloqueio de ramo, 23
de fibrilação atrial, 363
de flutter atrial, 368
diagnósticos diferneciais, 27
infarto do miocárdio, 25
interprtação geral, 20
propedêutica eletrocardiográfica, 20
sistema de condução, 19
sobrecargas, 22
Eletrocardiograma, 12
Eletrodos endocárdicos, 36
Embolia coronariana, 147
Emergência (s)
em doenças valvares
complicações agudas em, 329
estenose aórtica aguda, 329
estenose mitral aguda, 328
insuficiência mitral aguda, 327
hipertensivas
acidente vascular encefálico, 168
crise hipertesiva, 167
dissecção aguda de aorta, 168
eclâmpsia, 169
edema agudo de pulmão, 168
encefalopatia hipetensiva, 168
medicações utilizadas nas, 169

pré-eclâmpsia, 169
síndrome coronariana aguda, 169
urgência hipertesiva, 167
Encefalopatia hipertensiva, 168
Endocardite
de valva nativa
causas, 332
em adultos, terapia antimicrobiana
para, 335
de válvula protética, etiologia, 333
infecciosa
critérios ecocardiográficos, 334
critérios modificados de Duke no
diagnóstico, 333
epidemiologia, 331
fisiopatologia, 331
Endoleaks, 287
Endomiocardiofibrose, 230
Enxerto cirúrgico, avaliação de, 78
"Equivalentes angionosos", 108
Escape ventricular, 373
Escore
de Agattson, 76
de cálcio, 72, 76
coronário, 15
de Duke, cálculo do, 65
de risco
CHA2DS2VASc, 364
de Framinghran, 15
de Wells, 442
de Wilkins, 43, 312
ecocardiográfica de Wilkins, 328
GRACE, 122
prognóstico, 203
TIMI, 122
Espasmo esofagiano difuso, 108
Estatinas, 111, 134, 521
Estenose
aórtica, 45, 405
etiologia, 299
grave, intervenção percutânea na, 100
recomendações de ecocardiograma na,
45
sintomática, algoritmo de decisão
terapêutica em pacientes com, 101
avaliação da, 76
graduação de, 77
mitral, 43, 311
cateterismo cardíaco na, 313
ecocardiografia na, 313
estratégias de tratamento
intervencionista, fluxograma, 316
graduação de, 312
recomendações de ecococardiografia
na, 44
tratamento, 314, 315

valvuloplastia por cateter balão,
recomendações, 315
pulmonar, 35, 326, 406
valvar, 45
aórtica, quantificação, 300
Estimativa de probabilidade de DAC, 58
Estimulação cardíca
artificial, 214
em situações especiais, 389
na cardiomiopatia hipertrófica, 389
na cirurgia cardíaca, 389
no implante percutâneo transcateter de
valva aórtica, 389
no infarto agudo do miocárdio, 389
Estímulo descendo pelas vias Beta, 351
Estratificação
de risco cardiovascular global, 155
grau de reocmendação para uso das
diversas formas de, 124
Estresse
cardiovascular, 47, 48
modo de ação dos fármacos indutores
de, 49
farmacológico, 48
e estresse físico, difrerenças entre, 49
Estudo, tipos de, 498
Extrassístoles ventriculares, 372
Ezetimiba, 523

F

Fármaco(s) (*v.tb.* Drogas)
indicados de acordo com a situação
clínica, 164
indutores de estresse cardiovascular, modo
de ação dos, 49
utilizados na cintilografia miocárdica, 50
Febre reumática
critérios de Jones para diagnóstico de, 342
diagnóstico diferencial, 343
etiopatogenia, 341
profilaxia primária, recomendações para,
345
profilaxia secundária, recomendações,
346
tratamento, 344
Feixe
de His, 19
de Kent, 355, 356
Fenômeno
de *non-reflow*, 82
de rebote, 58
Fequência cardíaca × fármaco utilizado na
tomografia, 70
Fibratos, 523
Fibrilação
atrial, 361

classificação, 363
diagnóstico, 363
epidemiologia, 361
fatores de risco, 362
manifestações clíncias, 362
mapeamento eletroanatômico durante
a, 367
pré-excitada, 357
radioscopia durante ablação de, 367
terminologia em, 363
tratamento
a longo prazo, 366
imediato, 364
ventricular, 379
Fibrinólise, 434
Fibrinolíticos no IAM com SST, 135
Fluoxetina, 536
Flutter
atrial
diagnóstico, 368
eletrocardiograma de, 368
radioscopia durante ablação de, 369
tratamento, 368
ventricular, 379
Fluxo sanguíneo, redistribuição para lobos
superiores, 36
Fondaparinux, 124
Fórmula
de Bazzet, 21
Teicholz, 41
Função
diastólcia, 41
sistólica, 41
ventricular com agente de perfusão,
análise da, 54

G

Gasometria de Wells, 442
Gasping, 420
GRACE (*The Global Registry of Acute Coronary Events*), 131
Gradiente VE-Ao, manobras que modificam o, 211
Gravidez, cardiopatia na, 537-543

H

"*Heart team*", 96
Hemácia, concentração de, 467
Hematoma intramural, 294
Hemocromatose, 232
Hemoptise, 311
Heparina, 124, 464
Heterogeneidade, 504
Hilos aumentados em paciente com
hipertensão pulmonar, 36

Hipercolesterolemia isolada, 514
Hipergliceridemia isolada, 514
Hiperlipidemia mista, 514
Hiper-reatividade pressórica ao esforço, 62
Hipersinal, 86
Hipertensão
arterial
fluxograma de tratamento da, 163
obesidade e, 532
pulmonar, 109
resistente, 164
tratamentos para, 166
secundária, 156
sistêmica, 151, 153
tratamento
medicamentoso, 160
não medicamentoso, 160
do jaleco branco, 153
mascarada, 154
sistólica isolada, 154
Hipertrofia
miocárdica assimétrica, 85
ventricular esquerda, 109
Hipocinesia, 42
Hipotensão ortostática, 10, 393
Hipotireoidismo, 5

I

Inbibidores do sistema renina-angiotensina-aldosterona, 124
Índice
de Cornell, 23
de Sokolow Lyon, 23
Infarto
agudo do miocárdio
classificação, 128
com supra SP
intervenção coronária percutânea,
137
revascularização cirúrgica no, 137
com supradesnível do segmento ST, 127
complicações
angina pós-infarto, 142
arritmias, 141
choque cardiogênico, 141
distúrbios de coagulação, 143
hemorrágicas, 143
mecânicas, 143
pacientes pós-IAM, 142
pericardite tardia, 142
síndrome de Dressler, 142
subgrupos clínicos, 431
terceira definição, Sociedade Europeia
de Cardiologia, 128
atrial, 26
de ventrículo direito, 435

do miocárdio, 25
   de ventrículo direito, 26
   perioperatório, 467
Infecção, pacientes submetidos e cirurgia
   cardíaca, 468
Infradesnível ST, 63
Inibidor (es)
   da glicoproteína Iib/IIIa, 133
   da enzima de conversão de angiotensina,
      134, 184
   de calcineurina, 204
      drogas com ineração medicamentosa
         com, 205
   do sinal de proliferação, 205
Inotrópicos mais utilizados no pós-operatório
   de cirurgia cardíaca, 464
Inovare, 305
Insuficiência
   aórtica, 45, 305
      aguda, 309
      cateterismo na, recomendações para,
         308
      ecodopplercardiografia na, 307
      fisiopatologia da, 306
      ressonância magnética cardiovascular
         na, recomendações, 308
      tratamento, recomendações, 308
   cardíaca, 5
      classificações, 174
      de fração de ejeção normal
         diagnóstico, 194, 195
         epidemiologia, 193
         fisiopatologia, 194
         potenciais mecanismos
            fisiopatológicos envolvidos na
            fisiopatologia da, 194
         tratamento, 195, 196, 197
      de fração de ejeção reduzida
         diagnóstico, 182
         seguimento clínico, 181
         tratamento, 182, 183, 184
      estágios, 487
      fatores etiológicos, 173
      tratamento de acordo com o perfil
         hemodinâmico, 191
   mitral, 44, 316
      aguda, 320
      causas, 328
   pulmonar, 326
   tricúspide, 324
      importante, 325
   valvar mitral, 317
Intervalo QT, 21
Intervenção coronária prcutânea, 94
   em pacientes com SCA com
      supradesnivelamento do segmento ST,

      recomendações, 99
   em pacientes com SCA sem
      supraadesnivelamento do segmento ST,
      recomendações, 99
   em pacientes com angina estável,
      recomendações, 97
   na estenose aórtica grave, 100
   na síndrome coronariana, 95, 96
Isquemia
   circunferencial, 26
   do miocárdio, 129
   e lesão, 26
   global, 26
   miocárdica, critérios diagnósticos da
      presença de, 26
Ivabradina, 111, 187

J

Janela
   ecocardiográficas, 40
   paraesternal longitudinal, 43
   pericárdica, 258

K

KeV, 48
Korotkoff, primeiro som de, 10

L

LCZ696, 187
Lei de Laplace, 286
Lesão (ões)
   subclínicas de órgãos alvos, 156
   subendocárdica, 26
   subepicárdica, 26
Liraglutida, 536
Lista de espera, tratamento e manutenção de
   pacientes ambulatoriais na, 204

M

Manifestações isquêmicas, 25
Manobras que modificam o gradiente VE-Ao
   e a intensidade do sopro, 211
Mapas polares, 53, 54
MAPA (medida ambulatorial da pressão
   arterial), 152
Mapeamento eletroanatômico durante a
   fibrilação atrial, 367
Marcador (es)
   de lesão miocáridca, 130
   de necrose miocárdica, 115, 121, 130
      cinética dos, 116
Marca-passo, 36, 214
   cardíaco, 388
      no cardiointensivismo, 474

de entrada, 111
em ventrículo direito, ponta do, 37
instalação do, 476
transitório, indicações, 475
transvenoso, morfologia
eletrocardiográfica durante a passagem
do, 476
Massagem do seio carotídeo, 395
Mediastino, 35
divisão didática em compartimentos, 35
Medicações (*v.tb.* Drogas, Fármacos)
utilizadas
nas emergências hipertensivas, 169
no tratamento da hipertensão arterial
sistêmica, 161
Medicina baseada em evidências, 497
Metanálise
avaliação crítica de, 503-510
cálculo de valores-síntese utilizados em, 505
dados de uma, 504
hipotética de estudos aleatorizados, 506
interpretando a, 505
Método (s)
adjuntos à cinecoronariografia, 92
diagnósticos invasivos na doença
coronária
adjunto à cinecoronariografia, 92
reserva de fluxo fraciomnada, 92
tomografia de coerência óptia, 94
ultrassom intracoronário, 93
MIBI marcada com tecnécio-99 metaestável,
47
Miocárdio não compactado
diagnósticos diferenciais, 267
epidemiologia, 266
fisiopatologia, 266
prognóstico, 267
quadro clínico, 266
tratamento, 267
Miocardiopatia
alcoólica
epidemioloigia, 268
exames complementares, 268
fisiopatologia, 268
tratamento, 269
de Takotsubo
diagnóstico, 269
fisiopatologia, 269
quadro clínico, 269
tratamento, 270
dilatada
idiopática, 219
periparto, 276
por quimioterápicos e radioterapia, 271
relacionada a quimioterápicos,
classficação proposta, 273

Miocardite(s), 86, 243
biópsia endomiocárdica, 246
clínica, 245
ecocardiograma, 245
eletrocardiograma, 245
específicas, manifestações clínicas
associadas a, 245
etiologia, 243, 244
fisiopatologia, 244
padrões eletrocardiográficos evolutivos
na, 245
prognóstico, 248
ressonância nuclear magnética, 246
situações especiais, 247
tratamento, 246
viral, 243
Mioglobina, 116
Monitorização
dispositivos de, 36
hemodinâmica
análise do controno do pulso, 483
cateter da artéria pulmonar, 481
ecocardiografia transtorácica, 484
interpretação da curva da pressão
arterial invasiva, 481
pressão
arterial invasiva, 480
venosa central, 479
variação da pressão de pulso, 481
Morte
súbida, 190
cardíaca, 210, 419
fatores de risco, 214
prevenção primária, indicações, 190
MTOR, enzima, 205
Mudanças alimentares e de estilo de vida,
impacto, 521

N

National Institutes of Health Stroke Scale, 452
Natriurese, 197
Nefropatia induzida por contraste, 72
Nefrotoxicidade, 71
Niacina, 524
Nitratos, 70, 110
Nível de evidência, 124
Nódulo
de Aschoff-Tawara, 19
de cálcio, 76
de Keith-Flack, 19
NYHA (New York Association), 174

O

Obesidade
cardiopatias e, 534

classificação, 531
definição, 531
diabetes e, 533
dislipidemia e, 533
epidemiologia, 531
hipertensão arterial e, 532
mecanismo neuro-humoral da saciedade, 532
tratamento, 535, 536
Obstrução linfática, 5
Onda
"a", 6
c, 6
de ultrassom, 39
delta, ECG, 355
J, 21
P, 20
T, 21
Ta, 20
U, 21
v, 6
Orlistate, 536

P

Paciente
com alto risco de eventos coronarianos
critérios de identificação, 515
com insuficiência cardíaca
descompensada, opções e evidências em, 188
sintomática, indicações das medicações, 186
hiertenso, 154, 155
Palpitação, 4
Parâmetros oximétricos, 483
Pausa
compensatória, 372
ausência de, 374
mecanismos de, 373
maior que compensatória, 373
menor que compensatória, 373
pós-extrassistólica, 372
PCR, monitorização durante, 425
"Penumbra isquêmica", 168
Percussão, 6
Perfil lipídico, valores referenciais do, 514
Perfuração valvar, 339
Perfusão miocárdica por TC, 70
Pergunta da pesquisa, formulação da, 497
Pericárdio, 34
afecções do, tratamento cirúrgico, 263
Pericardite, 108
aguda
classifiacção, 249
exames
complementares, 250

laboratoriais, 251
fisiopatologia, 249
manifestações clínicas, 250
tratamento, 253
causas, 250
construtiva
diagnóstico diferencial, 263
eteiologia, 261
exames complementares, 262
fisiopatologia, 261
manifestações clínicas, 262
tratamento, 263
pós-IAM, 142
tardia, 142
terapêutica anti-inflamatória,
imunossupressora e antiviral na, 253
Persistência do canal arterial, 404
Pesquisa, base lógica do desenho da, 498
"Placa vulnerável", 94
Planimetria da válvula aórtica, 75
Plaquetas, 467
Plasma fresco congelado, 467
Prasugrel, 123
Pré-eclâmpsia, 169
Pré-excitação ventricular, 355
Pressão
arterial, 62
invasiva, 480
curva da, interpretação, 481
metas de, 159
medida da, 10
venosa
central, 479
jugular, 6
Princípio (s)
Alara, 69
da tomografia computadorizada, 68
do ensino clínico, 499
Probabilidade de DAC
comparação da, 59
estimativa da, 58
Profilaxia antibiótica, 339
Propafenoma, 369
Propedêutica eletrocardiográfica, 20
Protamina, 467
Prótese (s)
Edwards-Sapien, 102
valvares, 36, 74
Protocolo
Bruce, 60
modificado, 61
de Ellestad, 61
para atendimento à PCR do Hospital do Coração, 426, 427
para esteira rolante, 60
Prova farmacológica, 48

Índice Remissivo

Pulso (s)
  alternante, 7
  anacrótico, 7
  bigeminus, 7
  bisferiens, 7
  características dos, 6-7
  célere, 7
  contorno de, análise, 483
  corrigan, 7
  dicrótico, 7
  normal, 7
  paradoxal, 7
    esquematização, 256
  periféricos, 6
  variação da apressão de, 481
Pulsoterapia com metilprednisolona, 344

Q

Quadrigeminismo, 374
Quantum, de energia, 48

R

Radiação, 69, 232
  dos exames de imagem cardíaca, valores de dose, 69
Radiofármacos, 47
Radiografia de tórax
  estruturas anatômicas caracterizadas na, 30
  na doença cardiovascular, avaliação da, 30
  portáteis, 37
  princípios básicos, 29
Radioscopia durante ablação de
  fibrilação atrial, 367
  flutter atrial, 369
Reação (ões)
  anafilactoides, 71
  idiossincráticas, 71
  não idiossincráticas, 71
  vasomotaras, 71
Reentrada, 372
Reestenose, 95
Refluxo
  gstroesofágico, 108
  hepatojugular, 6
Registro
  Desire, 95
  multicêntrico internacional Confirm, 15
Regurgitação da valva mitral com ou sem
  ruptura do músculo papilar, 143
Repolarização
  atrial, 20
  precoce, 21
  ventricular, alterações de, 23
Reserva de fluxo fracionada, 92

Resinas, 522
Resposta da PAS deprimida, 62
Ressincronização cardíaca, 188
Ressincronizadores cardícacos, 389
Ressonância magnética
  cardiovascular, 16, 303
  miocardite e, 246
  técnica, 81
Ressuscitação cardiopulmonar, 419
Revascularização
  em pacientes com DAC estável, indicação para realização de, 97
  miocárdica, 125
    em pacientes com insuficiência cardíaca, 190
Revisão
  sistemática-metanálise, como avaliar criticamente?, 506
  sistêmica
    etapas metodológicas na avaliação da, 507
    requisistos a serem avaliados em uma, 510
Risco cardiovascular global para
  homens, 517
  mulheres, 516
Ritmo
  cardíaco, análise do, 22
  de PCR, 424
  idioventricular acelerado, 376
  sinusal, 22
Ruptura
  da parede livre do ventrículo, 144
  do septo ventricular, 143
  valvar, 339

S

Saciedade, 532
Saco pericárdico, 255
Sangramento aumentado no pós-operatório de cirurgia cardíaca, 466
Sarcoidose, 231
SBV adulto, algoritmo, 422
SCCT (Society of Cardiovascular Computed Tomography), 77
SDS (*summed difference score*), 53
Segmentação coronariana pela SCCT, diagrama, 77
Segmento ST, análise dos pontos do, 63
Seio carotídeo, massagem do, 395
Semiologia cardiovascular
  anamnese, 3
  ausculta, 8
  exame físico, 5
  inspeção, 5
  palpação, 5

Sequela de enxerto venoso, 5
Sequência spin-eco, 81
Sequência CARB primário, 420
Sestamibi, 47
Shunt pulmonar, 483
Significância clínica, 501
Sinal (is)
  cardiovasculares, 175
  de Kussmaul, 6
  de Palla, 442
  de Westermark, 442
Síncope, 5
  cardíaca, 392
  causas, 392
    cardíacas, 393
  classificação, 391
  de hipersensibilidade do seio carotídeo, 384
  fisiopatologia, 391
  mediada por reflexo, 392
  neurocardiogênica, 384
  neuromediada, 392
  por hipotensão ortostática, 392
  situacional, 397
  tratamento baseado na etiologia, 397
  vasovagal, 397
Síndrome (s)
  aórticas
    agudas
      classificação, 290
      dissecção da aorta, 289
      etiologia, 290
      exame físico, 291
      quadro clínico, 291
  bradicardia-taquicardia, 385
  carcinoide cardíaca, 232
  coronariana aguda, 169
    com supra de ST, 129
    indicações da ecocardiografia sob estresse na, 43
    sem supra ST, 120
  da hipoplasia do coração esquerdo, 414
  de baixo débito cardíaco, 467
  de Barth, 266
  de Dressler, 142
  de restrição diastólica, 228
  de Tietze, 108
  de Wolff-Parkinson-White, 355
  metabólica, 533
  nefrótica, 5
  X, 147
Sistema
  CoreValve, 102
  de condução, 20
Sobrecarga(s), 22
  atriais, 22

ventricular
  direita, 23
  esquerda, 22
Sopro (s)
  características dos, 9
  cardíacos, 9, 402
    classificação, 9
  da estenose aórtica, 211
  manobras que modificam o, 211
  nas valvopatias, 10
  representação gráfica dos principais sorpos, 10
  sistólico, 211
  suave holossistólico, 211
SRS (*summed rest/redistribuition score*), 53
SSS (*summed stress score*), 53
Staphyloicoccus coagulase-negativo, 332
Stent
  avaliação de, 787
  farmacológico, 95
Strain rate, 14
Suporte
  cardíaco mecânico, 240
  ventilatório, 465
Supra-ST, avaliação, 62

T

Tabagismo
  doença cardiovascular e, 527
  prevenção, 527
  tratamento, 528
Tálio-201, 48
Tamponamento cardíaco, 255, 293
  causas, 255
  desenvolvimento, 255
Taquiarritmia (s)
  supraventriculares
    pré-excitação ventricular, 355
    taquicardia
      atrial, 358
      de reentrada atrioventricular de condução apenas retrógrada, 353
      nodal, 351
      sinusal inapropriada, 359
  ventriculares
    características clínicas, 374
    características eletrocardiográficas comuns, 371
    epidemiologia, 374
    fibrilação ventricular, 379
    flutter ventricular, 379
    manifestações clínicas, 378
    mecanismos, 371
    significado prognóstico, 374
    taquicardia ventricular, 376
    tratamento, 378

Taquicardia
- atrial, 358
  - focal, 358
  - multifcocal, 359
- de Counel, registro pelo Web-Looper, 354
- de QRS largo, algoritmo para, 380
- ortodrômica por reentrada
  - atrioventricular, 354
- por reentrada
  - atrioventricular de condução apenas retrógrada, 353
  - nodal, 351
- sinusal, 256
  - inapropriada, 359
- ventricular, 374, 376
  - classificação, 377
  - com dissociação AV, 377
  - sustentada, tratamento, 378

Terapia
- comportamental, 535
- de reperfusão, 135
- de ressincronização cardíaca
  - associada ou não ao cardiodesfibrilador impantável, 188
  - em pacientes com ritmno sinusal, recomendações para utilização de, 189
  - recomendações para, 189
- fibrinolítica, 453
- imunossupressora, 204
- percutânea transcoronária de redução da hipertrofia miocárdica septal, 213
- tripanossomicida, 239

Teste
- cardiopulmonar de exercício, 59
- de esforço, 116
  - cardiopulmonar, 203
- ergométrico, 13
  - avaliação supra-ST, 62
  - contraindicações, 60
  - de paciente com Wolff-Parkinson-White, 356
  - inconclusivo para isquemia miocárdica, 64
  - indicações gerais, 57
  - interpretações, 61
  - interrupção do, critérios, 64
  - metodologia, 60
  - para diagnóstico de doença coronária, 47
  - pressão arterial, 62
  - prognóstico, 64
  - recomendações em
    - arritmias, 60
    - indivíduos assintomáticos e atletas, 59
    - valvopatias, 59

tempo para suspensão de medicamentos para a realização do, 58
Tetralogia de Fallot, 32, 409
Ticagrelor, 123
Tilt test, 396
Time de resposta rápida, 419, 425
TIMI RISK (*Thrombolysis in Myocardial Infarction*), 132
Tirofiban, 124
Tomografia
- computadorizada por emissão de um único fóton, 14
- de coerência óptica, 94
- de corornária
  - indicações, 72
  - interpretação da imagem, 76
  - limitações, 68
  - preparo do paciente, 70
  - princípios básicos, 67
- por emissão de pósitrons, 54

Toxicidade pulmonar, 71
Transplante cardíaco, 191
- classificação INTERMACS, 202
- contraindicações, 202
- indicações de, 201
- pós-operatório do, 205
- preparo do paciente, 202
- tratamento multidisciplinar, 204

Transposição das grandes artérias, 410
Tremor da linha de base, 361
Triatoma infestans, 235
Trigeminismo, 374
Trimetazidina, 111
Tromboembolismo
- pulmonar
  - classificação, 441
  - exames complementares, 442
  - incidência, 439
  - protocolo de tratamento, 447
  - sinais e sintomas, 439
  - tratamento, 443
- venoso, fatores predisponentes, 440

Trombólise, 455
Trombose venosa profunda, 5
Tronco pulmonar, 35
Troponinas, 116
Truncus arteriousus, 415
Trypanosoma cruzi, 235

U

Úlceração aterosclerótica penetrante, 294
Urgência hipertensiva, 167

V

Valores-sínteses utilizados em metanálise, cálculo de, 505

Valva
aórtica bicúspide, 286
tricúspide, 323
Valvopatia(s)
estenose aórtica, 45
estenose mitral, 43
insuficiência
aórtica, 45
mitral, 44
mitrais
estenose mitral, 311
insuficiência mitral, 316
aguda, 320
pulmonar, 45
tricúspide, 45
Válvula aórtica, planimetria da, 75
Valvuloplastia
mitral percutânea por cateter balão, 314
por cateter balão, 304

Vasculatura pulmonar diminuída, 32
Vasodilatador, 49
Vasopressores mais utilizados no pós-operatório de cirurgia cardíaca, 464
Vegetação, 338
Veia pulmonar, reconstrução 3D, 75
Vena contracta, 44, 45
Ventilador, programação do, 465
Ventrículo
direito, 31
esquerdo, 31, 33
aumento de, 33, 34
Vetores eletrocardiográficos, 21
Viabilidade miocárdica, pesquisa de, 54

W

Willen Einthoven, 19